Cómo funciona el cuerpo humano

Fisiología

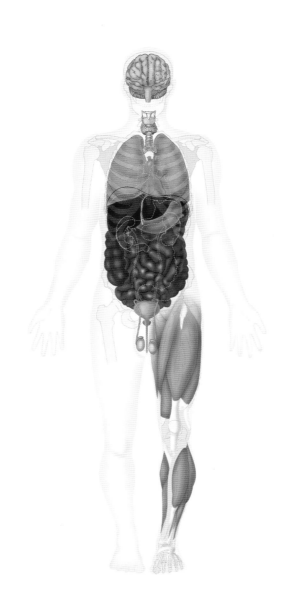

Cómo funciona el cuerpo humano

Fisiología

Peter Abrahams

LIBSA

© 2008, Editorial LIBSA
C/ San Rafael, 4
28108 Alcobendas. Madrid
Tel. (34) 91 657 25 80
Fax (34) 91 657 25 83
e-mail: libsa@libsa.es
www.libsa.es

ISBN: 978-84-662-1795-8

Derechos exclusivos de edición para todos
los países de habla española.

Traducción: Antonio Rincón Córcoles

© MMVII, Amber Books Ltd.

Título original: *Physiology. All you need to know about how your body works*

Contenido

Introducción

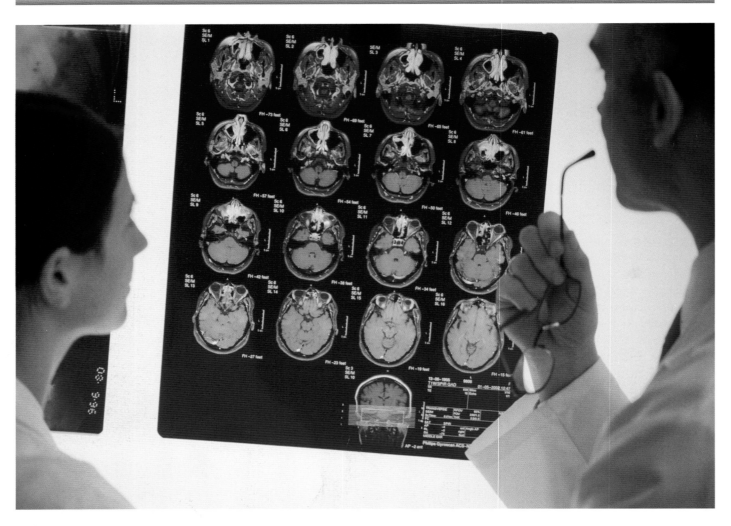

A lo largo de la Historia la humanidad se ha esforzado por comprender exactamente cómo funciona el cuerpo aplicando este conocimiento para desarrollar un arsenal de herramientas de lucha contra la enfermedad y prolongar la vida humana.

La alambicada historia de la fisiología, el estudio del funcionamiento del cuerpo sano, está jalonada por una serie de pistas falsas y brillantes hallazgos ocasionales. Es una ciencia que ha preocupado a las grandes mentes de la Historia, a la vez que ha promovido un no despreciable grado de «seudociencia» y

superchería. En última instancia, el conocimiento acerca de nuestro cuerpo y del modo en que sucumbe a la enfermedad ha llevado a los científicos actuales a desarrollar tratamientos cada vez más sofisticados para las dolencias y crear curas para enfermedades en tiempos consideradas irremisibles.

MEDICINA ANTIGUA

Uno de los primeros usos registrados de la medicina aparece en las pinturas rupestres europeas, donde se representan plantas como agentes sanadores primigenios. En el Antiguo Egipto los papiros que se

conservan señalan la realización de observaciones anatómicas detalladas durante el embalsamamiento de los cadáveres. Y uno de los más renombrados médicos del mundo antiguo, Hipócrates, nacido en Grecia en el año 460 a.C., proclamó la importancia de la observación clínica, la anotación de los síntomas y los remedios.

Aunque algunas de estas prácticas parecen anteceder a su tiempo, se basaban en un conocimiento poco preciso. La sabiduría aceptada de la Antigua Grecia señalaba la existencia de cuatro humores en el cuerpo: flema, sangre,

Los médicos comparan varias gammagrafías cerebrales tomadas desde cuatro ángulos distintos.

bilis roja y bilis amarilla, cuyo desequilibrio era la causa de la enfermedad.

Esta creencia pervivió a lo largo de la Edad Media, un periodo de estancamiento, cuando la Iglesia, una fuerza de influencia inmensa, enseñaba que la enfermedad era un castigo divino, un justo desierto para los pecadores. Pocos se atrevían a desafiar a la poderosa clase eclesiástica y las prácticas médicas evolucionaron hacia una mezcla incongruente de superstición y creencias populares.

ACTITUDES ILUSTRADAS

El Renacimiento asistió al retorno de un enfoque más ilustrado, que dio paso a un periodo de investigación médica. Mientras Leonardo da Vinci realizaba incursiones bien documentadas en la disección humana, otras figuras pioneras, como Andrea Vesalio y William Harvey, se opusieron con evidencias científicas a las prácticas populares aceptadas. Vesalio reveló las diferencias entre la anatomía del hombre y la de los animales, mientras que Harvey fue autor del increíble descubrimiento de la circulación de la sangre por todo el cuerpo bombeada por el corazón.

A pesar de los crecientes conocimientos en fisiología, la ausencia de medicamentos eficaces procuraba escasos beneficios directos para la salud general de la población. Sin embargo, desde el siglo XVIII los avances en química y técnicas de laboratorio llevaron al nacimiento de la ciencia de la bacteriología.

Louis Pasteur y Robert Koch confirmaron definitivamente la teoría de los gérmenes para establecer una relación entre enfermedad y microorganismos, lo cual culminó con el desarrollo por Pasteur de vacunas contra la rabia y el carbunco.

Otros descubrimientos fundamentales tuvieron un impacto perdurable. En 1842 Crawford Long realizó la primera operación quirúrgica con anestesia; en 1867 Joseph Lister resaltó el uso beneficioso de la antisepsia en los hospitales, por lo que se redujeron las tasas de mortalidad. Wilhelm Rontgen inventó la máquina de rayos X en 1896, y en 1901 Karl Landsteiner descubrió los grupos sanguíneos humanos. Estos hallazgos, monumentales por su importancia, pusieron las bases para las transformaciones del diagnóstico y la cirugía en el siglo XX.

TECNOLOGÍA MODERNA

Con el siglo XX llegó la medicina basada en las evidencias, que aplicaba el método científico para responder a las cuestiones clínicas. Los avances en tecnología se produjeron a un ritmo tal que por primera vez en la Historia el conocimiento y la ciencia se confabularon para producir un número de adelantos sin precedentes en todas las áreas de la medicina.

En 1928 el bacteriólogo Alexander Fleming hizo uno de los hallazgos más importantes del siglo cuando descubrió «accidentalmente» la penicilina a partir de un moho que había desarrollado un círculo libre de bacterias a su alrededor. El descubrimiento de Fleming señaló el inicio de la revolución de los antibióticos. Los avances ulteriores en farmacología llevaron al desarrollo de más vacunas, que permitieron prácticamente erradicar enfermedades infantiles, como la polio, el sarampión y la rubeola, en el mundo desarrollado. Hoy en día la farmacología es una industria multimillonaria que desarrolla nuevos fármacos constantemente. Una tecnología y unos dispositivos de detección muy sofisticados han permitido a los científicos ver el cuerpo humano como nunca antes. Además de las mejoras sostenidas en rayos X,

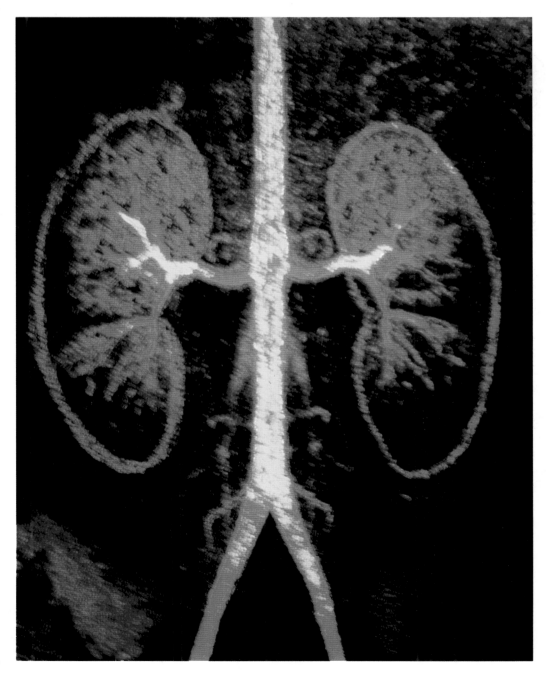

Este angiograma muestra los riñones humanos, remarcados en color morado. La zona naranja es el uréter, que transporta la orina hasta la vejiga.

un conjunto de varias técnicas de imagen, como ecografías, resonancias magnéticas (RM), tomografías computarizadas (TC), angiografías y endoscopias, ha revolucionado la medicina de diagnóstico, brindando a los médicos imágenes increíblemente detalladas de las estructuras internas, facilitando el diagnóstico precoz y mejores opciones de tratamiento.

INSTRUMENTOS PODEROSOS

A la vez que los dispositivos de exploración, los potentes microscopios electrónicos han permitido a los científicos actuales observar las estructuras del cuerpo al mínimo detalle. Herramientas fundamentales de investigación y diagnóstico, los microscopios electrónicos forman parte integral de cualquier laboratorio y son usados por lo común en las biopsias y en el examen de células y microorganismos.

Los procedimientos quirúrgicos se han hecho cada vez más complejos, de modo que operaciones que hoy se realizan habrían sido inimaginables hace sólo 50 años. Una sucesión de adelantos rompedores ha seguido al primer trasplante de corazón efectuado con éxito en 1967 por Christian Barnard.

La microcirugía y sus técnicas asociadas han transformado numerosos procedimientos para recortar espectacularmente las tasas de recuperación y permitir operaciones en tejidos minúsculos. Una de las predicciones más llamativas es la posibilidad, mediante la microcirugía, de realizar complejas operaciones en bebés en el vientre materno. Algunas enfermedades importantes siguen desafiando a la ciencia

médica. La curación de las cardiopatías y el cáncer, dos de las que mayor número de víctimas se cobran en el mundo desarrollado, ha eludido hasta ahora a los científicos, aunque los avances en los tratamientos no menguan.

Nuevos fármacos «inteligentes» permiten atacar con precisión las células cancerosas evitando la destrucción de los tejidos sanos circundantes y facilitando la administración de dosis más altas y potentes con menos efectos secundarios desagradables, asociados tradicionalmente a la quimioterapia. De forma análoga, la radioterapia se ha refinado con una concentración más precisa de los rayos en las células cancerosas. Uno de los descubrimientos más estimulantes es la relación establecida entre virus y cáncer

y, en consecuencia, el desarrollo de una vacuna contra el cáncer de cuello de útero. Se ha predicho que muchos tipos más de cáncer podrían estar vinculados con virus, con la posibilidad de una nueva oleada de vacunas de protección.

Análogamente, el tratamiento de las cardiopatías ha protagonizado un gran salto adelante. Las últimas técnicas de imágenes de alta tecnología para visualizar los coágulos y el surgimiento de una cirugía robótica para operaciones de *bypass* apuntan a una mejora espectacular de los índices de supervivencia en el futuro.

NUEVAS INVESTIGACIONES

Dos de los avances más extraordinarios y conflictivos

Esta imagen microscópica de un coágulo sanguíneo muestra glóbulos rojos, o eritrocitos, atrapados entre la fibrina.

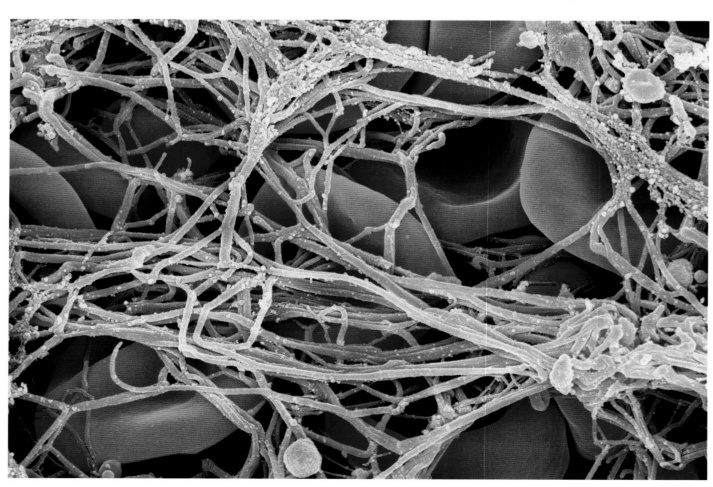

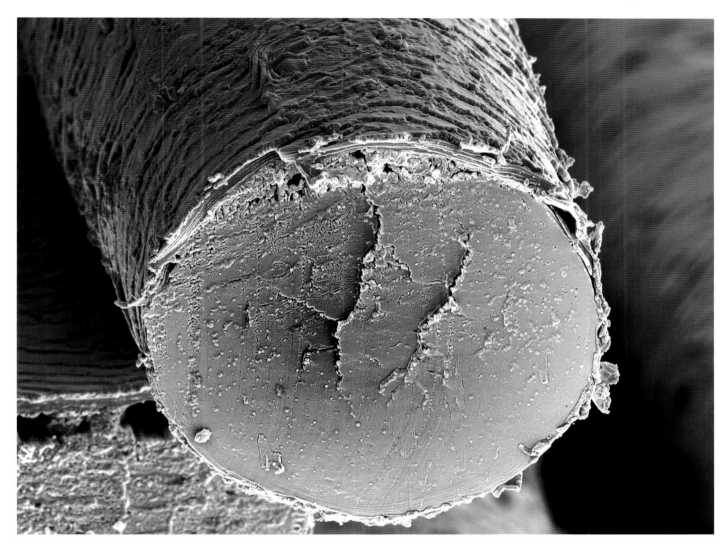

Una sección de pelo de una persona asiática muestra escamas y una sección ovalada característica. Los diferentes grupos raciales pueden identificarse por el análisis capilar.

del mundo médico son la terapia génica y la investigación con células madre. Estos dos campos ofrecen oportunidades increíbles para luchar contra la enfermedad. El descubrimiento en 1953 por James Watson y Francis Crick de la estructura del ADN humano inició un viaje extraordinario que condujo al lanzamiento del proyecto Genoma Humano en 1990, una aventura internacional para descubrir los 25.000 genes del ADN del hombre. Completado en 2003, el proyecto llevó a los científicos a considerar la posibilidad de sustituir genes «enfermos» por otros sanos y de introducir perfiles genéticos alertando a los individuos de sus posibles problemas de salud. Como el ADN de cada persona es único, el análisis de ADN o «huella génica» se ha usado también en medicina para identificar a posibles donantes de órganos y para establecer la paternidad. Entre tanto, en la investigación con células madre se usan células «en blanco» obtenidas de embriones en su primera fase de desarrollo, se cultivan en tipos celulares especializados, como las células nerviosas, y se emplean para sustituir tejidos enfermos. Esta técnica da esperanza en problemas como el párkinson y plantea la casi milagrosa posibilidad de tratar dolencias, como lesiones de médula ósea, reemplazando los tejidos dañados por tejidos sanos renovables. A pesar de la comprensible emoción suscitada, ambos campos son controvertidos al plantear cuestiones éticas y prácticas; han de superarse numerosos obstáculos antes de que se conviertan en una práctica médica habitual.

Frente a toda esta ciencia siguen apareciendo nuevos retos médicos. Los crecientes casos de obesidad en Occidente han llevado a predecir niveles sin precedentes de enfermedades en los jóvenes, mientras que el abuso de antibióticos se ha traducido en el desarrollo alarmante de nuevas cepas de superorganismos resistentes a estas sustancias.

ESTE VOLUMEN
Este libro ofrece al lector una visión en profundidad de cómo funciona el cuerpo exactamente. Se explica el funcionamiento de los sistemas corporales y también da respuesta a algunas preguntas intrigantes sobre la relación entre el olfato y la memoria, la experiencia de las emociones y la reacción del cuerpo ante el estrés. Organizado en secciones temáticas que exploran los principales sistemas del cuerpo, el libro lleva al lector a un sin igual viaje de descubrimiento.

Cómo se forman los huesos

Los huesos son tejido vivo y se hallan en un estado constante de renovación.
Conforman la base del esqueleto, son responsables de la locomoción y contienen
médula ósea y minerales vitales.

Los huesos son los tejidos rígidos del cuerpo que conforman la base del esqueleto humano. Constituyen un tejido vivo en constante renovación y remodelación por medio de un proceso de crecimiento y reabsorción.

MATRIZ ÓSEA

El hueso se compone de una matriz calcificada en la que se integran las células óseas. La matriz está compuesta por unas fibras de colágeno flexible en las que se depositan cristales de hidroxiapatito (una sal de calcio). En esta matriz se encuentran tres tipos principales de células óseas:

- Osteoblastos: células responsables de la formación del hueso.
- Osteoclastos: células que consumen el hueso.
- Osteocitos: células óseas completamente maduras.

Las células que forman y consumen el hueso permiten la renovación constante de la matriz ósea, que tiene lugar durante toda la vida.

SOPORTE ESQUELÉTICO

Unidos en las articulaciones por los ligamentos y desplazados por los músculos anexos, los huesos son un apoyo vital para la locomoción.

La intrincada disposición de los huesos delimita cajas que protegen las partes blandas y delicadas del cuerpo, a la vez que permiten una gran flexibilidad y movimiento. Además, los huesos contienen médula ósea, la sustancia grasa y blanda que produce la mayor parte de los glóbulos rojos.

Los huesos actúan asimismo como almacén de los minerales calcio y fósforo, vitales para muchos procesos vitales.

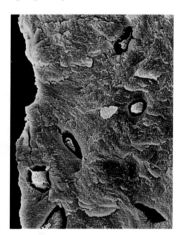

Los osteoblastos son células formadoras de hueso. Esta micrografía muestra células de osteoblastos (óvalos irregulares) rodeadas por la matriz ósea creada.

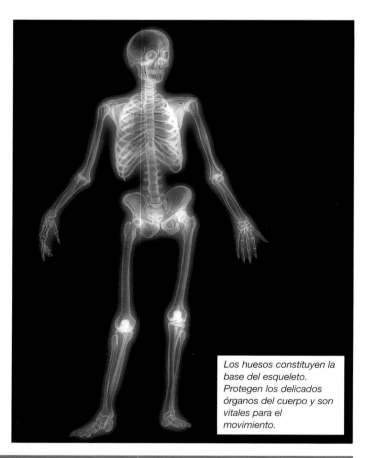

Los huesos constituyen la base del esqueleto. Protegen los delicados órganos del cuerpo y son vitales para el movimiento.

Estructura del tejido óseo

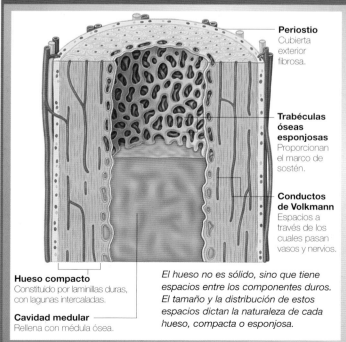

Periostio
Cubierta exterior fibrosa.

Trabéculas óseas esponjosas
Proporcionan el marco de sostén.

Conductos de Volkmann
Espacios a través de los cuales pasan vasos y nervios.

Hueso compacto
Constituido por laminillas duras, con lagunas intercaladas.

Cavidad medular
Rellena con médula ósea.

El hueso no es sólido, sino que tiene espacios entre los componentes duros. El tamaño y la distribución de estos espacios dictan la naturaleza de cada hueso, compacta o esponjosa.

El tejido óseo existe en dos formas: hueso compacto (o cortical) y hueso esponjoso (o trabecular).

Hueso compacto

El hueso compacto conforma la cubierta exterior de todos los huesos y es más grueso en los lugares que reciben mayores tensiones. Está hecho de una serie de conductos y orificios que permiten el paso de los nervios, los vasos sanguíneos y los vasos linfáticos, que se extienden a través de cada hueso.

Las unidades estructurales de huesos compactos (osteones) son cilindros alargados que se extienden en paralelo al eje largo del hueso. Los osteones están compuestos por un grupo de laminillas (tubos huecos) de matriz ósea dispuestas concéntricamente.

Las laminillas se organizan de manera que las fibras de colágeno de laminillas adyacentes discurren en direcciones opuestas; su función es la de reforzar el hueso frente a fuerzas de torsión. Cada osteón está alimentado por vasos sanguíneos y lo inervan fibras nerviosas que atraviesan su centro, conocido como conducto de Havers.

Los conductos de Volkmann conectan los vasos sanguíneos y los suministros nerviosos del periostio (membrana que reviste el hueso) con los de los conductos centrales y la cavidad medular (que contiene la médula ósea).

Las células óseas maduras (osteocitos) están situadas en las pequeñas cavidades (lagunas) situadas entre cada laminilla.

Hueso esponjoso

El hueso esponjoso conforma la parte interna de la mayoría de los huesos y es mucho más ligero y menos denso que el hueso compacto. Ello se debe a que contiene una serie de cavidades rellenas de médula. El hueso esponjoso está reforzado por una red transversal de soportes óseos, llamados trabéculas.

Formación del hueso

La formación del hueso comienza en el embrión y continúa durante los primeros 20 años de vida. El desarrollo tiene lugar desde una serie de centros de osificación y, una vez que éstos se calcifican totalmente, deja de producirse la elongación.

El esqueleto está compuesto por una diversidad de huesos diferentes, desde los huesos planos del cráneo hasta los largos de las extremidades. Cada hueso está diseñado para una función diferente.

HUESOS LARGOS
Los huesos más largos del cuerpo son los de las extremidades superiores e inferiores. Cada hueso largo consta de tres componentes principales:

■ Diáfisis. Es un eje hueco compuesto por hueso compacto.
■ Epífisis en cada extremo del hueso. Lugar de articulación entre huesos.
■ Placa epifisaria de crecimiento. Compuesta por hueso esponjoso y asentamiento de la elongación ósea.

MEMBRANA PROTECTORA
Todo el hueso está cubierto por el periostio, de doble capa. La capa externa de esta membrana consiste en tejido conjuntivo fibroso. La capa interna del periostio contiene osteoblastos y osteoclastos, células responsables de la reposición constante del hueso.

El húmero, el típico «hueso largo», se encuentra en el brazo. El hueso está formado por una diáfisis (eje) con epífisis (cabezas) en ambos extremos.

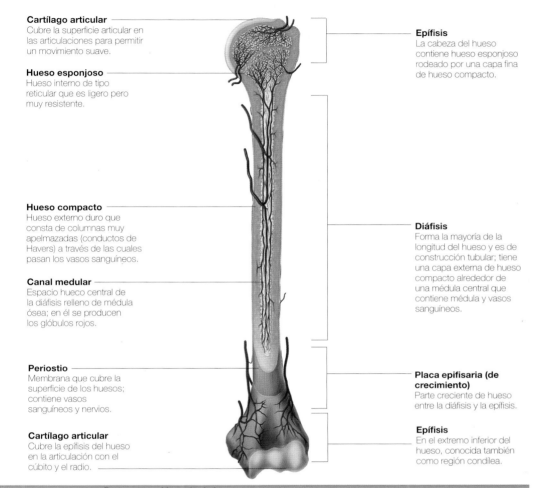

Cartílago articular
Cubre la superficie articular en las articulaciones para permitir un movimiento suave.

Hueso esponjoso
Hueso interno de tipo reticular que es ligero pero muy resistente.

Hueso compacto
Hueso externo duro que consta de columnas muy apelmazadas (conductos de Havers) a través de las cuales pasan los vasos sanguíneos.

Canal medular
Espacio hueco central de la diáfisis relleno de médula ósea; en él se producen los glóbulos rojos.

Periostio
Membrana que cubre la superficie de los huesos; contiene vasos sanguíneos y nervios.

Cartílago articular
Cubre la epífisis del hueso en la articulación con el cúbito y el radio.

Epífisis
La cabeza del hueso contiene hueso esponjoso rodeado por una capa fina de hueso compacto.

Diáfisis
Forma la mayoría de la longitud del hueso y es de construcción tubular; tiene una capa externa de hueso compacto alrededor de una médula central que contiene médula y vasos sanguíneos.

Placa epifisaria (de crecimiento)
Parte creciente de hueso entre la diáfisis y la epífisis.

Epífisis
En el extremo inferior del hueso, conocida también como región condílea.

Desarrollo del hueso

Hueso largo del recién nacido

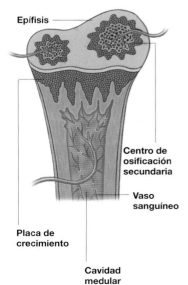

Epífisis (extremo del hueso)

Placa de crecimiento

Vaso sanguíneo

Diáfisis (eje)

Cavidad medular

En un recién nacido, el eje es básicamente óseo, mientras que los extremos del hueso están formados por cartílago. En un niño, el nuevo hueso se forma desde los centros de osificación secundaria de los extremos óseos.

Hueso largo de un niño

Epífisis

Centro de osificación secundaria

Vaso sanguíneo

Placa de crecimiento

Cavidad medular

El desarrollo esquelético comienza en el embrión y prosigue durante unas dos décadas. Es un proceso complejo bajo control genético y está modulado por procesos endocrinos, físicos y biológicos.

En el embrión, a partir del tejido embrionario primitivo, se forma una plantilla del esqueleto. Conforme el embrión se desarrolla, este tejido se hace reconocible como cartílago (tejido conjuntivo blando y elástico) y empiezan a observarse los huesos individuales.

OSIFICACIÓN
Entonces se forma el hueso normal dentro de estas plantillas, mediante un proceso llamado osificación. Este proceso tiene lugar directamente alrededor de las primeras células que forman el hueso en el feto (osificación intramembranosa) o por sustitución de un modelo de cartílago por hueso (osificación endocondral).

La formación de hueso compacto empieza en puntos de la diáfisis del hueso conocidos como centros de osificación primaria. Los osteoblastos del interior del cartílago secretan una sustancia gelatinosa denominada osteoide, que se endurece con sales minerales para formar el hueso. Las células de cartílago mueren y son sustituidas por más osteoblastos.

La osificación de los huesos largos continúa hasta que sólo queda una fina tira de cartílago en cada extremo. Este cartílago (la placa epifisaria) es el lugar de crecimiento del hueso secundario hasta el final de la adolescencia.

La secuencia de formación de centros de osificación sigue una pauta prescrita, que permite a los expertos datar los esqueletos según la magnitud de la osificación.

HUESO MADURO
Una vez que el hueso ha alcanzado su longitud definitiva, la placa de crecimiento y las epífisis se osifican y se funden para formar el hueso continuo. Después de este momento, no puede producirse más elongación.

Cómo se repara un hueso

Aunque los huesos dejan de crecer después del fin de la adolescencia, son tejidos muy dinámicos. El hueso se reabsorbe y regenera continuamente, ya que su estructura se encuentra en constante cambio.

Una de las características más asombrosas del hueso es su capacidad para volverse a formar. Este proceso, conocido como remodelación, tiene lugar en el crecimiento y continúa durante toda la vida.

REMODELACIÓN ÓSEA

Durante su formación, el hueso se deposita según pautas aleatorias mediante un proceso llamado osificación. La remodelación tiene lugar continuamente para organizar el hueso en unidades ordenadas que permiten a la masa ósea resistir mejor las fuerzas mecánicas. El hueso viejo es eliminado por los osteoclastos (células que lo consumen) y los osteoblastos (las que lo forman) que depositan hueso nuevo.

RESORCIÓN ÓSEA

Los osteoclastos secretan enzimas que descomponen la matriz ósea, además de ácidos que convierten las sales de calcio resultantes en una forma soluble (que puede entrar en el torrente sanguíneo).

La actividad de los osteoclastos tiene lugar detrás de la zona de crecimiento epifisario para reducir los extremos expandidos hasta la anchura del eje en prolongación. Los osteoclastos actúan también dentro del hueso para limpiar los largos espacios tubulares en los que se alojará la médula ósea.

REGULACIÓN HORMONAL

Mientras los osteoclastos reabsorben el hueso, los osteoblastos forman hueso nuevo para mantener la estructura esquelética. Este proceso está regulado por hormonas, factores del crecimiento y vitamina D.

Durante la infancia la formación de hueso supera con creces a su destrucción, con el resultado de un crecimiento gradual. Sin embargo, una vez alcanzada la madurez del esqueleto, los dos procesos se producen en equilibrio, de modo que el crecimiento surge de forma más gradual.

HUESOS LARGOS

El proceso de remodelación es especialmente importante para los huesos largos que dan sostén a las extremidades. Estos huesos son más anchos en los extremos que en el centro, lo que aporta una resistencia adicional a toda la articulación.

Mientras los osteoclastos destruyen los desarrollos epifisarios antiguos del hueso, los osteoblastos del interior de la zona de crecimiento crean una nueva epífisis.

Dentro de cada uno de los espacios tubulares limpiados por los osteoclastos en el interior del hueso, los osteoblastos prosiguen con su acción y depositan una capa de hueso nuevo.

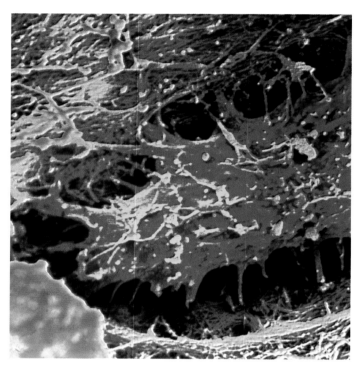

VELOCIDADES DE REMODELACIÓN

La remodelación ósea no es un proceso uniforme; tiene lugar a distintas velocidades en diferentes lugares del esqueleto. La formación ósea tiende a producirse en zonas en las que el hueso sufre máximas tensiones. Ello significa que los huesos que reciben mayor estrés están sometidos también a mayor remodelación. Por ejemplo, el fémur, uno de los huesos que soportan mayor carga de la pierna, se sustituye por completo cada cinco o seis meses.

Un hueso infrautilizado, como una pierna inmovilizada tras una lesión, corre peligro de resorción, ya que la destrucción ósea es mayor que la formación.

Los osteoblastos (células representadas en naranja) segregan una sustancia llamada osteoide que se endurece para convertirse en hueso. Este hueso puede ser reabsorbido por los osteoclastos conforme se produce la remodelación.

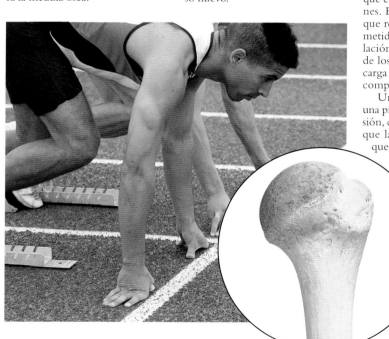

El hueso que está sometido a mayor tensión se remodela constantemente. El fémur, por ejemplo, se sustituye por completo cada seis meses.

La remodelación da lugar a la forma distintiva de los huesos largos, más anchos en los extremos que en la parte central.

Regulación del calcio

La remodelación ósea no sólo altera la estructura del hueso, sino que ayuda además a regular los niveles de iones de calcio en la sangre. El calcio es necesario para la transmisión nerviosa correcta, la formación de membranas celulares y la capacidad de coagulación de la sangre.

El hueso contiene en torno al 99% del calcio del cuerpo. Cuando los niveles de calcio en los fluidos corporales son demasiado bajos, la hormona paratiroidea estimula la actividad de los osteoclastos y se libera calcio al torrente sanguíneo. Si los niveles de calcio en los fluidos corporales se hacen excesivamente altos, la hormona calcitonina inhibe la resorción, limitando la liberación de calcio desde los huesos.

Remodelación ósea

Si el hueso está sometido a una fuerza superior a su resistencia, se fracturará. Para la curación de la fractura es preciso que se forme hueso nuevo y que se remodele.

Uno de los procesos que depende de la remodelación ósea es el mecanismo de reparación que tiene lugar después de una fractura.

FRACTURAS ÓSEAS

Las fracturas se producen cuando un hueso experimenta una fuerza superior a la de su resistencia. Esto puede suceder como consecuencia de una fuerza espontánea o después de años de tensión continua en un hueso. Los huesos son más propensos a fracturarse en las fases tardías de la vida, cuando son menos elásticos y se reduce su densidad mineral. La reparación del hueso tiene lugar en cuatro etapas.

Una escayola ayuda a la curación de un hueso fracturado al inmovilizar la extremidad. Así se garantiza que los extremos del hueso roto se realinean del modo correcto.

Formación de un coágulo sanguíneo

1 La fractura de un hueso hace que se rompan los vasos sanguíneos de la zona (principalmente los del periostio, cubierta protectora del hueso).

Estos vasos sangran y se forma un coágulo en el lugar de la fractura que produce la hinchazón característica que a menudo acompaña a la rotura. Muy pronto las células óseas privadas de nutrición empiezan a morirse y se siente un dolor muy intenso en ese punto.

Los vasos sanguíneos en el lugar de la fractura se rompen causando la formación de un coágulo. Los nervios que inervan el periostio también se ven afectados, lo que provoca mucho dolor.

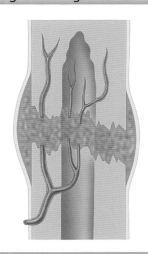

Formación de un callo fibrocartilaginoso

2 Varios días después de la lesión los vasos sanguíneos y las células indiferenciadas de los tejidos circundantes invaden la zona. Algunas de estas células se desarrollan en fibroblastos, que producen una red de fibras de colágeno entre los fragmentos de hueso. Otras células forman condroblastos, que segregan matriz de cartílago.

Esta zona de reparación ósea entre los dos extremos se denomina callo fibrocartilaginoso.

Los vasos sanguíneos y las células invaden el lugar de la fractura. Las células producen una matriz de fibras de colágeno y cartílago, formando un callo fibrocartilaginoso.

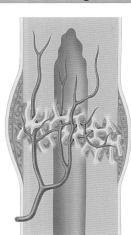

Formación de un callo óseo

3 Los osteoblastos y osteoclastos migran hacia la zona afectada multiplicándose rápidamente dentro del callo fibrocartilaginoso. Los osteoblastos del interior del callo secretan osteoide, que se convierte en un callo óseo. Este callo óseo está compuesto por dos partes: un callo externo situado alrededor del exterior de la fractura y un callo interno localizado entre los fragmentos de hueso roto.

Los osteoblastos y osteoclastos se multiplican dentro del callo fibroso. Los osteoblastos secretan una sustancia conocida como osteoide, que se endurece formando un callo óseo.

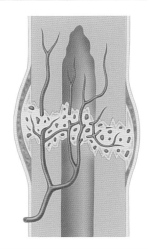

Formación ósea

4 La formación de hueso suele completarse en un plazo de cuatro a seis semanas desde la lesión. Una vez formado el hueso nuevo se remodelará lentamente para formar hueso compacto y esponjoso.

La curación total puede necesitar varios meses, dependiendo de la naturaleza de la fractura y de la función específica de la extremidad (las extremidades que soportan peso necesitan más tiempo para la reparación).

El hueso nuevo, según se va formando, es remodelado por los osteoclastos. De esta forma el callo óseo se alisa y el hueso recupera su estructura original.

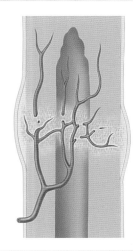

Lesión ósea

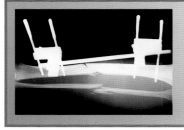

En algunos casos la extensión de la fractura es tan grave que el proceso por el cual tiene lugar la reparación ósea no se produce solo. Algunos ejemplos son los huesos astillados, o fracturas en las que se han perdido fragmentos óseos, de forma que el hueco entre los extremos dañados es demasiado grande para sanar.

Si el daño infligido al hueso es muy grave, éste puede no sanar. Podría necesitarse recurrir a clavos ortopédicos para mantener el hueso en su posición.

Tal vez sea preciso fijar los huesos en su lugar con el uso de clavos, placas o alambres ortopédicos para estimular los mecanismos de reparación ósea.

También es posible trasplantar pequeños fragmentos de hueso de otras partes del esqueleto para ayudar a la formación ósea. En casos en que exista una lesión masiva, quizá se necesite una amputación.

Cómo se contraen los músculos

Los tejidos musculares constituyen aproximadamente la mitad de la masa total del cuerpo y están trabajando sin descanso, ya sea para articular el esqueleto, para permitir el latido del corazón o para facilitar el paso de la comida por el tracto digestivo.

El músculo es un tejido capaz de contraerse. Existen dos tipos principales: músculo voluntario e involuntario. La contracción del músculo voluntario, o esquelético, puede controlarse conscientemente, y esta clase de músculo se une a partes del esqueleto para producir movimiento físico.

MÚSCULO INVOLUNTARIO

El músculo involuntario no está bajo el control consciente del encéfalo. Se controla automáticamente desde una parte especial del sistema nervioso y está presente en partes no esqueléticas del cuerpo. El corazón, por ejemplo, está formado por músculo involuntario, que late sin un esfuerzo consciente.

MÚSCULO VOLUNTARIO

El músculo que mueve los huesos se llama estriado debido a su aspecto a franjas visto al microscopio. Consta de haces de fibras estrechamente unidas y cada fibra está constituida por una sola célula larga y multinucleada que se extiende desde un extremo del músculo al otro. Cada fibra está formada por numerosas hebras finas y largas, llamadas miofibrillas, constituidas a su vez por dos clases de diminutos filamentos de proteínas solapados de actina y miosina, lo que confiere a la miofibrilla su aspecto en bandas. Las bandas de miofibrillas vecinas se alinean de tal modo que el conjunto de la fibra parece rayado.

Los músculos constan de numerosas células musculares individuales. Las células se disponen en haces denominados fascículos, y cada fibra se subdivide, a su vez, en miofibrillas. Un segmento de miofibrillas es un sarcómero, que es la unidad contráctil y la menor unidad funcional de un músculo. Esta ilustración muestra la estructura del músculo esquelético desde el nivel visible al microscópico.

Esta micrografía electrónica coloreada muestra la estructura del músculo esquelético. Las líneas rojas gruesas separan los sarcómeros o unidades de contracción. Éstos están formados por filamentos deslizantes: miosina (rosa) y actina (amarilla).

Estructura muscular

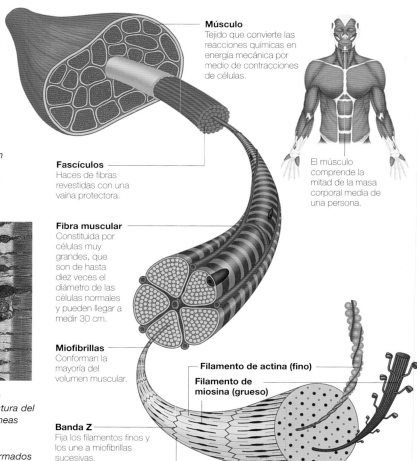

Músculo
Tejido que convierte las reacciones químicas en energía mecánica por medio de contracciones de células.

El músculo comprende la mitad de la masa corporal media de una persona.

Fascículos
Haces de fibras revestidas con una vaina protectora.

Fibra muscular
Constituida por células muy grandes, que son de hasta diez veces el diámetro de las células normales y pueden llegar a medir 30 cm.

Miofibrillas
Conforman la mayoría del volumen muscular.

Filamento de actina (fino)

Filamento de miosina (grueso)

Banda Z
Fija los filamentos finos y los une a miofibrillas sucesivas.

Sarcómero

Contracción muscular

Un músculo se contrae cuando recibe el estímulo de impulsos nerviosos, que inducen cambios químicos complejos en las fibras musculares. Cada grupo de filamentos descansa en una pequeña cámara (sarcómero) a cada uno de cuyos extremos se fijan los finos filamentos de actina. Los gruesos filamentos de miosina se sitúan entre los filamentos de actina hacia la mitad del sarcómero.

Cuando reciben energía, normalmente obtenida del glucógeno («almidón animal») almacenado en el músculo, forman enlaces químicos con los filamentos de actina, y estos enlaces se rompen y vuelven a formarse repetidamente. De esta forma los filamentos de miosina se abren camino a lo largo de los de actina como trinquetes, con el resultado de que el sarcómero en conjunto se acorta y se engruesa.

Cuando se interrumpe el estímulo al músculo, la acción química cesa. Los enlaces entre los filamentos dejan de formarse y el músculo se relaja.

La contracción de un músculo opuesto alarga y separa los filamentos en una acción activada por una sustancia química denominada acetilcolina, que se libera en las extremidades nerviosas y se posa en áreas receptoras especiales del músculo. Mientras existe acetilcolina en estas zonas el músculo permanece contraído.

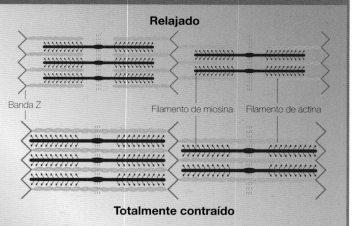

Relajado

Banda Z

Filamento de miosina · Filamento de actina

Totalmente contraído

La contracción se produce por la rápida rotura y formación de enlaces entre las fibras de miosina y las de actina de un modo semejante a un trinquete.

Cómo se mueven los músculos involuntarios

El cuerpo contiene dos tipos de músculo involuntario, es decir, el que no está bajo el control consciente del encéfalo. El músculo liso permite enfocar los ojos y facilita el tránsito de alimento por el tracto digestivo; el músculo cardiaco hace latir al corazón.

Músculo liso

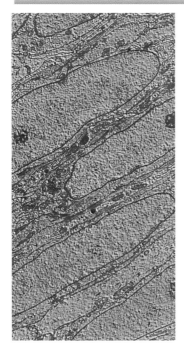

En esta falsa micrografía electrónica coloreada se muestran las células de músculo liso que tapizan la pared interior del útero. Son responsables de las contracciones musculares durante el parto.

El músculo liso y el músculo cardiaco pueden contraerse involuntariamente, sin un control consciente. Están controlados por impulsos nerviosos del sistema nervioso autónomo (inconsciente).

El músculo liso está presente en muchas partes del cuerpo, sobre todo el tracto digestivo, pero también en lugares como los pulmones, la vejiga y los órganos sexuales. Consta de células de forma ahusada, cuya longitud media es de una fracción de milímetro.

DISPOSICIÓN DE LAS CÉLULAS

Las células aparecen en disposición cónica en ambos extremos, tienen núcleos únicos y se configuran en haces cohesionados por una sustancia que actúa al modo de un cemento. Estos haces se agrupan en otros mayores o bandas aplanadas, que se sustentan unidas por tejido conjuntivo. La disposición de las células es mucho menos compacta que en el patrón regular encontrado en el músculo voluntario, pero la contracción del músculo liso se debe al movimiento de filamentos presentes en las paredes celulares.

La contracción del músculo liso suele ser más lenta que la del estriado, y dicha contracción no tiene lugar necesariamente en todo el músculo.

Una acción típica del músculo liso se observa en el intestino, donde una banda muscular se contrae normalmente en una cierta parte de su longitud y después se relaja mientras se contrae otra parte, produciendo así olas de contracción en todo el músculo denominadas peristalsis. Esta acción permite el paso del alimento a través del tracto digestivo, el estómago y el intestino.

El músculo liso rodea a las estructuras corporales huecas, como el esófago, la vejiga, el útero y los vasos sanguíneos. El ritmo de contracción de sus células es relativamente lento, aunque así son más eficaces energéticamente y pueden mantener la contracción durante más tiempo.

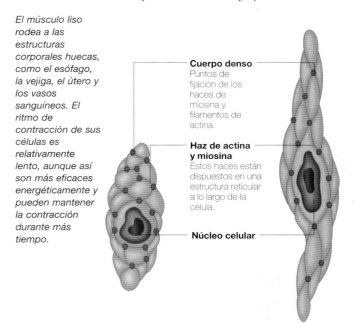

Cuerpo denso
Puntos de fijación de los haces de miosina y filamentos de actina.

Haz de actina y miosina
Estos haces están dispuestos en una estructura reticular a lo largo de la célula.

Núcleo celular

Contraído **Relajado**

Músculo cardiaco

El músculo cardiaco se encuentra sólo en el corazón y su estructura se ubica entre la del músculo estriado y la del liso. Tiene aspecto de franjas visto al microscopio, pero sus células están compuestas por fibras musculares en forma de caja y más cortas que las del músculo estriado. La mayoría de las células se divide en los extremos y las subdivisiones forman conexiones con las células situadas a los lados. De este modo se crea una red resiliente de fibras con capacidad de actuar al unísono, y es esta estructura la que dota de tenacidad al músculo cardiaco.

El músculo cardiaco ha de ser inmensamente fuerte para el exigente trabajo que se requiere de él. En una vida media el corazón late unos 2.000 millones de veces y bombea aproximadamente 550.000 toneladas de sangre. Para una contracción uniforme durante todo este tiempo, el latido cardiaco está controlado por impulsos eléctricos.

Las células de músculo cardiaco son menos alargadas que las del esquelético. Las células adyacentes se fijan muy cerca unas de otras por medio de proteínas denominadas discos intercalados. Unas estructuras llamadas desmosomas forman uniones que permiten la transmisión de señales eléctricas entre células.

Filamentos deslizantes
Filamentos gruesos y finos de actina y miosina.

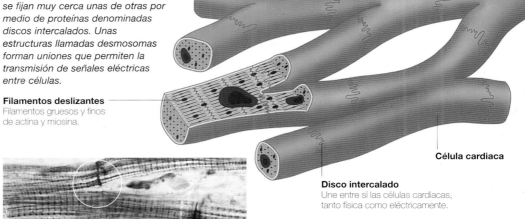

Célula cardiaca

Disco intercalado
Une entre sí las células cardiacas, tanto física como eléctricamente.

Esta micrografía óptica muestra las fibras individuales que configuran el músculo cardiaco. Los cuerpos redondeados son núcleos celulares y las líneas oscuras (dentro de los círculos) en ángulo recto con las fibras son los discos intercalados. Estos discos poseen una baja resistencia eléctrica que permite la difusión de las contracciones rápidamente por el músculo.

Cómo actúan los reflejos

Las acciones corporales que pueden producirse fuera del control consciente se denominan reflejas. Son especialmente importantes cuando se necesita una respuesta rápida involuntaria.

El sistema nervioso central es capaz de realizar tareas altamente complejas y no todas necesitan un control consciente. Las acciones involuntarias en la naturaleza se califican de respuestas reflejas, preprogramadas y predecibles ante un estímulo sensorial específico.

REFLEJOS SOMÁTICOS

Los reflejos somáticos producen el movimiento de un músculo o la secreción de una sustancia química por una glándula.

Por ejemplo, si se fuera a tocar un horno ardiendo, los receptores del dolor de la mano enviarían impulsos nerviosos a las neuronas de la médula espinal. Éstas, a su vez, se comunicarían con los músculos apropiados del brazo para indicarles que deben retirar la mano al instante. Sin embargo, sólo después de haber apartado la mano el cerebro empieza a ser consciente de lo que ha sucedido.

REFLEJOS AUTÓNOMOS

No somos conscientes de las consecuencias de todos los reflejos del cuerpo. Por ejemplo, el reflejo barorreceptor corrige un aumento de la presión arterial sin que sepamos que lo está haciendo.

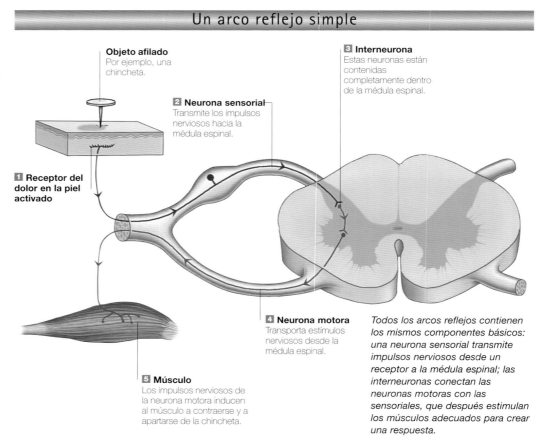

Un arco reflejo simple

Objeto afilado
Por ejemplo, una chincheta.

2 Neurona sensorial
Transmite los impulsos nerviosos hacia la médula espinal.

3 Interneurona
Estas neuronas están contenidas completamente dentro de la médula espinal.

1 Receptor del dolor en la piel activado

4 Neurona motora
Transporta estímulos nerviosos desde la médula espinal.

5 Músculo
Los impulsos nerviosos de la neurona motora inducen al músculo a contraerse y a apartarse de la chincheta.

Todos los arcos reflejos contienen los mismos componentes básicos: una neurona sensorial transmite impulsos nerviosos desde un receptor a la médula espinal; las interneuronas conectan las neuronas motoras con las sensoriales, que después estimulan los músculos adecuados para crear una respuesta.

El reflejo rotuliano

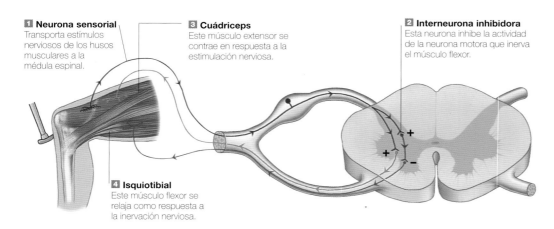

1 Neurona sensorial
Transporta estímulos nerviosos de los husos musculares a la médula espinal.

3 Cuádriceps
Este músculo extensor se contrae en respuesta a la estimulación nerviosa.

2 Interneurona inhibidora
Esta neurona inhibe la actividad de la neurona motora que inerva el músculo flexor.

4 Isquiotibial
Este músculo flexor se relaja como respuesta a la inervación nerviosa.

El reflejo rotuliano es observado por los médicos cuando un paciente ha sufrido una lesión traumática para determinar si existen daños en la columna inferior.

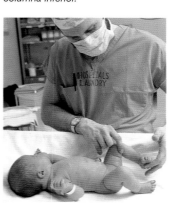

Los bebés de un año de vida aproximadamente muestran el reflejo de Babinski cuando se les frota la planta del pie. Este reflejo desaparece conforme se desarrolla el sistema nervioso.

Los médicos recurren a menudo al «reflejo rotuliano» para verificar la integridad de la columna inferior de un paciente. El paciente se sienta en un lugar elevado, de manera que le cuelguen las piernas. Entonces el médico golpea suavemente el tendón rotuliano (situado justo debajo de la cubierta de la rodilla) y examina la respuesta, que se produce en el paciente.

HUSOS MUSCULARES

En una persona sana el chasquido del tendón estira el cuádriceps. Este estiramiento es detectado por estructuras del músculo denominadas haces musculares. Éstos envían señales nerviosas a las neuronas de la médula espinal, que a su vez envían impulsos al cuádriceps para indicarle que se contraiga (contrarrestando el estiramiento inicial). Así se consigue que el pie se combe hacia delante. Al mismo tiempo el músculo antagonista, los isquiotibiales, se inhibe.

Reflejos complejos

Aunque algunos reflejos espinales, como el rotuliano, son relativamente sencillos y hacen intervenir a una cantidad escasa de células nerviosas, la médula espinal puede asumir funciones más complicadas sin necesidad de recurrir al trabajo del encéfalo.

Si se fuera a pisar un objeto puntiagudo, como una chincheta, con el pie derecho, se desencadenaría un reflejo complejo (el reflejo de extensor cruzado) para que se retirara el pie y se desplazara el peso del cuerpo a la pierna izquierda.

Al principio la chincheta estimula los receptores del dolor de la piel del pie derecho haciéndoles enviar impulsos nerviosos a través de las fibras nerviosas aferentes (del latín «aferre», llevar hacia) al lado derecho de la médula espinal. Las neuronas de esta mitad de la médula envían señales nerviosas que recorren la médula hasta alcanzar las fibras nerviosas eferentes con las que se indica a los músculos extensores que se relajen y a los flexores que se contraigan.

TRASLADO DEL PESO

Estos hechos desembocan en un movimiento de la pierna herida alejándose de la chincheta. Sin embargo, si no se transfiere el peso a la otra pierna, la persona se caerá.

Así, las neuronas del lado derecho de la médula espinal se cruzan al lado izquierdo y forman sinapsis con las neuronas motoras que inervan los músculos de la pierna izquierda. Estas neuronas motoras informan a los músculos extensores de la pierna izquierda que se contraigan y a los flexores, que se relajen haciendo que la pierna se extienda y pueda soportar el peso del cuerpo.

Cuando se pisa un objeto afilado con el pie descalzo, rápidamente se retira el pie y se transfiere el peso del cuerpo a la otra pierna.

El reflejo de extensor cruzado

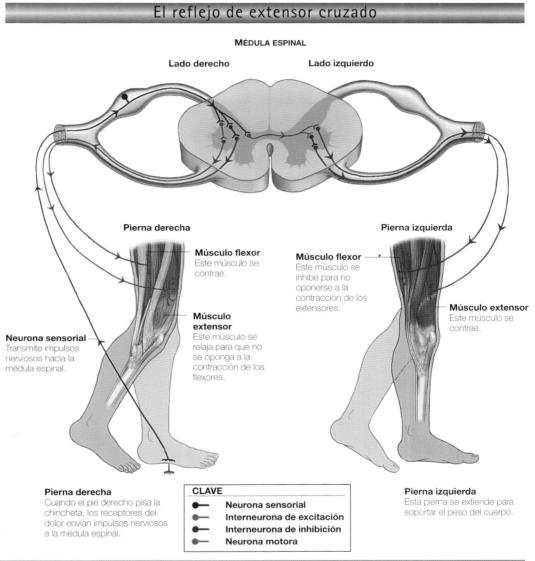

MÉDULA ESPINAL

Lado derecho　　**Lado izquierdo**

Pierna derecha

Músculo flexor
Este músculo se contrae.

Músculo extensor
Este músculo se relaja para que no se oponga a la contracción de los flexores.

Neurona sensorial
Transmite impulsos nerviosos hacia la médula espinal.

Pierna izquierda

Músculo flexor
Este músculo se inhibe para no oponerse a la contracción de los extensores.

Músculo extensor
Este músculo se contrae.

Pierna derecha
Cuando el pie derecho pisa la chincheta, los receptores del dolor envían impulsos nerviosos a la médula espinal.

Pierna izquierda
Esta pierna se extiende para soportar el peso del cuerpo.

CLAVE

●	Neurona sensorial
●	Interneurona de excitación
●	Interneurona de inhibición
●	Neurona motora

Reflejos aprendidos

Los reflejos de los que se ha hablado hasta ahora están «impresos» en el sistema nervioso.

Sin embargo, aunque los seres humanos nacen con la capacidad innata de aprender a andar, han de realizar un esfuerzo consciente para aprender a conducir un automóvil, a montar en bicicleta o a tocar el piano.

Con el tiempo los nuevos movimientos se hacen tan automáticos como el andar. Por ejemplo, aunque aprender a conducir es una experiencia relativamente difícil para la

Los pianistas pueden leer la partitura y tocar la nota adecuada sin pensar lo que están haciendo. Se trata de un ejemplo de reflejo aprendido.

mayoría de la gente, después de un tiempo los movimientos se automatizan y el conductor ya no tiene que pensar conscientemente lo que está haciendo.

De forma similar, la mecanografía permite no pensar en dónde se tienen que poner los dedos en un teclado, por eso se desarrolla la capacidad de escribir hasta 80 palabras por minuto. Suponiendo que una palabra media contiene unas seis letras, un mecanógrafo rápido consigue hasta ocho pulsaciones por segundo.

Se cree que durante el proceso de aprendizaje las neuronas que intervienen en el control del movimiento cambian la forma de interconectarse. Las conexiones importantes entre células se refuerzan y las sinapsis innecesarias se pierden.

Cómo se desarrollan los dientes

Los dientes son los órganos más duros y duraderos del cuerpo. Cumplen un papel vital en la digestión del alimento ayudando a romperlo en pequeños fragmentos al morderlo y masticarlo.

Los dientes se usan para masticar y triturar la comida en pequeños fragmentos. La acción de la masticación incrementa la superficie de alimento expuesta a las enzimas digestivas, con lo que acelera el proceso de la digestión.

Los dientes desempeñan también un papel importante en el habla: dientes, labios y lengua permiten la formación de las palabras al controlar el flujo de aire que pasa por la boca. También ofrecen un soporte estructural para los músculos de la cara, además de ayudar en la sonrisa.

ANATOMÍA DE LOS DIENTES

Cada diente está compuesto por la corona y la raíz. La corona es la parte visible del diente que emerge desde la encía (que ayuda a sostenerlo firmemente en su lugar). La corona de cada premolar y molar incluye proyecciones o cúspides que facilitan la masticación y trituración del alimento.

Los dientes ofrecen soporte estructural a los músculos de la cara. Además tienen un papel importante en el habla y ayudan a formar la sonrisa.

La raíz es la parte del diente integrada en el maxilar.

ESTRUCTURA

Los dientes están compuestos por cuatro clases distintas de tejido:

■ Esmalte. Es la capa externa transparente y la sustancia más dura del cuerpo. Constituida por una estructura densamente empaquetada, muy mineralizada con sales de calcio, esta capa ayuda a proteger las capas internas de las perniciosas bacterias y de los cambios de temperatura provocados por los alimentos y bebidas fríos y calientes.

■ Dentina. Contiene y protege el núcleo interno del diente y tiene una composición semejante a la del hueso. Se compone de odontoblastos, que segregan y mantienen la dentina durante toda la vida adulta.

■ Pulpa. Posee vasos sanguíneos que aportan a los dientes oxígeno y nutrientes. También contiene nervios responsables de la transmisión de las sensaciones de dolor y temperatura al encéfalo.

■ Cemento. Cubre la superficie externa de la raíz. Es un tejido conjuntivo que contiene calcio y que fija el diente al ligamento periodontal, que ancla el diente firmemente en la cuenca dental (alvéolo) situada en el maxilar.

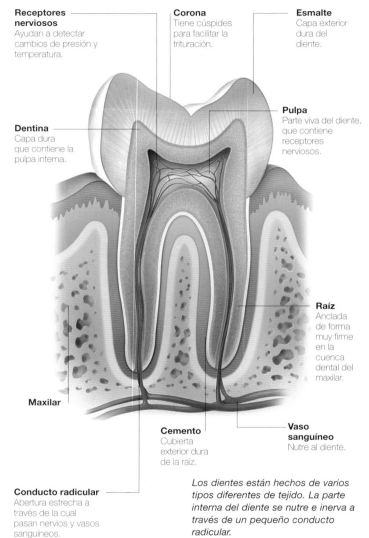

Receptores nerviosos
Ayudan a detectar cambios de presión y temperatura.

Corona
Tiene cúspides para facilitar la trituración.

Esmalte
Capa exterior dura del diente.

Dentina
Capa dura que contiene la pulpa interna.

Pulpa
Parte viva del diente, que contiene receptores nerviosos.

Raíz
Anclada de forma muy firme en la cuenca dental del maxilar.

Maxilar

Cemento
Cubierta exterior dura de la raíz.

Vaso sanguíneo
Nutre al diente.

Conducto radicular
Abertura estrecha a través de la cual pasan nervios y vasos sanguíneos.

Los dientes están hechos de varios tipos diferentes de tejido. La parte interna del diente se nutre e inerva a través de un pequeño conducto radicular.

Desarrollo de los dientes de leche

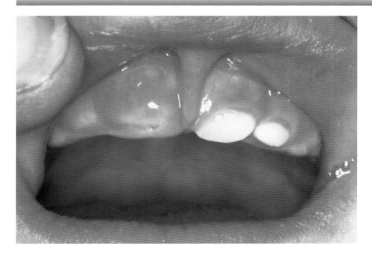

Los seres humanos desarrollan dos conjuntos de dientes durante su vida. El primero, conocido como dientes deciduos o de leche, empieza a desarrollarse en el feto hacia los dos meses desde la concepción y constará en total de 20 piezas.

FASES DE DESARROLLO

La dentina de estos dientes se forma mientras el feto está todavía en el útero. Después del parto aparece el esmalte en varias fases.

El esmalte dental empieza a desarrollarse poco después del parto. Los dientes de leche erupcionan por fases, primero los delanteros y después los segundos molares.

El esmalte dental delantero aparece primero y suele completarse en torno al mes después del nacimiento, mientras que el esmalte de los segundos molares (posteriores) no se desarrolla totalmente hasta un año y medio más tarde.

Cuando está totalmente desarrollado, el esmalte empieza a salir el diente (erupción). Los dientes delanteros salen normalmente entre los 6 y 12 meses de vida, mientras que los segundos molares lo hacen entre los 13 y 19 meses y los caninos, a los 19 meses o más. La fase final del desarrollo corresponde a las raíces, un lento proceso que se perpetúa hasta que el niño tiene unos tres años.

Desarrollo de dientes permanentes

Durante varios años los dientes de leche son sustituidos por un conjunto de dientes adultos permanentes. Existen 32 piezas en la dentadura adulta, que incluyen los terceros molares o muelas del juicio.

Hacia los seis años de edad las raíces de los dientes de leche se erosionan lentamente por la presión de los dientes permanentes en erupción y por la acción de células óseas especializadas de los maxilares. Este proceso, denominado resorción, permite que salgan desde abajo los dientes permanentes. Si falta un diente permanente, una situación que es relativamente común, se conserva el diente de leche correspondiente.

CONJUNTO COMPLETO
Cuando se sustituyen los dientes de leche, la boca y el maxilar pierden su forma infantil y adoptan una apariencia más pronunciada y adulta. La dentición adulta suele ser más oscura y diferente en tamaño y proporción con respecto a la decidua. En general, los dientes permanentes están completos al final de la adolescencia, con excepción de los terceros molares (muelas del juicio), que suelen salir hacia los 18-25 años.

Hacia los seis años la mayoría de los niños ha perdido los dientes de leche: primero se aflojan y terminan por ser sustituidos por los dientes permanentes.

Tipos de dientes

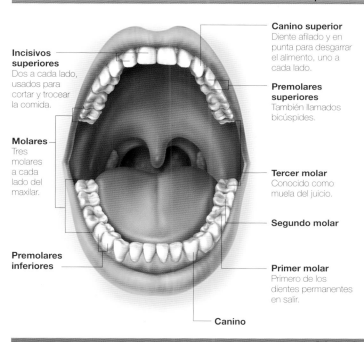

Incisivos superiores
Dos a cada lado, usados para cortar y trocear la comida.

Molares
Tres molares a cada lado del maxilar.

Premolares inferiores

Canino superior
Diente afilado y en punta para desgarrar el alimento, uno a cada lado.

Premolares superiores
También llamados bicúspides.

Tercer molar
Conocido como muela del juicio.

Segundo molar

Primer molar
Primero de los dientes permanentes en salir.

Canino

Los adultos suelen tener 32 dientes (16 en cada maxilar), que encajan para poder morder y masticar la comida. Los seres humanos reciben el nombre de heterodontos, por su diversidad de tipos de dientes:

■ Incisivos. Los adultos tienen ocho incisivos situados en la parte anterior de la boca, cuatro en el maxilar superior y cuatro en el inferior. Sus bordes afilados que se usan para cortar la comida.
■ Caninos. A ambos lados de los incisivos están los caninos, así llamados por su semejanza con la dentadura de los perros. Hay dos caninos en cada maxilar, y su función principal es perforar y desgarrar el alimento.

Los seres humanos son heterodontos, es decir, sus dientes no tienen tamaño o forma uniformes. Los diversos tipos de dientes cumplen funciones específicas.

■ Bicúspides. También llamados premolares, son dientes planos con cúspides pronunciadas que trituran y aplastan la comida. Hay cuatro en cada maxilar.
■ Molares. Detrás de los premolares están los molares, con los que se realiza la masticación más vigorosa. Hay 12 molares, denominados primeros, segundos y terceros molares. Los terceros también se conocen como muelas del juicio.

MUELAS DEL JUICIO
Las muelas del juicio son residuos de miles de años de evolución, cuando la dieta humana consistía en alimentos crudos que necesitaban una mayor potencia de masticación y trituración con un tercer grupo de molares. Hoy en día las muelas del juicio ya no se necesitan para masticar y, dado que pueden estorbar a otros dientes e incluso estropearlos con la presión, a menudo los dentistas recomiendan extraerlas.

Masticación

Los músculos de los maxilares permiten el cierre de los dientes (oclusión) y su apertura en un plano vertical, así como su deslizamiento mutuo en un plano horizontal. La primera acción es necesaria para morder la comida, y la última para triturarla.

Sensores de presión
El ligamento periodontal de cada diente contiene receptores de nervios sensoriales que protegen los dientes y los tejidos de sostén de fuerzas excesivas de masticación y mordida que pudieran producir daño. Estos receptores nerviosos transmiten impulsos al sistema nervioso central como respuesta a la sensación y estimulación y aportan información sobre el movimiento y la posición de los maxilares, y sobre la presión ejercida en el diente.

Control por el encéfalo
El encéfalo responde enviando impulsos nerviosos que controlan la posición del maxilar y los músculos anexos (y también la posición de los dientes) permitiendo que tenga lugar el proceso de masticación de la forma adecuada.

Los receptores nerviosos de cada diente transportan información al encéfalo acerca de la posición de los maxilares. El encéfalo transmite entonces impulsos nerviosos para controlarlos.

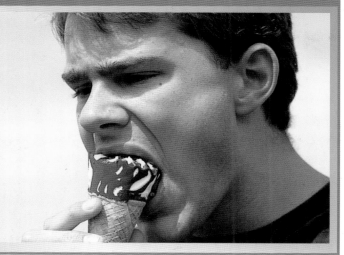

El pelo

Existen dos tipos principales de pelo humano: vello y terminal. Sólo el pelo terminal, que se encuentra sobre todo en los hombres, tiene un papel central en la célula y responde a la hormona sexual masculina, la testosterona.

La superficie del cuerpo humano está cubierta por millones de pelos. Los más visibles están en la cabeza, alrededor de los genitales externos y en las axilas. Las únicas regiones del cuerpo sin pelos son los labios, los pezones, algunas partes de los genitales externos, las palmas de las manos y las plantas de los pies. Aunque el pelo no sirve ya para calentarnos, como ocurre en otros mamíferos, cumple una serie de funciones:

■ Detecta pequeños objetos o insectos cerca de la piel.
■ Protege y aísla la cabeza.
■ Protege los ojos.
■ Cumple un papel de identidad sexual.

ESTRUCTURA DE UN PELO

El pelo está compuesto por hebras flexibles de la proteína dura llamada queratina. Se produce por folículos pilosos dentro de la dermis (la capa interna de la piel), pero sale de una «bolsa» de la epidermis (la capa exterior).

Cada folículo piloso tiene un extremo expandido, o bulbo piloso, que recibe un nudo de capilares para nutrir la raíz del tallo piloso en crecimiento. La forma del tallo piloso determina si el pelo será liso o rizado: cuanto más redonda sea la sección transversal del tallo, más liso será el pelo. Cada pelo está formado por tres capas concéntricas:

■ Médula.
■ Corteza.
■ Cutícula.

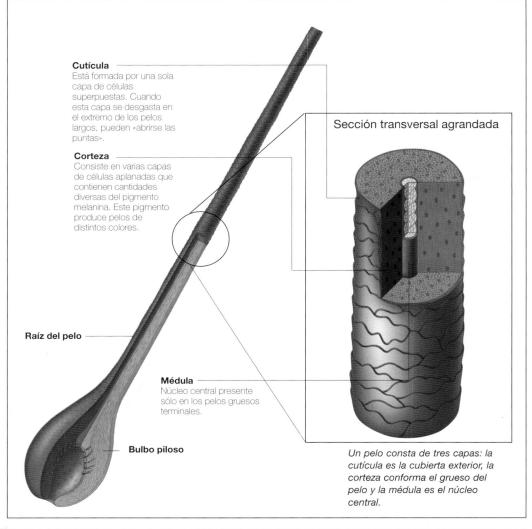

Cutícula
Está formada por una sola capa de células superpuestas. Cuando esta capa se desgasta en el extremo de los pelos largos, pueden «abrirse las puntas».

Corteza
Consiste en varias capas de células aplanadas que contienen cantidades diversas del pigmento melanina. Este pigmento produce pelos de distintos colores.

Sección transversal agrandada

Raíz del pelo

Médula
Núcleo central presente sólo en los pelos gruesos terminales.

Bulbo piloso

Un pelo consta de tres capas: la cutícula es la cubierta exterior, la corteza conforma el grueso del pelo y la médula es el núcleo central.

Tipos de pelo y su distribución

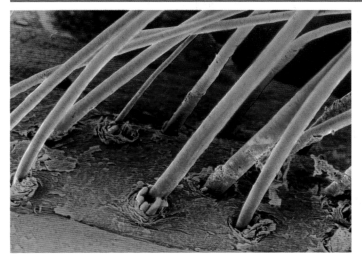

Aunque parezca chocante, el pelo humano puede dividirse en sólo dos grupos principales:

■ Vello
■ Pelo terminal.

VELLO

Se llama vello al pelo suave que cubre la mayor parte del cuerpo de mujeres y niños. Es corto, fino y en general de color claro, mucho menos visible que el pelo terminal. El vello carece de médula central.

Las pestañas se encuentran entre los escasos pelos terminales presentes en hombres, mujeres y niños. Impiden la entrada de cuerpos extraños en el ojo.

PELO TERMINAL

El pelo terminal es mucho más grueso que el velloso. Crece en la parte alta de la cabeza, las cejas y las pestañas, así como en forma de vello púbico y axilar, y conforma la mayor parte del pelo corporal del hombre adulto. El pelo terminal tiene una médula central en el tallo.

Los pelos terminales se desarrollan y crecen como respuesta a la presencia de hormonas sexuales masculinas, como la testosterona. En trastornos médicos en los que las mujeres tienen una cantidad excesiva de estas hormonas, se produce un crecimiento indeseado de pelo de tipo masculino (hirsutismo).

Folículo piloso

Los pelos se producen dentro de los folículos pilosos, que están presentes en la mayor parte de la superficie de la piel. A estos folículos se asocian otras estructuras, como las glándulas sebáceas, las terminaciones nerviosas y músculos diminutos, que mantienen el pelo erecto.

La raíz de cada pelo se asienta en un folículo que se entierra unos 4-5 mm en la piel. El pelo se mantiene lubricado con aceite producido en las glándulas sebáceas.

A lo largo de los folículos pilosos, allí donde se encuentren en el cuerpo, se extienden glándulas sebáceas. Éstas producen una sustancia oleosa, denominada sebo, que se excreta desde la glándula a través de un conducto sebáceo hacia el folículo piloso. El sebo pasa después alrededor del tallo del pelo emergente hasta alcanzar la superficie del cuerpo.

La cantidad de sebo producida depende del tamaño de la glándula sebácea, que a su vez lo hace de los niveles de hormonas circulantes, especialmente andrógenos (hormonas sexuales masculinas). Las glándulas sebáceas de mayor tamaño se encuentran en cabeza, cuello y espalda y en la parte anterior del tórax.

La función del sebo es suavizar y lubricar la piel y el pelo e impedir que la piel se seque. También contiene sustancias que destruyen las bacterias que, en caso contrario, podrían infectar la piel y el folículo piloso.

Tallo del pelo

Músculo erector del pelo

Glándula sebácea

Membrana hialina

Bulbo piloso

Tejido conjuntivo del folículo piloso

Melanocitos

Matriz pilosa
Papila pilosa

TERMINACIONES NERVIOSAS

Alrededor del bulbo del folículo piloso descansa una red de minúsculas terminaciones nerviosas. Estos nervios reciben el estímulo de cualquier movimiento de la base del pelo. Si éste se dobla por presión en algún lugar de su tallo, las terminaciones nerviosas se activarán enviando señales al encéfalo. Así sucede, por ejemplo, cuando se posa un insecto sobre la piel; la ligera curvatura de los pelos desencadena una serie de acontecimientos que desembocan en la acción refleja de espantar el insecto para evitar la picadura. Así, el pelo contribuye al sentido del tacto.

MÚSCULO ERECTOR DEL PELO

Cada folículo piloso está unido a un músculo diminuto denominado erector del pelo, en latín *arrector pili*. Cuando este músculo se contrae, aparta el pelo de su posición normal, que siempre es inclinada, para colocarlo en vertical. Si esto ocurre en muchos folículos pilosos, se verá (y sentirá) el efecto conocido como «carne de gallina», estimulada normalmente por un sentimiento de miedo.

La acción de estos músculos es más importante en los mamíferos peludos, ya que les permite atrapar gran cantidad de aire dentro del pelaje para aislarse del frío o del invierno.

Pérdida de pelo y calvicie

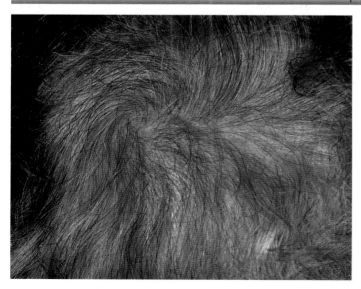

El crecimiento del pelo alcanza su mayor rapidez entre la infancia y los inicios de la edad adulta. Después de los 40 años, este ritmo empieza a decaer conforme envejecen los folículos pilosos.

Los pelos no se sustituyen con la rapidez con que se caen, por lo que se produce una pérdida general de pelo y un cierto grado de calvicie tanto en hombres como en mujeres. La caída del pelo se produce también por la sustitución de pelos terminales gruesos por otros más suaves y menos visibles.

Después de los 40 años, los folículos pilosos empiezan a envejecer y el pelo no se sustituye con la rapidez con que se pierde. Además, el pelo terminal denso se reemplaza por otro más fino.

INICIO DE LA CALVICIE

La verdadera calvicie, que suele darse casi exclusivamente en varones, es un problema diferente, vinculado con una serie de factores. Entre ellos se incluyen:

■ Historia familiar.
■ Niveles de andrógenos (hormonas sexuales masculinas).
■ Aumento de la edad.

Se cree que se debe a un gen que sólo «se activa» en la edad adulta y que altera en cierto modo la respuesta del folículo piloso a las hormonas circulantes.

La pérdida anormal del pelo pueden relacionarse asimismo con una amplia variedad de trastornos que pueden tener tratamientos médicos concretos.

Cómo crece el pelo

El pelo es un derivado de la piel y está compuesto por queratina, una fuerte proteína estructural. El pelo desempeña un papel importante en la protección del cuerpo, en particular del cuero cabelludo, donde alcanza su mayor densidad.

El pelo es una característica diferenciadora de los mamíferos y en los seres humanos tiene importancia en la protección del cuerpo frente a traumatismos, pérdida de calor y la luz solar.

ESTRUCTURA DEL PELO

El pelo es una estructura compleja compuesta por fibras de queratina (la queratina es una fuerte proteína estructural presente asimismo en las uñas y la capa exterior de la piel).

Cada pelo está formado por tres capas concéntricas (circulares) de células muertas queratinizadas (que contienen queratina): médula, corteza y cutícula.

La médula (núcleo central) consiste en células grandes que contienen queratina blanda, parcialmente separada por espacios de aire. La corteza, capa voluminosa que rodea la médula, consiste en varias capas de células aplanadas y duras con queratina.

CAPA PROTECTORA

La cutícula es la capa más externa y está compuesta por una sola capa de células de queratina duras que se solapan entre sí como las tejas de un tejado.

Esta capa externa del pelo incluye sobre todo queratina y refuerza y protege el pelo ayudando a mantener la compactibilidad de las capas externas. La cutícula tiende a desgastarse conforme el pelo envejece o se sufre, con lo que las fibrillas de queratina de la corteza y la médula se pierden dando lugar al conocido fenómeno de las «puntas abiertas».

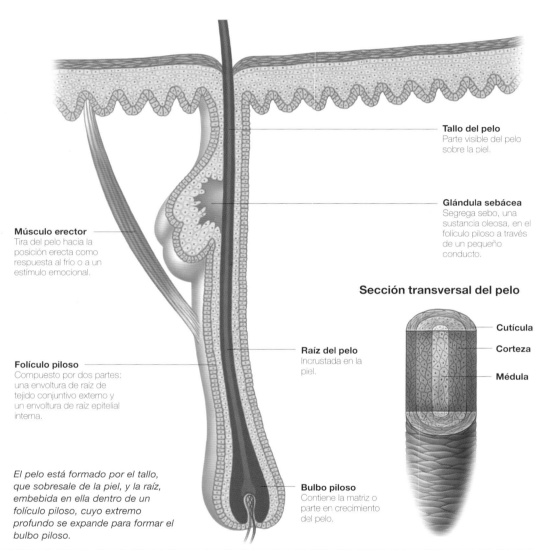

Músculo erector
Tira del pelo hacia la posición erecta como respuesta al frío o a un estímulo emocional.

Folículo piloso
Compuesto por dos partes: una envoltura de raíz de tejido conjuntivo externo y un envoltura de raíz epitelial interna.

El pelo está formado por el tallo, que sobresale de la piel, y la raíz, embebida en ella dentro de un folículo piloso, cuyo extremo profundo se expande para formar el bulbo piloso.

Tallo del pelo
Parte visible del pelo sobre la piel.

Glándula sebácea
Segrega sebo, una sustancia oleosa, en el folículo piloso a través de un pequeño conducto.

Sección transversal del pelo

Cutícula

Corteza

Médula

Raíz del pelo
Incrustada en la piel.

Bulbo piloso
Contiene la matriz o parte en crecimiento del pelo.

¿Qué hace que crezca el pelo?

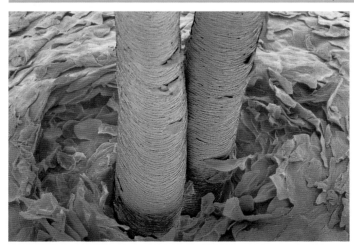

Cada pelo está dividido en tallo (parte visible) y raíz. La raíz de cada pelo está confinada dentro de un folículo piloso bajo la superficie de la piel. En su base el folículo piloso se extiende para formar el bulbo piloso.

PRODUCCIÓN DE PELO

El bulbo piloso contiene una masa de células epiteliales indiferenciadas (la matriz pilosa), que se divide para producir el pelo. El bulbo piloso se nutre mediante una densa red de

Esta micrografía electrónica muestra los pelos en el cuero cabelludo. Se distinguen dos tallos pilosos surgiendo de los folículos situados en la epidermis de la piel.

capilares que reciben su suministro de la papila dérmica (una proyección de la dermis).

ESTIMULACIÓN DEL CRECIMIENTO

Las señales químicas de la papila estimulan a las células adyacentes de la matriz para dividir y producir el pelo. Conforme la matriz produce nuevas células pilosas, las células antiguas se ven empujadas hacia arriba y se funden. Se van queratinizando hasta finalmente morir. Así, el pelo que se extiende desde el cuero cabelludo ya no está vivo, aunque por la activa división celular de sus raíces crece a un ritmo de unos 0,3 mm al día.

Fases del crecimiento

El pelo se produce en diferentes fases. Diversos factores, como el estrés o ciertos fármacos, que perturban este equilibrio, pueden producir pérdida de pelo y calvicie.

El pelo se produce en ciclos que incluyen una fase de crecimiento y otra de reposo. Durante la fase de crecimiento, el pelo se forma y se extiende mientras se van añadiendo células en la base de la raíz. Esta fase puede durar de unos dos a seis años. Como el pelo crece aproximadamente 10 cm al año, un pelo en particular difícilmente medirá más de un metro.

FASE DE REPOSO

Finalmente la división celular se toma un descanso (fase de reposo) y el crecimiento del pelo se detiene. El folículo piloso se contrae a un sexto de su longitud normal y la papila dérmica, responsable de la nutrición de las nuevas células pilosas, se rompe desde el bulbo de la raíz. Durante esta fase el pelo muerto se conserva. Son estos cabellos los que se pierden cuando se lava o se cepilla el pelo. Luego se inicia un nuevo ciclo y el pelo surge del folículo piloso al iniciarse la nueva producción.

DIFERENTES TIPOS DE PELO

La duración de cada fase depende del tipo del pelo en el cuerpo: el del cuero cabelludo suele crecer durante un periodo de tres años y descansar durante un año o dos, mientras que el de las pestañas, que es mucho más corto, crecerá durante unos 30 días y después reposará 105 días antes de volver a la fase activa. En un momento dado, alrededor del 90% de los cabellos de la cabeza estará en crecimiento, y existirá una pérdida normal de unos 100 pelos del cuero cabelludo al día.

El pelo no crece a un ritmo constante: los pelos individuales atraviesan por una fase de crecimiento y fases de reposo antes de caerse y ser sustituidos.

Pérdida del pelo

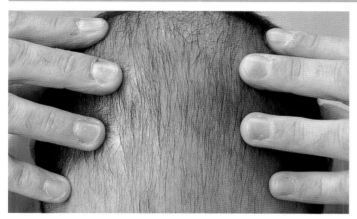

Al envejecer el ritmo de crecimiento del pelo desciende. Esto puede llevar a que los pelos no se sustituyan con la rapidez con que nacen y se produce una pérdida de pelo, a menudo fuente de calvicie (alopecia), sobre todo en hombres.

PÉRDIDA PREMATURA

Los cambios fisiológicos que acompañan a la calvicie masculina son diferentes de los asociados a la llamada alopecia.

La calvicie masculina es un problema determinado genéticamente y, según se cree, se debe a cambios en la respuesta de los folículos pilosos a la testosterona. Los ciclos de crecimiento de cada folículo piloso son tan cortos que muchos pelos no llegan a salir de sus folículos antes de formarse, y los que lo hacen son muy finos.

La pérdida de pelo puede ser también resultado de factores como el estrés que perturban el ciclo normal de pérdida y sustitución del pelo.

La calvicie del varón es un problema hereditario muy común. La fase de crecimiento de cada pelo es tan corta que no llega a salir del cuero cabelludo.

Color y textura del pelo

El color del pelo depende de la presencia del pigmento melanina, producido por melanocitos en el bulbo del folículo piloso que después es trasladado a la corteza.

El pelo oscuro contiene melanina verdadera como la que se halla en la piel, mientras que el rubio y el pelirrojo resultan de tipos de melanina que contienen azufre y hierro. El pelo gris o blanco se forma por un descenso en la producción de melanina (activado genéticamente) y por la sustitución de la melanina por burbujas de aire en el tallo.

Los adultos tienen en la cabeza unos 120.000 pelos. En los pelirrojos este número es menor, mientras que en los rubios es mayor.

La composición exacta de la queratina producida por el cuerpo está determinada por nuestros genes y difiere de unas personas a otras. Como la queratina es responsable de la textura del tallo del pelo, puede variar enormemente.

Un tallo del pelo cilíndrico y liso produce pelo liso, mientras que un tallo ovalado engendrará un pelo ondulado. El tallo piloso que tiene forma de riñón da lugar a pelo rizado.

El color y la textura del pelo están determinados genéticamente y pueden mostrar grandes variaciones. El color está determinado por el contenido en melanina, mientras que la textura depende de la composición exacta de queratina.

Cómo crecen las uñas

Las uñas son prolongaciones de la capa externa de la piel que no dejan de crecer durante toda la vida. Aparte de su función protectora, pueden ofrecer un buen indicio del estado de salud de una persona.

Como el pelo, las uñas son un derivado de la piel y forman parte de la cubierta exterior del cuerpo. Cada uña es una prolongación de la epidermis (capa exterior de la piel) a modo de escama que cubre el extremo de los dedos de las manos y los pies.

ANATOMÍA DE LA UÑA

Las uñas son estructuras planas y elásticas que empiezan a crecer en la superficie superior de las puntas de los dedos en el tercer mes de desarrollo fetal.

Cada uña consta de las siguientes partes:

- Cuerpo. También se llama placa ungular. Es la parte principal expuesta de la uña.
- Borde libre. Es la parte de la uña que crece más allá de la punta del dedo.
- Pliegue ungular lateral. Abultamiento cutáneo que crece en los laterales de la uña. Los pliegues aparecen en la unión de epidermis y uña debido a que las células epidérmicas se dividen más rápidamente que las de la uña y provocan un abultamiento de la piel sobre ésta.
- Eponiquio (cutícula). Pliegue de piel cornificada (muerta) que cubre parcialmente la uña y protege además su zona de crecimiento.
- Lúnula. Zona ligeramente opaca de la uña que tiene forma de media luna (lúnula proviene del latín, «Luna pequeña»). Esta zona puede estar oscurecida parcialmente por la cutícula.
- Hiponiquio. Es la zona de piel unida situada justo debajo del borde libre de la uña. El hiponiquio tiene una inervación muy profusa, razón por la cual duele mucho si se introduce en él un cuerpo extraño, como por ejemplo una astilla.
- Raíz. También llamada matriz, es la parte proximal de la uña (la más cercana a la piel), implantada en un surco bajo la cutícula.

Las uñas consisten en placas curvas de queratina dura. Debajo de la zona de la lúnula se encuentra la matriz ungular, responsable del crecimiento de la uña.

Anatomía visible de la uña

- Borde libre
- Cuerpo (placa ungular)
- Hiponiquio
- Pliegue ungular lateral
- Lúnula
- Matriz ungular
- Cutícula (eponiquio)

La función de las uñas

Aunque no tenemos las uñas tan fuertes como nuestros antepasados, siguen sirviendo para varias funciones importantes.

FUNCIÓN PROTECTORA

Como la piel y el pelo, las uñas están compuestas por queratina, una proteína dura que actúa como amortiguador y protege las puntas de los dedos de manos y pies.

Además, las uñas de las manos son útiles para tareas como desatarse los cordones de los zapatos, aga-

Las uñas están bien diseñadas para mejorar los movimientos de los dedos, por ejemplo al rascarse. Además, protegen las puntas sensibles de los dedos de las manos y los pies.

rrar objetos pequeños o rascarse. Pese a carecer de nervios, las uñas también actúan como magníficas «antenas», ya que están incrustadas en tejido sensible que detecta cualquier impacto cuando la uña toca un objeto.

Uñas frágiles

Las uñas son muy porosas y pueden contener hasta 100 veces la cantidad de agua que el peso equivalente de piel. Así, las uñas limitan la cantidad de agua que entra en los tejidos de las puntas de los dedos.

El agua absorbida por las uñas se pierde finalmente por evaporación cuando se secan y recuperan su tamaño normal.

La inmersión frecuente en agua y el posterior secado pueden provocar un debilitamiento de la estructura de la uña, que se vuelve quebradiza y propensa a romperse.

Además, el uso de esmalte de uñas y su eliminación con disolvente aumentan la fragilidad de las uñas.

Tras la muerte

Un error común es suponer que las uñas siguen creciendo durante un cierto tiempo después de muertos.

Sin embargo, es comprensible que se haya acuñado este mito, ya que tras el fallecimiento la piel que rodea a las uñas se seca y se contrae desde las placas ungulares. Este fenómeno crea la impresión de que las uñas han aumentado realmente de longitud, de igual forma que al empujar las cutículas hacia atrás parecen tener mayor tamaño.

La realidad es que todas las células del cuerpo interrumpen su función después de la muerte, incluidas las de las uñas.

A menudo se sugiere que las uñas y el pelo siguen creciendo después de la muerte. Sin embargo, con el deceso se interrumpe toda función corporal.

Ritmo de crecimiento de las uñas

Para que una uña crezca desde la raíz a la punta del dedo pueden pasar hasta seis meses. En ciertos momentos este crecimiento se acelera, por ejemplo, cuando hace calor.

El crecimiento de la uña se puede dar en dos zonas:

■ Matriz germinal o zona situada bajo la raíz ungular. En ella las células epidérmicas se dividen y se enriquecen con queratina, que va engrosándose hasta convertirse en uña.
■ Lecho ungular. Área presente bajo la placa ungular; ofrece una superficie sobre la cual se divide la uña en crecimiento.

RITMO DE CRECIMIENTO

En promedio han de pasar de tres a seis meses para que una uña crezca desde la base al extremo del dedo. Una uña corriente se desarrolla a una velocidad de unos 0,5 mm por semana, siendo más rápido el crecimiento en verano. Se cree que la sangre circula más deprisa en esta estación, con lo que la división celular se acelera. Las uñas de las manos crecen unas cuatro veces más rápido que las de los pies; se desconoce el motivo.

Es interesante saber que si una persona es diestra, la uña del pulgar derecho crece más deprisa que la del izquierdo.

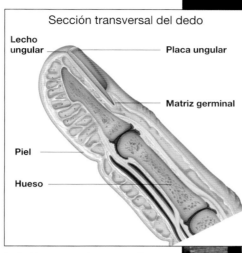

Sección transversal del dedo

Lecho ungular

Placa ungular

Matriz germinal

Piel

Hueso

La lesión provocada en una uña suele acelerar su crecimiento hasta que se recupera. Sin embargo, cuando se destruye la raíz ungular, la uña deja de crecer.

En la mayoría de la gente, las uñas de las manos y los pies son cortas por abrasión o corte. Si no lo hacemos, las uñas pueden alcanzar una gran longitud.

Trastornos y lesiones en las uñas

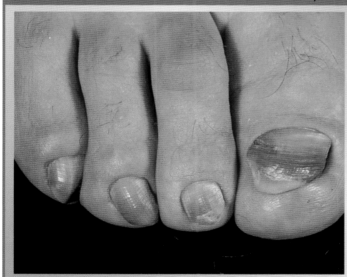

Las uñas pueden dar muchas pistas sobre la salud de una persona.

Riego sanguíneo
Normalmente de color rosa por el rico riego sanguíneo de la piel subyacente, la uña actúa como un indicador del aporte de oxígeno que los anestesistas vigilan durante una intervención quirúrgica. Por este motivo se pide a las mujeres que se quiten el esmalte de uñas antes de

En el síndrome de la uña amarilla, las uñas se engruesan y amarillean. Se asocia con hinchazón de los pies o puede deberse a una enfermedad tiroidea.

someterse a una operación. Si la uña está demasiado pálida o se vuelve azulada, será un signo para el anestesista de que el paciente no está recibiendo suficiente oxígeno.

Trastornos en las uñas
El estado de las uñas puede ser útil como ayuda para diagnosticar una variedad de trastornos.

La presencia de surcos transversales en las uñas puede revelar que una persona ha sufrido una enfermedad grave varios meses antes. Ello se debe a que la dolencia ralentiza el ritmo de crecimiento de las uñas, provocando la aparición de arrugas en la raíz ungular. Estas arrugas se observan después en las uñas cuando van creciendo.

Análogamente, las uñas deformes que se doblan hacia dentro son un claro indicio de anemia (deficiencia de hierro).

El color de las uñas de las manos es también muy revelador. Por ejemplo, uñas opacas apuntan a una cirrosis hepática, mientras que bandas blancas en las mismas pueden ser indicio de intoxicación leve con arsénico.

Lesiones en las uñas
Los cambios más graves en la uña, como un color azul o el desprendimiento de la misma, son relativamente comunes por lesiones externas. Siempre y cuando no se destruya la raíz ungular, la uña volverá a salir y seguirá creciendo.

Las uñas frágiles en forma de cuchara indican que una persona tiene coiloniquia, un signo de anemia que se debe a la falta de hierro en las células.

Las uñas encarnadas se producen por cortarlas demasiado cerca de los bordes. Con ello se induce a las uñas a crecer hacia la carne con la inflamación e infección resultante.

Cómo actúa la piel para proteger el cuerpo

La piel es un importante órgano que cubre toda la superficie del cuerpo. Cumple varias funciones esenciales para protegerlo y ayuda asimismo a controlar la temperatura corporal.

La piel es el órgano de mayor tamaño del cuerpo. Puede pesar entre 2,5 y 4,5 kg y cubre un área de unos 2 metros cuadrados.

ANATOMÍA DE LA PIEL

La piel está compuesta por dos capas diferentes: epidermis y dermis. La epidermis, o cutícula, es la capa protectora externa. La capa más exterior de la epidermis (el estrato córneo) supone las tres cuartas partes del grosor epidérmico.

QUERATINA

Las células de la epidermis producen queratina (una proteína fibrosa presente también en el pelo y las uñas) y son empujadas progresivamente hacia delante por las células en división situadas debajo.

Conforme avanzan hacia el exterior, las células se enriquecen con queratina, se aplanan y mueren. Estas células muertas se desprenden constantemente, con lo que la epidermis se sustituye de manera eficaz en el plazo de unas semanas. De hecho, una persona

cambia como promedio unos 18 kg de piel (en forma de caspa o escamas cutáneas muertas) a lo largo de su vida.

GROSOR DE LA PIEL

La epidermis es más gruesa en aquellas partes del cuerpo que reciben el mayor desgaste, como las plantas de los pies y las palmas de las manos.

DERMIS

La capa más interna de la piel es la dermis. Esta capa fibrosa comprende una red de fibras elásticas y de colágeno.

Además de éstas, la dermis contiene también vasos sanguíneos, nervios, lóbulos grasos, raíces del pelo, glándulas sebáceas y glándulas sudoríparas.

La piel está compuesta por dos capas principales: la epidermis y la dermis. La epidermis se nutre indirectamente de los vasos sanguíneos de la dermis.

Anatomía de la piel

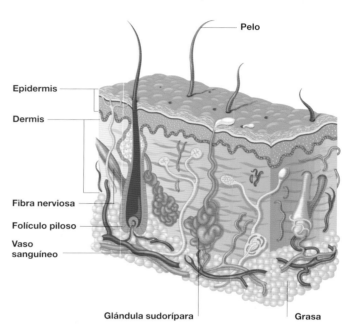

- Pelo
- Epidermis
- Dermis
- Fibra nerviosa
- Folículo piloso
- Vaso sanguíneo
- Glándula sudorípara
- Grasa

Función de la piel

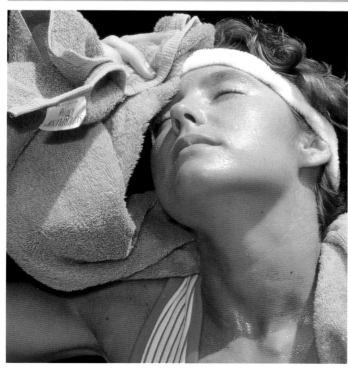

La piel desempeña un papel importante en la regulación de la temperatura. Las glándulas sudoríparas producen una solución salina que refresca el cuerpo cuando se evapora.

La piel desempeña una serie de funciones importantes, entre las que podemos destacar las siguientes:

- Protección. Las fibras de colágeno de la dermis dan a la piel fuerza y resistencia impidiendo que penetren los objetos en el cuerpo.
- Regulación de la temperatura a través de la vasoconstricción (estrechamiento) y la vasodilatación (ensanchamiento) de los vasos sanguíneos de la dermis. La producción de sudor ayuda también a refrescar el cuerpo.
- Barrera contra infección bacteriana. En la superficie de la piel existen naturalmente grandes cantidades de microorganismos. Éstos compiten con las bacterias perniciosas impidiendo que invadan el cuerpo.

- Sensibilidad al tacto y al dolor. La dermis contiene una densa red de terminaciones nerviosas sensibles al dolor y a la presión. Estos nervios ofrecen al encéfalo información vital sobre el cuerpo en relación con su entorno, permitiéndole actuar en consecuencia, por ejemplo, para retirar la mano cuando se toca algo caliente.
- Prevención de pérdida de agua no regulada. Las glándulas sebáceas de la dermis segregan una sustancia oleosa conocida como sebo. Esta sustancia recubre la piel para hacerla impermeable. Las fibras de colágeno de la dermis también retienen agua.
- Protección frente a la radiación ultravioleta (UV). El pigmento melanina (producido por melanocitos en la epidermis) actúa como un filtro frente a la perjudicial radiación ultravioleta producida por el Sol.
- Fabricación de vitamina D. Se produce como respuesta a la luz solar y ayuda a regular el metabolismo del calcio.

El color de la piel

El color de la piel depende principalmente de la presencia de melanina. La producción de este pigmento protege la piel de las radiaciones dañinas producidas por el sol.

El color de la piel depende de una combinación de factores, como el grosor cutáneo, el flujo sanguíneo y la concentración de pigmentos.

PIGMENTOS

En zonas en las que la piel es muy fina y el flujo sanguíneo bueno, la piel aparecerá mucho más oscura (por ejemplo, sobre los labios) debido al color rojo del pigmento he-

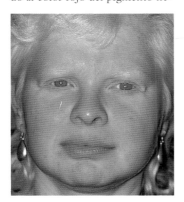

El color de la piel depende principalmente del número de células productoras de melanocitos. Las personas con albinismo no tienen estas células, con lo cual su piel es muy clara.

moglobina en la sangre. En general, la producción de melanina determinará el grado de oscuridad de la piel. Este pigmento es producido por células de melanocitos presentes en la capa epidérmica.

Las personas de piel oscura tienen una alta proporción de melanocitos, y por tanto concentraciones más altas de melanina en la piel.

EXPOSICIÓN AL SOL

La piel responde a los rayos ultravioleta de la luz solar produciendo más cantidades de melanina. Cuando los niveles de melanina aumentan, la piel se oscurece para formar un filtro contra la radiación perniciosa producida por el Sol. La pecas son otro ejemplo de la reacción de

la piel al Sol, ya que representan zonas concentradas de células productoras de melanina.

QUEMADURAS SOLARES

Sin embargo, si la exposición al Sol no tiene lugar gradualmente, la piel es incapaz de producir melanina con rapidez suficiente para filtrar los dañinos rayos solares.

Como consecuencia, la piel se quema inflamándose y sensibilizándose. Una exposición prolongada a

Como respuesta a la luz solar, las células productoras de melanina se hacen más activas. Al aumentar los niveles de melanina, la piel se oscurece y filtra la radiación perjudicial.

rayos UV puede dañar permanentemente las células cutáneas para provocar un envejecimiento prematuro de la piel y a veces cáncer de piel.

Éste suele ser menos común en personas de piel oscura, por la protección de la melanina.

Reparación de la piel

Cuando se produce, por ejemplo, un corte en la piel mediante una incisión quirúrgica, los laterales de la herida crecerán automáticamente para volverse a unir si se contienen con ayuda de puntos o suturas. Sin embargo, si se ha producido pérdi-

da de tejido, tiene lugar un proceso notable cuando se regenera la nueva piel.

Las células cutáneas adyacentes a la herida se desprenden de las células inferiores, migran hacia la zona herida y aumentan de tamaño.

Otras células de alrededor de la herida se multiplican rápidamente para sustituir a las células perdidas. Al final, las células migratorias de todos los lados de la herida confluyen. Una vez cubierta totalmente la herida, se para la migración celular.

La herida seguirá sanando conforme se multiplican las células epiteliales y se recupera el grosor normal.

Las células de alrededor se mueven hacia el lugar de una herida y se multiplican hasta cubrir la zona.

Injertos de piel

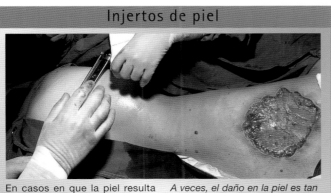

En casos en que la piel resulta muy dañada, como sucede en las quemaduras de tercer grado, puede requerirse intervención médica. Ello se debe a que la zona dañada es demasiado grande para que la piel pueda regenerarse sola antes de que se produzca una infección.

Trasplante de piel
El proceso conocido como injerto de piel supone la retirada de una fina capa de piel de una parte del cuerpo, normalmente la región carnosa del muslo o las nalgas.

A veces, el daño en la piel es tan importante que se necesita un injerto. Este procedimiento supone el trasplante de piel de otra parte del cuerpo.

Esta piel se trasplanta después hasta la herida. Con el tiempo, las células de la nueva piel proliferan, se reúnen y sanan la zona.

Se están desarrollando nuevas técnicas, que implican el cultivo de células de piel en laboratorio. Con esta técnica, puede hacerse crecer piel específicamente para un trasplante.

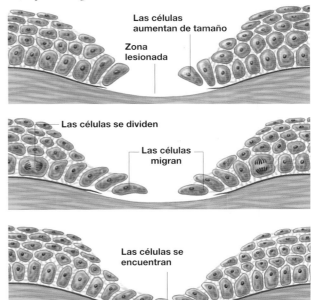

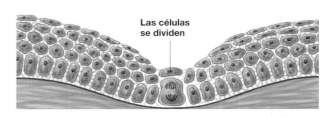

Cómo se controla la temperatura corporal

La temperatura corporal está regulada por una parte del encéfalo llamada hipotálamo. Si la temperatura externa aumenta o disminuye, el cuerpo usa diversos mecanismos para asegurar que mantiene el equilibrio idóneo.

Los animales endotermos (de sangre caliente), como las aves y los mamíferos, mantienen sus cuerpos a una temperatura más o menos constante usando mecanismos internos de control. En cambio, los animales ectotermos (de sangre fría), como los peces y los reptiles, no tienen tales mecanismos internos y dependen en gran medida de la temperatura circundante.

CONTROL DE LA TEMPERATURA CORPORAL
Los seres humanos, como todos los animales de sangre caliente, producen calor por el metabolismo. Todos los tejidos del cuerpo producen calor, pero los que más lo hacen son los más activos, como el hígado, el corazón, el encéfalo y las glándulas endocrinas.

Los músculos también generan calor; cerca del 25% del calor corporal se debe a músculos inactivos. Los músculos activos pueden producir hasta 40 veces más calor que el resto del cuerpo, razón por la cual el cuerpo se calienta al hacer ejercicio.

HOMEOSTASIS
Los seres humanos tienen una temperatura corporal bastante constante que, en condiciones normale, se mantiene con independencia del ambiente externo. Este mantenimiento de un entorno interno constante, a pesar de las variaciones en el exterior, se conoce como homeostasis.

Una de las ventajas de mantener constante la temperatura corporal es que el peligro de sobrecalentamiento se reduce en gran medida. Los casos extremos de este problema pueden derivar en convulsiones y muerte, ya que las vías nerviosas se suprimen y resultan afectadas las actividades de proteínas vitales.

Un termograma (imagen térmica) muestra la distribución de calor en el cuerpo después de hacer ejercicio. Las partes más calientes son las blancas, seguidas por las amarillas y moradas; las partes más frías se muestran en los colores rojo, azul y negro.

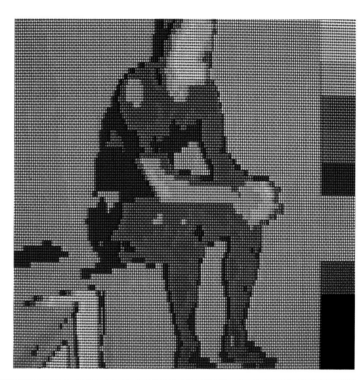

Mecanismos para calentarse

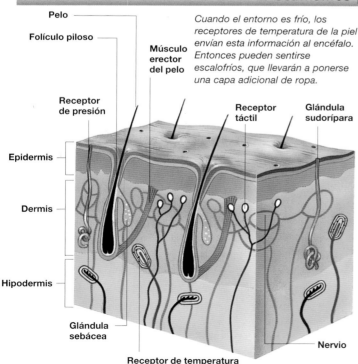

Pelo
Folículo piloso
Músculo erector del pelo
Receptor de presión
Receptor táctil
Glándula sudorípara
Epidermis
Dermis
Hipodermis
Glándula sebácea
Receptor de temperatura
Nervio

Cuando el entorno es frío, los receptores de temperatura de la piel envían esta información al encéfalo. Entonces pueden sentirse escalofríos, que llevarán a ponerse una capa adicional de ropa.

La temperatura normal del cuerpo humano varía entre 35,6 y 37,8 °C. Para mantener este grado de constancia, la temperatura es vigilada por una parte del encéfalo llamada hipotálamo, que actúa utilizando un mecanismo de realimentación similar al usado por el termostato de un sistema doméstico de calefacción central.

Cuando el entorno externo empieza a enfriar el cuerpo, los sensores térmicos de la piel envían esta información al hipotálamo y la persona empieza a sentir frío. Esta información se comunica a otras partes del encéfalo, que inician respuestas fisiológicas cuya finalidad es aumentar el calor corporal y reducir la pérdida térmica.

Algunas reacciones al sentir frío son conscientes, como sería saltar o moverse, ponerse más ropa o desplazarse a un lugar más cálido. Otras se dan espontáneamente. Así, se producen escalofríos cuando los músculos corporales se contraen y se relajan con gran rapidez, lo cual aporta tres o cuatro veces

más calor que si se permanece en reposo. Al mismo tiempo, la producción de adrenalina aumenta, lo cual eleva el ritmo metabólico corporal o velocidad a la que se usa la energía almacenada en forma de glucosa. Como consecuencia, se genera más calor dentro del cuerpo.

REGULACIÓN DE LA PÉRDIDA DE CALOR
Para reducir la pérdida de calor de la superficie corporal, los capilares cercanos a la superficie de la piel se estrechan, con lo que se reduce el flujo sanguíneo a la piel, que empalidece. Al mismo tiempo los diminutos músculos anexos a los folículos pilosos se contraen y los pelos se erizan. En la mayoría de los mamíferos esta acción tiene el efecto de atrapar una capa de aire caliente cerca de la piel, pero como el pelo en los seres humanos es escaso, esta piloerección tiene muy poco efecto en la pérdida de calor, aparte de poner la «carne de gallina».

Mecanismos de control de la temperatura

Nuestra piel está dotada de miles de receptores que vigilan la temperatura global del cuerpo. Estos sensores detectan cambios en el entorno externo y alertan al encéfalo, que a su vez estimula la sudoración o el escalofrío para mantener la homeostasis.

VASODILATACIÓN

La vasodilatación es el mecanismo clave para conservar y perder calor. A altas temperaturas, los vasos sanguíneos se dilatan (ensanchan), permitiendo que se pierda calor y dando a la piel un aspecto enrojecido. El grado de dilatación de los vasos sanguíneos está controlado por nervios, denominados fibras vasomotoras, controlados a su vez por el encéfalo.

VASOCONSTRICCIÓN

A bajas temperaturas, las arteriolas (ramas de las arterias) que conducen a los capilares de las capas superiores de la piel pueden estrecharse (vasoconstricción). Así se reduce el flujo sanguíneo a la piel y, con ello, la pérdida de calor.

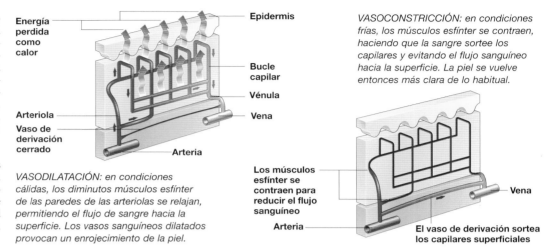

Energía perdida como calor
Epidermis
Bucle capilar
Vénula
Vena
Arteriola
Vaso de derivación cerrado
Arteria

VASODILATACIÓN: en condiciones cálidas, los diminutos músculos esfínter de las paredes de las arteriolas se relajan, permitiendo el flujo de sangre hacia la superficie. Los vasos sanguíneos dilatados provocan un enrojecimiento de la piel.

VASOCONSTRICCIÓN: en condiciones frías, los músculos esfínter se contraen, haciendo que la sangre sortee los capilares y evitando el flujo sanguíneo hacia la superficie. La piel se vuelve entonces más clara de lo habitual.

Los músculos esfínter se contraen para reducir el flujo sanguíneo
Vena
Arteria
El vaso de derivación sortea los capilares superficiales

Mecanismos de refrigeración

La temperatura del cuerpo es normalmente más alta que la del aire circundante. Por tanto, se pierde calor hacia el entorno por radiación y convección cuando las corrientes de aire en movimiento pasan sobre la superficie de la piel.

Sin embargo, si el cuerpo empieza a calentarse demasiado debido a una alta temperatura externa o a la fiebre, los sensores térmicos envían impulsos nerviosos al hipotálamo para que el encéfalo ponga en marcha medidas para enfriar.

Los capilares sanguíneos cercanos a la superficie de la piel se dilatan, de manera que el flujo sanguíneo aumenta y se pierde más calor a través de la piel hacia el exterior.

La sudoración aumenta también la pérdida de calor: cuando el líquido producido por las glándulas sudoríparas se evapora, tiene un efecto de refrigeración en la piel.

En aire seco la sudoración funciona con mucha eficacia: una persona puede tolerar temperaturas de hasta 65 °C durante varias horas en condiciones secas. Sin embargo, si el aire es húmedo, el sudor no puede evaporarse con facilidad y el cuerpo se calienta en exceso más rápidamente.

Una micrografía electrónica coloreada muestra gotitas de sudor (en azul) en la piel humana. El sudor, principalmente en forma de sales disueltas, enfría el cuerpo.

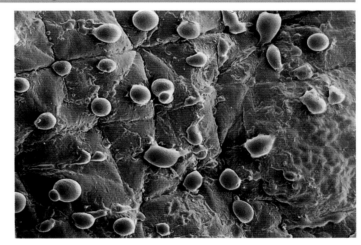

Fiebre e hipotermia

La fiebre es una temperatura corporal que puede darse como resultado de una infección. Las sustancias químicas llamadas citoquinas son liberadas por los glóbulos blancos y células de tejidos dañados. Estas sustancias químicas hacen que el hipotálamo produzca prostaglandinas (hormonas que dilatan los vasos sanguíneos), que a su vez «reinician» el mecanismo de control de termostato del hipotálamo a una temperatura más alta. El resultado es que se desencadenan mecanismos que producen calor; aun cuando la temperatura del cuerpo puede subir hasta 40 °C, el paciente sigue sintiendo un escalofrío. La temperatura corporal sigue siendo alta hasta que la infección se resuelve. En este punto se recupera el ajuste normal del hipotálamo y se inician los mecanismos de refrigeración. El paciente suda y su piel se enrojece al dilatarse los vasos sanguíneos de la piel. La investigación ha demostrado que la fiebre impulsa el sistema inmunitario del cuerpo e inhibe el crecimiento de los microorganismos.

Se produce hipotermia cuando la temperatura corporal central cae por debajo de 35 °C. Procede de la exposición del cuerpo a condiciones frías, lo que lo hace incapaz de mantener la temperatura corporal normal. Los recién nacidos, los ancianos y los enfermos son más vulnerables. La hipotermia suele ser consecuencia de una combinación de alimento, ropa y calefacción inadecuados en condiciones frías.

Los síntomas de hipotermia incluyen letargo, rigidez muscular y un estado de confusión mental. Si no se trata, produce pérdida de consciencia, lesión cerebral y finalmente la muerte.

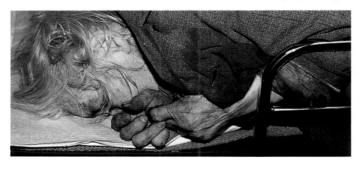

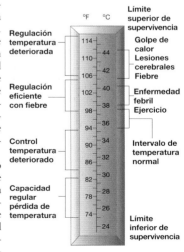

°F	°C	
		Límite superior de supervivencia
114		Golpe de calor
110	44	Lesiones cerebrales
	42	Fiebre
106		
102	40	Enfermedad febril
98	38	Ejercicio
94	36	
90	34	Intervalo de temperatura normal
86	32	
82	30	
78	28	
74	26	
	24	Límite inferior de supervivencia

Regulación temperatura deteriorada
Regulación eficiente con fiebre
Control temperatura deteriorado
Capacidad regular pérdida de temperatura

Los extremos de temperatura corporal, ya sean demasiado altos o bajos, tienen un efecto devastador en la salud mental y física.

Cómo se produce el sudor

El sudor se secreta a partir de las glándulas sudoríparas durante el ejercicio físico, el estrés y en situación de exceso de calor. Se produce en dos tipos diferentes de glándulas situadas en la dermis.

El cuerpo produce calor constantemente. Este proceso es el medio principal que tiene el cuerpo de desembarazarse del exceso de calor.

El aumento del sudor depende del estado de emoción y de la actividad física. El sudor puede ser una respuesta al estrés, la temperatura alta y el ejercicio.

GLÁNDULAS SUDORÍPARAS

El sudor se fabrica en las glándulas sudoríparas, que están situadas en la dermis de la piel, junto con las terminaciones nerviosas y los folículos pilosos. Como promedio, cada persona tiene unos 2,6 millones de glándulas sudoríparas, que se distribuyen por todo el cuerpo, con la excepción de los labios, los pezones y los genitales.

Las glándulas sudoríparas consisten en largos tubos de células huecos y arrollados. Es en la parte arrollada de la dermis donde se produce el calor. La parte larga es un conducto que une la glándula con diminutas aberturas (poros) situadas en la superficie externa de la piel. Las células nerviosas del sistema nervioso simpático (una división del sistema nervioso autónomo) se unen con las glándulas sudoríparas.

TIPOS DE GLÁNDULAS SUDORÍPARAS

Existen dos tipos de glándulas:

- ■ Ecrinas. Conforman el tipo más numeroso de glándula sudorípara, presentes en todo el cuerpo, sobre todo en las palmas de las manos, las plantas de los pies y la frente. Las glándulas ecrinas están activas desde el nacimiento.
- ■ Apocrinas. Glándulas sudoríparas confinadas principalmente a las axilas y la zona genital. Normalmente terminan en folículos pilosos, en vez de poros. Son mayores que las glándulas ecrinas y sólo se activan una vez que ha comenzado la pubertad.

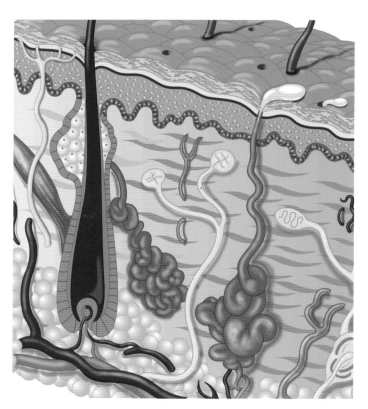

El sudor se produce en glándulas sudoríparas situadas en la dermis. Estas glándulas comprenden tubos de células largos y arrollados que se unen con los poros en la superficie de la piel.

Producción de sudor

La estimulación de una glándula ecrina hace que las células que revisten la glándula segreguen un fluido similar al plasma, pero sin los ácidos grasos y las proteínas. Se trata principalmente de agua con altas concentraciones de sodio y cloruro (sales) y una baja concentración de potasio. Este fluido se origina en los espacios entre las células (espacios intersticiales), que reciben líquido de los vasos sanguíneos (capilares) de la dermis. El fluido pasa desde la parte arrollada y atraviesa el conducto recto. Lo que le sucede cuando alcanza la parte recta del conducto sudoríparo depende del ritmo de producción de sudor de cada uno.

- ■ Bajo flujo de sudor. En reposo y en un entorno frío las glándulas sudoríparas no se estimulan para producir demasiado sudor. Las células del conducto recto tienen tiempo para reabsorber la mayor parte del agua y las sales, de manera que no demasiado líquido alcanza al final la superficie de la piel como sudor.

  La composición de este sudor es diferente que en la fuente primaria: contiene menos sodio y cloruro, pero más potasio.

- ■ Alto flujo de sudor. Se da en temperaturas más altas o durante el ejercicio. Las células de la parte recta del conducto sudoríparo no tienen tiempo de reabsorber toda el agua, el sodio y el cloruro de la secreción primaria. Como consecuencia, una gran cantidad de sudor alcanza la superficie de la piel y su composición es similar a la de la secreción primaria.

SUDOR APOCRINO

El sudor se produce en las glándulas apocrinas de una forma similar, pero el apocrino difiere del sudor ecrino en que contiene ácidos grasos y proteínas. Por este motivo el sudor apocrino es siempre más denso y tiene un color amarillo lechoso.

OLOR

El sudor en sí no tiene olor, pero cuando las bacterias en la piel y el pelo metabolizan las proteínas y los ácidos grasos presentes en el sudor apocrino se produce un olor desagradable. Los desodorantes se han diseñado para eliminar este olor corporal tan característico del ser humano.

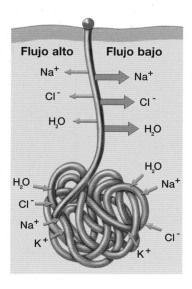

Flujo alto	Flujo bajo
Na$^+$	Na$^+$
Cl$^-$	Cl$^-$
H$_2$O	H$_2$O
	H$_2$O
H$_2$O	Na$^+$
Cl$^-$	
Na$^+$	Cl$^-$
K$^+$	K$^+$

H$_2$O	Agua
K$^+$	Potasio
Na$^+$	Sodio
Cl$^-$	Cloro

Los constituyentes del sudor varían según la temperatura y la actividad. Si la producción es mínima, entonces el sudor tiene menos sales.

La función del sudor

Cuando el sudor se evapora, se lleva consigo el exceso de calor del cuerpo. En un clima muy cálido las glándulas sudoríparas pueden producir hasta 3 litros de sudor en una hora.

La función del sudor es enfriar el cuerpo. El sudor de la superficie de la piel se evapora en la atmósfera y se lleva consigo el calor corporal.

CALOR DE VAPORIZACIÓN
La pérdida de calor por la sudoración está regida por una regla básica de la física. Se necesita calor para convertir agua del estado líquido en el de vapor (gas); cuando el sudor se evapora, este calor se expulsa del cuerpo.

Sin embargo, no todo el sudor se evapora y en buena parte corre por la piel y es absorbido por la ropa. No toda la energía calorífica producida por el cuerpo se pierde por el sudor; en parte se irradia directamente desde la piel al aire, y en parte se pierde a través de la respiración.

RITMO DE EVAPORACIÓN
La humedad afecta al ritmo con el que se evapora el sudor. Si el aire es húmedo, por ejemplo, ya contiene vapor de agua y tal vez no pueda absorber más (cuasisaturación). En este ejemplo concreto el sudor no se evapora ni refresca algo el cuerpo como cuando el aire es seco.

Cuando el agua del sudor se evapora, deja en la piel las sales (so-dio, cloruro y potasio), razón por la cual la piel sabe salada durante la sudoración.

DESHIDRATACIÓN
Un cuerpo que no se aclimata a temperaturas muy calientes puede producir fácilmente 1 litro de sudor por hora. De hecho, la cantidad máxima que puede producir el cuerpo parece estar en torno a 2 o 3 litros por hora.

La pérdida en exceso de agua y sales por el cuerpo puede provocar deshidratación, causando problemas respiratorios, insuficiencia renal y golpe de calor. Es, por tanto, importante beber mucho líquido cuando se hace ejercicio o se está a altas temperaturas.

Para personas que hacen deporte existen también bebidas especializadas que contienen sales vitales para reponer las que se pierden por el sudor.

En zonas de alta humedad, como los bosques tropicales o la selva, el aire ya está saturado de agua. Así, la evaporación reducida de sudor impide que el cuerpo se refresque.

Otras causas de sudor

La sudoración también puede darse como consecuencia de una actividad nerviosa o como signo de un trastorno.

Sudoración nerviosa
La sudoración responde al estado emocional. Si una persona está nerviosa, tiene miedo o ansiedad, existe un aumento en la actividad nerviosa simpática y un incremento en la secreción de adrenalina en la glándula suprarrenal.

La adrenalina actúa sobre las glándulas sudoríparas, en particular las de las palmas de las manos y las de las axilas, haciéndolas producir sudor. Este fenómeno se refiere a menudo como «sudor frío» y es un factor que se aprovecha en el uso de detectores de mentiras. Se

Las personas en situaciones de estrés pueden sudar en ausencia de alta temperatura. Se debe a un pico de adrenalina que estimula las glándulas sudoríparas.

debe a que el aumento de la actividad nerviosa simpática en la piel cambia su resistencia eléctrica.

Sudoración excesiva
La diaforesis o hiperhidrosis es un trastorno en el que tiene lugar una sudoración excesiva. La causa exacta de este embarazoso problema no se conoce, aunque puede deberse a lo siguiente:

■ Hiperactividad de la tiroides. La hormona tiroidea incrementa el metabolismo corporal y la producción de calor.
■ Algunos alimentos y medicamentos determinados.
■ Hiperactividad del sistema nervioso simpático.
■ Desequilibrios hormonales, por ejemplo, la menopausia. Si el problema de la sudoración se agrava, puede recurrirse a la cirugía para eliminar el tronco nervioso simpático en un procedimiento conocido como simpatectomía.

Cómo funcionan los pulmones

Los pulmones, que ocupan la mayor parte de la cavidad torácica superior, tienen un área superficial equivalente a una pista de tenis. Funcionan de manera incansable como sostén de la vida: aportan al cuerpo oxígeno y filtran el pernicioso dióxido de carbono de la sangre.

Los pulmones son un par de grandes órganos esponjosos de forma cónica que eliminan el dióxido de carbono residual del cuerpo y lo intercambian por un aporte fresco de oxígeno. El aire penetra en los pulmones por medio de la expansión de la cavidad torácica y después se expulsa mediante el colapso de la cavidad que fuerza al aire a salir.

Los pulmones ocupan la mayor parte de la cavidad torácica. La parte superior de la cavidad está unida por las costillas y los músculos intercostales. La base de la cavidad se encuentra limitada por el diafragma, una lámina plana de tejido que forma una pared entre el tórax y el abdomen.

INTERIOR DE LOS PULMONES

Dentro de los pulmones existe una densa ramificación reticular de tubos que disminuyen progresivamente de tamaño. Los tubos más grandes son los dos bronquios, que se unen con la base de la tráquea. En el interior de los pulmones los bronquios se dividen en pequeñas ramas denominadas bronquiolos para terminar en grupos de diminutos sacos aéreos o alvéolos. En total, los pulmones contienen más de 2.400 km de vías respiratorias y la superficie interior es de unos 260 m², equivalente al tamaño de una pista de tenis.

El pulmón derecho se divide en tres lóbulos y el izquierdo, en dos. El pulmón izquierdo es más pequeño que el derecho, ya que el corazón ocupa más espacio en el lado izquierdo del cuerpo.

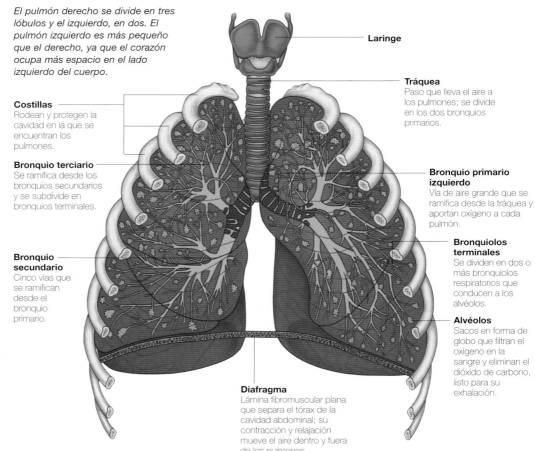

Laringe

Tráquea
Paso que lleva el aire a los pulmones; se divide en los dos bronquios primarios.

Costillas
Rodean y protegen la cavidad en la que se encuentran los pulmones.

Bronquio terciario
Se ramifica desde los bronquios secundarios y se subdivide en bronquios terminales.

Bronquio primario izquierdo
Vía de aire grande que se ramifica desde la tráquea y aportan oxígeno a cada pulmón.

Bronquiolos terminales
Se dividen en dos o más bronquiolos respiratorios que conducen a los alvéolos.

Bronquio secundario
Cinco vías que se ramifican desde el bronquio primario.

Alvéolos
Sacos en forma de globo que filtran el oxígeno en la sangre y eliminan el dióxido de carbono, listo para su exhalación.

Diafragma
Lámina fibromuscular plana que separa el tórax de la cavidad abdominal; su contracción y relajación mueve el aire dentro y fuera de los pulmones.

Inspiración y espiración

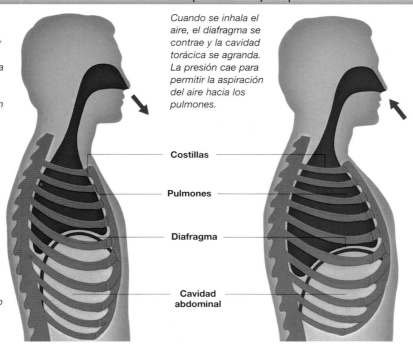

Cuando el aire se expulsa, el diafragma se relaja y se mueve hacia arriba. Así se eleva la presión en la cavidad torácica inferior; la exhalación iguala la presión.

En reposo una persona inhalará y exhalará unos 500 ml de aire de 13 a 17 veces por minuto. Los pulmones se expandirán y contraerán entre 15 y 85 veces dentro de este periodo, dependiendo de la actividad corporal.

Cuando se inhala el aire, el diafragma se contrae y la cavidad torácica se agranda. La presión cae para permitir la aspiración del aire hacia los pulmones.

Costillas

Pulmones

Diafragma

Cavidad abdominal

Los pulmones tienen una tendencia natural a colapsarse. En el interior de la cavidad torácica se mantienen abiertos por la tensión superficial creada por un líquido producido por la membrana pleural interna. Para insuflar aire en los pulmones, la cavidad torácica se expande. Los músculos del diafragma se contraen, con lo que éste se aplana. Al mismo tiempo los músculos intercostales de las costillas se contraen y levantan las costillas hacia arriba y al exterior. Con ello se reduce la presión en la cavidad torácica y los pulmones se expanden inspirando el aire por la boca o la nariz.

Cuando los músculos intercostales se relajan, las costillas caen hacia abajo y hacia dentro y los pulmones se cierran para expeler el aire. Al mismo tiempo, el diafragma se relaja y tira de la cavidad torácica hacia arriba. Para forzar mayor salida de aire de la cavidad torácica, pueden usarse los músculos abdominales para empujar aún más el diafragma hacia la cavidad torácica.

Control de la respiración

La capacidad pulmonar de un adulto es de unos 55 litros, pero durante la respiración normal sólo se intercambian 500 ml. Este movimiento se asocia con la presión interior y exterior.

Aunque la respiración puede controlarse voluntariamente, los movimientos respiratorios son en general una serie de acciones reflejas. Se controlan mediante un centro respiratorio en el cerebro posterior (parte del encéfalo que regula los sistemas corporales básicos). El cerebro posterior tiene dos regiones: un centro inspiratorio y un centro espiratorio.

Los impulsos nerviosos del centro inspiratorio provocan la contracción de los músculos intercostales (que mueven las costillas) y del diafragma. Así se inicia la captación de aire hacia los pulmones. Cuando

Este molde de resina de las arterias pulmonares y los bronquios muestra claramente la red de vasos que aportan sangre y aire a los pulmones.

los pulmones se expanden, los receptores de estiramiento de las paredes pulmonares devuelven señales que empiezan a inhibir las señales del centro inspiratorio.

Al mismo tiempo los impulsos del centro inspiratorio activan el centro espiratorio, que envía señales inhibidoras. El resultado es la relajación de los músculos intercostales y del diafragma, que interrumpe la captación de aire e inicia la espiración. Entonces se repite de nuevo todo el proceso.

La respiración está controlada y regulada asimismo por el nivel de dióxido de carbono (CO_2) en la sangre. Un exceso de CO_2 hace que la sangre se vuelva más ácida. Esta situación es detectada por el encéfalo, y el centro inspiratorio empieza a producir respiraciones más profundas hasta que el nivel de CO_2 se reduce.

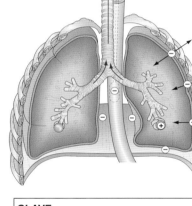

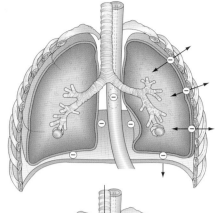

PULMONES EN REPOSO:
En reposo los músculos asociados con la respiración se relajan. El aire de la tráquea y los bronquios está a presión atmosférica (presión estándar ejercida en el entorno) y no existe flujo de aire. El retroceso del pulmón y la cavidad torácica son iguales, aunque opuestos.

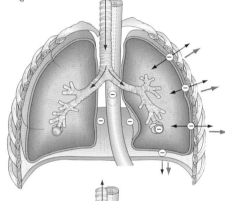

INSPIRACIÓN:
Durante la inspiración los músculos se contraen y el tórax se agranda. La presión en los alvéolos se hace inferior a la del exterior de los pulmones y el aire circula hacia las vías respiratorias.

ESPIRACIÓN:
Durante la espiración la relajación muscular hace que los pulmones se contraigan. Así se aumenta la presión en los alvéolos hasta un punto en el que es mayor que la que existe en la abertura de las vías respiratorias. Ahora el aire circula hacia el exterior de los pulmones.

CLAVE

(+) Presión en los alvéolos mayor que presión del aire exterior.

(−) Presión en los alvéolos menor que presión del aire exterior.

➜ Flujo de aire hacia y desde los pulmones.

➜ Fuerzas internas o externas, que producen un aumento o disminución de presión.

➜ Contracción o relajación muscular.

Intercambio gaseoso

El intercambio de gases tiene lugar en los alvéolos, de los que hay unos 300 millones. Cuando se expanden totalmente, los pulmones pueden contener entre 4 y 6 litros de aire, pero la cantidad es mucho menor al inspirar y espirar normalmente. En una actividad tranquila una persona inhala y exhala unas 15 veces por minuto moviendo alrededor de 500 ml de aire con cada respiración. Sin embargo, durante una actividad agotadora el ritmo de respiración puede aumentar hasta 80 respiraciones por minuto, y el volumen de aire movido aumentará entre 3 y 5 litros.

El aire que se respira contiene en torno al 21% de oxígeno. En el interior de los alvéolos parte de este oxígeno se disuelve en la humedad superficial y pasa a través de la fina membrana hasta la sangre, donde en su mayoría es capturado por la hemoglobina de los glóbulos rojos. Al mismo tiempo el dióxido de carbono, la mayor parte del cual se transporta en el plasma sanguíneo, pasa a los pulmones, donde se libera como gas listo para su espiración. El aire exhalado contiene aproximadamente el 16% de oxígeno.

Los espacios que se observan en esta red de tejido pulmonar son alvéolos que se encargan de la función primaria del intercambio gaseoso.

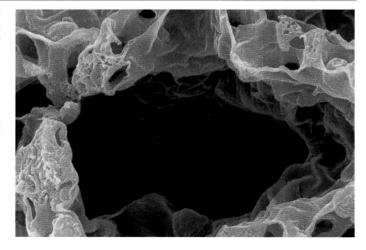

Cómo bombea el corazón

El corazón adulto late más de 100.000 veces y bombea unos 8.000 litros de sangre en un periodo de 24 horas. Aunque el corazón es un músculo, no se agota como los demás y nunca descansa.

El corazón es un potente músculo que realiza dos tareas vitales: impulsa sangre enriquecida con oxígeno a todas las demás partes del cuerpo y bombea también sangre desoxigenada (usada) hacia los pulmones, donde se reoxigena.

El corazón está dividido en dos por una fuerte pared muscular denominada tabique. Cada una de estas mitades se subdivide en dos cámaras: las cámaras superiores derecha e izquierda se llaman aurículas; las dos cámaras inferiores son los ventrículos.

Cada una de estas cuatro cámaras desempeña un papel específico en la circulación de la sangre alrededor del corazón y después en su envío hacia el resto del cuerpo o a los pulmones.

EL MÚSCULO CARDIACO

La pared del corazón se compone de tres capas: epicardio (exterior), miocardio (media) y endocardio (interior). La capa miocárdica es responsable de la contracción del corazón. Las fibras musculares se disponen de manera que inducen un movimiento de «exprimidor» que impulsa con eficacia la sangre fuera del corazón.

El grosor del miocardio varía con la presión generada dentro de las diversas cámaras del corazón. La capa miocárdica ventricular derecha es moderadamente gruesa, ya que la sangre se bombea sólo a través de la arteria pulmonar hacia los dos pulmones.

En cambio, por su parte, el miocardio del ventrículo izquierdo es mucho más grueso, ya que se necesita más presión para bombear la sangre a todas las partes del cuerpo. En cambio, la capa miocárdica de las aurículas es relativamente fina.

Estructura interna del corazón

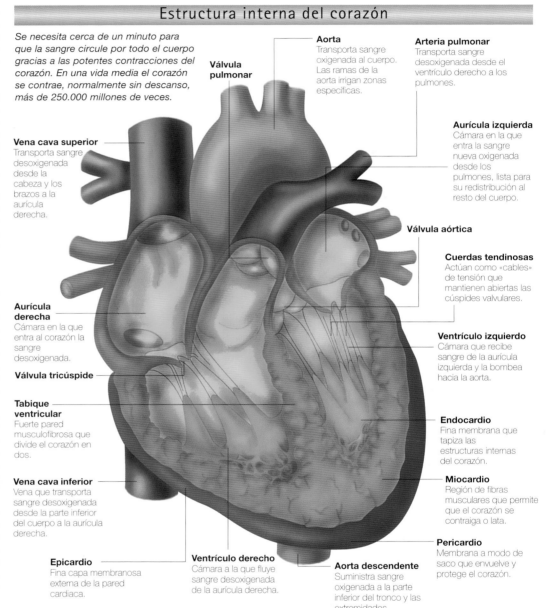

Se necesita cerca de un minuto para que la sangre circule por todo el cuerpo gracias a las potentes contracciones del corazón. En una vida media el corazón se contrae, normalmente sin descanso, más de 250.000 millones de veces.

Aorta
Transporta sangre oxigenada al cuerpo. Las ramas de la aorta irrigan zonas específicas.

Arteria pulmonar
Transporta sangre desoxigenada desde el ventrículo derecho a los pulmones.

Válvula pulmonar

Vena cava superior
Transporta sangre desoxigenada desde la cabeza y los brazos a la aurícula derecha.

Aurícula izquierda
Cámara en la que entra la sangre nueva oxigenada desde los pulmones, lista para su redistribución al resto del cuerpo.

Válvula aórtica

Cuerdas tendinosas
Actúan como «cables» de tensión que mantienen abiertas las cúspides valvulares.

Aurícula derecha
Cámara en la que entra al corazón la sangre desoxigenada.

Válvula tricúspide

Ventrículo izquierdo
Cámara que recibe sangre de la aurícula izquierda y la bombea hacia la aorta.

Tabique ventricular
Fuerte pared musculofibrosa que divide el corazón en dos.

Endocardio
Fina membrana que tapiza las estructuras internas del corazón.

Vena cava inferior
Vena que transporta sangre desoxigenada desde la parte inferior del cuerpo a la aurícula derecha.

Miocardio
Región de fibras musculares que permite que el corazón se contraiga o lata.

Epicardio
Fina capa membranosa externa de la pared cardiaca.

Ventrículo derecho
Cámara a la que fluye sangre desoxigenada de la aurícula derecha.

Aorta descendente
Suministra sangre oxigenada a la parte inferior del tronco y las extremidades.

Pericardio
Membrana a modo de saco que envuelve y protege el corazón.

Control del flujo de sangre alrededor del corazón

El flujo de sangre alrededor de las cuatro cámaras del corazón está controlado por cuatro válvulas. Las válvulas auriculoventriculares (válvula tricúspide y válvula mitral o bicúspide) se sitúan entre las aurículas y los ventrículos. Las dos válvulas semilunares se encuentran en las aberturas de la arteria pulmonar y la aorta. La arteria pulmonar lleva sangre desoxigenada hacia los pulmones; la aorta transporta san-

gre a los órganos y tejidos del cuerpo. Las válvulas cardiacas aseguran que la sangre circula siempre en una misma dirección. Si la presión alcanza un punto crítico, las válvulas se abren dejando pasar sangre a su través. Cuando el corazón se relaja entre contracciones, las válvulas aórtica y pulmonar se mantienen firmemente cerradas, pero las válvulas auriculoventriculares quedan abiertas.

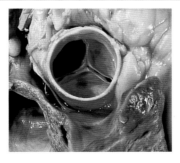

La sangre oxigenada entra en la aurícula izquierda del corazón, es impulsada al ventrículo izquierdo y finalmente se bombea hacia las arterias del cuerpo a través de la aorta. La válvula aórtica (en la imagen) tiene tres cúspides semilunares. La finalidad de la válvula es impedir el reflujo de sangre al ventrículo izquierdo, manteniendo el flujo direccional de la sangre a través del corazón.

El ciclo del latido cardiaco

Existen tres fases en cada latido en el corazón. Cuando el músculo cardiaco se contrae, la sangre se desplaza alrededor de las cámaras internas en rotación estricta. Al mismo tiempo la sangre se bombea hacia los órganos y tejidos del cuerpo, o se transporta de nuevo a los pulmones, donde se reoxigena para su nuevo uso.

1 DIÁSTOLE

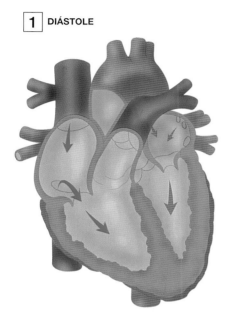

2 SÍSTOLE AURICULAR

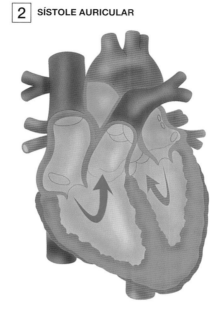

3 SÍSTOLE VENTRICULAR

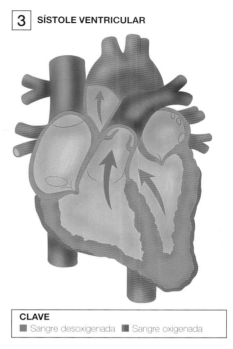

CLAVE
■ Sangre desoxigenada   ■ Sangre oxigenada

Durante la primera fase (diástole) la sangre desoxigenada entra a la aurícula derecha y la sangre oxigenada penetra en la aurícula izquierda. Cuando estas cámaras alcanzan su capacidad, la sangre fluye hacia los ventrículos.

En la fase sistólica auricular los músculos cardiacos (miocardio) que rodean a las aurículas se contraen, lo que hace a su vez que las dos cámaras auriculares se vacíen y la sangre que queda en las aurículas se impulsa hacia los ventrículos.

Los ventrículos se contraen durante la tercera fase. Las válvulas semilunares se abren y la sangre es bombeada hacia el cuerpo a través de la aorta, o se transporta a los pulmones por medio de la arteria pulmonar. Entonces comienza otra vez el ciclo.

La sangre desoxigenada entra en el lado derecho del corazón y se bombea hacia los pulmones para reoxigenarse. Esta sangre nueva fluye después hacia el lado izquierdo del corazón, desde donde circulará por el resto del cuerpo. Este flujo sanguíneo rico en nutrientes se denomina circulación sistémica.

Las aurículas y los ventrículos contienen la sangre que se bombea en el corazón. En la primera fase de un latido cardiaco la sangre desoxigenada fluye hacia la aurícula derecha y entra sangre oxigenada en la aurícula izquierda, provocando la expansión de ambas cámaras. Conforme se acumula presión, las aurículas se contraen forzando la sangre hacia los dos ventrículos. Se trata de la segunda fase del ciclo del latido cardiaco.

En la fase final empieza a acumularse presión en los ventrículos según se rellenan de sangre. En un punto crítico la sangre es expulsada desde el corazón por la aorta. Entonces la sangre oxigenada se distribuye a los órganos y el tejido, y la desoxigenada se bombea a los pulmones.

Acción del músculo cardiaco

Las contracciones rítmicas del corazón se provocan por la acción de «exprimidor» del músculo cardiaco. Este músculo es único en el sentido de que es intrínsecamente contráctil y experimenta contracciones rítmicas incluso si se saca el corazón del cuerpo durante un tiempo breve.

El proceso que ocasiona la contracción automática del músculo cardiaco recibe el nombre de autoexcitación. Muchas fibras del músculo cardiaco exhiben esta capacidad, pero lo hacen sobre todo las fibras presentes en el sistema de conducción especializado del corazón, que controla el ciclo del latido cardiaco. Las fases de este ciclo pueden oírse con un estetoscopio. Esta técnica se denomina auscultación cardiaca.

En una persona normal el corazón se contrae unas 72 veces por minuto y en cada latido pueden distinguirse distintos sonidos cardiacos. El primer sonido se debe al cierre de las válvulas mitral y tricúspide, y el segundo, más sordo, procede del cierre de las válvulas aórticas y pulmonar.

Flujo de sangre a y desde el corazón

La sangre fluye hacia la aurícula derecha por la vena cava superior, la gran vena que drena la sangre usada de la cabeza, el cuello, los brazos y partes del tórax. La sangre fluye también desde la vena cava inferior, que drena sangre del resto del cuerpo, y el seno coronario, que drena desde el propio corazón.

La sangre oxigenada sale del corazón por la aorta, que se ramifica en el sistema arterial. Por este medio llegan los nutrientes y el oxígeno hasta las células. Las arterias se dividen en arteriolas y finalmente en capilares. Es en estos capilares microscópicos donde se intercambian fluidos, nutrientes y desechos entre el tejido y la sangre. Ahora, la sangre que contiene productos de desecho drena en las vénulas y las venas y por fin en las grandes venas que desembocan en el corazón.

Para funcionar el corazón debe recibir constantemente un aporte de oxígeno y nutrientes. Estos nutrientes son transportados al corazón por la sangre a través del sistema arterial coronario. Dos arterias coronarias (izquierda y derecha) se ramifican sobre la superficie del corazón. Las ramas de estos sistemas se difunden sobre la superficie del corazón de manera que la fibra muscular pueda recibir oxígeno y nutrientes. Las venas coronarias transportan sangre usada y productos de desecho desde la superficie del corazón al seno coronario.

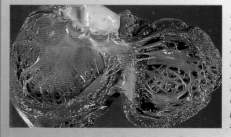

Para funcionar del modo adecuado el corazón (visto aquí en corte transversal) necesita un aporte sustancial de sangre. El encéfalo es el único órgano del cuerpo que precisa un gran suministro de sangre.

Cómo late el corazón

El corazón contiene tejido especializado que genera un latido rítmico intrínseco.
El encéfalo controla la frecuencia cardiaca enviando impulsos nerviosos que
alteran este ritmo intrínseco.

Una característica notable del corazón es que, al estar bañado por una solución que contiene nutrientes vitales, seguirá latiendo durante periodos largos cuando se saca del cuerpo. Por lo tanto, el latido cardiaco se origina dentro del propio corazón y no es resultado de impulsos eléctricos llegados del encéfalo.

El tejido marcapasos especializado y un sistema conductor eléctrico son responsables de generar la «chispa» eléctrica subyacente al latido y de transmitirlo en una secuencia ordenada a través de las cámaras cardiacas superior e inferior.

NODO SINOAURICULAR
El marcapasos primario del corazón se conoce por nodo sinoauricular (SA), que es la pequeña zona de tejido situada en la aurícula derecha (cámara superior) del corazón. El nodo SA tiene una longitud de unos 20 mm y una anchura de 5 mm. Las propiedades eléctricas especializadas de las células en el nodo SA permiten generar «chispas» regulares de electricidad que inician el latido cardiaco.

Las células del músculo cardiaco están conectadas entre sí de forma que los fenómenos eléctricos pasan rápidamente de célula a célula. Así, cuando las células del nodo SA generan impulsos eléctricos, la onda emergente de excitación eléctrica se difunde muy rápidamente por las dos aurículas. Esto conduce a una contracción sincronizada de las aurículas, que impulsan sangre a las cámaras inferiores del corazón, los ventrículos.

El corazón puede seguir contrayéndose un tiempo después de haber sido extraído del cuerpo, pero debe ser sumergido en un baño con los nutrientes apropiados.

Difusión de la actividad eléctrica por el corazón

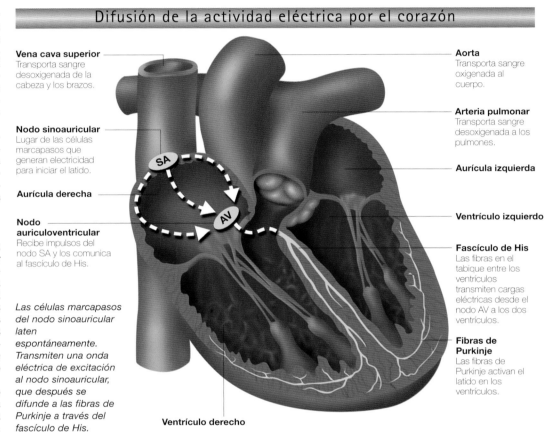

Vena cava superior
Transporta sangre desoxigenada de la cabeza y los brazos.

Nodo sinoauricular
Lugar de las células marcapasos que generan electricidad para iniciar el latido.

Aurícula derecha

Nodo auriculoventricular
Recibe impulsos del nodo SA y los comunica al fascículo de His.

Las células marcapasos del nodo sinoauricular laten espontáneamente. Transmiten una onda eléctrica de excitación al nodo sinoauricular, que después se difunde a las fibras de Purkinje a través del fascículo de His.

Ventrículo derecho

Aorta
Transporta sangre oxigenada al cuerpo.

Arteria pulmonar
Transporta sangre desoxigenada a los pulmones.

Aurícula izquierda

Ventrículo izquierdo

Fascículo de His
Las fibras en el tabique entre los ventrículos transmiten cargas eléctricas desde el nodo AV a los dos ventrículos.

Fibras de Purkinje
Las fibras de Purkinje activan el latido en los ventrículos.

Nodo auriculoventricular

Para que un impulso llegue a los ventrículos debe atravesar una región especializada que se conoce como nodo auriculoventricular (AV). El nodo AV funciona como una especie de caja de conexiones eléctricas. La conducción eléctrica es normalmente más lenta a través del nodo AV que en otras zonas. Como consecuencia, el impulso se retrasa en su paso por el nodo AV durante aproximadamente una décima de segundo, a la frecuencia del corazón en reposo. Se tiene tiempo así para que los ventrículos reciban la sangre bombeada hacia ellos durante la contracción de las cámaras superiores.

Desde el nodo AV el impulso entra en un grupo de fibras entre los ventrículos denominado fascículo de His. Se dividen en dos ramas,

Cuando el corazón deja de latir, a veces puede volver a hacerlo si se le aplica un potente shock eléctrico a través de la pared torácica.

que se extienden a una red de fibras conductoras llamadas fibras de Purkinje, que distribuyen rápidamente la excitación eléctrica por todos los ventrículos. Una vez excitados, los ventrículos se contraen bombeando sangre para su circulación. Así, la secuencia de acontecimientos que empieza con un impulso eléctrico espontáneo en el nodo SA termina con una contracción ventricular.

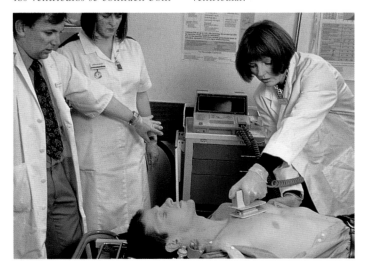

Cómo se controla la frecuencia cardiaca

El encéfalo es capaz de modular la frecuencia cardiaca por medio de las fibras nerviosas parasimpáticas y simpáticas. Éstas adaptan la fuerza y la sincronización del latido cardiaco durante el reposo y el ejercicio o la emoción intensa. La actividad eléctrica del corazón puede estudiarse con un electrocardiograma.

Aunque el latido cardiaco surge en el tejido del nodo sinoauricular del corazón, puede modularse por acción cerebral por medio de una serie de fibras nerviosas. Estas fibras nerviosas se subdividen anatómica y funcionalmente en dos grupos:

■ Nervios parasimpáticos. Reducen la frecuencia cardiaca.
■ Nervios simpáticos. Aumentan la frecuencia e intensidad del latido cardiaco.

CONTROL PARASIMPÁTICO

En ausencia de toda influencia del sistema nervioso, la frecuencia inherente de generación de impulsos del nodo SA es de aproximadamente 100 latidos/minuto en el ser humano. Es algo superior a la frecuencia cardiaca normal en reposo, que es de unos 70 latidos/minuto. El motivo es que la actividad parasimpática (a través del nervio vago) ralentiza la frecuencia de generación sinoauricular automática de impulsos.

Por tanto, en reposo el corazón se considera en «tono vagal»; que permite al encéfalo aumentar la frecuencia cardiaca reduciendo la actividad del nervio vago.

CONTROL SIMPÁTICO

Con aumentos en la demanda de la circulación, como sucede durante el ejercicio, las fibras simpáticas liberan noradrenalina, que acelera la frecuencia de generación de impulsos nodal sinoauricular. Además, la actividad simpática aumenta la velocidad de conducción eléctrica a través del nodo AV, lo que hace a los ventrículos excitarse y latir con más frecuencia.

Al igual que el ejercicio, los estados emocionales intensos (por ejemplo, el miedo) pueden aumentar la frecuencia cardiaca por medio de una mayor actividad simpática. Esta situación puede compensarse con «beta-bloqueantes», unos fármacos que bloquean los efectos de excitación de la noradrenalina y la adrenalina circulante.

El encéfalo puede alterar la frecuencia e intensidad del latido cardiaco enviando impulsos nerviosos a lo largo de las fibras nerviosas simpáticas y parasimpáticas.

Control nervioso del corazón

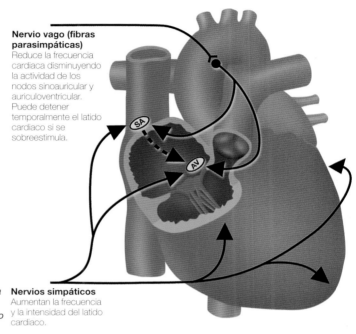

Nervio vago (fibras parasimpáticas)
Reduce la frecuencia cardiaca disminuyendo la actividad de los nodos sinoauricular y auriculoventricular. Puede detener temporalmente el latido cardiaco si se sobreestimula.

Nervios simpáticos
Aumentan la frecuencia y la intensidad del latido cardiaco.

Registro de la actividad eléctrica del corazón

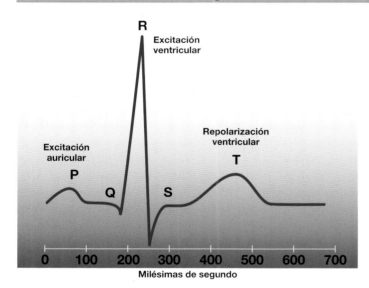

R
Excitación ventricular

Repolarización ventricular

T

Excitación auricular

P

Q **S**

| 0 | 100 | 200 | 300 | 400 | 500 | 600 | 700 |

Milésimas de segundo

La secuencia de sucesos eléctricos que tiene lugar durante un solo latido cardiaco puede detectarse en la superficie del cuerpo mediante un electrocardiograma (ECG).

SECUENCIA DE SUCESOS DURANTE UNA TRAZA DE ECG

Durante cada latido cardiaco el primer suceso perceptible en el ECG es la excitación eléctrica combinada de tejido auricular. Se corresponde con la «onda P» del ECG. Sigue un periodo durante el cual se produce una contracción auricular y una excitación que se desplaza a través del nodo AV.

La excitación de tejido ventricular que sigue da origen al complejo «QRS» del ECG. El tejido ventricular se mantiene excitado uniformemente entre 0,2 a 0,3 segundos y después se recupera du-

Este ECG muestra un registro del corazón de una persona sana. El equipo de ECG puede detectar la secuencia de sucesos eléctricos que tienen lugar en un latido cardiaco.

rante la recuperación eléctrica (repolarización), que corresponde a la «onda T» del ECG.

Para el cardiólogo los registros de ECG ofrecen una información valiosa para el diagnóstico de una serie de trastornos patológicos que suponen una generación y propagación anómala de impulsos, ya que producen alteraciones característi-cas en el perfil del ECG. Los ritmos cardiacos anómalos se agrupan según las denominaciones generales de arritmias y disritmias, y su tratamiento comprende una gama diversa de estrategias farmacológicas y otras dirigidas a recuperar la sincronización y la frecuencia normales de generación y conducción de los impulsos.

Los ECG se toman colocando electrodos sobre la piel. Las tomas se conectan a un monitor que visualiza los cambios de voltaje en el ECG.

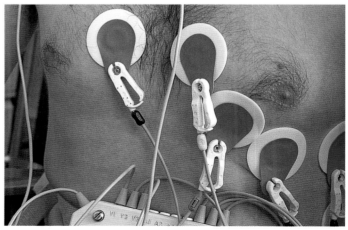

Cómo comienza la digestión

La digestión implica el movimiento de la comida a través del conducto alimentario del cuerpo de forma que puedan absorberse los nutrientes. La primera fase es la ingestión de alimento desde la boca al conducto alimentario.

La digestión es el proceso por el cual las sustancias químicas complejas de la comida se descomponen en otras más simples que puedan ser absorbidas por el cuerpo. Tiene lugar en el conducto alimentario, que está formado por boca, esófago, estómago, intestino delgado, intestino grueso y recto.

El conducto alimentario, también conocido como tracto gastrointestinal, contiene las estructuras y órganos asociados que tienen que ver con la digestión. Discurre de la boca al ano absorbiendo nutrientes y expulsando el material de desecho.

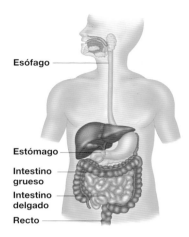

Esófago

Estómago

Intestino grueso

Intestino delgado

Recto

MASTICACIÓN

La digestión comienza en la boca, donde la masticación rompe la comida en fragmentos menores y la mezcla con saliva. La lengua, un órgano muscular capaz de una diversidad de movimientos, tiene dos funciones principales en el proceso. Primero mueve la comida alrededor de la boca actuando con los músculos del cuello y las mandíbulas para emplear los dientes en la masticación.

También tiene que ver con el gusto: su superficie está cubierta por miles de papilas (pequeñas protuberancias) que aumentan el área superficial que entra en contacto con el alimento.

DEGLUCIÓN

La primera fase de la deglución está bajo control voluntario. Cuando se termina la masticación, la lengua empuja hacia el paladar duro y fuerza a la comida a la parte posterior de la boca, donde se forma una masa blanda (bolo).

El bolo es forzado a moverse hacia la faringe, donde la deglución es una acción refleja. La lengua impide que la comida entre en la boca y el paladar blando se mueve hacia arriba para cerrar la cavidad nasal. Entonces la epiglotis cierra la tráquea y los músculos de la faringe comprimen el bolo en el esófago.

La deglución

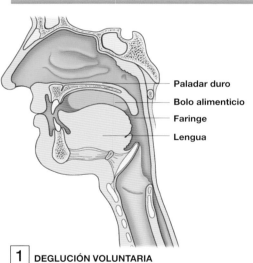

Paladar duro

Bolo alimenticio

Faringe

Lengua

1 DEGLUCIÓN VOLUNTARIA

En la fase voluntaria de la deglución la lengua sube hacia el paladar duro. Así, se fuerza al bolo a ir a la faringe (garganta).

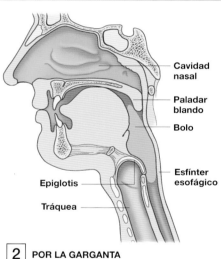

Cavidad nasal

Paladar blando

Bolo

Epiglotis

Tráquea

Esfínter esofágico

2 POR LA GARGANTA

Cuando el bolo pasa por la faringe, la cavidad nasal y la tráquea se cierran. El esfínter esofágico superior se relaja.

Cavidad nasal

Paladar blando

Lengua

Epiglotis

Bolo

3 POR EL ESÓFAGO

Una vez pasado el bolo, el esfínter se contrae obligándolo a descender por el esófago hasta el estómago.

Qué hace la saliva

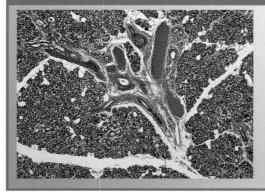

La saliva es una secreción acuosa producida por las glándulas salivales. Existen tres pares de glándulas salivales situadas en la cara y el cuello, además de otras muchas más pequeñas en la lengua y la mucosa bucal.

La saliva contiene mucosidad, que rodea a los fragmentos masticados de alimento en la boca. Así los lubrica para facilitar su paso por

En esta micrografía se muestra la estructura de una glándula salival situada bajo la base de la lengua. Las regiones de color malva contienen los conductos excretores.

el esófago al deglutirlos. También contiene una sustancia química llamada lisozima, que actúa como desinfectante, y una enzima denominada ptialina, que inicia el proceso de digestión de ciertos almidones al descomponerlos en azúcares disacáridos, como dextrosa y maltosa.

La saliva se segrega constantemente (aprox. 1,7 litros al día), pero la velocidad de flujo puede alterarse por la estimulación nerviosa. Por ejemplo, se produce más saliva cuando se huele comida y al tener ésta en la boca, mientras que el nerviosismo se acompaña de falta de saliva («boca seca»).

Avance de la comida hacia el estómago

La comida deglutida avanza en forma de bolo a lo largo de todo el esófago hacia el estómago. En este órgano el bolo alimenticio es reservado temporalmente mientras se inicia el proceso de descomposición química del mismo.

Esófago

El esófago es un tubo muscular elástico de unos 25 cm de largo y revestido con una membrana mucosa que permite que pase el alimento con facilidad. Su pared exterior contiene músculos longitudinales y circulares que hacen posible un proceso conocido como peristalsis, en el que se transmiten oleadas de contracciones a lo largo del tubo.

Contracciones musculares sucesivas (peristalsis) empujan el bolo por el esófago hacia el estómago.

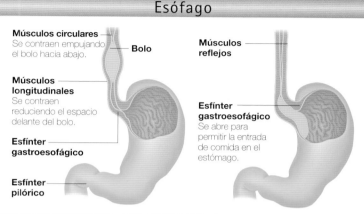

Músculos circulares
Se contraen empujando el bolo hacia abajo.

Bolo

Músculos longitudinales
Se contraen reduciendo el espacio delante del bolo.

Esfínter gastroesofágico

Esfínter pilórico

Músculos reflejos

Esfínter gastroesofágico
Se abre para permitir la entrada de comida en el estómago.

PERISTALSIS

La presencia de un bolo alimenticio activa la peristalsis de forma automática para que el bolo sea transportado progresivamente hacia el estómago por las contracciones.

El contenido del estómago se ve impedido normalmente de refluir hacia atrás por las paredes musculares del esófago. Estas paredes forman un esfínter eficaz en el extremo inferior, aunque su estructura no es visiblemente diferente del resto de la pared esofágica.

Estómago

El estómago es una bolsa muscular situada en la parte superior del abdomen. Consta de cuatro regiones: el cardias es la parte que se une inmediatamente al esófago; el fondo es la parte superior en forma de bóveda; el cuerpo es la parte central; y el antro es el tercio inferior. En su extremo inferior el estómago se separa del intestino delgado por el esfínter pilórico. Éste se abre en intervalos para permitir el paso de parte de su contenido hacia el intestino.

PARED MUSCULAR

La función del estómago es actuar como depósito de comida e iniciar el proceso de la digestión de proteínas y grasas. Las paredes están formadas por músculos que se distribuyen arriba y abajo en transversal y diagonal. Las contracciones rít-

micas de estos músculos mezclan la comida con jugos gástricos para formar un líquido denso, cremoso y ácido denominado quimo. En promedio, el estómago contiene de 1 a 1,5 litros de quimo, pero puede ampliarse para guardar mucho más.

Cuando está lleno, el estómago adquiere la forma de un guante de boxeo, de 25 a 30 cm de largo y con un diámetro de 10 a 12 cm en su punto más ancho. En vacío las paredes se contraen para desarrollar pliegues internos o arrugas de la mucosa estomacal. En este estado su forma se asemeja más a una «J».

La pared del estómago está formada por una capa muscular, una capa de submucosa conjuntiva y un revestimiento de mucosa que contiene millones de fositas gástricas.

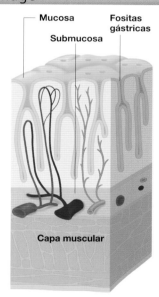

Mucosa

Submucosa

Fositas gástricas

Capa muscular

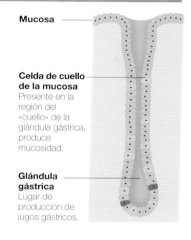

Mucosa

Celda de cuello de la mucosa
Presente en la región del «cuello» de la glándula gástrica, produce mucosidad.

Glándula gástrica
Lugar de producción de jugos gástricos.

Una fosita gástrica conduce a una glándula gástrica, de la que hay tres clases. Éstas segregan sustancias químicas que forman jugos gástricos.

Jugos digestivos

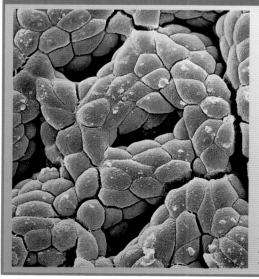

Una micrografía de color falso revela la compleja estructura de la mucosa del estómago. Las células de la superficie (verdes) segregan mucosidad; entre ellas hay «fositas» profundas que contienen las glándulas gástricas.

En la pared del estómago hay unas glándulas que contienen diversas células secretoras que producen conjuntamente los jugos gástricos. El ácido clorhídrico es producido por células parietales, presentes principalmente en el cuerpo y el fondo del estómago. El ácido clorhídrico permite la actuación de la enzima gástrica pepsina y ayuda a esterilizar el alimento destruyendo la mayor parte de bacterias y otros microorganismos. La producción de ácido clorhídrico está estimulada por la hormona gastrina, que segrega las glándulas del antro, parte inferior del estómago. A continuación se absorbe la gastrina en el cuerpo del estómago y es transportada a las células parietales en la sangre.

Los jugos gástricos contienen tres enzimas:

■ Renina. Coagula la leche y es más importante en lactantes que en adultos.
■ Pepsina. Inicia la digestión de las proteínas al dividirlas en moléculas de cadena corta denominadas péptidos.
■ Lipasa gástrica. Empieza a convertir las grasas en ácidos grasos y glicerol.

Otra secreción, conocida por «factor intrínseco», permite al cuerpo absorber vitamina B12, una sustancia vital para la función saludable de la mayoría de los tejidos del cuerpo.

El contenido del estómago es suficientemente ácido para disolver una navaja de afeitar. Para que no se digiera la propia pared estomacal, está protegida por una capa de mucosa alcalina. Además, las células de esta mucosa se sustituyen continuamente a un ritmo de millón por minuto: el estómago renueva su mucosa cada tres días.

Cómo se absorbe la comida

La digestión empieza en la boca y el estómago, pero es en el intestino delgado donde tiene lugar la mayoría de los procesos digestivos. Esta parte del tracto digestivo se divide en tres secciones: duodeno, yeyuno e íleon.

La longitud total del intestino delgado es de 6,5 m. El duodeno mide unos 25 cm de largo y en él el material del estómago se mezcla con los jugos digestivos. El yeyuno tiene unos 2,5 m de longitud y se confunde con el íleon, que conforma el resto del intestino delgado. La división entre ellos es gradual, pero el yeyuno tiene una pared más gruesa y un diámetro mayor (unos 3,8 cm).

La comida avanza a través del intestino por la peristalsis (contracción muscular) y el proceso de digestión prosigue por todo el intestino delgado. La función principal del yeyuno y el íleon es absorber los productos de la digestión en el cuerpo.

JUGOS DIGESTIVOS

Los jugos digestivos del duodeno contienen bicarbonato de sodio alcalino, que neutraliza el ácido producido en el estómago y proporciona un entorno alcalino que hace posible la acción de las enzimas intestinales.

Los jugos digestivos del duodeno tienen dos fuentes. En primer lugar, están las glándulas de la pared duodenal que producen las enzimas maltasa, sacarasa, enterocinasa y erepsina.

La segunda fuente es el páncreas, que además de su función endocrina produce tres enzimas digestivas: lipasa, amilasa y tripsinógeno. Jun-

tas, estas enzimas continúan con la digestión de proteínas, azúcares y grasas.

DIGESTIÓN DE PROTEÍNAS, GRASAS E HIDRATOS DE CARBONO

Algunas proteínas se descomponen en péptidos (pequeñas cadenas de aminoácidos, bloques elementales de las proteínas) en el estómago. En el intestino delgado la enteroquinasa activa el proceso de digestión de proteínas al descomponer proteínas y péptidos en aminoácidos. La erepsina duodenal convierte los péptidos en aminoácidos.

La digestión de las grasas se ve ayudada por las sales presentes en la mezcla verdusca denominada bilis, que se produce en el hígado y se almacena en la vesícula biliar. La bilis entra en el duodeno por el conducto biliar. Las sales de la bilis emulsionan las grasas para producir pequeños glóbulos que presentan una mayor área superficial para la enzima lipasa, que convierte las grasas en ácidos grasos y glicerol.

Todo almidón no activado ya en la ptialina de la saliva se convierte ahora en el azúcar maltosa por medio de la enzima pancreática amilasa. La maltasa continúa el proceso descomponiendo la maltosa en glucosa. La sacarasa convierte la sacarosa en glucosa y fructosa.

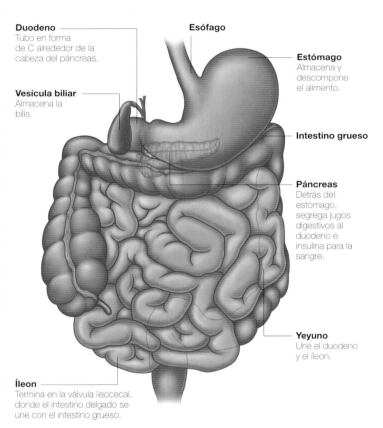

Duodeno
Tubo en forma de C alrededor de la cabeza del páncreas.

Esófago

Estómago
Almacena y descompone el alimento.

Vesícula biliar
Almacena la bilis.

Intestino grueso

Páncreas
Detrás del estómago, segrega jugos digestivos al duodeno e insulina para la sangre.

Yeyuno
Une el duodeno y el íleon.

Íleon
Termina en la válvula ileocecal, donde el intestino delgado se une con el intestino grueso.

El intestino delgado empieza en el duodeno, que recibe la bilis de la vesícula biliar y secreciones del páncreas. El intestino se prolonga en el yeyuno y después en el íleon.

Cómo se absorben los nutrientes

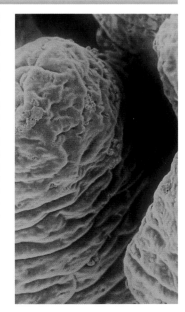

Vellosidad

Células calciformes
Segregan mucosidad.

Arteria

Vena

Criptas intestinales
Células de recubrimiento que segregan jugo intestinal, un portador de nutrientes.

Vaso linfático

La mucosa del yeyuno y el íleon es la principal superficie absorbente de los productos de la digestión. El volumen total de líquido que se absorbe en el intestino al día suma unos 9 litros. Aproximadamente 7,5 litros se absorben en el intestino delgado.

Las superficies internas del yeyuno y el íleon están cubiertas por pequeñas proyecciones digitiformes denominadas vellosidades, que sobresalen 1 mm aproximadamente en el centro del tubo intestinal. El propósito de estas estructuras especialmente adaptadas es aumentar enormemente el área superficial sobre la cual tiene lugar la absorción.

La sección transversal de la mucosa que tapiza la pared del intestino delgado revela la estructura de las vellosidades, imprescindibles para que pueda llevar a cabo su función.

Las paredes de cada vellosidad están formadas por largas células epiteliales. Dentro de cada vellosidad hay una red de pequeños capilares y un único vaso quilífero, un tubo ciego unido al sistema linfático del cuerpo.

Las células epiteliales absorben los productos de la digestión junto con varios litros de agua y pasan los azúcares y los aminoácidos al torrente sanguíneo. Los ácidos grasos y el glicerol son convertidos por las células epiteliales de nuevo en grasas, que forman una fina emulsión blanquecina que se transmite directamente a los vasos quilíferos.

El área superficial del intestino delgado aumenta gracias a las vellosidades. En esta micrografía las partículas de alimento están coloreadas de verde.

La función del hígado en la digestión

Aunque no forma parte realmente del tracto digestivo, el hígado es vital para la digestión del alimento, junto con el páncreas y la vesícula biliar. El hígado es la principal unidad química para el procesamiento de los productos de la digestión.

Los productos de la digestión son procesados por el hígado. El procesamiento químico tiene lugar en las células hepáticas, o hepatocitos, que revisten los espacios ocupados por sangre, o sinusoides, dentro del hígado.

Estas células se encargan de varias funciones importantes del hígado, entre ellas la reguladora del mantenimiento de glucosa (azúcar) en la sangre.

Después de comer la sangre contiene una gran cantidad de glucosa. La sangre bombeada desde el intestino llega al hígado a través de la vena porta hepática y las células del hígado eliminan el exceso de glucosa de la sangre y la almacenan en forma de glucógeno. Cuando la glucosa se consume en otras partes del cuerpo y el nivel de azúcar en sangre desciende, el hígado reconvierte gradualmente de nuevo el glucógeno en glucosa.

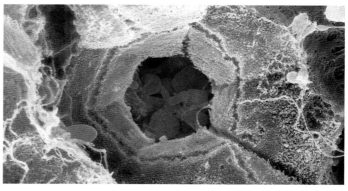

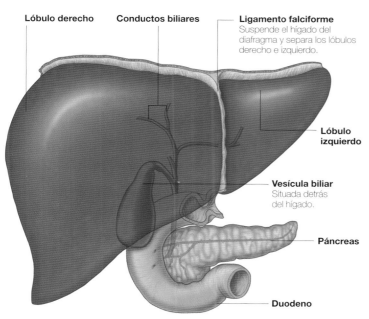

Lóbulo derecho **Conductos biliares**

Ligamento falciforme
Suspende el hígado del diafragma y separa los lóbulos derecho e izquierdo.

Lóbulo izquierdo

Vesícula biliar
Situada detrás del hígado.

Páncreas

Duodeno

El hígado y las estructuras asociadas están situados a la derecha de la cavidad abdominal.

Esta micrografía electrónica de color falso muestra una de las unidades funcionales del hígado. Las células hepáticas (marrones) rodean a los conductos sinusoides a través de los cuales circulan glóbulos rojos (de este color, en el centro) hacia una vena central.

AMINOÁCIDOS

Los aminoácidos producidos durante la digestión no pueden almacenarse en el cuerpo. Algunos se convierten inmediatamente en proteínas, un proceso que sucede en la mayoría de las células corporales, pero los que no se necesitan se descomponen en el hígado en un proceso denominado desaminación. El nitrógeno que contienen se usa para formar amoniaco. Éste se convierte inmediatamente en urea y se transporta en la sangre a los riñones para ser excretada.

FUNCIÓN HEPÁTICA

El hígado también fabrica proteínas sanguíneas, como fibrinógeno, y almacena hierro para su posterior uso en la fabricación del pigmento de los glóbulos rojos o hemoglobina. También descompone la hemoglobina de los glóbulos rojos ya viejos para producir una sustancia llamada bilis. Ésta se elimina a través de los canalículos biliares y el conducto biliar y se almacena en la vesícula biliar.

El hígado es muy versátil: si existe escasez de ciertos tipos de material alimenticio, puede convertir ciertas clases de alimento en otras. Los hidratos de carbono se pueden transformar en grasas, como colesterol, para su almacenamiento, y algunos ácidos son convertibles en hidratos de carbono o grasas.

El hígado se desembaraza también de las toxinas ingeridas por el cuerpo (como el alcohol) descomponiéndolas para hacerlas menos perjudiciales.

Cómo se forman los cálculos biliares

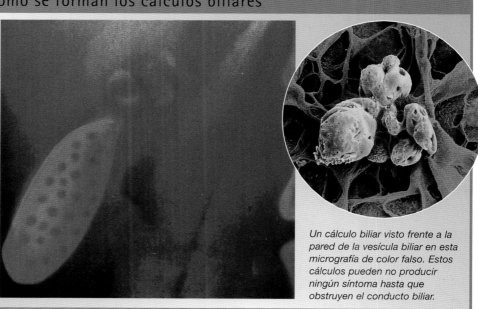

Los cálculos biliares son masas sólidas que se forman en la vesícula biliar y el conducto biliar. Los cálculos aislados pueden ser muy pequeños o alcanzar el tamaño de un huevo de gallina.

El 15% de estos cálculos se forma por la cristalización de sales de pigmentos biliares. A menudo se asocian a una destrucción excesiva de los glóbulos rojos.

El 80% de los cálculos biliares se compone de colesterol. Un exceso de colesterol en la sangre en comparación con la cantidad de bilis disponible para suspenderlo lleva a un exceso de cristalización de colesterol en la vesícula biliar.

Los cálculos biliares están presentes aproximadamente en el 30% de la población adulta en Europa y son más comunes en las mujeres.

Un cálculo biliar es visible en esta radiografía en color como una masa alargada y punteada. Se ha desarrollado debido a un desarreglo en la composición química de la bilis.

Un cálculo biliar visto frente a la pared de la vesícula biliar en esta micrografía de color falso. Estos cálculos pueden no producir ningún síntoma hasta que obstruyen el conducto biliar.

Cómo se usan los hidratos de carbono en el cuerpo

Los hidratos de carbono, también llamados carbohidratos o sacáridos, se usan en el cuerpo como fuente de energía, almacén energético y bloques elementales de construcción de moléculas más complejas.

Los hidratos de carbono están formados enteramente por varios átomos de carbono, hidrógeno y oxígeno. Se clasifican, dependiendo de su tamaño, en tres grandes grupos: monosacáridos, disacáridos y polisacáridos.

MONOSACÁRIDOS

Los monosacáridos más comunes son fructosa, galactosa y glucosa. De ellos el más importante es la glucosa, ya que las células del cuerpo son incapaces de metabolizarla directamente a partir de los otros sacáridos; primero deben convertirse en glucosa antes de poder descomponerse para liberar energía. Así, el nivel de glucosa libre en sangre es muy importante.

Los monosacáridos

Glucosa

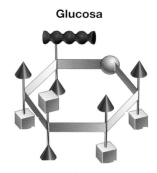

La glucosa es el hidrato de carbono más importante del cuerpo. La glucosa libre no se encuentra en muchos alimentos; se obtiene de la descomposición de sacáridos complejos.

Galactosa

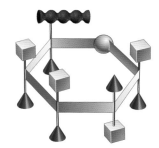

Aunque la galactosa tiene una estructura química similar a la glucosa, las células no pueden metabolizar la galactosa, por lo que se convierte en glucosa en el hígado.

Fructosa

La fructosa está presente en los frutos dulces y los zumos de frutas. Cuando la fructosa se une químicamente a la glucosa, se produce el disacárido sacarosa (o «azúcar de mesa»).

Disacáridos: azúcares ingeribles

Los disacáridos constan de dos moléculas de monosacáridos unidas. Por ejemplo, la lactosa, un disacárido presente en la leche, consiste en una molécula de glucosa y una de galactosa unidas. La lactosa es el único disacárido fabricado por el cuerpo. Los otros dos más comunes son la sacarosa («azúcar de mesa») y la maltosa («azúcar de malta»).

La lactosa es un disacárido que está presente en la leche y los productos lácteos. Algunas personas no digieren la lactosa debido a una carencia de la enzima lactasa.

Lactosa

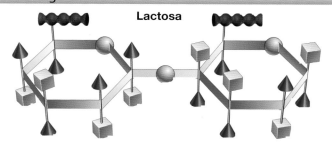

Los sacáridos son componentes importantes de muchas moléculas complejas, entre ellas el cartílago y el hueso. También están presentes en pequeñas cantidades en las membranas celulares.

Los disacáridos están formados por dos monosacáridos unidos. Por ejemplo, la lactosa está formada por la unión de una molécula de glucosa y otra de galactosa.

Polisacáridos: depósitos de energía

Los polisacáridos son cadenas largas ramificadas de monosacáridos. Su gran tamaño los hace relativamente insolubles en agua, y también lleva a que queden atrapados en las células. Por ello, son depósitos de energía extraordinarios.

Dos polisacáridos, el almidón y el glucógeno, son especialmente importantes. Ambos están formados por largas cadenas de moléculas de glucosa:

■ Almidón. Es el principal almacén a largo plazo de hidratos de carbono en las plantas y por ello

es una parte importante de la dieta humana.

■ Glucógeno. Es sintetizado y usado como depósito de carbohidratos por los animales. Se encuentra sobre todo en el músculo esquelético y las células hepáticas. Cuando descienden los niveles de glucosa en sangre, el glucógeno se convierte rápidamente en glucosa.

Las patatas contienen gran cantidad de almidón, un polisacárido constituido por varias moléculas de glucosa unidas entre sí.

Cómo se usan los lípidos

Los lípidos constituyen un gran grupo de moléculas orgánicas (que contienen carbono) insolubles en agua, pero solubles en alcohol. Pertenecen a tres grupos principales: triglicéridos, fosfolípidos y esteroides.

Triglicéridos: depósitos de energía a largo plazo

Los triglicéridos están formados por una molécula de glicerol (un alcohol) unida a tres cadenas largas de ácidos grasos. La estructura de glicerol es la misma en todos los triglicéridos, pero la composición de las cadenas de ácidos grasos varía para crear una gran variedad de triglicéridos diferentes.

Los ácidos grasos producen una importante cantidad de energía cuando se metabolizan dentro de la célula. Esto, unido al hecho de que son insolubles en agua, hace de ellos un excelente depósito de energía. No en vano una gran proporción de los requisitos de energía en el cuerpo a largo plazo se cubre mediante ácidos grasos.

GRASAS SATURADAS E INSATURADAS

Los átomos de carbono de las grasas saturadas tienen un complemento de átomos de hidrógeno unidos (de ahí que se digan «saturadas») y son comunes en las grasas animales. En contraste, los átomos de carbono de las grasas insaturadas pueden unirse a átomos de hidrógeno adicionales. El número exacto de átomos de hidrógeno que pueden unirse determina si se trata de grasas mono o polinsaturadas.

El aceite de oliva es rico en grasas monoinsaturadas. En cambio, el aceite de girasol contiene sobre todo grasas polinsaturadas.

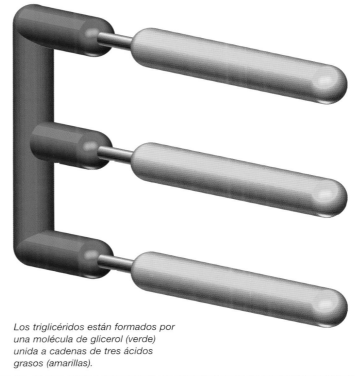

Los triglicéridos están formados por una molécula de glicerol (verde) unida a cadenas de tres ácidos grasos (amarillas).

Fosfolípidos: bloques elementales de las membranas celulares

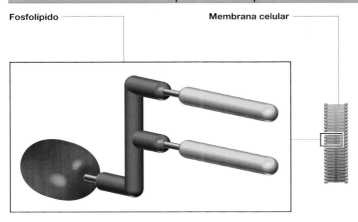

Fosfolípido

Membrana celular

Los fosfolípidos son similares a los triglicéridos porque tienen una estructura principal de glicerol. Sin embargo, a diferencia de ellos, los fosfolípidos poseen sólo dos cadenas de ácidos grasos; en vez de una tercera cadena, cuentan con una cabeza que contiene fósforo.

La «cola» de un fosfolípido (constituida por las dos cadenas de ácidos grasos) no tiene carga eléctrica y,

Los fosfolípidos están formados por una cabeza que contiene fósforo (en rojo), un esqueleto de glicerol (verde) y dos cadenas de ácidos grasos (amarillas).

por tanto, no se mezcla con agua (el agua está eléctricamente cargada), mientras que la «cabeza» que contiene fósforo atrae el agua al poseer carga eléctrica.

Esta propiedad hace de los fosfolípidos estructuras ideales como bloques constituyentes de la membrana celular. Las membranas de las células están formadas por dos capas de moléculas de fosfolípidos: las colas que «huyen» del agua (hidrófobas) apuntan unas a otras, mientras que las cabezas «amantes del agua» (hidrófilas) apuntan hacia el agua, que está presente dentro y fuera de la célula.

Esteroides

Los esteroides tienen una estructura muy diferente de los triglicéridos y los fosfolípidos, aunque se clasifican como lípidos porque son solubles en grasas. Probablemente el esteroide más importante es el colesterol, precursor de muchas de las hormonas esteroideas esenciales para el desarrollo humano y la salud a largo pla-

zo. Otros esteroides, como las hormonas sexuales, están presentes en muy pequeñas cantidades, aunque también son esenciales.

Los esteroides anabolizantes son derivados de la hormona sexual testosterona. Uno de sus efectos fisiológicos es aumentar la masa muscular.

Otras moléculas con base de lípidos

Los lípidos son los componentes principales de otros tres importantes grupos de moléculas.

Vitaminas liposolubles
Las vitaminas liposolubles incluyen los tipos A, D, E y K. Como estas vitaminas sólo pueden absorberse después de haberse unido a los lípidos ingeridos, todo aquello que interfiera con la absorción de éstos (como la fibrosis quística) impide asimismo la de las vitaminas liposolubles.

Eicosanoides
Incluyen las prostaglandinas y los leucotrienos, ambos implicados en la inflamación, y los tromboxanos, que provocan estrechamiento de los vasos sanguíneos.

Lipoproteínas
Estas sustancias químicas transportan ácidos grasos y colesterol en el torrente sanguíneo. Los dos grupos principales son las lipoproteínas de alta densidad (HDL) y las lipoproteínas de baja densidad (LDL).

Cómo actúan las proteínas

Las proteínas son vitales para la estructura, el crecimiento y el metabolismo de los seres humanos y todos los organismos vivos. Sus grandes moléculas están formadas por unidades más pequeñas, los aminoácidos, y a menudo adoptan estructuras muy complejas.

Las proteínas de distintos tipos desempeñan papeles importantes en el cuerpo humano. Las proteínas estructurales incluyen el colágeno en el tejido conjuntivo, la queratina en la piel, la actina y la miosina en los músculos y la tubulina en las células. Las proteínas de las membranas celulares actúan como vehículos que transportan sustancias químicas a y desde las células.

Otras proteínas incluyen las enzimas, que promueven reacciones químicas dentro de las células, las hormonas esenciales y los anticuerpos, que desempeñan un papel importante en la defensa contra la enfermedad. Las proteínas de la sangre son la hemoglobina, la albúmina y una serie de proteínas necesarias para asegurar que la sangre coagula adecuadamente cuando se produce una lesión.

BLOQUES DE AMINOÁCIDOS

Como todas las sustancias químicas orgánicas, las moléculas de proteínas están formadas principalmente por átomos de carbono, hidrógeno y oxígeno. Sin embargo, las proteínas contienen también nitrógeno y, en muchos casos azufre.

Las unidades básicas de las moléculas de proteínas son los aminoácidos. Existen sólo 20 tipos de aminoácidos, pero éstos pueden unirse en una enorme cantidad de combinaciones diferentes. Algunos aminoácidos se sintetizan en el cuerpo; otros deben obtenerse de proteínas de la comida. Para mantener buena salud una persona debe comer al menos 30 gramos de proteínas al día.

Este modelo de colágeno muestra las moléculas individuales como esferas. El colágeno está presente en los tejidos conjuntivos como los de los huesos y la piel.

Una molécula de aminoácido está formada por una cadena central de átomos de carbono. Existen dos grupos químicos diferentes en los extremos de la molécula: en un extremo, un grupo amino; en el otro, un grupo de ácido carboxílico. El grupo amino de un aminoácido puede unirse químicamente con el grupo de ácido carboxílico de un aminoácido adyacente, liberando

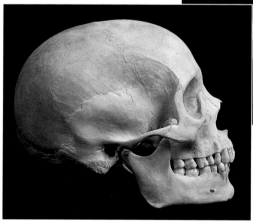

El cráneo, como todos los huesos, toma su resistencia de una combinación de calcio y colágeno (proteína).

una molécula de agua en el proceso (lo cual facilita la formación de largas cadenas de aminoácidos).

La estructura de un aminoácido lo hace soluble en agua y anfótero (puede actuar como ácido o como base en solución). Ello le permite resistir los cambios en la acidez y la alcalinidad y actuar como tampón (un regulador de pH) para desempeñar un papel importante en la homeostasis o mantenimiento de un entorno interior constante. La plantilla para la fabricación de proteínas es el ADN. La célula sintetiza cadenas de aminoácidos (bases de las proteínas) en ribosomas (estructuras de la célula que usan una molécula relacionada con el ADN llamada ARN).

ESTRUCTURA PRIMARIA

La secuencia de aminoácidos reunidos en el ribosoma da a la proteína su estructura primaria, como el patrón de cuentas de un collar. Esta secuencia viene dictada por la secuencia de ADN y forma la «columna dorsal» de la molécula de proteína.

Los aminoácidos tienen una estructura básica común. La unión de grupos amino y grupos ácido entre moléculas adyacentes permite la formación de cadenas muy largas. La cadena lateral (cubo) varía entre los distintos aminoácidos.

Desnaturalización de proteínas

En circunstancias normales las proteínas son relativamente estables. Su actividad depende de su estructura 3-D y de los enlaces que mantienen unida la molécula. Sin embargo, estos enlaces son sensibles a factores como la acidez y el calor.

Cuando las proteínas pierden su forma 3-D se dice que se desnaturalizan. A menudo este proceso puede invertirse y las proteínas recuperarán su forma normal cuando se restauren las condiciones. Sin embargo, si el cambio en el pH o la temperatura es extremo, se desnaturalizan irreversiblemente.

La clara del huevo está formada principalmente por albúmina. Cuando se cocina, cambia de su color blanco transparente a opaco debido a la desnaturalización de la proteína.

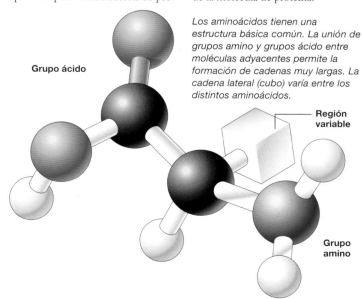

Grupo ácido

Región variable

Grupo amino

Cómo se pliegan las proteínas

La secuencia de aminoácidos en una proteína determina su forma tridimensional final. Las formas y pliegues resultantes conferirán a la proteína sus propiedades intrínsecas.

Hélice α   **Hélice β**

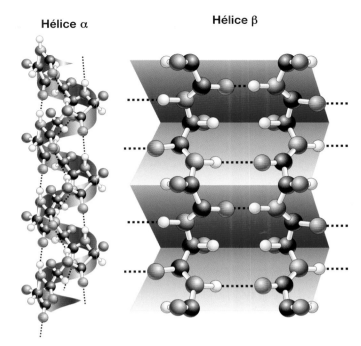

ESTRUCTURA SECUNDARIA

Cuando se forma una larga cadena de polipéptidos (sucesión de aminoácidos), raras veces existe como una sola cadena larga, sino que tiende a disponerse en una forma o patrón complejo. Es el resultado de un tipo de enlace químico denominado enlace de hidrógeno, que es relativamente débil pero tiene la fuerza suficiente para configurar la cadena en una forma determinada. Los átomos de hidrógeno forman estos enlaces con algunos otros átomos en la estructura y suelen crearse dos formas distintas.

El patrón más común es una hélice α, o espiral a derechas. Esta for-

Dependiendo de su secuencia de aminoácidos, las proteínas crean largas formas helicoidales (hélice α) o láminas plegadas (hélice β).

ma es el resultado de enlaces de hidrógeno entre aproximadamente cada cuatro aminoácidos. La otra es una hoja plegada β, una estructura plana en la que se forman enlaces de hidrógeno entre dos cadenas de polipéptidos que discurren en paralelo entre sí, de forma parecida a un acordeón. En algunas proteínas pueden verse ambos tipos de estructura secundaria en diferentes lugares a lo largo de la cadena.

Estructuras terciaria y cuaternaria

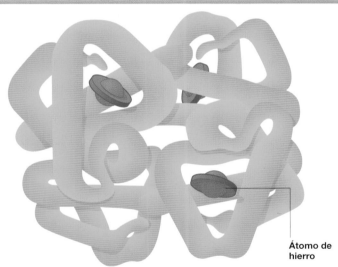

Átomo de hierro

Una proteína con una cadena de polipéptidos muy larga suele tener una estructura terciaria adicional superpuesta a la estructura secundaria. Esto sucede cuando las espirales, hojas y otras formas curvas de la molécula se pliegan unas sobre otras para producir una forma globular o de tipo bola. La estructura se mantiene por la acción de fuerzas atractivas resultantes de la proximidad de grupos químicos, especialmente de los aminoácidos que contienen átomos de azufre. Finalmente la proteína puede adquirir

La hemoglobina aquí representada tiene una forma globular compleja. Esta forma permite la unión de átomos de hierro, que le confieren sus propiedades de unión a oxígeno.

una estructura cuaternaria en la que dos o más cadenas de polipéptidos que ya tienen una estructura terciaria compleja se unen entre sí para formar una molécula todavía más complicada. Esto puede potenciarse aún más por la unión de grupos no proteínicos como, por ejemplo, un átomo de hierro, en la proteína de la sangre, hemoglobina. Esta tiene una estructura cuaternaria formada por cuatro cadenas de polipéptidos globulares, cada una de las cuales incluye un grupo «hemo» que contiene hierro.

La configuración global de una proteína con una estructura terciaria o cuaternaria es muy específica de la proteína y se determina por su estructura primaria, es decir, la secuencia de aminoácidos.

Proteínas fibrosas y globulares

Las proteínas se clasifican en dos grupos dependiendo de su forma general. Las proteínas fibrosas o estructurales se asemejan a los hilos de una cuerda. Son estables y aportan resistencia y sostén a los tejidos del cuerpo. La mayoría de las proteínas fibrosas tienen una estructura secundaria, pero algunas poseen también estruc-

tura cuaternaria. El colágeno, presente en todos los tejidos conjuntivos, es una triple hélice de tres cadenas de polipéptidos. Otras proteínas fibrosas son queratina, elastina y actina. Las proteínas globulares, o funcionales, son más activas químicamente y ejercen funciones en los procesos químicos del cuerpo. Son solubles en agua y tienen forma esférica con al menos una estructura terciaria. Las enzimas son proteínas globulares.

Las uñas de los dedos y el cuerno animal están formados por queratina, que aporta resistencia y estabilidad.

Las proteínas globulares (en forma de X) están presentes en las membranas externas de las células. Controlan la entrada y salida de sustancias químicas en las células.

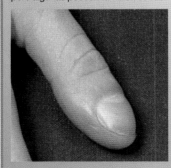

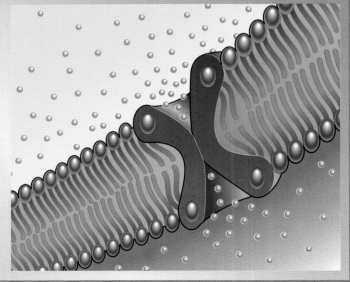

La función de las grasas

La grasa tiene diversas funciones importantes en el cuerpo, entre ellas la provisión de energía. Sin embargo, un exceso de grasa puede conducir a problemas como obesidad y cardiopatías.

La grasa es un componente necesario de una dieta sana y constituye la principal fuente de energía almacenada. La grasa protege también los órganos, refuerza las articulaciones, ayuda a la producción de hormonas y favorece la absorción de las vitaminas liposolubles.

ALMACÉN DE GRASA

La grasa (por lo común en forma de triglicéridos) procede de la comida y se almacena en el tejido adiposo en todo el cuerpo. Parte de grasa se guarda justo encima de los riñones, pero en su mayoría se sitúa bajo la

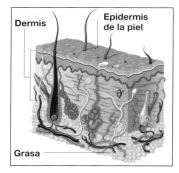

dermis en la piel, en la capa subcutánea, que tiene un rico suministro de vasos sanguíneos.

La distribución de esta grasa se ve influida por el género de la persona:

■ Los hombres tienden a almacenar la grasa en el tórax, el abdomen y las nalgas (para producir una forma de tipo manzana).
■ Las mujeres suelen almacenarla en las mamas, las caderas, la cintura y las nalgas (aspecto de pera).

La diferencia en la distribución se debe a las hormonas sexuales estrógeno y testosterona.

TIPOS DE GRASA

Existen dos tipos de grasa corporal:

■ Grasa blanca. Importante para el metabolismo y el aislamiento y

La mayoría de la grasa del cuerpo se almacena en tejido adiposo bajo la dermis de la piel. Cuando no se dispone de hidratos de carbono, esta grasa se descompone para dar energía.

para formar una capa protectora del esqueleto y los órganos.
■ Grasa parda. Presente en los recién nacidos para producir calor.

El tejido graso está formado por células de grasa, los adipocitos:

■ Las células de grasa blanca son células grandes con una sola gota de grasa.

La grasa que no se usa en los procesos metabólicos se almacena en células de grasa (en la imagen, en amarillo y marrón). Estas células redondeadas tienen el sostén del tejido conjuntivo.

■ Las células de grasa parda son más pequeñas con muchas gotitas de grasa.

La digestión y el almacenamiento de la grasa

Para que cualquier componente alimenticio pueda ser utilizado por el cuerpo, antes ha de absorberse en las células. Las moléculas de grasa son demasiado grandes para atravesar directamente las membranas celulares, por lo cual primero deben descomponerse en sus partes constituyentes.

ABSORCIÓN DE GRASA

Las grasas se absorben del modo siguiente:

■ Los alimentos que contienen grasa (principalmente en forma de triglicéridos) pasan al estómago, el intestino delgado y grueso.
■ Las sales biliares producidas por el hígado se mezclan con las grandes gotitas de grasa en un proceso denominado emulsificación. La bilis descompone las gotas de grasa grandes en otras más pequeñas conocidas por micelos. Así aumenta la superficie de las gotas de grasa, lo que acelera su digestión.
■ Entre tanto, el páncreas secreta enzimas denominadas lipasas que atacan la superficie de cada micelo, descomponiendo las grasas en sus constituyentes: glicerol y ácidos grasos. Éstos pueden absorberse por las células que revisten el intestino.

■ Una vez absorbidos en las células intestinales, los componentes grasos se reúnen nuevamente en micropartículas conocidas como quilomicrones. Éstas tienen un recubrimiento de proteína que permite una más fácil disolución de la grasa en agua.
■ El sistema linfático desemboca finalmente en las venas y los quilomicrones pasan al torrente sanguíneo.

ALMACENAMIENTO DE GRASA

Una vez en el torrente sanguíneo, los quilomicrones duran sólo unos minutos antes de descomponerse de nuevo. Unas enzimas llamadas lipoproteínas-lipasas (presentes en las paredes de los vasos sanguíneos que irrigan el tejido graso, muscular y cardiaco) descomponen las grasas en ácidos grasos. La actividad de estas enzimas depende de los niveles

de insulina (una hormona producida por el páncreas) en el cuerpo:

■ Si la insulina es alta, las lipasas serán muy activas y la grasa se descompondrá con más rapidez.
■ Si los niveles de insulina son bajos, las lipasas estarán inactivas.

Los ácidos grasos resultantes pueden absorberse a partir de la sangre en células de grasa, de músculo y hepáticas, donde se convierten nuevamente en moléculas grasas y se guardan en forma de gotas. Conforme el cuerpo va almacenando grasa, el número de células grasas no varía, sino que van creciendo de tamaño.

ABSORCIÓN DE MOLÉCULAS

También es posible que las células de grasa absorban otras moléculas, como glucosa y aminoácidos (derivados de proteínas), y las conviertan en grasa para su almacenamiento.

La grasa de los alimentos ha de absorberse en las células del cuerpo para liberar energía. Se desplaza por el intestino y el sistema linfático antes de llegar a las heces.

Convertir grasa en energía

El cuerpo es capaz de producir energía a partir de grasas mediante un proceso denominado lipólisis. Este proceso implica la descomposición de grasas mediante enzimas en glicerol y ácidos grasos.

La principal fuente de energía del cuerpo es la glucosa, que suele obtenerse por descomposición de los hidratos de carbono en la dieta.

Sin embargo, durante el ejercicio de resistencia, como andar o hacer ciclismo, el cuerpo depende de la grasa como una reserva rica de energía almacenada. Los ácidos grasos se usan también para producir energía cuando no puede disponerse de glucosa (en forma de hidratos de carbono).

ENERGÍA A PARTIR DE GRASA

La energía se obtiene a partir de las grasas por el proceso de lipólisis (descomposición de grasas en glicerol y ácidos grasos). Este proceso es activado por enzimas (lipasas) en la célula de grasa, que a su vez están controladas por varias hormonas, como glucagón y adrenalina.

Los ácidos grasos resultantes se liberan entonces a la sangre y se transportan en el torrente sanguíneo hasta el hígado. Una vez en el hígado, el glicerol y los ácidos grasos pueden descomponerse aún más o convertirse en glucosa por medio de un proceso en varios pasos denominado gluconeogénesis.

La natación de largas distancias y otras formas de entrenamiento de resistencia utilizan los depósitos de grasa del cuerpo como medio más eficiente de combustible muscular.

Exceso de grasas en el cuerpo

La mayoría de los nutricionistas recomiendan una dieta que incluya en torno al 35% de grasas. Éstas han de ser insaturadas, como el aceite de oliva, y no saturadas, como las grasas obtenidas de la carne.

Si una persona consume más grasa de la que metaboliza, se almacena en reservas de grasa, que hacen que la persona gane peso.

La obesidad se define como el nivel de grasas corporales; los hombres se consideran obesos cuando tienen más del 25% del cuerpo como grasa, y las mujeres, con el 32% o más. Aunque las grasas desempeñan un papel vital, en exceso se relacionan con diversos problemas de salud.

ALTA PRESIÓN ARTERIAL

Las personas obesas suelen tener niveles más altos de colesterol, lo que las hace más propensas a sufrir aterosclerosis (depósitos de placas grasas que provocan un estrechamiento de las arterias). El trastorno puede amenazar la vida cuando los vasos sanguíneos se vuelven tan estrechos que los órganos vitales se ven privados de sangre.

Además, el estrechamiento de los vasos sanguíneos fuerza al corazón a trabajar más, lo que provoca un aumento de la presión arterial. La alta presión sanguínea comporta muchos riesgos para la salud, entre ellos de ataque cardiaco, insuficiencia renal y accidente cerebrovascular.

DIABETES

La obesidad eleva el riesgo de diabetes al romper el delicado equilibrio entre el azúcar en sangre, la grasa corporal y la insulina.

Ello se debe al almacenamiento de un exceso de azúcar en sangre en el hígado y otros órganos vitales. Cuando estos órganos se «llenan», el exceso de azúcar se convierte en grasa. Cuando las células de grasa también se llenan, contienen menos azúcar en sangre.

En algunas personas el páncreas produce cada vez más insulina para regular este exceso de azúcar, que el cuerpo no puede usar, con la consecuencia de una sobrecarga de todo el sistema. Esta deficiente regulación del azúcar en sangre produce diabetes, una enfermedad asociada con consecuencias a largo plazo que incluyen cardiopatías, insuficiencia renal y ceguera.

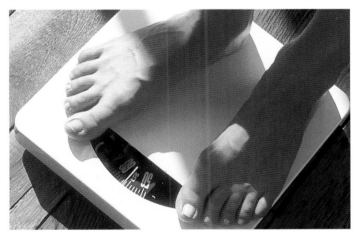

Las personas sufren de obesidad cuando la grasa corporal se aproxima a un tercio del peso total. Este problema puede provocar graves problemas de salud, como diabetes y ataques cardiacos.

Producción de calor

Cuando nace un bebé, su cuerpo no contiene suficiente grasa para aislarle y retener el calor corporal. Como no tienen células de grasa blanca, difícilmente pueden almacenar grasas en ellas. Los recién nacidos producen calor por descomposición de las moléculas de grasa en ácidos grasos dentro de células pardas.

■ En vez de que los ácidos grasos salgan de las células de grasa parda, permanecen en su interior.
■ Se descomponen en las mitocondrias (parte de la célula que produce energía).

■ Así se libera energía en forma de calor. (Se produce el mismo proceso en los animales que hibernan, que tienen más reservas de grasa parda que el ser humano).

Cuando el bebé empieza a comer suficiente, se desarrollan capas de grasa blanca, pero la parda desaparece.

Los recién nacidos no tienen suficiente grasa acumulada para conservar el calor corporal. Cuentan con células especiales de grasa parda productoras de calor.

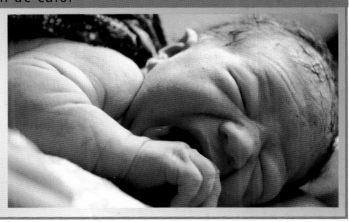

Cómo se usan las vitaminas en el cuerpo

El cuerpo necesita las 13 vitaminas para el crecimiento, el mantenimiento y la reparación. Las deficiencias vitamínicas de larga duración, causadas a menudo por trastornos intestinales o por alcoholismo, pueden provocar una enfermedad grave.

Las vitaminas son compuestos orgánicos (que contienen carbono) presentes sólo en los organismos vivos (plantas o animales). Se necesitan en cantidades muy pequeñas para un buen funcionamiento del cuerpo.

Las vitaminas actúan como catalizadores: se combinan con las proteínas para crear enzimas, que a su vez auspician importantes reacciones químicas en todo el cuerpo. Sin las vitaminas, muchas de estas reacciones se ralentizarían o dejarían de producirse.

FUENTES DE VITAMINAS

El término «vitamina» fue usado por primera vez por el químico Casimir Funk en 1912 tras observar que ciertas enfermedades parecían vinculadas a la carencia de sustancias específicas en la dieta. Las vitaminas se definieron como sustancias absolutamente necesarias para la vida que no pueden ser producidas por el cuerpo. La investigación posterior demostró que la excepción a este principio es la vitamina D, que puede sintetizarse a través de la piel cuando se expone a la luz solar, y la niacina (B_3), sintetizada en cantidades minúsculas por el hígado. Las dos fuentes principales de vitaminas son el alimento y la bebida.

SUPLEMENTOS VITAMÍNICOS

Una dieta equilibrada debe aportar todas las vitaminas que necesita el cuerpo. Sin embargo, algunas personas, como las que tienen dietas restringidas, las mujeres durante el embarazo y la lactancia o los afectados por trastornos intestinales, pueden necesitar suplementos vitamínicos para reforzar su metabolismo.

Los suplementos vitamínicos no deben contemplarse como sustitutos de una dieta sana; los nutricionistas creen que el equilibrio natural de los micronutrientes de los alimentos puede ser de gran importancia.

Las 13 vitaminas pueden clasificarse en dos grandes grupos:

■ Liposolubles: vits. A, D, E y K.
■ Hidrosolubles: vitaminas C y grupo B.

Una dieta equilibrada aporta una mezcla perfecta de agua y vitaminas liposolubles en una forma en que el cuerpo puede aprovecharlas fácilmente. Las 13 vitaminas son esenciales para la vida.

Vitaminas liposolubles

Las cuatro vitaminas liposolubles se ingieren principalmente con la carne y los productos lácteos. Pueden almacenarse en el cuerpo, por lo que no es preciso tomarlas a diario.

VITAMINA A

La vitamina A se almacena principalmente en el hígado. Es vital para la formación y la salud de la piel, las membranas mucosas, los huesos y los dientes, y para la visión y la reproducción. La vitamina A puede obtenerse a partir del hígado, los huevos y la mantequilla, u obtenerse del betacaroteno (un pigmento presente en las hortalizas de hoja verde y en los frutos y vegetales naranjas).

VITAMINA D

La vitamina D es necesaria para la formación de hueso sano y para la

El calcio presente en la leche sólo se retiene en el cuerpo en presencia de vitamina D. Un déficit de esta vitamina puede provocar raquitismo.

retención de calcio y fósforo en el cuerpo. Se encuentra en los huevos, el hígado y el aceite de pescado, y también puede fabricarla el cuerpo durante la interacción con la luz solar.

VITAMINA E

La vitamina E está presente en los aceites vegetales, el germen de trigo y las verduras, y se almacena principalmente en la grasa del cuerpo. Es un antioxidante (sustancia capaz de neutralizar ciertas moléculas perjudiciales) y desempeña un papel importante en la formación de los glóbulos rojos y el músculo.

VITAMINA K

La vitamina K es necesaria principalmente para la coagulación sanguínea al ayudar a la formación de protrombina (una enzima necesaria durante tal coagulación). La alfalfa y el hígado son fuentes ricas en vitamina K, al igual que las verduras, los huevos y el aceite de soja.

Vitamina C

La vitamina C, o ascorbato, es una vitamina hidrosoluble importante en la formación y el mantenimiento de colágeno. Es un tejido conjuntivo usado en la formación de huesos, cartílagos, músculos y vasos sanguíneos. La vitamina C refuerza asimismo la absorción de hierro a partir de las verduras y desempeña un papel importante en la metabolización del alimento. Las fuentes de vitamina C incluyen la mayoría de las frutas (sobre todo los cítricos), los pimientos, los tomates, el brécol, las patatas y las coles. Es interesante saber que todos los demás mamíferos carnívoros sintetizan la vitamina C dentro de su propio cuerpo; los seres humanos son los únicos que dependen enteramente de fuentes externas para optener la vitamina C. La investigación ha demostrado que la vitamina C actúa como un antioxidante y protege las células y tejidos del cuerpo contra los efectos perniciosos de los radicales libres (moléculas perjudiciales producidas en reacciones metabólicas y por ciertos factores, como enfermedad y radiación UV).

Vitaminas hidrosolubles

El cuerpo es incapaz de almacenar las vitaminas hidrosolubles, por eso han de tomarse a diario.

LAS VITAMINAS B
El grupo de vitaminas B incluye:

■ Tiamina (B_1). Es esencial para el metabolismo de los hidratos de carbono y para el funcionamiento adecuado del sistema nervioso. Los cereales integrales, el pan, la carne roja, los huevos y el arroz integral son buenas fuentes.
■ Riboflavina (B_2). Es necesaria para completar ciertas reacciones metabólicas. También es vital para la salud de la piel, las membranas mucosas, la córnea y las vainas nerviosas. La riboflavina está presente en la carne, los

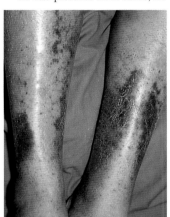

Una grave deficiencia de vitamina C puede provocar escorbuto. Esta enfermedad causa hemorragias subcutáneas, inflamación y encías sangrantes y, si no se trata, puede ser mortal.

A las mujeres embarazadas se les aconseja que tomen suplementos de ácido fólico. Esta vitamina B es esencial para un desarrollo sano del encéfalo y el sistema nervioso del feto.

productos lácteos, los cereales integrales y los guisantes.
■ Niacina (B_3). Es esencial para el metabolismo de los alimentos y para mantener sanos la piel, los nervios y el tracto gastrointestinal. Está presente en los alimentos ricos en proteínas, como la carne, el pescado, la levadura de cerveza, la leche, los huevos, las legumbres, las patatas y los frutos secos.
■ Piridoxina (B_6). Es vital para el metabolismo de los aminoácidos, la glucosa y los ácidos grasos y para la producción de glóbulos rojos. La piridoxina está presente en muchos alimentos, por lo cual su deficiencia es rara, salvo en los alcohólicos. Existe en el hígado, el arroz integral, el pescado y los cereales integrales, entre otros.
■ Cianocobalamina (B_{12}). Es un compuesto que funciona en todas las células, sobre todo en el intestino grueso y delgado, el sistema nervioso y la médula ósea. Se utiliza en la fabricación

de glóbulos sanos de la sangre y es esencial para mantener las vainas nerviosas y para sintetizar ácidos nucleicos (bloques elementales del ADN). Sus fuentes incluyen el hígado, la carne, los huevos y la leche.
■ Ácido fólico. Interacciona con la B_{12} para favorecer la síntesis de ácidos nucleicos y se usa en la formación de glóbulos rojos. Es esencial para el desarrollo del encéfalo y el sistema nervioso del feto. El ácido fólico está pre-

sente en numerosos alimentos, sobre todo levadura, hígado y verduras.
■ Ácido pantoténico y biotina. Estas vitaminas B son producidas por bacterias en el intestino y son importantes en una serie de reacciones metabólicas. El ácido pantoténico está presente en abundancia en la carne, las legumbres y los cereales integrales, y la biotina se da en el hígado de vaca, los huevos, la levadura de cerveza, los frutos secos y las setas.

Deficiencias de vitaminas

Vitamina	Resultado de la deficiencia	Personas de riesgo
Vitamina A	Piel seca, secreción mucosa reducida, pobre visión nocturna.	Enfermos de fibrosis quística o enfermedad hepática y alcohólicos.
Vitamina B_1 (tiamina)	Beriberi, síndrome de Wernicke-Korsakoff.	Alcohólicos.
Vitamina B_2 (riboflavina)	Trastornos en piel, anemia, fotosensibilidad, lengua inflamada.	Personas con dieta deficiente.
Vitamina B_3 (niacina)	Pelagra (úlceras en boca y piel, diarrea, demencia).	Alcohólicos e indigentes.
Vitamina B_6 (piridoxina)	Trastornos de la piel, depresión, mala coordinación, insomnio.	Alcohólicos, mujeres con píldoras de control de la natalidad.
Vitamina B_{12} (cianocobalamina)	Anemia perniciosa, trastornos del encéfalo, irritación de la boca.	Vegetarianos estrictos, ancianos (la absorción disminuye con la edad).
Vitamina B_9 (ácido fólico)	Anemia perniciosa-folato (problemas gastrointestinales, úlceras).	Alcohólicos, mujeres embarazadas.
Vitamina C	Escorbuto (hemorragias en la piel y los tejidos, rigidez en las extremidades).	Ancianos con dietas restringidas; bebés que comen sólo leche de vaca.
Vitamina D	Raquitismo (debido a incapacidad del cuerpo para absorber el calcio).	Bebés, ancianos con baja exposición al sol.
Vitamina E	Nada conocido.	Nada conocido.
Vitamina K	Trastornos de la coagulación sanguínea, afecta al feto.	Ictericia, cirrosis hepática, ingestión de antibióticos en periodos largos.

Alcoholismo

Los alcohólicos se ven afectados por tres tipos de malnutrición: la primaria, debida a un descenso en la ingesta de nutrientes; la secundaria, causada por trastornos en la digestión y mala absorción de nutrientes, y terciaria, resultante de la incapacidad para convertir los nutrientes. Además, el alcohol inhibe la absorción de grasas y con ello de todas las vitaminas liposolubles.

Deficiencias resultantes
Tienen deficiencias en:

■ Vitamina A. El alcoholismo, aun siendo moderado, provoca una grave deficiencia de vitamina A.
■ Vitamina B. Los alcohólicos tienen déficit en todas las vitaminas B, sobre todo en la B1 (tiamina), lo que provoca síndrome de Wernicke-Korsakoff (causa de desorientación, pérdida de memoria y tendencia a inventar para rellenar los huecos de memoria).
■ Vitamina C (ácido fólico). La deficiencia más común, provoca anemia y altera negativamente el intestino delgado.

Cómo se usan los minerales en el cuerpo

Los minerales son elementos inorgánicos de la tierra y constituyen el 5% del peso total del cuerpo. Resultan esenciales para las funciones corporales y se requieren en pequeñas cantidades.

Aunque las vitaminas son esenciales para el funcionamiento del cuerpo, no pueden asimilarse sin minerales. Éstos son elementos inorgánicos que constituyen el 4-5% del peso corporal total. Resultan vitales para el bienestar físico y mental y son constituyentes esenciales de los huesos, los dientes, el tejido blando, la sangre, los músculos y las neuronas.

Como las vitaminas, los minerales actúan como catalizadores y coenzimas para una serie de reacciones biológicas en el cuerpo, lo que incluye el control muscular, la transmisión de estímulos nerviosos, la producción de hormonas, la digestión y la asimilación de nutrientes. El cuerpo usa más de 80 minerales para un funcionamiento óptimo.

FUENTES MINERALES

Los minerales se originan en la tierra y, al ser inorgánicos, no pueden fabricarse por los seres vivos. Las plantas obtienen los minerales del suelo, y la mayoría de los de nuestra dieta procede directamente de las plantas o indirectamente de fuentes animales.

Entre los alimentos con alto contenido mineral se incluyen las verduras, las legumbres y la leche y sus derivados, mientras que alimentos refinados, como los cereales, el pan, las grasas y las comidas azucaradas, los contienen en muy poca cantidad.

DOS GRUPOS

Siempre que se consuma una dieta bien equilibrada, el cuerpo recibirá todos los minerales que necesita para su buen funcionamiento. Los minerales pueden clasificarse en dos grandes grupos: macrominerales y minerales traza.

Verduras, legumbres y frutas tienen un alto contenido en minerales. Ingeridos como parte de una dieta equilibrada, permiten al cuerpo adquirir todos los minerales que necesita.

Macrominerales

Los macrominerales (del griego *macro*, que significa «grande») son necesarios en el cuerpo en mayores cantidades que otros minerales e incluyen:

■ Calcio. Necesario para el desarrollo y mantenimiento de los huesos y los dientes. También contribuye a la formación de las membranas celulares y regula la transmisión nerviosa y la contracción muscular. El 90% aproximadamente del calcio del cuerpo se almacena en los huesos, donde forma una reserva que puede reabsorberse en la sangre y los tejidos. Un déficit de calcio puede provocar trastornos óseos como la osteoporosis.

■ Fósforo. Se combina con calcio en los huesos y los dientes y desempeña una función importante en el metabolismo celular de los hidratos de carbono, los lípidos y las proteínas.

■ Potasio. El tercer mineral más abundante del cuerpo. Actúa con el sodio y el cloruro para mantener un equilibrio de pH y distribución de líquidos, y tiene un papel importante en la transmisión de impulsos nerviosos, la contracción muscular y la regu-

Las neuronas (vistas aquí en aumento) necesitan magnesio para su buen funcionamiento. El magnesio puede encontrarse en verduras como el brécol.

lación del latido cardiaco y la presión arterial. El potasio interviene en el proceso por el cual se moderan los efectos de la adrenalina de estrechamiento de los vasos sanguíneos, reduciendo así el aumento en la presión arterial que tiene lugar durante el estrés. El potasio es necesario asimismo para la síntesis de proteínas, el metabolismo de hidratos de carbono y la secreción de insulina por el páncreas.

■ Sodio. Ayuda a mantener el equilibrio de líquidos en el cuerpo. Junto con el potasio, contribuye también a controlar la contracción muscular y la función nerviosa. La mayor parte del sodio de la dieta procede de la sal. Los altos niveles de sodio pueden provocar pérdida de

potasio en el cuerpo y retención de agua con elevación de la presión arterial.

■ Magnesio. Desempeña un papel importante en la función nerviosa y muscular y se necesita para mantener los huesos sanos. Ayuda al cuerpo a absorber el calcio y protege la mucosa auricular del corazón de tensiones derivadas de cambios súbitos en la presión arterial. El déficit de magnesio puede relacionarse con la angina de pecho y a un mayor riesgo de ataque cardiaco. Su carencia se ha relacionado también con el síndrome premenstrual (SPM).

El sodio está presente en la corteza terrestre. El mineral, visto aquí en forma de bloque sobre una placa de Petri, es esencial para el equilibrio de líquidos y electrolitos en el cuerpo.

Minerales traza

Los minerales traza, o microminerales, son aquellos que el cuerpo necesita en cantidades muy pequeñas. Incluso en estas mínimas cantidades, los minerales traza pueden tener un efecto poderoso en la salud. Estos minerales incluyen los siguientes:

■ Cinc. Importante para el crecimiento, el apetito, el desarrollo de los testículos, la integridad de la piel, la actividad mental, la curación de las heridas y el funcionamiento adecuado del sistema inmunitario. El cinc es un cofactor de muchas enzimas, y un componente necesario en diversas reacciones biológicas, como el metabolismo de hidratos de carbono, lípidos y proteínas. El cinc desempeña también un papel importante en la regulación de la calcificación del hueso.

■ Cobre. Un mineral indispensable para la salud que asume varias

El yodo (visto al microscopio en forma cristalina) es un elemento traza esencial. Sus beneficios se conocen desde hace siglos.

funciones importantes como la formación de hemoglobina, la absorción y asimilación del hierro, la regulación de la frecuencia cardiaca y la presión arterial, el fortalecimiento de vasos sanguíneos, huesos, tendones y nervios y el aumento de la fecundidad.

■ Fluoruro. Mineral necesario para tener dientes y huesos sanos. Ayuda a formar el esmalte dental (que evita las caries) y refuerza el vigor óseo. El fluoruro puede añadirse a las fuentes de agua y a la pasta de dientes para promover los dientes sanos.

■ Manganeso. Esencial para la formación y mantenimiento del hueso, el cartílago y el tejido conjuntivo. El manganeso contribuye a la síntesis de proteínas y material genético y ayuda a producir energía a partir del alimento. El manganeso es necesario para el desarrollo esquelético normal y mantiene la producción de hormonas sexuales.

■ Cromo. Que actúa con la insulina para ayudar a regular el uso por el cuerpo del azúcar y es esencial para el metabolismo de los ácidos grasos. Pueden tomarse suplementos de cromo para tratar algunos casos de diabetes de inicio en la edad adulta, para reducir las necesidades de insulina de algunos niños diabéticos y para aliviar los síntomas de la hipoglucemia.

■ Selenio. Estimula el metabolismo y, en combinación con la vitamina E, actúa como antioxidante para proteger células y tejidos de daños debidos a los radicales libres. El selenio promueve también la función inmunitaria.

■ Yodo. Uno de los primeros minerales reconocidos como esenciales para la salud humana. Se ha usado durante siglos para tratar el bocio (inflamación causada por un crecimiento desmesurado de la tiroides). El yodo es un constituyente de varias hormonas tiroideas y desempeña un papel importante en el metabolismo, la función nerviosa y muscular, las uñas, el pelo, la piel y el estado dental, así como el desarrollo físico y mental. Los animales marinos, como el marisco y los peces de agua salada, son fuentes ricas de yodo. También está presente en el pan y los productos lácteos.

El marisco y los pescados de agua salada son buenas fuentes de yodo. La tiroides necesita yodo para las hormonas tiroideas, que son esenciales para el crecimiento en los niños.

■ Hierro. Un mineral esencial para la formación de hemoglobina, una proteína de la sangre que transporta oxígeno. El hierro es asimismo un componente importante de la mioglobina, proteína que aporta oxígeno a los músculos durante el ejercicio. El déficit de hierro puede producir anemia.

Suplementos minerales

Incluso personas que siguen una dieta equilibrada pueden necesitar un suplemento mineral. Las cantidades ingeridas deben ser las recomendadas por el médico.

A pesar de llevar una dieta equilibrada, algunas personas pueden necesitar suplementos minerales. A las mujeres que sufren un flujo menstrual excesivo, por ejemplo, les vendrá bien tomar estos suplementos.

Sin embargo, es importante hablar con el médico sobre dichos suplementos. Como los minerales se almacenan en el hueso y el tejido muscular, los depósitos minerales podrían alcanzar niveles tóxicos. Los riesgos de toxicidad son mayores cuando se ingiere un solo mineral sin ningún nutriente adicional como cofactor de apoyo, que ayudará a que el cuerpo asimile el mineral.

Niveles tóxicos
Los niveles tóxicos sólo se acumulan cuando se toman sobredosis masivas durante un periodo de tiempo prolongado. Niveles ligeramente elevados de minerales, como sucede con el consumo de agua contaminada o un exceso de suplementos minerales, pueden dar lugar al desarrollo de síntomas perjudiciales, como náuseas, diarrea, sopor, cefaleas y dolor abdominal.

Cómo trabajan las enzimas

Las enzimas son vitales para la química del cuerpo. Sin ellas muchas de las reacciones químicas de las que depende la vida no tendrían lugar, como aquellas en que la glucosa se descompone para producir energía.

La vida de todas las células del cuerpo humano depende de la producción de energía. Pero las reacciones químicas que liberan esta energía necesitan una temperatura superior a 90°C. Son las enzimas las que permiten que se produzcan estas reacciones y exista la vida a las temperaturas normales del cuerpo.

La inmensa mayoría de las enzimas son proteínas complejas, es decir, cadenas de aminoácidos, que a su vez están formados por átomos de carbono, hidrógeno, oxígeno y

Las enzimas se emplean en diversos productos, como en este kit de prueba de embarazo. Las enzimas incluidas en la varilla de prueba reaccionan con los productos químicos de la orina, induciendo un cambio de color.

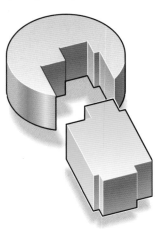

nitrógeno, y en muchos casos también de azufre. Como las proteínas, se producen en la célula usando el ADN como plantilla. Sin embargo, algunos están constituidos por ARN (ácido ribonucleico, que junto con el ADN forma parte del código genético), en cuyo caso reciben el nombre de ribozimas.

QUÉ HACEN LAS ENZIMAS

Las enzimas actúan como catalizadores en las reacciones químicas acelerándolas y reduciendo la cantidad de energía que necesitan. A su vez, pueden ser catabólicas, que participan en la ruptura de sustancias complejas en sus componentes más simples, o anabólicas, que ayudan a las reacciones que construyen materiales uniendo sus componentes. Otras enzimas ayu-

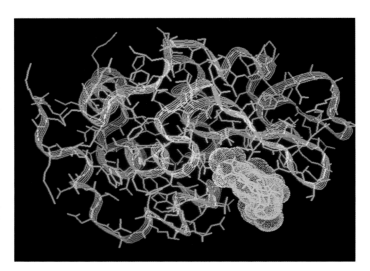

dan a que las sustancias químicas atraviesen la membrana que rodea a cada célula.

Una enzima llamada sacarasa, por ejemplo, es catabólica: ayuda a descomponer la sacarosa (azúcar) en glucosa y fructosa, formas de más fácil digestión. Otra enzima conocida por anhidrasa carbónica es anabólica: ayuda a que el agua se combine con dióxido de carbono (CO_2), un subproducto del proceso de producción de energía dentro de las células, para formar ácido carbónico. En esta forma se transporta en la sangre hasta los pulmones,

Esta imagen es una representación de la enzima lisozima, que está presente en las lágrimas. Es capaz de descomponer cadenas de moléculas de azúcares (en amarillo), que conforman las paredes celulares bacterianas.

donde se expulsará del cuerpo como CO_2. Una enzima denominada glucosa permeasa (los nombres de las enzimas suelen terminar en «-asa»), ayuda a transportar la glucosa a través de las membranas celulares de manera que pueda usarse para producir energía.

El modelo de «cerradura»

Cada enzima del cuerpo cumple con una tarea específica y se han propuesto varias teorías para explicar la especificidad y el modo de actuación. La primera de estas teorías se conoce como hipótesis de la «cerradura». Esta teoría se basa en el principio de que existe una zona o

«sitio activo» en la superficie de la molécula de enzima en la que encaja una molécula de una sustancia química, denominada «sustrato», y se fija por atracción eléctrica. Cuando la reacción avanza, el sustrato se convierte en otra sustancia química (el «producto») que tiene propieda-

des eléctricas diferentes, de manera que la atracción química desaparece y la molécula del producto abandona el sitio. El proceso se repite enteramente con nuevas moléculas de sustrato millares de veces en una fracción de un segundo. Por desgracia, la teoría de la «cerradura» no

se ajusta completamente a los hechos. Por una parte, la actividad enzimática puede inhibirse por factores como cambios en la temperatura o el pH, lo que no sucedería si el acoplamiento fuera una cuestión puramente física. Además moléculas distintas del sustrato pueden encajar en el sitio.

Otro concepto, conocido como teoría del «acoplamiento inducido», da respuesta a estas objeciones. Sostiene que el sitio activo tiene propiedades elásticas y se expande y se contrae según se necesite para acomodarse al sustrato, de igual manera que un guante cambia de forma para adaptarse a la mano.

En el modelo de «cerradura», una región de la enzima (en morado) es complementaria del sustrato (naranja). Aquí la enzima descompone el sustrato sin intervención química.

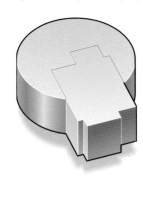

Enzimas y energía

Las enzimas reducen la cantidad de energía necesaria para una reacción química. Sin embargo, como son proteínas se muestran sensibles a los cambios en su entorno.

Siempre que tiene lugar una reacción química se usa energía. Para que se produzca una reacción es preciso romper los enlaces entre los átomos para formar otros nuevos; la energía necesaria para esta ruptura de enlaces se conoce por energía de activación. Por ejemplo, las sustancias pueden quemarse, pero sólo después de haber recibido energía (como el calor de un mechero encendido). Las enzimas rebajan esta energía de activación permitiendo que las reacciones tengan lugar a temperaturas más bajas, sin participar químicamente en las mismas.

Para que una reacción química tenga lugar, debe suministrarse una energía de activación. Las enzimas reducen la cantidad de energía de activación, acelerando la reacción.

¿QUÉ AFECTA A LA ACTIVIDAD ENZIMÁTICA?

Los tres factores principales que afectan a la actividad enzimática son la temperatura, el pH y la presencia de otras sustancias químicas que ocupan el sitio activo o distorsionan su forma. Dependiendo de su acción, dichas sustancias químicas se conocen como inhibidores competitivos y no competitivos.

Para cada enzima del cuerpo existe un intervalo de temperaturas en el que actúa con la máxima eficacia. Fuera de este intervalo los enlaces que mantienen unidas las estructuras de proteínas complejas de las que están formadas las enzimas mayoritariamente empiezan a romperse. En consecuencia cambia la forma del sitio activo de la enzima haciendo imposible el acoplamiento del sustrato en la misma. Por

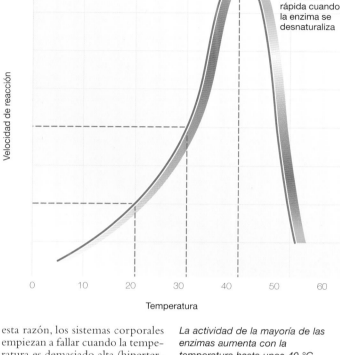

Temperatura óptima

Reducción rápida cuando la enzima se desnaturaliza

Velocidad de reacción

0   10   20   30   40   50   60

Temperatura

esta razón, los sistemas corporales empiezan a fallar cuando la temperatura es demasiado alta (hipertermia) o excesivamente baja (hipotermia).

Al igual que en la temperatura, las enzimas poseen un intervalo óptimo de valores de pH dentro de los cuales actúan con la máxima eficacia. Fuera de este intervalo la acción de una enzima se inhibe y en casos extremos deja de existir. (El pH es un valor que indica la concentración de iones hidrógeno en una solución y el grado de acidez o alcalinidad que tiene; el agua destilada, por ejemplo, tiene un pH de 7, mientras que la lejía tiene pH de 12 y el zumo de naranja, de 2.) El intervalo óptimo de pH varía de una

La actividad de la mayoría de las enzimas aumenta con la temperatura hasta unos 40 °C, donde alcanza su máximo. Por encima, la proteína se desnaturaliza y la enzima pierde su actividad.

enzima a otra, pero normalmente esto no supone ningún problema, ya que se corresponde con el entorno de la enzima, y un sistema amortiguador (que compensa pequeños cambios en el pH) ayuda a conservar relativamente constante el pH en las diferentes zonas del cuerpo. Las enzimas del estómago, como la pepsina y la quimotripsina, funcionan mejor a un pH ácido bajo, que se consigue con las condiciones ácidas del estómago.

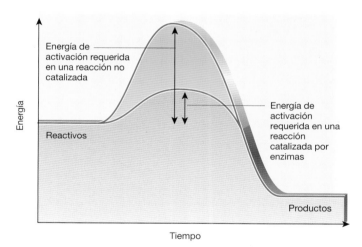

Energía de activación requerida en una reacción no catalizada

Energía de activación requerida en una reacción catalizada por enzimas

Energía

Reactivos

Productos

Tiempo

Inhibición competitiva y no competitiva

La actividad enzimática puede inhibirse mediante otras sustancias químicas que detecta. En la inhibición competitiva el sitio activo es ocupado por la llamada molécula competidora. Gracias a la inhibición competidora se puede explicar la capacidad de varios productos químicos (como en el caso del cianuro) para interrumpir la actividad enzimática y provocar la muerte. Otros venenos, como el plomo y el mercurio, tienen el mismo efecto, pero son «inhibidores no

En la inhibición competitiva (arriba) dos moléculas con formas similares compiten por el sitio activo de la enzima. En la inhibición no competitiva (abajo) el inhibidor se une a otros sitios de la enzima cambiando la forma del sitio activo e impidiendo la reacción.

competitivos», ya que no «compiten» por la ocupación del sitio activo, sino que se fijan a la enzima, distorsionando su forma.

Esta mujer y este niño están recibiendo oxígeno tras una intoxicación por monóxido de carbono (CO). El CO es un inhibidor competitivo del oxígeno porque reduce la cantidad disponible en el cuerpo.

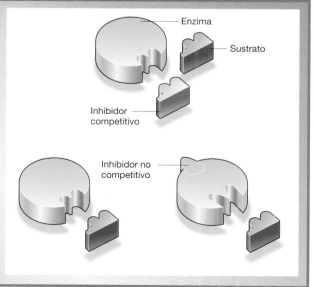

Enzima

Sustrato

Inhibidor competitivo

Inhibidor no competitivo

Cómo se controla el azúcar en la sangre

El azúcar es una fuente importante de energía para el cuerpo y existe de forma natural en la sangre como glucosa. El equilibrio correcto de los niveles de azúcar en sangre es vital para la vida y está regulado por hormonas secretadas por el páncreas.

La glucosa es un azúcar simple vital para la función cerebral y una fuente importante de energía para el resto del cuerpo. La glucosa se almacena en el cuerpo en forma de glucógeno, que son simplemente cadenas largas de moléculas de azúcar presentes en el hígado y en los músculos, y se transfiere por todo el cuerpo a través de la sangre.

Existe un nivel natural de glucosa en sangre, pero cuando comemos, o no lo hacemos suficientemente, este nivel cambia. La magnitud de este cambio está regulada en el páncreas por las hormonas (que significa «excitar»).

EL PÁNCREAS

El páncreas es una glándula larga y blanquecina, de unos 20-25 cm de longitud, que está situada justo detrás de la parte baja del estómago y está unida al duodeno. Produce enzimas que circulan a lo largo de un conducto en el duodeno y ayudan a la digestión del alimento. Pero no es su única función.

La parte digestiva del páncreas constituye el 90% de su masa celular total. Aproximadamente el 5% está formado por células que producen las hormonas que regulan el nivel de azúcar en sangre: insulina y glucagón.

Estas células endocrinas, conocidas como islotes, se agrupan en racimos en todo el páncreas. A diferencia de la mayor parte de los productos pancreáticos, las hormonas no entran en el conducto que lleva al duodeno; en su lugar, se suministran directamente al torrente sanguíneo.

Azúcar en sangre

El nivel ideal de azúcar en sangre está entre 70 y 110 mg por 100 ml. Después de una comida, es normal que el nivel de azúcar se eleve durante unas horas, pero no debería superar 180 mg. Toda persona que tenga un nivel de glucosa más alto estará afectada por hiperglucemia. Si el nivel de glucosa en sangre es de 70 o menos, la persona padecerá hipoglucemia, y se tildará de hipoglucémica.

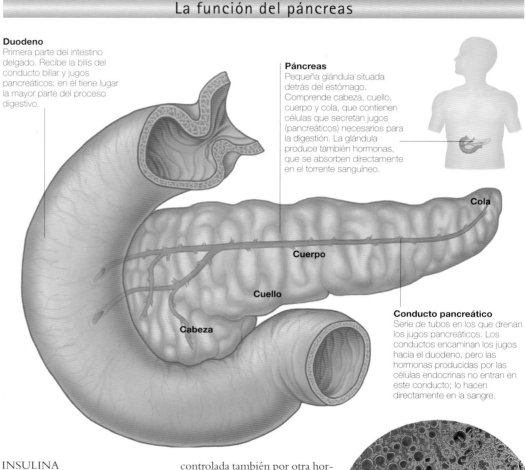

La función del páncreas

Duodeno
Primera parte del intestino delgado. Recibe la bilis del conducto biliar y jugos pancreáticos; en él tiene lugar la mayor parte del proceso digestivo.

Páncreas
Pequeña glándula situada detrás del estómago. Comprende cabeza, cuello, cuerpo y cola, que contienen células que secretan jugos (pancreáticos) necesarios para la digestión. La glándula produce también hormonas, que se absorben directamente en el torrente sanguíneo.

Cola

Cuerpo

Cuello

Cabeza

Conducto pancreático
Serie de tubos en los que drenan los jugos pancreáticos. Los conductos encaminan los jugos hacia el duodeno, pero las hormonas producidas por las células endocrinas no entran en este conducto; lo hacen directamente en la sangre.

INSULINA
Existen diferentes tipos de células pancreáticas, cada una de ellas es responsable de producir una hormona diferente. La insulina es secretada normalmente por las células beta de los islotes del páncreas. Un nivel bajo de la hormona se secreta continuamente, pero si la cantidad de glucosa en la sangre aumenta, las células se ven estimuladas para producir más insulina. Si el nivel de glucosa en sangre decae, desciende la producción de insulina.

La insulina tiene un efecto en una serie de células del cuerpo, incluidas células musculares, glóbulos rojos y células grasas.

Cuando los niveles de insulina aumentan, estas células se ven instadas a absorber más glucosa de la sangre y la usan para producir energía. La producción de insulina está controlada también por otra hormona llamada somatostatina. Ésta se segrega como respuesta a altos niveles de otras hormonas y su acción consiste, entre otras funciones, en ralentizar la producción de insulina.

GLUCAGÓN
El glucagón es secretado por las células alfa de los islotes pancreáticos. Estas células se estimulan y entran en acción cuando el nivel de glucosa en la sangre desciende demasiado. La hormona hace que el glucógeno, principalmente en el hígado, se convierta en glucosa y se libere en la sangre. También induce al hígado, el músculo y otras células del cuerpo a fabricar glucosa a partir de otros productos químicos del cuerpo, como pueden ser las proteínas.

Al microscopio las células endocrinas parecen islas y de ahí su nombre de islotes pancreáticos. También se conocen por islotes de Langerhans, por el médico alemán Paul Langerhans. Estas células producen las hormonas insulina y glucagón.

Niveles anormales de azúcar en sangre

Un equilibrio correcto en los niveles de azúcar en sangre es vital para disfrutar de buena salud. El descenso en los niveles de glucosa puede producir sudoración profusa, confusión e incluso coma. Un aumento provoca el trastorno conocido como diabetes.

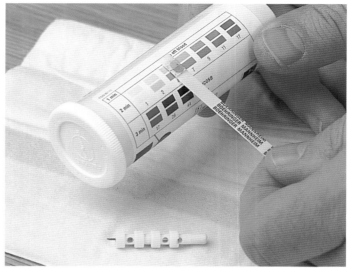

Diabetes

La incapacidad del páncreas de producir suficiente insulina conduce a un trastorno denominado diabetes mellitus. Por la carencia de insulina las células del cuerpo son incapaces de absorber la glucosa, que se acumula así en la sangre. Como los músculos no pueden absorber suficiente azúcar, se debilitan y empiezan a desgastarse.

La causa exacta de la insuficiencia pancreática se desconoce, pero la diabetes se observa a veces en sagas familiares. Suele aparecer con bastante lentitud en personas de edad mediana, y las que sufren sobrepeso tienen un riesgo adicional. Sin embargo, también puede darse en niños, en cuyo caso el inicio suele ser repentino.

La diabetes puede desencadenarse en personas propensas por diversos factores, como la exposición al frío y la humedad, el exceso de trabajo y la depresión, pero en la mayoría de los casos la causa es la infección, sobre todo por virus.

Los síntomas incluyen debilidad, pérdida de peso, sed y producción incrementada de orina. También se produce estreñimiento y sequedad de boca y piel. La mayoría de los pacientes no desarrollan complicaciones, aunque el trastorno puede afectar al corazón, los vasos sanguíneos y los nervios; y los diabéticos son más propensos a sufrir cataratas.

En casos extremos los pacientes pueden desarrollar tuberculosis pulmonar o coma diabético.

Los niveles de glucosa en sangre pueden medirse con un sencillo equipo de diagnóstico. Se usa una lanceta para pinchar el dedo y la gotita de sangre se coloca en una tira de prueba. En el extremo de la tira hay dos reactivos, que cambian de color amarillo a negro y de blanco a azul oscuro, dependiendo del nivel de azúcar en la sangre. Los niveles altos de azúcar pueden provocar diabetes. En este caso, la lectura resultará normal.

Control de la diabetes

La diabetes no puede preverse, prevenirse ni curarse. Sin embargo, es controlable con un tratamiento adecuado. En pacientes de edad avanzada tal vez baste con que coman con regularidad y respeten la dieta reducida en azúcar prescrita por su médico. El facultativo podrá recetar también comprimidos que potencien el efecto de la insulina que está presente en la sangre.

En casos graves es necesario tomar insulina, que ha de administrarse en forma de inyecciones una o dos veces al día, ya que la insulina se destruye si se toma por la boca. Debe tenerse cuidado con las inyecciones, pues el exceso de insulina provoca hipoglucemia, que se manifiesta en sudoración, malestar y trastornos de conducta. En casos extremos el paciente parece ebrio, momento en el cual ha de buscarse ayuda médica al existir riesgo de coma.

Los diabéticos se administran solos inyecciones intramusculares de insulina, que regula los niveles de azúcar en sangre. Si existe una deficiencia natural de insulina, se necesita una terapia de sustitución regular para prevenir el coma y la muerte.

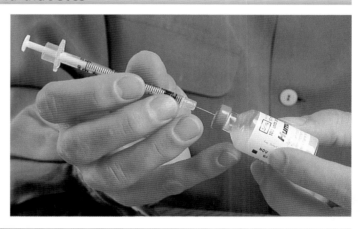

Equilibrio natural de niveles de glucosa

LA FALTA DE ALIMENTO PRODUCE BAJA GLUCOSA EN SANGRE

Aumento de niveles de glucagón

La falta de glucosa lleva a una reducción del azúcar en sangre, pero el cuerpo responde aumentando el nivel natural de glucagón. Al mismo tiempo este nivel menor de azúcar en sangre induce un descenso en la producción de insulina que estimula la conversión de glucógeno en glucosa.

Descenso en niveles de insulina

Descenso en glucosa que entra a las células hepáticas y musculares. Glucógeno convertido en glucosa

Aumento de liberación de glucosa por el hígado

LA INGESTA DE ALIMENTO PRODUCE ALTA GLUCOSA EN SANGRE

Descenso de niveles de glucagón

Al comer aumenta el nivel de glucosa, lo que significa que hay menos necesidad de glucagón y que el cuerpo detiene su producción. Un contenido mayor de azúcar en la sangre estimula la producción de insulina, lo que a su vez aumenta la cantidad de glucosa que entra en los músculos.

Aumento de niveles de insulina

Aumento de glucosa que entra en las células hepáticas y musculares. Glucosa convertida en glucógeno

Descenso de liberación de glucosa por el hígado

Aumento de depósitos de glucógeno

Cómo se excretan los desechos

Casi todos los nutrientes útiles de la comida se absorben en el cuerpo a través del intestino delgado. La función del intestino grueso consiste en excretar el material residual no deseado a la vez que retener cualquier producto químico útil que aún quede.

El intestino grueso mide 1,5 m de longitud aproximadamente y forma un arco que rodea los pliegues y circunvoluciones del intestino delgado. Consta de cuatro secciones: ciego, colon, recto y conducto anal. El alimento pasa desde el íleon del intestino delgado al extremo superior del ciego a través de la válvula ileocecal. Esta válvula impide que el material retorne del intestino grueso al delgado, incluso cuando el intestino grueso se distiende. El ciego es una bolsa orientada hacia abajo que termina en el apéndice vermiforme.

EL COLON

El ciego se comunica con el colon ascendente, una sección recta del colon que se extiende hasta el hígado. Allí se dobla y se convierte en colon transverso, que cruza el abdomen y se curva para convertirse en colon descendente y después colon sigmoide. En conjunto, el colon mide en torno a 1,3 m y es la sección más larga del intestino grueso.

La función principal del colon es la propulsión de las heces hacia el conducto anal. Este proceso puede realizarse en una longitud relativamente corta del intestino, razón por la cual una parte o la totalidad del colon pueden llegar a extirparse quirúrgicamente en caso necesario.

El colon es bastante largo para conseguir la máxima superficie posible para la reabsorción de agua, sales disueltas y vitaminas hidrosolubles.

El intestino grueso

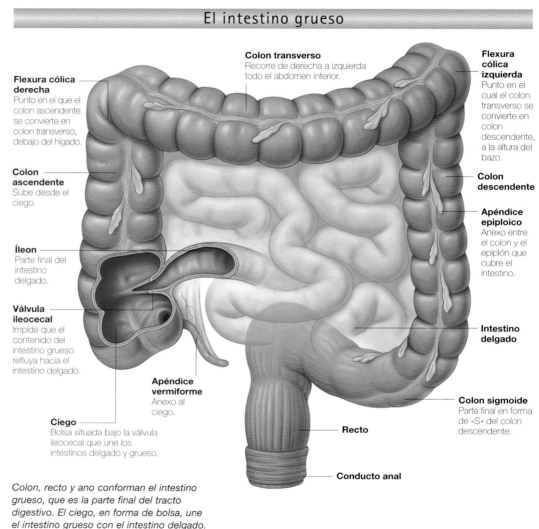

Flexura cólica derecha
Punto en el que el colon ascendente se convierte en colon transverso, debajo del hígado.

Colon transverso
Recorre de derecha a izquierda todo el abdomen inferior.

Flexura cólica izquierda
Punto en el cual el colon transverso se convierte en colon descendente, a la altura del bazo.

Colon ascendente
Sube desde el ciego.

Colon descendente

Íleon
Parte final del intestino delgado.

Apéndice epiploico
Anexo entre el colon y el epiplón que cubre el intestino.

Válvula ileocecal
Impide que el contenido del intestino grueso refluya hacia el intestino delgado.

Apéndice vermiforme
Anexo al ciego.

Intestino delgado

Ciego
Bolsa situada bajo la válvula ileocecal que une los intestinos delgado y grueso.

Colon sigmoide
Parte final en forma de «S» del colon descendente.

Recto

Conducto anal

Colon, recto y ano conforman el intestino grueso, que es la parte final del tracto digestivo. El ciego, en forma de bolsa, une el intestino grueso con el intestino delgado.

Paso de las heces

El movimiento de las heces a lo largo del colon se realiza por movimientos musculares en la pared del colon.

Pueden darse tres tipos de movimientos musculares, que sirven no sólo para impulsar las heces, sino también para mantener el material mezclado, lo que permite absorber el agua con más facilidad en las paredes del colon.

El material fecal pasa a través del colon con bastante más lentitud que por el intestino delgado. Cada día el intestino grueso absorbe aproximadamente 1,4 litros de agua y menores cantidades de sodio y cloruro.

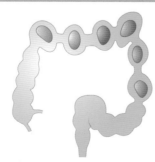

La segmentación es una serie de contracciones anulares que agitan el material fecal pero sin que realice movimiento alguno hacia delante. Así es más fácil absorber el agua.

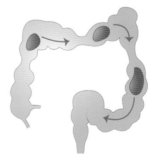

Las contracciones peristálticas, como éstas en el intestino delgado, mezclan y mueven las heces. Los músculos posteriores de cada segmento se contraen, mientras que los delanteros se relajan.

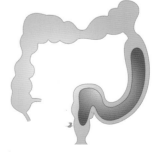

Los movimientos de masas, que son más intensos que las contracciones peristálticas, impulsan grandes cantidades de heces. Tienen lugar dos o tres veces al día.

Defecación

El proceso de la digestión termina cuando los productos de desecho se eliminan del cuerpo. Aunque es un impulso involuntario, la defecación puede retrasarse de forma consciente.

El colon conduce al recto, que mide unos 12 cm de largo y está provisto de paredes musculares. Éstas pueden estirarse permitiendo al recto actuar como un almacén de heces y se usan para expulsar las heces hacia el conducto anal. Las heces que llegan al recto son relativamente secas, pero el recto tiene una mucosa glandular que segrega mucosidad que ayuda ayudando a lubricar las heces y facilita el paso a través del recto y el conducto anal.

Las heces que llegan al recto contienen residuos de comida sin digerir, mucosidad, células epiteliales (de la mucosa del tracto digestivo), bacterias y agua suficiente para facilitar un paso suave.

FALTA DE VOLUMEN
Si las heces del colon carecen de volumen debido a ausencia de material fibroso no digerible en la die-ta, el colon puede estrecharse y sus contracciones, que no tienen contra qué aplicarse, se hacen demasiado poderosas. En consecuencia aumenta la presión en las paredes del colon con la posible aparición de hernias denominadas divertículos.

La diverticulosis se produce normalmente en la región del colon sigmoide. Se asocia con dolor pélvico en el lado izquierdo y puede tener consecuencias graves. Los divertículos pueden romperse para liberar materia fecal en la cavidad abdominal causante de infecciones graves.

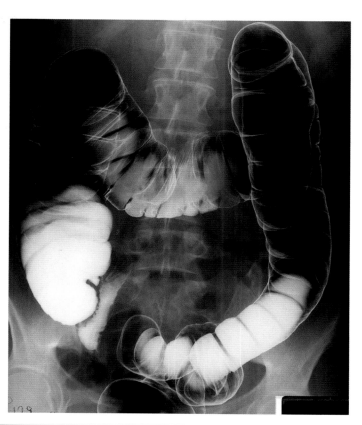

Una radiografía con contraste de bario muestra las circunvoluciones y vueltas del colon. De los 500 ml de residuo de alimentos que entran normalmente al ciego cada día, sólo en torno a 150 ml se convierten en heces.

Conducto anal

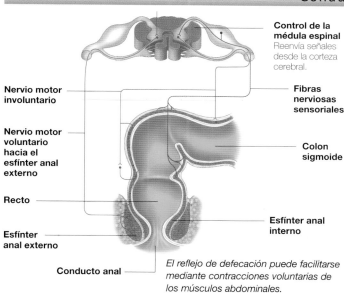

Control de la médula espinal
Reenvía señales desde la corteza cerebral.

Nervio motor involuntario

Nervio motor voluntario hacia el esfínter anal externo

Recto

Esfínter anal externo

Conducto anal

Fibras nerviosas sensoriales

Colon sigmoide

Esfínter anal interno

El reflejo de defecación puede facilitarse mediante contracciones voluntarias de los músculos abdominales.

El conducto anal o ano es un tubo corto y estrecho de unos 4 cm de largo rodeado por dos anillos musculares denominados esfínteres anales interno y externo. La función del conducto anal es mantener la abertura al exterior cerrada hasta que una persona está preparada para expulsar las heces.

CONTROL DE DEFECACIÓN
El proceso de defecación está controlado por el encéfalo, que durante la mayor parte del tiempo envía señales a los esfínteres para que se mantengan contraídos.

Cuando el recto está tan lleno que no puede estirarse más, se activa un reflejo de defecación en la médula espinal y las señales se envían a los músculos rectales para que empiecen a contraerse. Al mis-mo tiempo se envían señales al encéfalo para avisar de que es necesario defecar, pero el encéfalo mantiene el control consciente de los esfínteres hasta que se va a proceder a la defecación. Cuando se toma la decisión de defecar, el encéfalo permite relajarse a los esfínteres y la pared muscular del recto impulsa las heces por el conducto anal.

En los lactantes se produce una defecación involuntaria porque todavía no han conseguido el control de los esfínteres externo y anal. También se produce esta situación en personas con lesión en la médula espinal. Las heces acuosas (diarrea) son resultado del impulso rápido de los residuos de alimentos a través del intestino grueso. Por la inadecuada absorción de agua, pueden producir deshidratación.

El apéndice

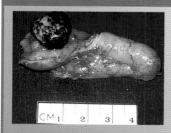

Cuando el apéndice se inflama, el resultado es una apendicitis. Esta dolencia puede poner en riesgo la vida.

Ni el ciego ni el apéndice tienen una función evidente en el ser humano, y probablemente ambos son reliquias de nuestros antepasados. El apéndice, por ejemplo, es una pieza estrecha y ciega del tracto digestivo de hasta 10 cm de longitud y 1 cm de diámetro, que se extiende hacia abajo desde el ciego. Sólo está presente en los seres humanos, ciertas especies de simios y curiosamente en el wombat, un marsupial australiano. Su origen está vinculado probablemente con el hecho de que una serie de animales herbívo-ros tienen un órgano en la misma posición que actúa como un estómago adicional en el que la celulosa de las plantas es digerida por bacterias. Si así fuera, el apéndice humano es claramente un órgano vestigial, ya que los seres humanos no podemos digerir la celulosa.

Sin embargo, parece haber desarrollado una función secundaria, la de actuar como una alerta temprana de infección: al igual que las amígdalas y las vegetaciones, el apéndice contiene un gran número de glán-dulas linfáticas cuya finalidad es combatir la infección.

No obstante, el apéndice puede también inflamarse para provocar una apendicitis. Esta dolencia puede ser fatal y normalmente es preciso extirpar quirúrgicamente el apéndice. Aunque la intervención puede realizarse a cualquier edad, es más probable que se necesite en épocas tempranas de la vida, ya que cuando una persona haya alcanzado los 40 años su apéndice estará casi completamente seco.

Cómo trabaja el hígado

El hígado es uno de los órganos más complejos del cuerpo. Controla más de 500 reacciones químicas, y fabrica y almacena sustancias vitales para sostener la vida.

El hígado es el mayor de los órganos internos del cuerpo con un peso de 1,8 kg en el varón y 1,3 kg en la mujer, aproximadamente. Forma una especie de triángulo rectángulo cuya masa se sitúa en el lado derecho del abdomen, aunque atraviesa la línea media del cuerpo para situarse bajo el ápice del corazón y por detrás del estómago en el lado izquierdo. Su parte superior se encuentra bajo la quinta costilla y alcanza justo debajo de la décima, razón por la cual los médicos palpan bajo las costillas del lado derecho del paciente para detectar un posible aumento de tamaño del hígado.

ESTRUCTURA DEL HÍGADO

De color pardo rojizo, el hígado no es sólo el mayor de los órganos del cuerpo, sino también el más complejo. Consta de ocho lóbulos, cada uno constituido por áreas de forma hexagonal que poseen una vena central rodeada por células hepáticas.

La estructura completa está permeada por una red de venas, arterias y conductos. Estos conductos son canales que recogen la bilis producida por las células hepáticas y la dirigen hacia la vesícula biliar, donde se almacena. Esta vesícula es un saco piriforme de unos 8 cm de largo, situado debajo y a lo largo de la novena costilla. Cuando la vesícula biliar se inflama, a veces alcanza la posición de la novena costilla, unos centímetros a la izquierda de este punto.

Estructura interna del hígado

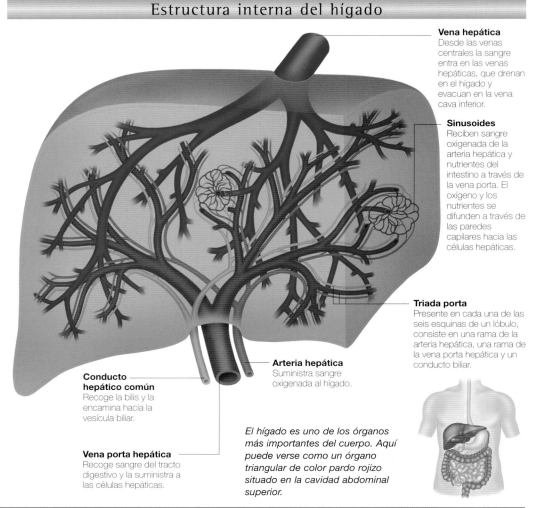

Vena hepática
Desde las venas centrales la sangre entra en las venas hepáticas, que drenan en el hígado y evacuan en la vena cava inferior.

Sinusoides
Reciben sangre oxigenada de la arteria hepática y nutrientes del intestino a través de la vena porta. El oxígeno y los nutrientes se difunden a través de las paredes capilares hacia las células hepáticas.

Triada porta
Presente en cada una de las seis esquinas de un lóbulo, consiste en una rama de la arteria hepática, una rama de la vena porta hepática y un conducto biliar.

Conducto hepático común
Recoge la bilis y la encamina hacia la vesícula biliar.

Arteria hepática
Suministra sangre oxigenada al hígado.

Vena porta hepática
Recoge sangre del tracto digestivo y la suministra a las células hepáticas.

El hígado es uno de los órganos más importantes del cuerpo. Aquí puede verse como un órgano triangular de color pardo rojizo situado en la cavidad abdominal superior.

Procesos en el hígado

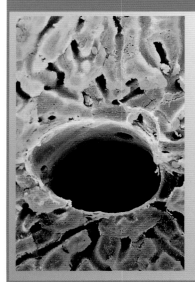

Las funciones del hígado implican el control de más de 500 reacciones químicas haciendo de él el órgano más importante del metabolismo, es decir, los procesos por los que las sustancias químicas se modifican en el cuerpo. Entre ellos se incluyen:

■ Almacenamiento de hidratos de carbono. El hígado descompone la glucosa, la forma en la que se transportan los hidratos de carbono en la sangre, y la almacena como glucógeno. El proceso se invierte cuando los niveles de glucosa en sangre descienden o existe una súbita demanda de energía adicional.
■ Desecho de aminoácidos. El hígado descompone el exceso de aminoácidos, que conforman las proteínas, y convierte el amoniaco producido en urea, un constituyente de la orina.

La sangre se destoxifica cuando circula por los sinusoides hacia el centro del lóbulo. Todos los lóbulos del hígado tienen una vena central.

■ Uso de las grasas para producir energía. Cuando existen insuficientes hidratos de carbono en la dieta para satisfacer las necesidades de energía, el hígado descompone las grasas almacenadas en productos químicos (cetonas), que se emplean para producir energía y calor.
■ Fabricación de colesterol. El colesterol producido naturalmente es esencial para la producción de bilis y hormonas como el cortisol y la progesterona.
■ Almacenamiento de minerales y vitaminas. El hígado almacena suficientes minerales, como hierro y cobre (necesarios para los glóbulos rojos), y vitaminas A (que se sintetiza a la vez que se almacena), B_{12} y D para cubrir las necesidades del cuerpo para un año.
■ Procesamiento de la sangre. El hígado descompone los glóbulos rojos viejos, algunos de cuyos constituyentes utiliza para fabricar pigmentos biliares. También fabrica protrombina y heparina, unas proteínas que influyen en la coagulación sanguínea.

Circulación en el hígado

El hígado cuenta con su propio sistema de circulación constituido por una intrincada red de venas y arterias.

Las venas y las arterias forman el sistema de circulación propio del hígado, denominado sistema portal hepático (en latín, *hepaticus* significa hígado). El objetivo de este sistema es eliminar las sustancias perjudiciales de los órganos digestivos y desembarazarse de ellas antes de que lleguen al corazón. También absorbe parte de los constituyentes del alimento desde el tracto digestivo, para que pueda almacenarse y usarse en el futuro.

La vena porta recoge sangre del tracto digestivo y la suministra a las células hepáticas para su procesamiento, mientras que la arteria hepática se ramifica desde la aorta para aportar nutrientes a las células hepáticas. Después de haber circulado por todos los capilares del hígado, la sangre se recoge en las venas hepáticas en el centro de cada lóbulo y se transfiere por la vena hepática principal a la vena cava inferior para su retorno al corazón.

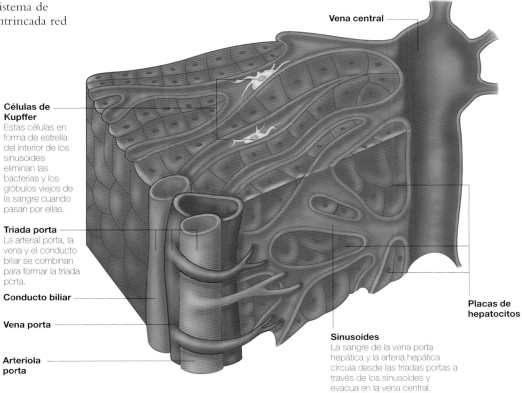

Vena central

Células de Kupffer
Estas células en forma de estrella del interior de los sinusoides eliminan las bacterias y los glóbulos viejos de la sangre cuando pasan por ellas.

Triada porta
La arterial porta, la vena y el conducto biliar se combinan para formar la triada porta.

Conducto biliar

Vena porta

Arteriola porta

Placas de hepatocitos

Sinusoides
La sangre de la vena porta hepática y la arteria hepática circula desde las triadas portas a través de los sinusoides y evacua en la vena central.

La función de la bilis

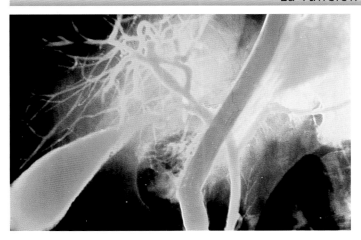

La bilis, que es esencial para la absorción de vitaminas D y E y la descomposición de las grasas, es producida por las células hepáticas y se almacena en la vesícula biliar; consiste en sacos biliares y pigmentos biliares, que proceden de la descomposición de glóbulos rojos, colesterol y lecitina.

La presencia de grasas en el estómago hace que la vesícula biliar se contraiga, lo cual exprime la bilis a través del conducto biliar común y hacia el duodeno. Aquí emulsiona las grasas para facilitar su digestión.

Micrografía electrónica de glóbulos rojos. Cada minuto pasan por el hígado entre 1,2 y 1,7 litros de sangre.

Esta radiografía de falso color de la vesícula biliar y los conductos biliares se ha potenciado inyectando un medio de contraste. La bilis se almacena en la vesícula biliar.

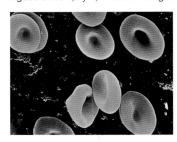

Problemas hepáticos

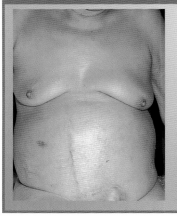

El hígado descompone las sustancias tóxicas, como el alcohol, en constituyentes inocuos que pueden excretarse del cuerpo. También procesa las sustancias químicas producidas naturalmente en el cuerpo, aunque sus constituyentes suelen reciclarse. Tal es el motivo por el que el consumo abusivo de sustancias puede producir lesiones serias al sobrecargar el hígado.

En casos extremos puede producirse cirrosis, una enfermedad seria en la que el tejido hepático sano resulta dañado y se sustituye por tejido cicatricial fibroso, que termina por endurecer todo el órgano. El efecto a largo plazo es una enorme reducción de la capacidad regeneradora del hígado.

La ictericia, o amarilleamiento de la piel debido a un exceso de bilirrubina en la sangre, es un síntoma posible de daño hepático causado por la ingesta de altos niveles de alcohol.

La cirrosis es una enfermedad hepática que puede deberse al alcohol. En ella el tejido fibroso rompe las estructuras internas del hígado, como las de la imagen.

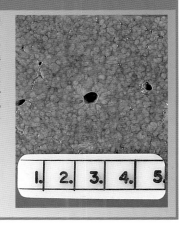

Cómo se produce la orina en los riñones

Los riñones son responsables de mantener el volumen y la composición química de los fluidos corporales. Actúan filtrando las impurezas de la sangre y excretando el exceso de agua y subproductos metabólicos en forma de orina.

Los riñones son los principales órganos excretores del cuerpo y están situados en la parte posterior del abdomen, debajo del diafragma. Son responsables de mantener la constancia de los líquidos corporales filtrando toxinas, productos de desecho metabólico y exceso de iones de la sangre. El resultado final de este proceso es el líquido excretado en forma de orina.

Al mismo tiempo los riñones mantienen el volumen de sangre (buen equilibrio de agua y sales) y la acidez correcta de los líquidos corporales. Este complejo proceso se conoce como homeostasis.

DENTRO DEL RIÑÓN

Existen tres zonas diferentes dentro de un riñón: la corteza renal (la más externa), la pelvis renal (la interior) y la médula renal (intermedia). La corteza tiene aspecto granular y claro y contiene una red de arterias, venas y capilares. La médula es una zona oscura y rayada dividida en estructuras cónicas conocidas como pirámides renales. En la cúspide de cada pirámide están las papilas, proyecciones en forma de pezón que se extienden hasta la pelvis renal a través de cavidades denominadas cálices.

Hay más de un millón de unidades de tratamiento de la sangre dentro del riñón que son conocidas como nefronas. La orina producida por las nefronas drena en la pelvis a través de los cálices. A su vez la pelvis está unida al uréter, cada uno de los dos tubos que lleva la orina hasta la vejiga.

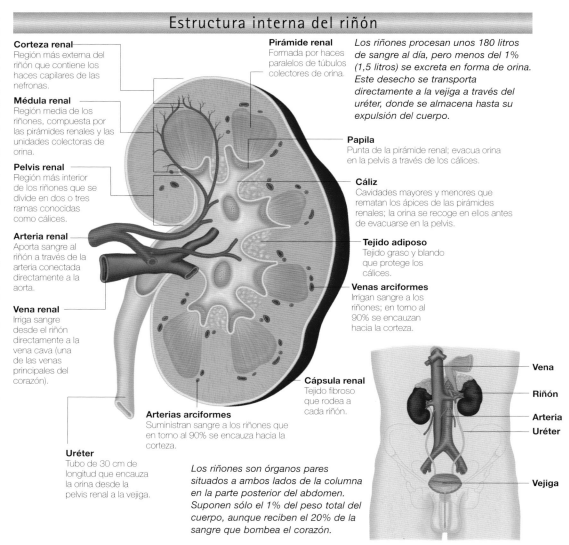

Estructura interna del riñón

Corteza renal
Región más externa del riñón que contiene los haces capilares de las nefronas.

Médula renal
Región media de los riñones, compuesta por las pirámides renales y las unidades colectoras de orina.

Pelvis renal
Región más interior de los riñones que se divide en dos o tres ramas conocidas como cálices.

Arteria renal
Aporta sangre al riñón a través de la arteria conectada directamente a la aorta.

Vena renal
Irriga sangre desde el riñón directamente a la vena cava (una de las venas principales del corazón).

Uréter
Tubo de 30 cm de longitud que encauza la orina desde la pelvis renal a la vejiga.

Arterias arciformes
Suministran sangre a los riñones que en torno al 90% se encauza hacia la corteza.

Pirámide renal
Formada por haces paralelos de túbulos colectores de orina.

Los riñones procesan unos 180 litros de sangre al día, pero menos del 1% (1,5 litros) se excreta en forma de orina. Este desecho se transporta directamente a la vejiga a través del uréter, donde se almacena hasta su expulsión del cuerpo.

Papila
Punta de la pirámide renal; evacua orina en la pelvis a través de los cálices.

Cáliz
Cavidades mayores y menores que rematan los ápices de las pirámides renales; la orina se recoge en ellos antes de evacuarse en la pelvis.

Tejido adiposo
Tejido graso y blando que protege los cálices.

Venas arciformes
Irrigan sangre a los riñones; en torno al 90% se encauzan hacia la corteza.

Cápsula renal
Tejido fibroso que rodea a cada riñón.

Los riñones son órganos pares situados a ambos lados de la columna en la parte posterior del abdomen. Suponen sólo el 1% del peso total del cuerpo, aunque reciben el 20% de la sangre que bombea el corazón.

Vena

Riñón

Arteria

Uréter

Vejiga

Drenaje urinario

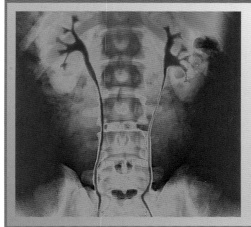

La producción de orina es un proceso en tres etapas: filtración, reabsorción y secreción. Una vez que se han reabsorbido el agua y los nutrientes esenciales requeridos, el líquido residual del túbulo es la orina, que se vacía en los conductos de recogida y después en los uréteres para su expulsión del cuerpo por la vejiga.

Las paredes del uréter son musculares. Unas ondas regulares de contracción (peristalsis) mueven la orina desde la pelvis renal hacia la vejiga

Esta radiografía con medio de contraste muestra claramente los riñones (en verde) y los uréteres (en rojo, vasos que unen la vejiga con los riñones). La vejiga es la masa situada en la parte inferior de la radiografía.

cada 10-60 segundos. Los uréteres pasan en oblicuo a través de la pared del uréter con tendencia a cerrar la abertura ureteral salvo durante una contracción peristáltica. Así se evita el reflujo de orina.

El músculo de la vejiga está controlado por acción nerviosa involuntaria. La vejiga se llena sin aumentar la presión interna hasta casi su capacidad. Cuando la vejiga está llena, la presión interior aumenta drásticamente desencadenando un reflejo nervioso espinal que obliga a contraer al músculo de la vejiga y a vaciar su contenido en la uretra. Es el proceso de la micción. La primera sensación de necesidad de orinar se tiene cuando el volumen de la vejiga supera los 150 ml. Por encima de 400 ml se convierte en una urgencia.

Producción de orina

Aproximadamente un litro de sangre circula por un riñón adulto cada minuto. Hay más de un millón de unidades productoras de orina dentro de cada riñón, y de todas ellas se produce un mililitro de orina por minuto.

La nefrona es la unidad estructural funcional del riñón, que filtra la sangre y es responsable de la producción de orina. Hay más de un millón de nefronas en cada riñón, además de varios miles de conductos colectores en los cuales se evacua la orina.

La nefrona está formada por dos unidades principales: un glomérulo y su túbulo renal asociado. El glomérulo es una bola apelmazada de capilares situados en la corteza renal, y sus túbulos, a través de los cuales se absorben agua y productos químicos en la sangre, se extienden hasta la médula.

CÁPSULA DE BOWMAN

En un extremo del túbulo renal, envolviendo completamente el glomérulo, hay una unidad cerrada llamada cápsula de Bowman. En conjunto la cápsula de Bowman y su glomérulo reciben el nombre de corpúsculo renal y son responsables de filtrar los productos de desecho en el túbulo renal.

El otro extremo del túbulo renal se conecta con un túbulo colector de orina. La naturaleza y función específicas de las células dentro del túbulo renal son esenciales para la función excretora y homeostática de la nefrona en su conjunto.

La nefrona y su riego sanguíneo

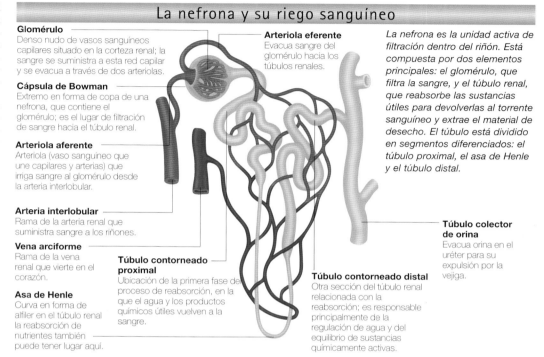

Glomérulo
Denso nudo de vasos sanguíneos capilares situado en la corteza renal; la sangre se suministra a esta red capilar y se evacua a través de dos arteriolas.

Cápsula de Bowman
Extremo en forma de copa de una nefrona, que contiene el glomérulo; es el lugar de filtración de sangre hacia el túbulo renal.

Arteriola aferente
Arteriola (vaso sanguíneo que une capilares y arterias) que irriga sangre al glomérulo desde la arteria interlobular.

Arteria interlobular
Rama de la arteria renal que suministra sangre a los riñones.

Vena arciforme
Rama de la vena renal que vierte en el corazón.

Asa de Henle
Curva en forma de alfiler en el túbulo renal la reabsorción de nutrientes también puede tener lugar aquí.

Arteriola eferente
Evacua sangre del glomérulo hacia los túbulos renales.

Túbulo contorneado proximal
Ubicación de la primera fase del proceso de reabsorción, en la que el agua y los productos químicos útiles vuelven a la sangre.

Túbulo contorneado distal
Otra sección del túbulo renal relacionada con la reabsorción; es responsable principalmente de la regulación de agua y del equilibrio de sustancias químicamente activas.

Túbulo colector de orina
Evacua orina en el uréter para su expulsión por la vejiga.

La nefrona es la unidad activa de filtración dentro del riñón. Está compuesta por dos elementos principales: el glomérulo, que filtra la sangre, y el túbulo renal, que reabsorbe las sustancias útiles para devolverlas al torrente sanguíneo y extrae el material de desecho. El túbulo está dividido en segmentos diferenciados: el túbulo proximal, el asa de Henle y el túbulo distal.

EXCRECIÓN DE PRODUCTOS DE DESECHO METABÓLICO

Los productos de desecho del metabolismo son eliminados por los riñones a través de las nefronas. También se excretan toxinas ingeridas o producidas por el cuerpo. Los principales productos de desecho en la orina son la urea (del metabolismo de las proteínas), la creatinina (del músculo), el ácido úrico (del metabolismo de los ácidos nucleicos), la

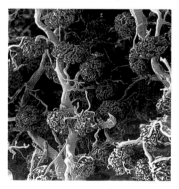

Los glomérulos están dispersos por los capilares (en azul en la imagen) de los riñones. Cada glomérulo forma parte de una unidad encargada de filtrar la sangre para eliminar toxinas.

bilirrubina (del metabolismo de la hemoglobina) y los productos descompuestos de las hormonas.

La nefrona trabaja por medio de un proceso de secreción seguido de reabsorción. Los nutrientes y los productos de desecho fluyen libremente desde la sangre por el glomérulo al interior de la cápsula de Bowman. Estas sustancias químicas están acompañadas por agua y muchos nutrientes esenciales, que deben reclamarse en el cuerpo.

Esta reabsorción tiene lugar en las partes restantes de la nefrona y los túbulos renales. El desecho se evacua finalmente en los conductos colectores para su eliminación del cuerpo.

La mayor parte de esta reabsorción tiene lugar en una sección de los túbulos renales conocida como túbulo contorneado distal (ver diagrama superior). La reabsorción y algo de secreción que tienen lugar aquí, y en otra sección conocida como asa de Henle, dependen de las necesidades del cuerpo en ese momento.

Estrechamente asociados con el lecho capilar del glomérulo y los túbulos renales están los capilares peritubulares. Se trata de otro elemento vital para el proceso de reabsorción. La presión en estos capilares es mucho menor que la del glomérulo y deja fluir libremente el agua y los nutrientes a su interior, donde se reabsorben y se devuelven a la sangre.

Redes capilares

Al entrar en el riñón la arteria renal se divide en varias ramas, cada una de las cuales irradia hacia la corteza. En la corteza las ramas se subdividen repetidamente en vasos cada vez menores. La subrama final se denomina arteriola. Cada arteriola aporta sangre a una nefrona.

La anatomía del riego sanguíneo arterial a las nefronas del riñón es única en el sentido de que cada nefrona es irrigada por dos lechos capilares en vez de uno. La arteriola que irriga la nefrona se conoce por arteriola eferente. Es

este denso apelmazamiento de los capilares resultantes el que forma el glomérulo.

Al salir del penacho capilar los microvasos se unen para formar la arteriola de salida, denominada aferente. Esta arteriola vuelve a dividirse en los capilares peritubulares, una segunda red de microvasos que rodea al túbulo colector de orina en toda su longitud. Estos capilares evacuan en los vasos del sistema venoso para drenar finalmente en la vena renal.

La presión en el glomérulo es elevada para forzar a los líquidos,

nutrientes y productos de desecho a salir de la sangre hacia la cápsula nefronal. La presión en los capilares peritubulares es baja, lo que permite la reabsorción de fluidos. Los ajustes en las diferencias de presión entre los dos lechos capilares controlan la excreción y reabsorción de agua y sustancias químicas en la sangre.

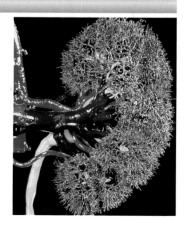

Esta reproducción de un riñón normal muestra las complejas redes capilares del órgano. En cada riñón hay aproximadamente un millón de arteriolas.

Cómo se controla la presión arterial en los riñones

Los riñones desempeñan un papel fundamental en la regulación a largo plazo de la presión arterial. Esta presión arterial debe mantenerse estable para que los órganos reciban un suministro adecuado de sangre y oxígeno.

Los riñones son dos órganos en forma de judía situados a ambos lados de la pelvis. Realizan dos tareas fundamentales:

■ Regulan el equilibrio de sales y agua del cuerpo.
■ Excretan sustancias de desecho, como la urea, el exceso de sales y otros minerales, en forma de orina.

SISTEMA DE FILTRACIÓN

Los riñones contienen millones de unidades microscópicas de filtración, denominadas nefronas, que son los componentes operativos del riñón. Algunas sustancias de la sangre (como la glucosa) se filtran pero se reabsorben en el torrente sanguíneo, mientras que los desechos perniciosos y el exceso de agua se expulsan en forma de orina.

PRESIÓN ARTERIAL

Los riñones tienen un papel extremadamente importante en la regulación a largo plazo de la presión arterial. Esta presión arterial se define como la presión que ejerce la sangre contra las paredes de las principales arterias y es un indicio de la eficacia del sistema circulatorio de una persona.

REGULACIÓN

La presión arterial debe regularse para proporcionar un suministro adecuado de sangre y oxígeno a los órganos.

■ La hipotensión (baja presión arterial) puede indicar que hay una cantidad insuficiente de sangre en circulación. Puede provocar falta de oxígeno en órganos vitales que se ven privados de sangre rica en oxígeno, con un resultado de *shock*.
■ La hipertensión (presión arterial anormalmente elevada) significa que el corazón tiene que trabajar más para bombear la sangre frente a la alta resistencia de la circulación arterial, lo que le obliga a un enorme esfuerzo.

La sangre se filtra en los riñones. Algunas sustancias son reabsorbidas en la sangre mientras que otras, como el exceso de agua y los desechos, se excretan en forma de orina.

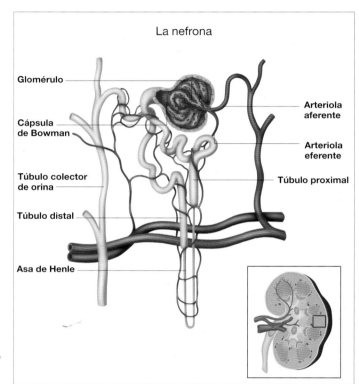

La nefrona

Glomérulo

Cápsula de Bowman

Túbulo colector de orina

Túbulo distal

Asa de Henle

Arteriola aferente

Arteriola eferente

Túbulo proximal

Volumen de sangre

Beber agua es una forma importante de mantener el volumen de sangre. Los riñones usan los niveles de agua y la concentración de sales para controlar la presión arterial.

Una serie de mecanismos actúa para garantizar que la presión arterial se mantiene en de los límites normales, tanto a corto como a largo plazo. Los riñones desempeñan un papel importante en esta regulación a largo plazo de la presión arterial.

VOLUMEN DE SANGRE

Los riñones ayudan a mantener la homeostasis (equilibrio) en la circulación regulando el volumen de sangre. Aunque este volumen varía con la edad y el género, los riñones suelen mantener un volumen circulante total de unos 5 litros. Cualquier alteración importante de este nivel afectará a la presión arterial:

■ Un aumento en el volumen de sangre lleva a un incremento en la presión arterial. Por ejemplo, una ingesta excesiva de sal con la consiguiente retención de agua puede provocar una subida de la presión arterial.
■ Un descenso en el volumen de sangre provoca una disminución de la presión arterial. Las causas comunes son una hemorragia severa o deshidratación. Un descenso súbito puede indicar una hemorragia interna.

SISTEMA DE REALIMENTACIÓN

Los riñones se encargan de detectar cualquier cambio en el volumen o la presión de la sangre por medio de un sistema de realimentación y reacción consiguiente.

■ Cuando el volumen de sangre aumenta, los riñones retiran agua de la sangre reduciendo el volumen y restaurando la presión arterial normal.
■ Cuando el volumen de sangre disminuye debido, por ejemplo, a deshidratación, los riñones absorben menos agua para recuperar la presión.

Hormonas renales

El volumen de sangre es un indicador directo de la presión arterial. Los riñones vigilan continuamente la absorción de sangre y los niveles de sodio para mantener una presión uniforme.

Los riñones regulan la presión arterial modificando la cantidad de orina que pasa, con lo que regulan el volumen de sangre. Cuando la presión arterial es baja, los riñones retienen agua en la circulación, y cuando es elevada, garantizan la evacuación de mayor volumen de agua en forma de orina.

VELOCIDAD DE FILTRACIÓN
Dentro de cada nefrona (unidad funcional del riñón) hay un haz de arteriolas (vasos sanguíneos) llamado glomérulo. El agua y los solutos son «empujados» desde la sangre hacia los túbulos colectores por la alta presión sanguínea del glomérulo. Una persona media filtra unos 125 ml de filtrado por minuto. Si la presión sanguínea es demasiado baja, el agua se mantendrá en circulación para ayudar a elevarla. Cuando es excesivamente alta, se fuerza más agua hacia los túbulos y se evacua como orina.

MECANISMO DE REALIMENTACIÓN
Las paredes de los vasos sanguíneos que irrigan las nefronas contienen células especializadas capaces de detectar la presión arterial. Son estas células las que ponen en marcha procesos adicionales necesarios para rectificar la presión anormal.

■ La presión arterial disminuye por debajo de sus límites normales y las células especializadas detectan este cambio de forma inmediata.
■ Se secreta la hormona renina al torrente sanguíneo.
■ La renina convierte una sustancia conocida por angiotensina en angiotensina I, que después se convierte en angiotensina II al pasar por los pulmones a la sangre.
■ La angiotensina II estimula las glándulas suprarrenales (situadas en la parte superior de los riñones) para producir aldosterona.
■ La aldosterona actúa directamente sobre las nefronas de los riñones, con lo que se reabsorbe más sal y agua hacia la circulación sanguínea. De ello resulta un aumento en la presión arterial. Además de este mecanismo, la angiotensina II estrecha los vasos sanguíneos para aumentar así la presión en su interior.

HORMONA ANTIDIURÉTICA
Cuando la concentración de agua en la sangre es baja, lo que lleva potencialmente a un descenso en la presión arterial, el hipotálamo segrega hormona antidiurética (HAD), que actúa sobre los túbulos en las nefronas, haciéndolos más permeables, para que se reabsorba más agua en la sangre.

Este diagrama muestra la secuencia de acontecimientos que siguen a un cambio de presión.

Control de la presión arterial

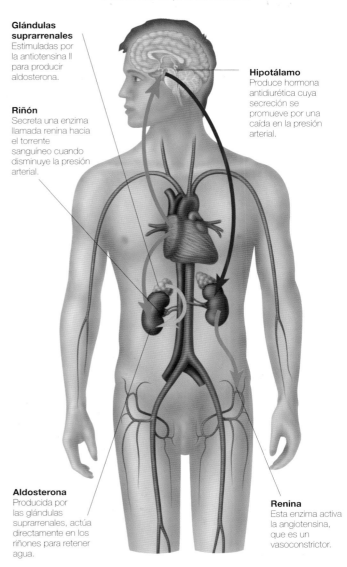

Glándulas suprarrenales
Estimuladas por la antiotensina II para producir aldosterona.

Riñón
Secreta una enzima llamada renina hacia el torrente sanguíneo cuando disminuye la presión arterial.

Hipotálamo
Produce hormona antidiurética cuya secreción se promueve por una caída en la presión arterial.

Aldosterona
Producida por las glándulas suprarrenales, actúa directamente en los riñones para retener agua.

Renina
Esta enzima activa la angiotensina, que es un vasoconstrictor.

Las causas de la alta y la baja presión arterial

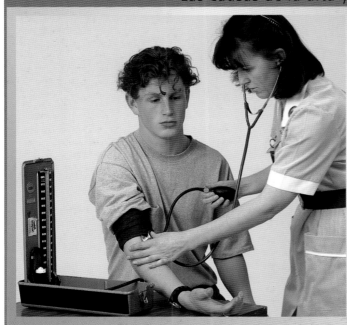

La presión arterial normal de un adulto en reposo suele situarse en torno a 120/80 mmHg, pero recibe la influencia de una serie de factores:

■ Edad. La presión arterial aumenta naturalmente a lo largo de la vida debido a la pérdida de elasticidad de las arterias, que en los jóvenes absorbe la fuerza de las contracciones cardiacas.
■ Sexo. Los hombres suelen tener una presión arterial mayor que las mujeres o los niños.
■ Estilo de vida. El sobrepeso, el consumo de altas cantidades de alcohol o largos periodos de estrés pueden contribuir a elevar la presión arterial.

En la presión arterial influyen diversos factores, como edad y estrés. Una vigilancia regular del estilo de vida es vital para las personas con mayor riesgo.

Hipertensión
La presión arterial anormalmente alta (hipertensión) puede deberse a diversos factores, aunque comúnmente es consecuencia de la ateroesclerosis, una enfermedad que provoca estrechamiento de los vasos sanguíneos.

Cuando la enfermedad afecta a las arterias de los riñones (arterias renales), puede causar problemas a largo plazo en la regulación de la presión arterial.

Hipotensión
La presión arterial anormalmente baja (hipotensión) suele deberse a un bajo volumen de sangre o a un aumento de la capacidad de los vasos sanguíneos, como puede darse en el caso de quemaduras graves o deshidratación, ya que en ambos casos se reduce el volumen de sangre, o por una infección como la septicemia, que provoca ensanchamiento de los vasos sanguíneos.

Cómo vomitamos

El vómito (emesis) es un reflejo protector que sirve para eliminar toxinas del estómago y el intestino delgado. La sensación desagradable que a menudo precede al vómito (náusea) también es un componente de este acto reflejo.

Normalmente se sienten náuseas antes de vomitar, lo cual sirve como señal de advertencia. Las náuseas impiden una mayor ingestión de una toxina e inducen una potente respuesta aversiva para interrumpir una futura ingestión de toxinas.

Sin embargo, náuseas y vómitos pueden darse inadecuadamente durante el embarazo, por el movimiento, radiación, agentes quimioterapéuticos citotóxicos (por ejemplo, cisplatino) y anestésicos (malestar postoperatorio). En estas condiciones no hay ninguna toxina en el estómago, por lo cual expulsar su contenido del cuerpo claramente no beneficiará a quien lo padece.

ACCIÓN NERVIOSA

Las células enterocromafínicas mucosas situadas en el estómago y el intestino delgado responden a la presencia de toxinas liberando el neurotransmisor serotonina.

Las moléculas de serotonina activan a su vez las terminaciones de las fibras nerviosas próximas del nervio vago. Este nervio transporta impulsos eléctricos a través de las cavidades abdominal y torácica para terminar en una región del tronco encefálico (situado justo encima de la médula espinal) denominada núcleo de tracto solitario (NTS).

El reflejo del vómito es coordinado por grupos de neuronas situadas en el tronco encefálico; las ubicaciones precisas de estas neuronas, que a menudo se conocen como centro del vómito, no se conoce por el momento. Sin embargo, las informaciones capaces de activar el

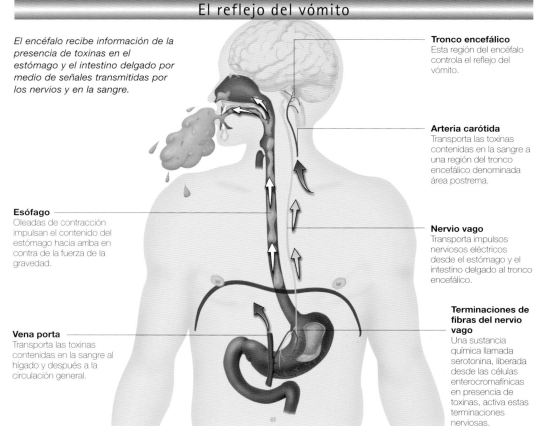

El reflejo del vómito

El encéfalo recibe información de la presencia de toxinas en el estómago y el intestino delgado por medio de señales transmitidas por los nervios y en la sangre.

Tronco encefálico
Esta región del encéfalo controla el reflejo del vómito.

Arteria carótida
Transporta las toxinas contenidas en la sangre a una región del tronco encefálico denominada área postrema.

Esófago
Oleadas de contracción impulsan el contenido del estómago hacia arriba en contra de la fuerza de la gravedad.

Nervio vago
Transporta impulsos nerviosos eléctricos desde el estómago y el intestino delgado al tronco encefálico.

Vena porta
Transporta las toxinas contenidas en la sangre al hígado y después a la circulación general.

Terminaciones de fibras del nervio vago
Una sustancia química llamada serotonina, liberada desde las células enterocromafínicas en presencia de toxinas, activa estas terminaciones nerviosas.

reflejo del vómito convergen todas en el NTS, lo que sugiere que las neuronas del NTS forman parte del centro del vómito en sí o son capaces de modular, de algún modo, su actividad.

TORRENTE SANGUÍNEO

Alternativamente las toxinas absorbidas en el torrente sanguíneo desde el estómago o el intestino grueso pueden activar una región del tronco encefálico adyacente al NTS denominada área postrema. Según se cree, estas neuronas son capaces de detectar la presencia de toxinas en la sangre. El NTS y el área postrema se comunican entre sí por medio de una serie de nervios.

El mareo por el movimiento

Los científicos creen que el mareo por el movimiento se debe a que la información sobre la posición del cuerpo suministrada por los ojos no se corresponde con la información aportada por el sistema vestibular (del equilibrio), situado en el oído interno.

Esta idea se sustenta en el hecho de que cuando la región del encéfalo que recibe información de los órganos del equilibrio resulta dañada (por ejemplo, después de un accidente cerebrovascular), el paciente deja de sufrir este trastorno.

Montar en la montaña rusa a menudo produce náuseas debido a los efectos de desorientación de las informaciones sensoriales en conflicto.

El aparato vestibular situado en el oído interno controla nuestro sentido del equilibrio y aporta información sobre los movimientos del cuerpo en el espacio.

Expulsión del contenido del estómago

Antes del vómito se produce una relajación de los músculos estomacales seguida de arcadas, una contracción repetida de los músculos abdominales y el diafragma.

De 2 a 10 minutos antes del vómito el estómago se relaja. Después se inicia una gigantesca contracción migratoria en la parte media del intestino delgado que se extiende rápidamente (5-10 cm por segundo) hacia el estómago. Esta contracción fuerza al contenido del intestino delgado a refluir al estómago confi-

Las náuseas y vómitos se evocan a menudo, inapropiadamente, durante el embarazo. En parte se debe a la regurgitación del ácido estomacal hacia el estómago.

nando la toxina ingerida al estómago e impidiendo que se absorba aún más.

CONTRACCIONES MUSCULARES

Los músculos abdominales y el diafragma se contraen y se relajan repetidamente de manera sincronizada, apretando el estómago y forzando su contenido hacia el esófago (arcadas). Las arcadas aportan un impulso al contenido del estómago.

A menudo se adopta una postura corporal característica para ayudar al movimiento del vómito inclinándose con la cabeza hacia delante y la espalda recta. Después, los músculos abdominales y el diafragma producen una intensa contracción mantenida, que induce una presión intraabdominal de 200 mmHg.

Entre tanto la glotis se cierra (para impedir que el contenido estomacal entre en los pulmones), el esófago se acorta, la boca se abre involuntariamente y la presión interna impulsa el contenido del estómago al exterior del cuerpo.

Esta ilustración muestra cómo se combinan varias acciones musculares para expulsar el contenido estomacal del cuerpo. Es lo que se conoce popularmente como arcada.

La mecánica del vómito

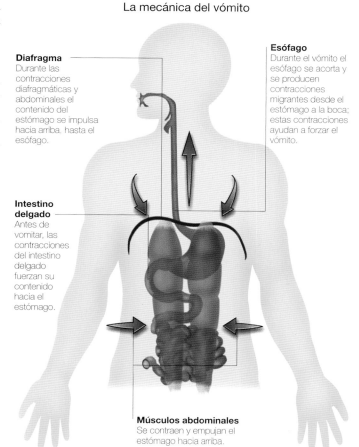

Diafragma
Durante las contracciones diafragmáticas y abdominales el contenido del estómago se impulsa hacia arriba, hasta el esófago.

Esófago
Durante el vómito el esófago se acorta y se producen contracciones migrantes desde el estómago a la boca; estas contracciones ayudan a forzar el vómito.

Intestino delgado
Antes de vomitar, las contracciones del intestino delgado fuerzan su contenido hacia el estómago.

Músculos abdominales
Se contraen y empujan el estómago hacia arriba.

Terapia antiemética

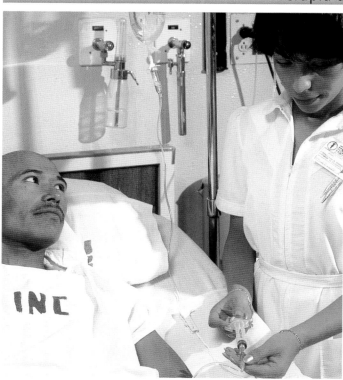

Clínicamente las náuseas y los vómitos son un problema importante. Pueden alcanzar tal grado en pacientes de cáncer que reciben quimioterapia o radioterapia que algunas personas renuncian a seguir este tratamiento que puede salvarles la vida. De hecho la experiencia es tan desagradable que algunos pacientes llegan a ponerse enfermos con el mero pensamiento de volver al hospital.

Antes de someter a un paciente de cáncer a quimioterapia suelen administrársele antieméticos por inyección intravenosa.

ANTAGONISTAS DE SEROTONINA

En consecuencia se usan extensamente fármacos como el ondansetrón, que bloquea los receptores de la serotonina, para la prevención de vómitos causados por los agentes quimioterapéuticos.

Estos fármacos actúan uniéndose a los receptores de la serotonina situados en las fibras vagales abdominales, lo que evita que la serotonina liberada de las células enterocromafínicas los activen.

Los antagonistas de receptores de la serotonina no son, sin embargo, un antiemético universal. Su eficacia clínica se limita a los vómitos inducidos por la radiación o por fármacos citotóxicos. Son ineficaces contra las náuseas o vómitos causados por el movimiento, los anestésicos u otros agentes farmacológicos, como L-dopa (usada para tratar la enfermedad de Parkinson).

Esta ampolla contiene una sola dosis de un emético para controlar las náuseas y vómitos asociados a la quimioterapia.

Cómo se produce la pubertad

Durante la pubertad chicos y chicas sufren cambios físicos y emocionales enormes. Tales cambios se deben a la producción de hormonas sexuales, que desencadenan el desarrollo esencial para la fecundidad.

La pubertad es el periodo de cambio físico que tiene lugar durante la adolescencia y que da lugar a la madurez sexual. En las chicas suele darse entre los 10 y 14 años, mientras que en los chicos probablemente empezará entre los 10 y 14 años y continuará hasta los 17.

CARACTERÍSTICAS SEXUALES SECUNDARIAS

Los cambios físicos que tienen lugar durante la pubertad se manifiestan en el aspecto de las características sexuales secundarias, como el cambio de voz en los chicos y el desarrollo de las mamas en las chicas.

CRECIMIENTO ACELERADO

Durante la pubertad tiene lugar un espectacular impulso del crecimiento, hacia los 10 años en las niñas y los 12 en los niños. Se llega a alcanzar un índice de crecimiento de unos 8-10 cm al año. Como los chicos alcanzan la madurez sexual después que las chicas, su periodo de crecimiento es más largo, con el resultado de que terminan por ser más altos.

Este ritmo de crecimiento acelerado afecta a diferentes partes del cuerpo cada vez, por lo que durante este periodo el cuerpo puede parecer desproporcionado.

La aceleración del crecimiento suele manifestarse primero en los pies, después las piernas y el torso y, finalmente, la cara, sobre todo el maxilar inferior.

El peso corporal puede casi duplicarse durante este tiempo. En las chicas se debe sobre todo al aumento de los depósitos de grasa como respuesta al cambio en los niveles hormonales, mientras que en los muchachos se asocia a un aumento en la masa muscular.

TENDENCIAS

Los estudios han demostrado que la menarquia (inicio de la menstruación) parece darse a edades cada vez más tempranas en las chicas, a un ritmo de cuatro a seis meses antes por cada década. Se cree que se debe a la mejora de la nutrición. Es probable que los chicos también maduren a una edad más temprana.

Las chicas inician la pubertad a diferentes edades. Sin embargo, la mayor parte de ellas alcanza el mismo nivel de madurez sexual hacia los 16 años.

Activación hormonal

Además de experimentar cambios físicos importantes, los adolescentes sufren las consecuencias emocionales de las fluctuaciones hormonales.

La pubertad se activa por la producción de la hormona liberadora de gonadotropina de una región del encéfalo denominada hipotálamo.

No está claro qué factor activa la liberación de esta hormona. Se ha especulado acerca de que puede estar controlada por la interacción entre la glándula pineal y el hipotálamo actuando como un reloj biológico.

ESTIMULACIÓN DE LAS GLÁNDULAS SEXUALES

La hormona liberadora de gonadotropina estimula una pequeña glándula del encéfalo llamada pituitaria. Esto activa la liberación de un grupo de hormonas conocidas por gonadotropinas (estimuladoras de las glándulas sexuales) hacia los 10-14 años de edad.

Las gonadotropinas estimulan los ovarios para que secreten estrógenos y a los testículos para que produzcan testosterona. Estas hormonas son responsables del desarrollo de las distintas características sexuales secundarias durante la pubertad.

CAMBIOS EMOCIONALES

Los numerosos cambios físicos que tienen lugar durante la pubertad se acompañan de una serie de cambios emocionales. Las razones son:

■ El individuo puede tener dificultades para asimilar los numerosos cambios físicos que tienen lugar en el cuerpo. El inicio de los periodos menstruales en las chicas y el cambio de voz en los chicos, por ejemplo, pueden resultar enormemente molestos y causar introversión.

■ Los niveles fluctuantes de hormonas durante la pubertad afectan seriamente al estado de ánimo, por ese motivo las personas pubescentes son más propensas a los cambios de humor, la agresión, el llanto y la pérdida de confianza.

Cambios físicos durante la pubertad

La testosterona es una hormona clave durante el periodo de la pubertad que provoca un cambio complejo y profundo en chicos y chicas.

Los chicos inician la pubertad entre los 10 y 14 años. Los cambios físicos que se suceden durante este tiempo son incitados por la hormona sexual masculina o testosterona. Ésta es una hormona que promueve el crecimiento y es producida por células en los testículos.

PRODUCCIÓN DE ESPERMATOZOIDES

Antes de la pubertad los testículos contienen numerosos cordones sólidos de células. Con el inicio de la pubertad las células del centro de estos cordones mueren, con lo cual los cordones se convierten en tubos huecos denominados túbulos seminíferos, en los cuales se desarrollan las células espermáticas. La producción de testosterona en los testículos desencadena a su vez:

- El inicio de la producción de espermatozoides. Se producen unas 300-600 células espermáticas por gramo de testículo cada segundo.
- Crecimiento de los testículos, el escroto y el pene.
- Erecciones espontáneas: están presentes desde el nacimiento, pueden inducirse psicológicamente.
- Maduración de los conductos espermáticos y aumento de tamaño de las vesículas seminales (bolsas que almacenan espermatozoides).
- Aumento de tamaño de la próstata, que empieza a secretar el fluido que forma parte del líquido seminal.
- Eyaculación, que ocurre por primera vez aproximadamente un año después de que el pene sufra un crecimiento acelerado.

OTROS CAMBIOS EN LOS CHICOS

Los cambios siguen produciéndose hasta los 17 años. La laringe se agranda, las cuerdas vocales se alargan y la voz se hace más grave y resonante. Empieza a crecer vello en la región púbica, las axilas, la cara, el pecho y el abdomen.

La testosterona acelera el desarrollo muscular.

La liberación de testosterona activa la pubertad en los chicos: crecen los órganos sexuales y el vello corporal y aumenta la masa muscular.

Cambios físicos masculinos

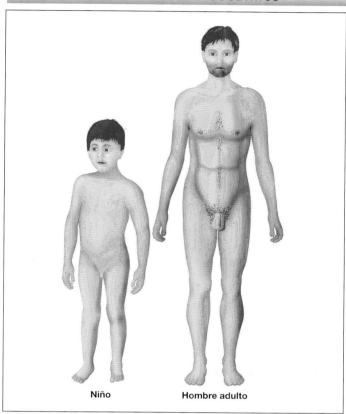

Niño **Hombre adulto**

La pubertad en las chicas

La pubertad en las chicas suele empezar entre los 10 y 14 años, aunque varía de unas personas a otras y algunas muchachas alcanzan la madurez sexual antes que otras. Sin embargo, hacia los 16 años la mayoría de las chicas ha alcanzado el mismo nivel de madurez sexual. Este periodo de la pubertad se caracteriza por un considerable crecimiento corporal, alteraciones en las proporciones corporales y cambios importantes en los órganos sexuales y reproductores.

CRECIMIENTO DE MAMAS

El primer signo de pubertad en las chicas suele ser el crecimiento de las mamas. Las hormonas provocan un aumento de tamaño de los pezones y del tejido mamario, a la vez que se desarrollan las glándulas y conductos lactíferos. Después de este periodo las mamas empiezan a crecer muy deprisa.

GLÁNDULAS SUPRARRENALES

Durante la pubertad las glándulas suprarrenales empiezan a producir hormonas sexuales masculinas, como la testosterona. Estas hormonas clave causan un aumento repentino del crecimiento físico y además alteran el desarrollo del pelo, que supone la aparición de vello púbico y bajo las axilas.

La menstruación suele empezar un año después de la liberación de estas hormonas.

DESARROLLO DE LAS CADERAS

Tienen lugar cambios en los huesos de la pelvis, que se ensancha en relación con el resto del esqueleto. Estos cambios se producen en conjunción con un aumento en los depósitos de grasa alrededor de las mamas, las caderas y las nalgas y crean un perfil más curvo y femenino.

La pubertad se considera completa cuando la menstruación alcanza una pauta regular. Esto significa que la ovulación tendrá lugar cada mes y que será posible la concepción.

Cambios físicos femeninos

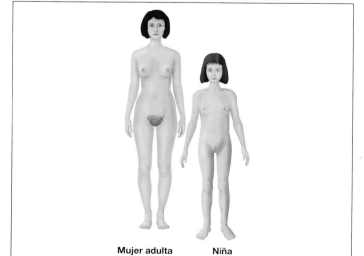

Mujer adulta **Niña**

Las chicas experimentan grandes cambios en la pubertad. Entre ellos se incluyen la menarquia, el crecimiento de las mamas, el ensanchamiento de la pelvis, depósitos de grasa selectivos y crecimiento del pelo.

Pubertad anormal

Los cambios anormales en el hipotálamo o las glándulas suprarrenales, como un tumor, pueden hacer que el proceso de la pubertad se produzca a una edad mucho más temprana. Este raro fenómeno se conoce como pubertad precoz y puede dar lugar a un desarrollo sexual completo en niños pequeños.

La pubertad en ambos sexos puede retrasarse por malnutrición o por el ejercicio físico constante. Muchos atletas y gimnastas no desarrollan características sexuales hasta que adoptan regímenes de entrenamiento mucho más relajados.

Algunos trastornos genéticos (como la fibrosis quística) también pueden surgir en la pubertad.

Sistema reproductor masculino

El sistema reproductor masculino incluye el pene, el escroto y los dos testículos (contenidos dentro del escroto). Las estructuras internas del sistema reproductor están dentro de la pelvis.

Las estructuras que constituyen el tracto reproductor masculino son responsables de la producción de espermatozoides y líquido seminal y de su traslado fuera del cuerpo. A diferencia de otros órganos, sólo en la pubertad se desarrolla plenamente y alcanza su funcionalidad completa.

PARTES CONSTITUYENTES
El sistema reproductor masculino consta de:

- Testículos. El par de testículos está suspendido del escroto. Los espermatozoides son enviados desde los testículos a través de tubos o conductos, el primero de los cuales es el epidídimo.
- Epidídimo. En la eyaculación los espermatozoides salen del epidídimo y entran en el vaso deferente.
- Vaso deferente. Los espermatozoides se transportan a lo largo de este tubo muscular en su camino hacia la próstata.
- Vesícula seminal. Al salir del vaso deferente los espermatozoides se mezclan con líquido de la vesícula seminal en un conducto eyaculador combinado.
- Próstata. El conducto eyaculador evacua en la uretra dentro de la próstata.

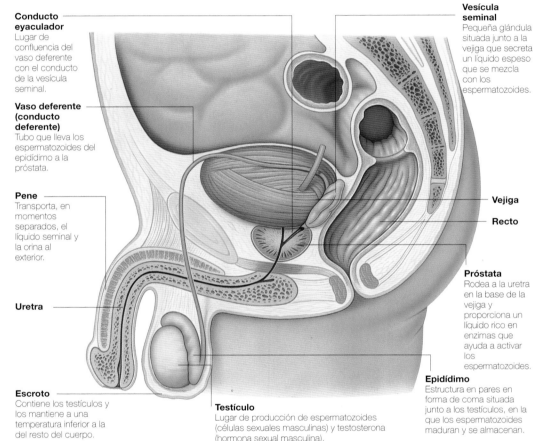

Conducto eyaculador
Lugar de confluencia del vaso deferente con el conducto de la vesícula seminal.

Vaso deferente (conducto deferente)
Tubo que lleva los espermatozoides del epidídimo a la próstata.

Pene
Transporta, en momentos separados, el líquido seminal y la orina al exterior.

Uretra

Escroto
Contiene los testículos y los mantiene a una temperatura inferior a la del resto del cuerpo.

Testículo
Lugar de producción de espermatozoides (células sexuales masculinas) y testosterona (hormona sexual masculina).

Vesícula seminal
Pequeña glándula situada junto a la vejiga que secreta un líquido espeso que se mezcla con los espermatozoides.

Vejiga

Recto

Próstata
Rodea a la uretra en la base de la vejiga y proporciona un líquido rico en enzimas que ayuda a activar los espermatozoides.

Epidídimo
Estructura en pares en forma de coma situada junto a los testículos, en la que los espermatozoides maduran y se almacenan.

Genitales externos

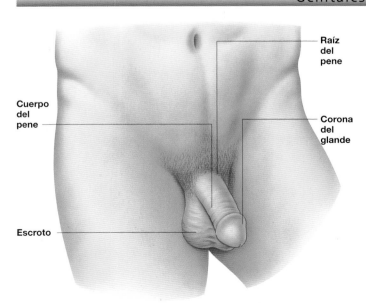

Raíz del pene

Cuerpo del pene

Corona del glande

Escroto

Los genitales externos son las partes del tracto reproductor que son visibles en la región púbica, mientras que otras partes permanecen ocultas dentro de la cavidad pélvica. Los genitales externos, que en los adultos están rodeados de vello púbico, consisten en:

- El escroto.
- El pene.

ESCROTO
El escroto es una bolsa holgada de piel y tejido conjuntivo que con-

Los genitales externos masculinos constan de escroto y pene situados en la región púbica. En los adultos la raíz del pene está rodeada por vello púbico.

tiene los testículos suspendidos en su interior. Existe un tabique medio o partición que separa un testículo del otro.

Aunque podría parecer extraño que los testículos se contuvieran en un lugar tan vulnerable fuera de la protección de la cavidad corporal, es necesario para la producción de espermatozoides que se mantengan frescos.

PENE
La mayor parte del pene consiste en tejido eréctil, que se llena de sangre durante el acto sexual provocando la erección.

La uretra, a través de la cual pasan la orina y el semen hasta llegar al exterior del cuerpo, recorre el pene longitudinalmente.

La próstata

La próstata, que forma parte vital del sistema reproductor masculino, aporta un líquido rico en enzimas y produce hasta un tercio del volumen total de todo el líquido seminal.

De unos 3 cm de longitud, la glándula se sitúa justo debajo de la vejiga y rodea la primera parte del trayecto de la uretra. Su base se fija estrechamente a la base de la vejiga con su superficie anterior (delantera) justo por detrás del hueso púbico.

CÁPSULA
La próstata está cubierta por una firme cápsula formada por un denso tejido conjuntivo fibroso. Fuera de esta cápsula hay otra capa de tejido conjuntivo fibroso, que se conoce como vaina prostática.

ESTRUCTURA INTERNA
La uretra, tracto de salida desde la vejiga, discurre en vertical a través del centro de la próstata, donde se denomina uretra prostática. Los conductos eyaculadores se abren a la uretra prostática en un borde levantado, el colículo seminal.

Se dice que la próstata está dividida en lóbulos, aunque no están tan diferenciados como sucede en otros órganos:

- Lóbulo anterior, situado delante de la uretra, que contiene principalmente el tejido fibromuscular.
- Lóbulo posterior, detrás de la uretra y debajo de los conductos eyaculadores.
- Lóbulos laterales son dos lóbulos dispuestos a ambos lados de la uretra, que forman la parte principal de la glándula.
- Lóbulo medio, entre la uretra y los conductos eyaculadores.

Situación de la próstata

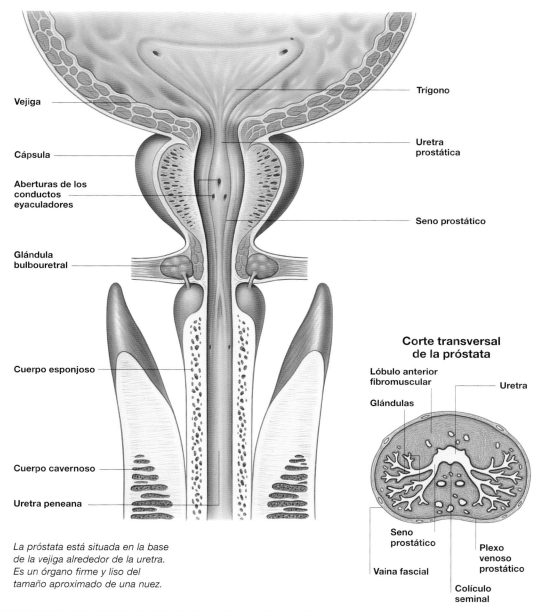

Vejiga

Cápsula

Aberturas de los conductos eyaculadores

Glándula bulbouretral

Cuerpo esponjoso

Cuerpo cavernoso

Uretra peneana

Trígono

Uretra prostática

Seno prostático

La próstata está situada en la base de la vejiga alrededor de la uretra. Es un órgano firme y liso del tamaño aproximado de una nuez.

Corte transversal de la próstata

Lóbulo anterior fibromuscular

Glándulas

Uretra

Seno prostático

Vaina fascial

Plexo venoso prostático

Colículo seminal

Vesículas seminales

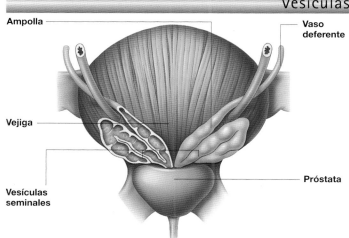

Ampolla

Vaso deferente

Vejiga

Vesículas seminales

Próstata

Las vesículas seminales están situadas en la parte posterior de la vejiga. Las secreciones pasan a los vasos deferentes, que evacuan en la uretra prostática.

Las dos vesículas seminales son glándulas accesorias del tracto reproductor masculino y producen un fluido denso, dulzón y alcalino que forma la parte principal del líquido seminal.

ESTRUCTURA Y FORMA
Cada vesícula seminal es una estructura alargada del tamaño y la forma del dedo meñique y está situada detrás de la vejiga, frente al recto; las dos vesículas forman una V.

VOLUMEN DE LA PRÓSTATA
La próstata es sacular con un volumen de 10-15 mililitros aproximadamente. Consiste internamente en túbulos secretores arrollados con paredes musculares.

Las secreciones producidas salen de la glándula al conducto de la vesícula seminal, que se une con el vaso deferente justo en el interior de la próstata para formar el conducto eyaculador.

Testículos, escroto y epidídimo

Los testículos, suspendidos dentro del escroto, son los lugares de producción de espermatozoides. El escroto contiene también los dos epidídimos, largos tubos arrollados que se unen con el vaso deferente.

Los testículos, un órgano par, son estructuras firmes y móviles de forma ovalada de unos 4 cm de longitud y 2,5 cm de anchura. Se encuentran situados dentro del escroto, una bolsa formada como una prominencia de la pared abdominal anterior, y están unidos por arriba al cordón espermático, del que penden.

CONTROL DE LA TEMPERATURA

Los espermatozoides normales sólo pueden producirse si la temperatura de los testículos es unos tres grados inferior a la interna del cuerpo. Las fibras musculares del cordón espermático y las paredes del escroto ayudan a regular la temperatura escrotal levantando los testículos hacia el cuerpo cuando hace frío y relajándolos cuando aumenta la temperatura ambiente.

EPIDÍDIMO

Cada epidídimo es una estructura firme en forma de coma que está estrechamente unida al polo superior de los testículos discurriendo por su superficie posterior. El epidídimo recibe los espermatozoides fabricados en los testículos y está compuesto por un tubo muy arrollado, que si se extiende mediría 6 metros de largo.

Desde la parte final del epidídimo emerge el vaso deferente. Este tubo llevará de nuevo los espermatozoides al cordón espermático y hacia la cavidad pélvica en la siguiente fase de su viaje.

Sección sagital del contenido del escroto

Cordón espermático

Vaso deferente

Cabeza del epidídimo
Unido al testículo por los conductos eferentes.

Conductos eferentes
Transportan espermatozoides desde el testículo al epidídimo.

Rete testis
Red tubular situada en el lado posterior del testículo.

Cuerpo del epidídimo
El esperma se almacena en el epidídimo al madurar.

Cola del epidídimo

Piel del escroto
La piel escrotal es fina, arrugada y pigmentada.

Testículo

Lóbulo
Contiene de uno a cuatro túbulos seminíferos muy arrollados, lugares de producción de espermatozoides; en el tejido conjuntivo alrededor de los túbulos están las células de Leydig, que producen las hormonas sexuales masculinas.

Túnica albugínea
Cada testículo está confinado dentro de esta resistente cápsula protectora.

Los testículos son los órganos sexuales masculinos que producen espermatozoides. El testículo y el epidídimo de cada lado se sitúan dentro del saco escrotal blando.

Paredes del escroto

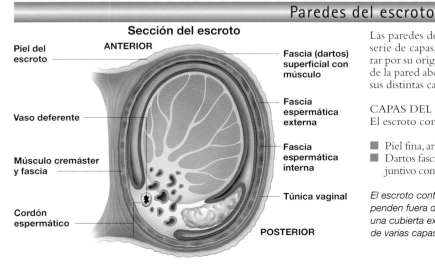

Sección del escroto

Piel del escroto

ANTERIOR

Vaso deferente

Músculo cremáster y fascia

Cordón espermático

Fascia (dartos) superficial con músculo

Fascia espermática externa

Fascia espermática interna

Túnica vaginal

POSTERIOR

Las paredes del escroto tienen una serie de capas, como sería de esperar por su origen como evaginación de la pared abdominal anterior con sus distintas capas.

CAPAS DEL ESCROTO
El escroto consta de:

■ Piel fina, arrugada y pigmentada.
■ Dartos fascia, capa de tejido conjuntivo con fibras musculares lisas.

El escroto contiene los testículos que penden fuera del cuerpo. Consta de una cubierta exterior de piel alrededor de varias capas protectoras.

■ Tres capas de fascia derivadas de las tres capas musculares de la pared abdominal con más fibras musculares cremastéricas.
■ Túnica vaginal, una bolsa cerrada de membrana serosa fina y deslizante, como el peritoneo del abdomen, que contiene una pequeña cantidad de líquido para lubricar el movimiento de los testículos con respecto a las estructuras circundantes.

A diferencia de la pared abdominal, no hay grasa en las envolturas de los testículos, lo cual, según se cree, ayuda a mantenerlos frescos.

Riego sanguíneo de los testículos

El riego sanguíneo arterial de los testículos procede de la aorta abdominal y desciende al escroto. El drenaje venoso sigue el mismo camino, pero en sentido inverso.

Durante la vida embrionaria los testículos se desarrollan dentro del abdomen; sólo en el parto descienden hasta su posición final en el escroto. Por ello el riego sanguíneo de los testículos procede de la aorta abdominal y se desplaza junto con los testículos en descenso hasta el escroto.

ARTERIAS TESTICULARES

Las dos arterias testiculares son largas y estrechas y proceden de la aorta abdominal. Después pasan por la pared abdominal posterior cruzando los uréteres hasta alcanzar los anillos inguinales profundos y entrar en el conducto inguinal.

Como parte del cordón espermático, salen del conducto inguinal y entran en el escroto, donde irrigan los testículos formando asimismo interconexiones entre la arteria y el vaso deferente.

VENAS TESTICULARES

Las venas testiculares proceden del testículo y el epidídimo de cada lado. Su curso difiere del de las arterias testiculares dentro del cordón espermático, donde en vez de una sola vena hay una red venosa conocida como plexo pampiniforme.

Ascendiendo en el abdomen, la vena testicular derecha drena en la vena cava inferior, mientras que la izquierda vierte normalmente en la vena renal izquierda.

El riego sanguíneo en los testículos se origina en los vasos sanguíneos abdominales. Estos largos vasos resultantes permiten el descenso de los testículos en la primera fase de la vida.

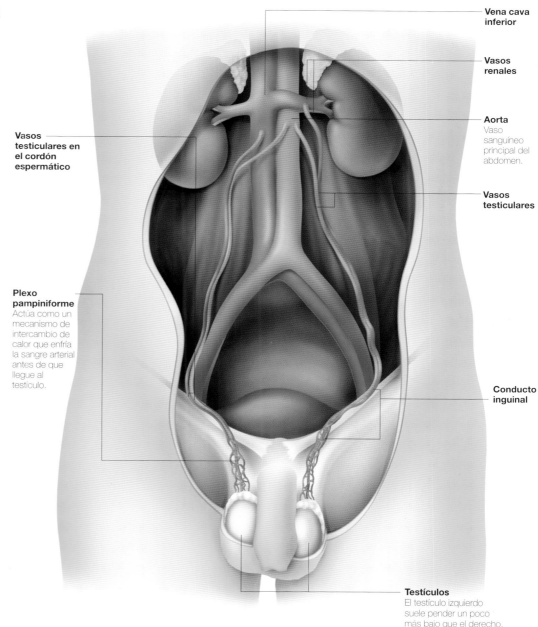

Vena cava inferior

Vasos renales

Aorta
Vaso sanguíneo principal del abdomen.

Vasos testiculares

Conducto inguinal

Vasos testiculares en el cordón espermático

Plexo pampiniforme
Actúa como un mecanismo de intercambio de calor que enfría la sangre arterial antes de que llegue al testículo.

Testículos
El testículo izquierdo suele pender un poco más bajo que el derecho.

Estructura interna de los testículos

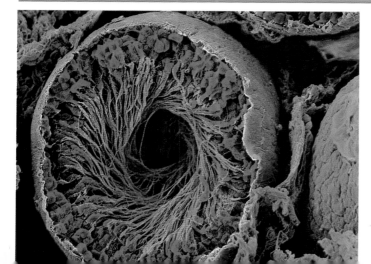

Esta micrografía muestra un túbulo seminífero seccionado. Los espermatozoides en desarrollo (en rojo) están dentro del túbulo rodeado por células de Leydig (verde).

Cada testículo está confinado dentro de una cápsula protectora resistente, la túnica albugínea, desde la que parten numerosos tabiques o particiones para dividir el testículo en unos 250 lóbulos diminutos.

Cada lóbulo en forma de cuña contiene de uno a cuatro túbulos seminíferos muy arrollados, que son los lugares en donde se producen todos los espermatozoides. Se ha estimado que hay un total de 350 metros de túbulos de productores de espermatozoides en cada uno de los testículos.

TÚBULOS

Los espermatozoides se recogen desde los túbulos seminíferos arrollados en los túbulos rectos de la rete testis y desde aquí en el epidídimo.

Entre los túbulos seminíferos hay grupos de células especializadas, las células intersticiales o de Leydig, que son el lugar de producción de hormonas, como la testosterona.

Cómo se producen los espermatozoides

Los espermatozoides son las células sexuales masculinas producidas y almacenadas en los testículos. Debido al proceso de la meiosis, una división especializada del núcleo celular, cada célula contiene un único conjunto de genes.

Los espermatozoides son células sexuales maduras, vitales para la fecundación. Se producen en los testículos dos órganos del tamaño de una nuez situados en el escroto. El escroto es la bolsa que pende debajo del pene, que se encuentra unos 2 °C más fría que la temperatura central del cuerpo, por lo que pasa a la temperatura óptima para la producción de espermatozoides.

Para mantener esta temperatura el escroto puede acercarse al cuerpo cuando la temperatura circundante es baja y alejarse de él al ascender la temperatura.

ÓRGANOS SEXUALES
Los testículos son los principales productores de testosterona (la hormona sexual masculina).

Cda uno de estos órganos especializados contiene unos 1.000 túbulos seminíferos, que son responsables de la fabricación y almacenamiento de espermatozoides. Los túbulos están revestidos con pequeñas células conocidas como espermatogonias.

Desde la pubertad las espermatogonias empiezan a dividirse para producir células que finalmente se desarrollan en espermatozoides.

En alternancia con las espermatogonias hay células mucho más grandes, las células de Sertoli, que secretan líquidos nutrientes para los túbulos.

ESPERMATOGÉNESIS
La espermatogénesis (formación de espermatozoides) es un proceso complejo que implica la proliferación constante de espermatogonias, para formar espermatocitos primarios. Estas células poseen un conjunto completo de genes idénticos a los de otras células del cuerpo.

MEIOSIS
Los espermatocitos primarios experimentan después una división especializada denominada meiosis, en la que se dividen dos veces para producir células con un semiconjunto (haploide) aleatorio de genes. Estas células, llamadas espermátides, se desarrollan y crecen para producir espermatozoides móviles y maduros.

Los túbulos seminíferos de los testículos están revestidos por células llamadas espermatogonias, que se dividen para producir los espermatocitos primarios.

Formación de espermatozoides

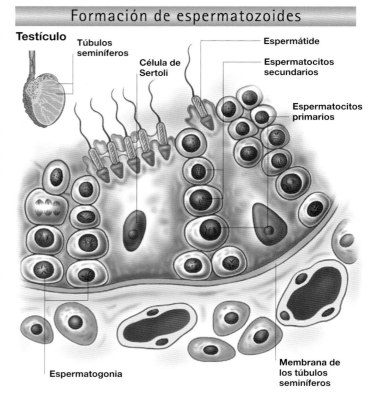

Testículo
Túbulos seminíferos
Célula de Sertoli
Espermátide
Espermatocitos secundarios
Espermatocitos primarios
Espermatogonia
Membrana de los túbulos seminíferos

División de la información genética

Espermatogonia
Es la célula madre.

Espermatogonia hija

Espermatocito primario

Meiosis (1ª fase)

Espermatocitos secundarios

Meiosis (2ª fase)

Primeras espermátides

Segundas espermátides

Espermatozoides

Cada espermatocito primario contiene un conjunto de cromosomas dispuestos en 23 pares (conjunto diploide). A continuación experimenta el proceso especializado de la meiosis, por el cual se divide en dos, para formar un par de espermátides, cada una de las cuales contiene sólo la mitad del conjunto de cromosomas (conjunto haploide). Este proceso tiene lugar en dos fases para producir cuatro espermátides.

PRIMERA FASE
Durante la primera fase los cromosomas del interior del núcleo del espermatocito se replican (se doblan) y después se dividen en dos. Los cromosomas intercambian blo-

Como consecuencia de la meiosis, cada espermatocito se divide en cuatro espermátides. Cada espermátide contiene la mitad del material genético presente en el espermatocito.

ques aleatorios de genes dentro de cada par.

Este intercambio es el modo que tiene la naturaleza de «barajar» la reserva de genes e introducir variaciones en la descendencia. Los pares de cromosomas se separan al dividirse la célula, de modo que cada célula recibe dos copias de un miembro de cada par cromosómico. Entonces los espermatocitos se vuelven a dividir.

SEGUNDA FASE
Durante la segunda fase de la meiosis los 23 cromosomas replicados dentro de cada núcleo se parten y los espermatocitos se vuelven a dividir. El resultado es la producción de espermátides que contienen la mitad del número de cromosomas de un espermatocito. La dotación genética de cada espermátide resultante es única debido al proceso de mezcla, y las posibilidades de que dos cualesquiera sean idénticas son nulas.

Estructura del espermatozoide

Los espermatozoides maduros están diseñados especialmente
para facilitar el movimiento natatorio que usan para impulsarse
hacia el óvulo femenino.

Las espermátides se mueven hacia la
célula de Sertoli más próxima, donde reciben nutrición en forma de
glucógeno, proteínas, azúcares y otros
nutrientes. Así consiguen energía que
les ayuda a madurar para convertirse
en espermatozoides.

Los espermatozoides se encuentran entre las células más especializadas del cuerpo. Cada uno mide
unos 0,05 mm de longitud y está
formado por cabeza, cuello y cola.

ESPERMATOZOIDES
La cabeza del espermatozoide tiene
forma de lágrima aplastada y contiene una bolsa de enzimas denominada acrosoma. Estas enzimas son
de importancia vital para la capacidad de los espermatozoides de romper y penetrar la capa protectora
externa del óvulo femenino durante la fecundación.

Detrás del acrosoma está el núcleo
celular, que contiene un semiconjunto aleatorio de material genético
masculino (ADN) estrechamente a-
rrollado dentro de los 23 cromosomas. Gracias al proceso de la meiosis,
cada espermatozoide posee un conjunto único de información genética.

El cuello es una zona fibrosa en
la que la parte central del espermatozoide se une a la cabeza. Es una
estructura flexible y permite a esta

cabeza oscilar de un lado a otro facilitando el movimiento natatorio.

ESTRUCTURA DE LA COLA
La cola del espermatozoide consiste en un par de largos filamentos rodeados por dos anillos, cada uno de
los cuales contiene nueve fibrillas.
En la parte delantera de la cola hay
un anillo adicional de densas fibras
exteriores y también una vaina protectora para la cola. La cola se divide en tres secciones:

- La parte central, la más gruesa de
  la cola, debido a una capa espiral adicional repleta de unidades
  productoras de energía denominadas mitocondrias. Estas unidades
  producen energía que impulsa el
  espermatozoide y le permite
  desplazarse.
- La parte principal, formada por
  20 filamentos, junto con las densas fibras exteriores y la vaina de
  la cola.
- La parte final, donde las densas
  fibras y la vaina de la cola pierden grosor porque esta parte está
  confinada por una membrana
  celular muy fina. Este ahusa-
  miento gradual facilita el movimiento característico a modo de
  flagelo del espermatozoide al
  desplazarse hacia el óvulo.

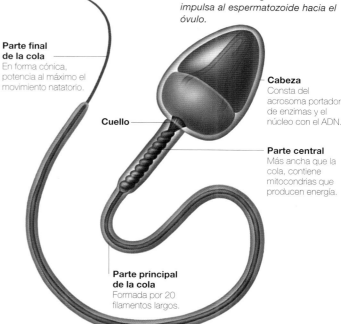

*Cada espermatozoide consiste en
una cabeza portadora de enzimas,
una parte central y una cola. El
movimiento de flagelo de la cola
impulsa al espermatozoide hacia el
óvulo.*

**Parte final
de la cola**
En forma cónica,
potencia al máximo el
movimiento natatorio.

Cuello

Cabeza
Consta del
acrosoma portador
de enzimas y el
núcleo con el ADN.

Parte central
Más ancha que la
cola, contiene
mitocondrias que
producen energía.

**Parte principal
de la cola**
Formada por 20
filamentos largos.

Sección transversal de la cola

Anillo de fibras
Vaina
Filamentos largos

*La cola consiste en un par de
filamentos rodeados por dos anillos
exteriores de nueve fibrillas cada
uno de ellos. En la parte delantera
de la cola hay un anillo adicional de
fibras densas externas y una vaina
protectora.*

Producción de semen y eyaculación

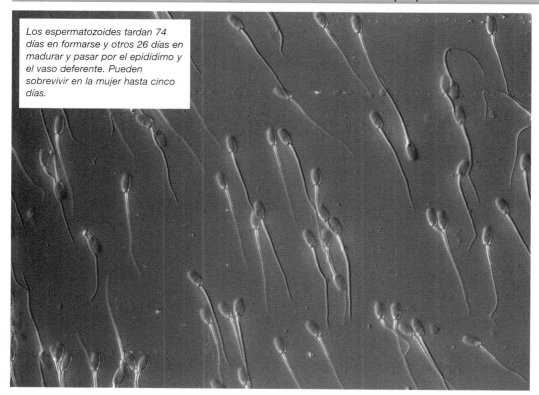

*Los espermatozoides tardan 74
días en formarse y otros 26 días en
madurar y pasar por el epidídimo y
el vaso deferente. Pueden
sobrevivir en la mujer hasta cinco
días.*

Cuando tienen la cola totalmente
desarrollada, los espermatozoides
son liberados por la célula de Sertoli en el túbulo seminífero. Al secretarse líquido en el túbulo por las
células de Sertoli se produce una
corriente que arrastra los espermatozoides hacia el epidídimo. Éste es
un largo tubo arrollado sobre los
testículos en el que se almacenan los
espermatozoides maduros.

EYACULACIÓN
Los espermatozoides son impulsa-
dos por el epidídimo durante la estimulación sexual y ascienden al
vaso deferente por una oleada de
contracciones musculares dentro
del sistema de conductos. Se desplazan entonces al conducto eyaculador a través de la próstata y hacia
la uretra. Aquí se bañan en las secreciones de la próstata y las vesículas seminales (pequeños sacos que
contienen los constituyentes del semen). El resultado es un líquido
denso de color blanco amarillento
denominado semen. La descarga
media de semen (producto de la
eyaculación) contiene unos 300 millones de espermatozoides.

Sistema reproductor femenino

La función del tracto reproductor femenino es doble: los ovarios producen óvulos para la fecundación y el útero nutre y protege al feto durante una gestación de nueve meses.

El tracto reproductor femenino está compuesto por los genitales internos (ovarios, trompas de Falopio, útero y vagina) y los genitales externos (la vulva).

GENITALES INTERNOS

Los ovarios, de forma almendrada, se sitúan a ambos lados del útero suspendidos por ligamentos. Encima de los ovarios hay un par de trompas uterinas (de Falopio), cada una de las cuales ofrece un lugar para la fecundación del oocito (óvulo), que después se desplaza por la trompa hasta el útero.

El útero se encuentra en la cavidad pélvica y se va elevando por la cavidad abdominal inferior mientras avanza el embarazo. La vagina, que une el cuello del útero con la vulva, puede distenderse enormemente, como sucede durante el alumbramiento, cuando forma gran parte del canal del parto.

GENITALES EXTERNOS

En los genitales externos femeninos o vulva el tracto reproductor se abre al exterior. La abertura vaginal está situada detrás de la de la uretra en una zona conocida como vestíbulo. Se encuentra cubierta por dos pliegues cutáneos a cada lado, los labios menores y labios mayores, delante de los cuales se sitúa el clítoris.

El sistema reproductor femenino está compuesto por órganos internos y externos. Los genitales internos tienen forma de T y se sitúan dentro de la cavidad pélvica.

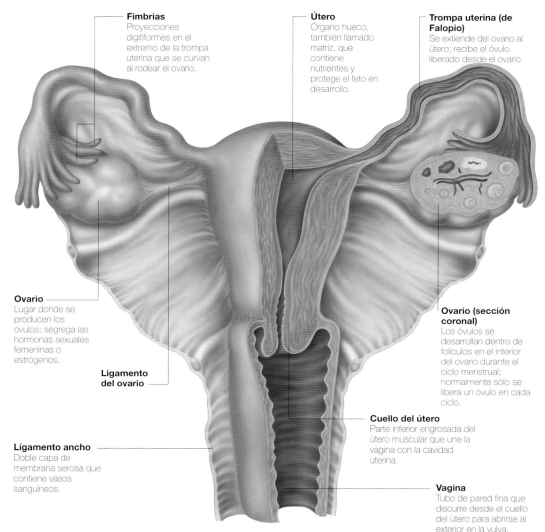

Fimbrias
Proyecciones digitiformes en el extremo de la trompa uterina que se curvan al rodear el ovario.

Útero
Órgano hueco, también llamado matriz, que contiene nutrientes y protege el feto en desarrollo.

Trompa uterina (de Falopio)
Se extiende del ovario al útero; recibe el óvulo liberado desde el ovario.

Ovario
Lugar donde se producen los óvulos; segrega las hormonas sexuales femeninas o estrógenos.

Ligamento del ovario

Ligamento ancho
Doble capa de membrana serosa que contiene vasos sanguíneos.

Ovario (sección coronal)
Los óvulos se desarrollan dentro de folículos en el interior del ovario durante el ciclo menstrual; normalmente sólo se libera un óvulo en cada ciclo.

Cuello del útero
Parte inferior engrosada del útero muscular que une la vagina con la cavidad uterina.

Vagina
Tubo de pared fina que discurre desde el cuello del útero para abrirse al exterior en la vulva.

Posición del tracto reproductor femenino

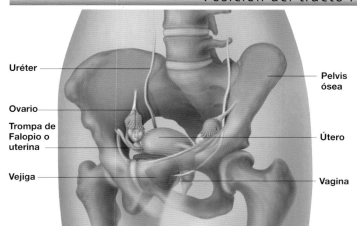

Uréter

Ovario

Trompa de Falopio o uterina

Vejiga

Pelvis ósea

Útero

Vagina

En la mujer adulta los genitales internos (que, aparte de los ovarios, son de estructura básicamente tubular) están situados dentro de la cavidad pélvica. Así están protegidos por la presencia del círculo de huesos que conforma la pelvis.

Lo anterior contrasta con la cavidad pélvica de las niñas pequeñas,

Los órganos reproductores internos en la mujer adulta están situados muy dentro de la cavidad pélvica. Por tanto, están protegidos por la pelvis ósea.

que es relativamente superficial. Por tanto, el útero de las niñas, como la vejiga en la que se apoya, están situados dentro del abdomen inferior.

LIGAMENTOS ANCHOS

Las superficies altas del útero y los ovarios están envueltas en una «tienda» de peritoneo, la fina mucosa de las cavidades abdominal y pélvica, que forma el ligamento ancho que ayuda a mantener el útero en su posición correcta dentro del cuerpo de la mujer.

Riego sanguíneo de los genitales internos

El tracto reproductor femenino recibe un rico riego sanguíneo a través de una red interconectada de arterias. La sangre venosa se evacua mediante una red de venas.

Las cuatro arterias principales de los genitales femeninos son:

■ Arteria ovárica. Va desde la aorta abdominal al ovario. Las ramas de la arteria ovárica de cada lado atraviesan el mesovario, el pliegue del peritoneo en el cual reside el ovario, para irrigar el ovario y las trompas uterinas (de Falopio). La arteria ovárica en el tejido del mesovario se une con la arteria uterina.
■ Arteria uterina. Es una rama de la gran arteria iliaca interna de la pelvis. La arteria uterina se acerca al útero a la altura del cuello del útero, que se fija en su posición mediante ligamentos cervicales. La arteria uterina se une con la arteria ovárica por encima, mientras que una rama de la misma confluye con las arterias inferiores para irrigar el cuello uterino y la vagina.
■ Arteria vaginal. También una rama de la arteria iliaca interna. Junto con la sangre de la arteria uterina, sus ramas irrigan las paredes vaginales.
■ Arteria pudenda interna. Contribuye al riego sanguíneo del tercio inferior de la vagina y el ano.

VENAS

Un plexo o red de pequeñas venas se ubica dentro de las paredes del útero y la vagina. La sangre recibida en estos vasos vierte en las venas iliacas internas por la vena uterina.

En esta ilustración se ha eliminado la capa superficial de los órganos pélvicos femeninos. Así puede verse la vasculatura subyacente.

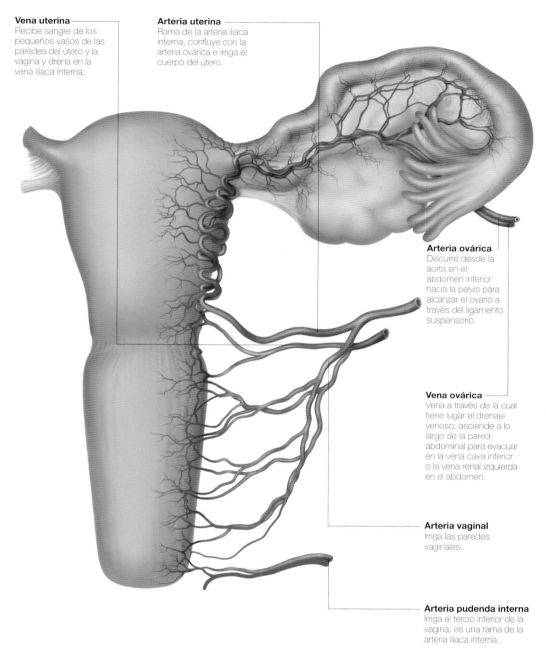

Vena uterina
Recibe sangre de los pequeños vasos de las paredes del útero y la vagina y drena en la vena iliaca interna.

Arteria uterina
Rama de la arteria iliaca interna, confluye con la arteria ovárica e irriga el cuerpo del útero.

Arteria ovárica
Discurre desde la aorta en el abdomen inferior hacia la pelvis para alcanzar el ovario a través del ligamento suspensorio.

Vena ovárica
Vena a través de la cual tiene lugar el drenaje venoso; asciende a lo largo de la pared abdominal para evacuar en la vena cava inferior o la vena renal izquierda en el abdomen.

Arteria vaginal
Irriga las paredes vaginales.

Arteria pudenda interna
Irriga el tercio inferior de la vagina; es una rama de la arteria iliaca interna.

Visualización del tracto reproductor femenino

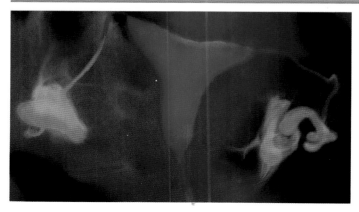

Este histerosalpingograma muestra la cavidad uterina (centro) rellena con un tinte. El tinte puede verse también en las trompas uterinas y salir por la cavidad peritoneal.

Las partes huecas o de tubos del tracto reproductor femenino pueden delimitarse si se lleva a cabo un histerosalpingograma.

En este procedimiento, se hace pasar un tinte opaco especial hasta el útero a través del cuello uterino, mientras se toman imágenes radiográficas de la zona. El tinte llena la cavidad uterina y entra en las trompas. Después recorre toda su longitud hasta circular a la cavidad peritoneal en su extremo final.

VALORACIÓN DE LAS TROMPAS

A veces se realiza un histerosalpingograma en la investigación de infecundidad para determinar si las trompas uterinas siguen patentes (no obstruidas). Si las trompas se han bloqueado, como puede suceder después de una infección, el tinte no podrá recorrerlas en toda su longitud.

El útero

El útero o matriz es la parte del tracto reproductor femenino que nutre y protege al feto durante el embarazo. Está situado en la cavidad pélvica y es un órgano hueco y muscular.

Durante los años reproductores de la mujer en estado no gestante el útero mide unos 7,5 cm de largo y 5 cm en su punto más ancho. Sin embargo, puede ampliarse enormemente para que quepa el feto durante el embarazo.

ESTRUCTURA

El útero está formado por:

■ El cuerpo, que forma la parte superior del útero, bastante móvil ya que debe expandirse durante el embarazo. El espacio triangular central o cavidad del cuerpo del útero recibe las aberturas del par de trompas uterinas (de Falopio).
■ El cuello o parte inferior. Se trata de un conducto muscular grueso que se fija a las estructuras pélvicas circundantes para su estabilidad.

PAREDES UTERINAS

La parte principal del útero o cuerpo tiene una pared gruesa compuesta por tres capas:

■ Perimetrio o fino recubrimiento exterior que forma una estructura continua con el peritoneo pélvico.
■ Miometrio, que forma el volumen principal de la pared uterina.
■ Endometrio, la delicada mucosa especializada para facilitar la implantación del embrión si se produce la fecundación.

El útero tiene forma semejante a una pera invertida. Está suspendido de la cavidad pélvica por pliegues o ligamentos peritoneales.

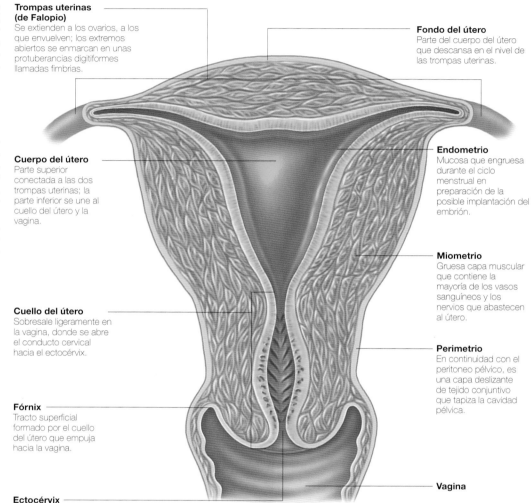

Trompas uterinas (de Falopio)
Se extienden a los ovarios, a los que envuelven; los extremos abiertos se enmarcan en unas protuberancias digitiformes llamadas fimbrias.

Cuerpo del útero
Parte superior conectada a las dos trompas uterinas; la parte inferior se une al cuello del útero y la vagina.

Cuello del útero
Sobresale ligeramente en la vagina, donde se abre el conducto cervical hacia el ectocérvix.

Fórnix
Tracto superficial formado por el cuello del útero que empuja hacia la vagina.

Ectocérvix

Fondo del útero
Parte del cuerpo del útero que descansa en el nivel de las trompas uterinas.

Endometrio
Mucosa que engruesa durante el ciclo menstrual en preparación de la posible implantación del embrión.

Miometrio
Gruesa capa muscular que contiene la mayoría de los vasos sanguíneos y los nervios que abastecen al útero.

Perimetrio
En continuidad con el peritoneo pélvico, es una capa deslizante de tejido conjuntivo que tapiza la cavidad pélvica.

Vagina

Posición del útero

Posición normal del útero

Vejiga

Vagina

Útero en posición extrema en retroversión

Recto

El útero se sitúa en la pelvis entre la vejiga y el recto. Sin embargo, su posición cambia con el estado de ocupación de estas dos estructuras y con las diferentes posturas.

POSICIÓN NORMAL

Normalmente el eje largo del útero forma un ángulo de 90° con el eje longitudinal de la vagina, con el útero situado hacia delante sobre la vejiga. Esta posición habitual se conoce como anteroversión.

En la mayoría de las mujeres, el útero se sitúa sobre la vejiga y se desplaza hacia atrás cuando ésta se llena. Sin embargo, puede colocarse en cualquier posición entre los dos extremos mostrados.

ANTEROFLEXIÓN

En algunas mujeres el útero se encuentra en la posición normal, pero puede curvarse ligeramente hacia delante entre el cuello y el fondo. Esta situación se denomina anteroflexión.

RETROFLEXIÓN

Sin embargo, en algunos casos el útero no se curva hacia delante, sino hacia atrás, con el fondo cerca del recto. Esta posición recibe el nombre de retroflexión.

Con independencia de la posición uterina, normalmente el útero se curva hacia delante cuando se distiende en el embarazo. No obstante, el útero en retroversión de una gestante puede llegar a alcanzar el borde pélvico, punto en el cual se hace palpable en el abdomen.

El útero en el embarazo

Durante los meses de gestación el útero debe agrandarse para que quepa el feto en crecimiento. De ser un pequeño órgano pélvico aumenta de tamaño para ocupar buena parte del espacio de la cavidad abdominal.

La presión del útero distendido sobre los órganos abdominales los empuja hacia el diafragma, comprimiendo la cavidad torácica y haciendo que las costillas se acampanen para compensar. Órganos como el estómago y la vejiga se comprimen de tal modo al final del embarazo que su capacidad se ve enormemente reducida y pronto se llenan.

Después del parto el útero disminuye rápidamente de tamaño, aunque a veces se queda algo más grande que antes del embarazo.

ALTURA DEL FONDO
Mientras aumenta de tamaño durante el embarazo el útero cabe dentro de la pelvis en las 12 primeras semanas, momento en el cual la parte superior, el fondo, puede palparse en el abdomen inferior. A las 20 semanas el fondo habrá llegado a la región del ombligo y al final de la gestación alcanzará el xifiesternón, parte más baja del esternón.

PESO DEL ÚTERO
En las etapas finales del embarazo el útero habrá aumentado de peso desde los 45 g anteriores al estado gestante a unos 900 g.

El miometrio (capa muscular) crece al aumentar el tamaño de sus fibras individuales (hipertrofia). Además, las fibras aumentan de número (hiperplasia).

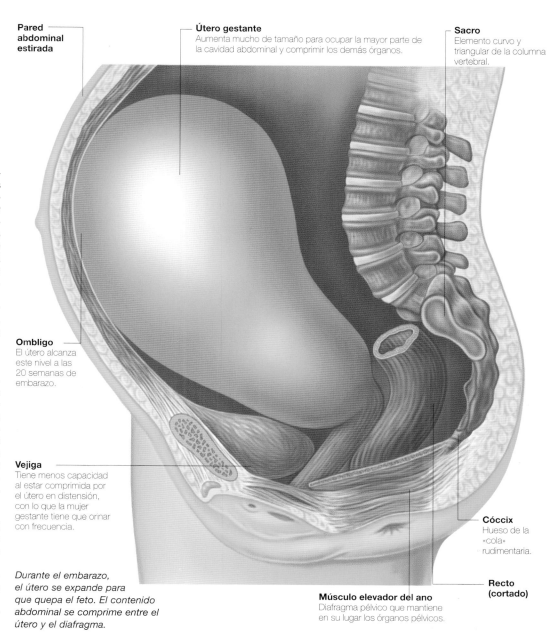

Pared abdominal estirada

Útero gestante
Aumenta mucho de tamaño para ocupar la mayor parte de la cavidad abdominal y comprimir los demás órganos.

Sacro
Elemento curvo y triangular de la columna vertebral.

Ombligo
El útero alcanza este nivel a las 20 semanas de embarazo.

Vejiga
Tiene menos capacidad al estar comprimida por el útero en distensión, con lo que la mujer gestante tiene que orinar con frecuencia.

Cóccix
Hueso de la «cola» rudimentaria.

Recto (cortado)

Músculo elevador del ano
Diafragma pélvico que mantiene en su lugar los órganos pélvicos.

Durante el embarazo, el útero se expande para que quepa el feto. El contenido abdominal se comprime entre el útero y el diafragma.

Mucosa del útero

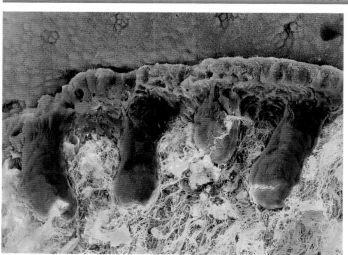

El nombre dado a la mucosa que reviste el útero es endometrio. Consta de una simple capa superficial o epitelio extendida sobre una capa más gruesa de tejido conjuntivo altamente celular, la lámina propia. Dentro del endometrio están presentes también numerosas glándulas tubulares.

CICLO MENSTRUAL
Bajo la influencia de las hormonas sexuales el endometrio experimen-

Esta sección ampliada del endometrio uterino muestra la capa de células epiteliales (destacadas en color azul). Son también claramente visibles tres glándulas tubulares de las muchas existentes.

ta cambios durante el ciclo menstrual que lo prepara para la posible implantación de un embrión. Puede variar de grosor de 1 mm a 5 mm antes de desprenderse en la menstruación.

RIEGO SANGUÍNEO
Las arterias del miometrio, capa muscular subyacente, envían numerosas ramas pequeñas en dirección al endometrio. Existen dos tipos: arterias rectas, que irrigan la capa inferior y permanente; y arterias espirales tortuosas, que abastecen la capa superior que se desprende durante los días en que transcurre la menstruación. La tortuosidad de las arterias espirales evita un sangrado menstrual excesivo.

Ciclo menstrual

El ciclo menstrual es el proceso regular por el cual se libera un óvulo desde el ovario como preparación para el embarazo. Sucede aproximadamente cada cuatro semanas desde el primer periodo de una mujer hasta la menopausia.

El ciclo menstrual de la mujer se caracteriza por la maduración periódica de oocitos (células que se desarrollan en óvulos) en los ovarios y los cambios físicos asociados en el útero. La madurez reproductora tiene lugar después de un incremento repentino en la secreción de hormonas durante la pubertad, normalmente entre los 11 y 15 años de edad.

INICIO DEL CICLO
El momento del primer periodo, que se produce hacia los 12 años, se denomina menarquia. Después empieza un ciclo reproductor que dura 28 días de promedio. Esta duración puede ser mayor, menor o variable, dependiendo de cada persona. El ciclo es continuo, fuera de los embarazos.

Sin embargo, las mujeres aquejadas de anorexia nerviosa o las atletas que se entrenan intensivamente pueden dejar de menstruar.

MENSTRUACIÓN
Cada mes, si no se produce la concepción, los niveles de estrógeno y progesterona disminuyen y la mucosa rica en sangre del útero se desprende en la menstruación (regla). Este hecho se produce cada 28 días aproximadamente, si bien su periodo puede oscilar entre 19 y 36 días.

La menstruación dura en torno a cinco días. En este tiempo se pierden aproximadamente 50 ml (el contenido de una huevera) de sangre, tejidos uterinos y líquidos, aunque el volumen varía de una mujer a otra. Algunas mujeres sólo pierden 10 ml de sangre y otras llegan a perder 110 ml.

El sangrado menstrual excesivo recibe el nombre de menorragia; la interrupción temporal de la menstruación fuera del embarazo se denomina amenorrea. La menopausia es la interrupción definitiva del ciclo menstrual y suele ocurrir entre los 45 y los 55 años.

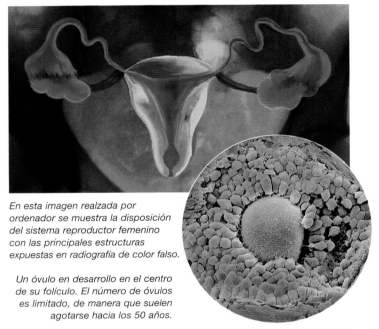

En esta imagen realzada por ordenador se muestra la disposición del sistema reproductor femenino con las principales estructuras expuestas en radiografía de color falso.

Un óvulo en desarrollo en el centro de su folículo. El número de óvulos es limitado, de manera que suelen agotarse hacia los 50 años.

Cambios fisiológicos mensuales

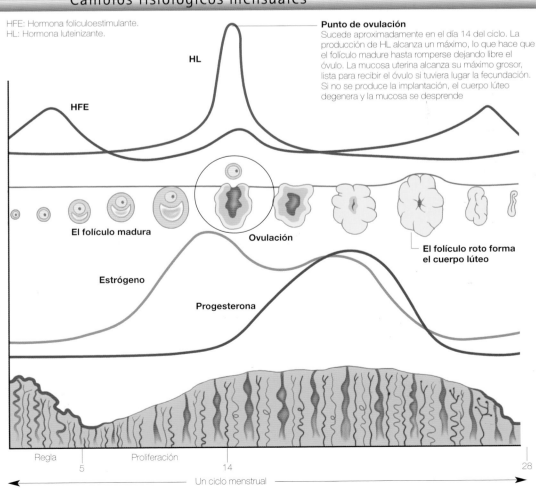

Este diagrama ilustra los cambios que se producen durante el ciclo. Entre los días uno y cinco la mucosa se desprende a la vez que se desarrolla otro folículo. La mucosa uterina gana en grosor y hacia el día 14 se libera el óvulo; es el momento llamado ovulación.

Gonadotropinas (hormonas)
Liberadas en la hipófisis para promover la producción del óvulo y de las hormonas sexuales en las gónadas (ovarios).

Actividad ovárica
Cada mes se desarrolla un folículo hasta la madurez y después libera un óvulo en la ovulación; el tejido restante en el ovario forma el cuerpo lúteo, una glándula temporal productora de hormonas.

Hormonas ováricas
Secretadas por el ovario para estimular el crecimiento de la mucosa; se producen cantidades adicionales de progesterona en el cuerpo lúteo después de la ovulación para preparar el útero ante el embarazo.

Mucosa del útero
Gana progresivamente en grosor para recibir el óvulo fecundado; si el óvulo no se implanta, la mucosa se desprende (regla) durante los primeros cinco días del ciclo.

HFE: Hormona foliculoestimulante.
HL: Hormona luteinizante.

HL

HFE

Punto de ovulación
Sucede aproximadamente en el día 14 del ciclo. La producción de HL alcanza un máximo, lo que hace que el folículo madure hasta romperse dejando libre el óvulo. La mucosa uterina alcanza su máximo grosor, lista para recibir el óvulo si tuviera lugar la fecundación. Si no se produce la implantación, el cuerpo lúteo degenera y la mucosa se desprende

El folículo madura

Ovulación

El folículo roto forma el cuerpo lúteo

Estrógeno

Progesterona

Regla   Proliferación

Días   5   14   28

Un ciclo menstrual

Desarrollo de los óvulos

El proceso de desarrollo de un óvulo sano para su liberación durante la ovulación dura unos seis meses. Tiene lugar a lo largo de la vida hasta que se interrumpe la reserva de oocitos.

Al nacer las niñas tienen ya dos millones de óvulos (oogonios) distribuidos entre los dos ovarios. En el momento del primer periodo quedan 40.000. Durante cada ciclo menstrual, que sólo se desarrolla un óvulo, de una reserva de unos 20 óvulos potenciales, que se libera. Cuando llega la menopausia, el proceso de atresia (degeneración celular) en los ovarios se completa y no quedan óvulos.

Los óvulos se desarrollan dentro de unas estructuras secretoras que forman cavidades denominadas folículos. La primera fase de desarrollo de un folículo se produce cuando el oogonio se ve rodeado por una sola capa de células granulosas y recibe el nombre de folículo primordial (primario). El material genético del interior del óvulo en esta etapa no se ve perturbado (aunque es susceptible de alteración) hasta que se produce la ovulación del huevo, unos 45 años después de su primer desarrollo. Esto explica el aumento en los cromosomas anómalos en los óvulos y los hijos de las mujeres que conciben en épocas vitales tardías.

Los folículos primordiales se desarrollan en folículos secundarios por división meiótica (reductora) y después en folículos terciarios (o antrales, término que significa «con una cavidad»). Empezarán a madurar hasta 20 folículos primarios, aunque 19 de ellos no lo harán finalmente. Si se desarrolla más de un folículo hasta madurar, pueden concebirse mellizos o trillizos.

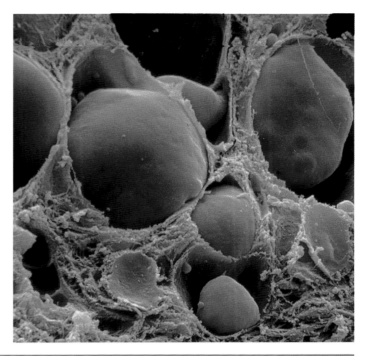

Los folículos están situados en la corteza del ovario. Esta micrografía muestra el folículo separado por tejido conjuntivo.

Ovulación

El periodo final de desarrollo folicular, de 14 días, tiene lugar durante la primera mitad del ciclo menstrual y depende del juego hormonal preciso que tiene lugar entre el ovario, la hipófisis y el hipotálamo. El desencadenante de la selección de un óvulo sano para su desarrollo en el inicio de cada ciclo es un aumento en la secreción de la hormona foliculoestimulante (HFE) por la hipófisis. Esto sucede como respuesta a un descenso en las hormonas estrógeno y progesterona durante la fase lútea (segundos 14 días) del ciclo anterior si no se ha producido la concepción.

SELECCIÓN DEL ÓVULO
En el momento de la señal de la HFE hay unos 20 folículos secundarios, de 2 a 5 mm de diámetro, distribuidos entre los dos ovarios. De este grupo se selecciona un solo folículo, mientras los demás experimentan una atresia. Al seleccionarse el folículo se impide el desarrollo de los demás. Un folículo secundario típico de 5 mm necesitará unos 10-12 días de estimulación sostenida por HFE para alcanzar un diámetro de 20 mm antes de romperse liberando el óvulo en la trompa uterina (de Falopio). Cuando el folículo aumenta de tamaño, existe un aumento persistente de producción de estrógenos, que desencadena un aumento a medio ciclo de hormona luteinizante (HL) por la hipófisis, lo que a su vez induce la liberación y maduración del óvulo.

El intervalo entre el pico de HL y la ovulación es relativamente constante (unas 36 horas). El folículo roto (cuerpo lúteo) que queda después de la ovulación se convierte en una glándula endocrina muy importante, secretora de estrógeno y progesterona.

REGULACIÓN HORMONAL
Los niveles de progesterona aumentan hasta alcanzar un máximo unos siete días después de la ovulación. Si tiene lugar la fecundación, el cuerpo lúteo mantiene el embarazo hasta que la placenta pasa a encargarse de él hacia los tres meses de gestación. Si no tiene lugar la concepción, la glándula tiene una vida de unos 14 días y los niveles de estrógeno y progesterona descienden para anticipar el siguiente ciclo.

En la primera mitad del ciclo el estrógeno secretado por el folículo en desarrollo (fase anterior al cuerpo lúteo) permite que la mucosa uterina (endometrio) prolifere y aumente de grosor lista para nutrir al óvulo si fuera fecundado. Cuando se forma el cuerpo lúteo, la progesterona convierte el endometrio en una capa más compacta anticipándose a la implantación del embrión.

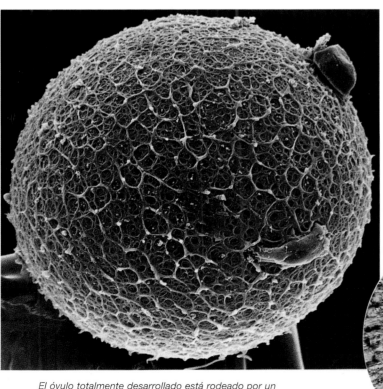

El óvulo totalmente desarrollado está rodeado por un recubrimiento de proteínas denominado zona pelúcida. Este recubrimiento sirve para atrapar y unir al óvulo un solo espermatozoide durante el proceso de fecundación.

Al microscopio óptico, un oocito secundario (óvulo maduro) puede verse rodeado por las células de la corona radiada que le da sostén durante el desarrollo.

Cómo se produce la ovulación

La cantidad total de óvulos para los años reproductores de una mujer está determinada antes de que nazca. Los óvulos inmaduros se guardan en el ovario hasta la pubertad, después de la cual se libera uno cada mes.

El óvulo (huevo) es el gameto o célula sexual femenina que se une con un espermatozoide para formar un nuevo ser. Los óvulos son producidos y almacenados en los ovarios, dos órganos del tamaño de una nuez unidos al útero a través de las trompas uterinas (de Falopio).

EL OVARIO
Cada ovario está cubierto por una capa protectora de peritoneo (mucosa abdominal). Inmediatamente por debajo de esta capa se extiende una densa capa fibrosa, la túnica albugínea. El ovario en sí consta de una región exterior densa, denominada corteza, y otra interior menos densa o médula.

LOS GAMETOS
En las mujeres el suministro total de óvulos está ya determinado al nacer. Las células que forman los óvulos degeneran entre el nacimiento y la pubertad, y el tiempo de vida durante el cual una mujer puede liberar óvulos maduros se limita de la pubertad a la menopausia. El proceso por el cual se producen los óvulos se denomina oogénesis, que significa literalmente «inicio de un huevo». Las células germinales del feto producen numerosos oogonios. Éstos se dividen para formar oocitos primarios, que están confinados en grupos de células foliculares (de sostén).

DIVISIÓN GENÉTICA
Los oocitos primarios empiezan a dividirse por meiosis (una división nuclear especializada), pero este proceso se interrumpe en su primera fase y no se completa hasta después de la pubertad. Al nacer el suministro de oocitos primarios para el resto de la vida, que suma entre 700.000 y dos millones, ya se habrá formado. Estas células especializadas permanecerán en estado latente en la región cortical del ovario inmaduro y degenerarán lentamente, de manera que en la pubertad sólo quedarán 40.000.

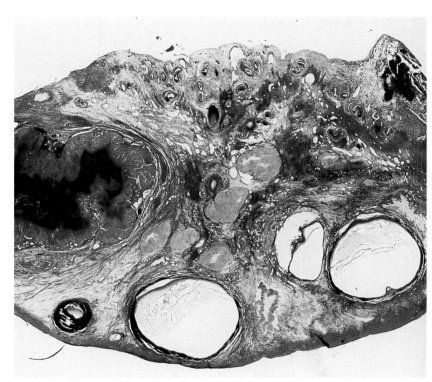

Esta micrografía muestra un ovario con varios folículos grandes (en blanco). En la ovulación se desarrollan hasta 20 folículos, pero sólo madura uno, que libera un óvulo.

Desarrollo del óvulo

Cómo se desarrolla un óvulo

ANTES DE NACER	**Folículo primordial**
INFANCIA	
Zona pelúcida	**Desarrollo folicular detenido**
EN LA PUBERTAD	
	Folículo primario
Células granulosas	**Folículo secundario en desarrollo**
Cúmulo ovárico	**Folículo de Graaf**

Folículo de Graaf
Aunque con cada ciclo menstrual se desarrollan varios folículos primarios, sólo se forma un folículo de Graaf; los otros folículos retroceden.

Folículo roto

El desarrollo folicular empieza en el feto, se detiene durante la infancia y es estimulado para proseguir cada mes por el inicio del ciclo ovárico en la pubertad.

Óvulo liberado

Antes de la pubertad el oocito primario está rodeado por una capa de células que forman un folículo primario.

PUBERTAD
Con el inicio de la pubertad algunos de los folículos primarios son estimulados cada mes por las hormonas para mantener el desarrollo y convertirse en folículos secundarios:

■ En la superficie del oocito se deposita una capa de líquido viscoso claro, la zona pelúcida.

■ Las células granulosas se multiplican y forman un número creciente de capas alrededor del oocito.

■ El centro del folículo se convierte en una cámara (el antro) que se llena de líquido secretado por las células granulosas.

■ El oocito es empujado hacia un lado del folículo, y se coloca en una masa de células foliculares denominadas cúmulo ovárico. Un folículo secundario maduro recibe el nombre de folículo de Graaf.

Meiosis

La primera división meiótica produce dos células de tamaño desigual: el oocito secundario y el primer cuerpo polar. El oocito secundario contiene casi todo el citoplasma del oocito primario. Ambas células inician una segunda división; sin embargo, este proceso se interrumpe y no se completa hasta que el oocito es fecundado por un espermatozoide.

La meiosis tiene lugar en los ovarios para crear una célula sexual femenina y tres cuerpos polares.

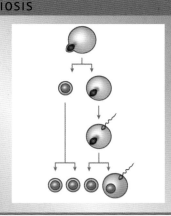

Liberación de óvulos

La ovulación se produce cuando el folículo se rompe liberando un oocito maduro en la trompa uterina. En esta fase del ciclo menstrual puede producirse la fecundación.

Como el folículo de Graaf sigue creciendo, puede verse en la superficie del ovario como una estructura semejante a una ampolla.

CAMBIOS HORMONALES

Como respuesta a cambios hormonales, las células foliculares que rodean al oocito empiezan a secretar un líquido más diluido a un ritmo mayor, con lo que el folículo se hincha rápidamente. Como consecuencia, la pared folicular se hace muy fina en la zona expuesta de la superficie ovárica y el folículo termina por romperse.

MOMENTO DE LA OVULACIÓN

Una pequeña cantidad de sangre y líquido folicular es expulsada de la vesícula; el oocito secundario, rodeado por el cúmulo ovárico y la zona pelúcida, se expulsa desde el folículo a la cavidad peritoneal en el proceso de la ovulación.

Las mujeres no suelen ser conscientes de este fenómeno, aunque algunas notan una punzada de do-

lor en el abdomen inferior debida al intenso estiramiento de la pared ovárica.

PERIODO FÉRTIL

La ovulación tiene lugar hacia el día 14 del ciclo menstrual de la mujer, momento de máxima fertilidad. Como los espermatozoides pueden sobrevivir en el útero hasta cinco días, existe un periodo de una semana aproximadamente en el que puede producirse la fecundación.

En caso de que en el oocito secundario penetre un espermatozoide y se produzca la gestación, se desencadenarán las fases finales de la división meiótica. Sin embargo, si el óvulo no se fecunda, la segunda fase de la meiosis no se completará y el oocito secundario simplemente degenerará.

El folículo roto forma una glándula denominada cuerpo lúteo que secreta progesterona. Esta hormona prepara la mucosa uterina para recibir el embrión y que pueda desarrollarse correctamente.

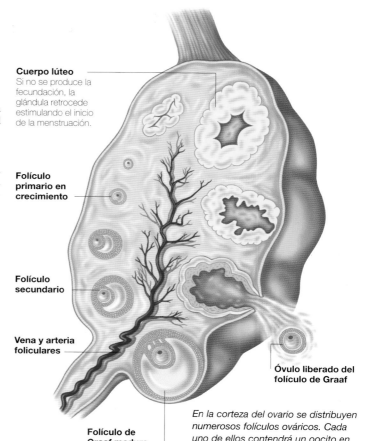

Cuerpo lúteo
Si no se produce la fecundación, la glándula retrocede estimulando el inicio de la menstruación.

Folículo primario en crecimiento

Folículo secundario

Vena y arteria foliculares

Óvulo liberado del folículo de Graaf

Folículo de Graaf maduro

En la corteza del ovario se distribuyen numerosos folículos ováricos. Cada uno de ellos contendrá un oocito en diferentes fases de desarrollo.

El ciclo menstrual

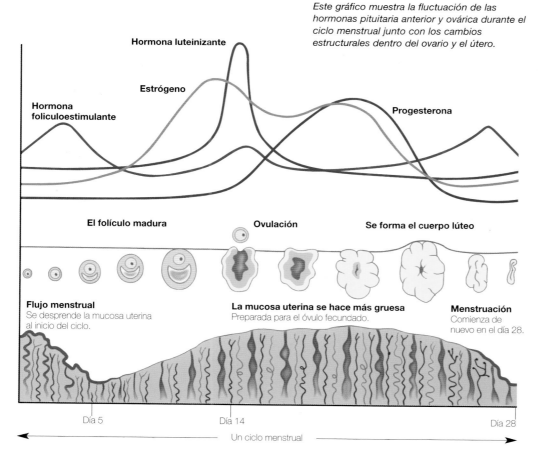

Este gráfico muestra la fluctuación de las hormonas pituitaria anterior y ovárica durante el ciclo menstrual junto con los cambios estructurales dentro del ovario y el útero.

Hormona luteinizante

Estrógeno

Hormona foliculoestimulante

Progesterona

El folículo madura

Ovulación

Se forma el cuerpo lúteo

Flujo menstrual
Se desprende la mucosa uterina al inicio del ciclo.

La mucosa uterina se hace más gruesa
Preparada para el óvulo fecundado.

Menstruación
Comienza de nuevo en el día 28.

Día 5

Día 14

Día 28

Un ciclo menstrual

El estro o ciclo menstrual es el conjunto de cambios cíclicos que tienen lugar en el sistema reproductor femenino durante la producción de óvulos.

Estos cambios están controlados por hormonas liberadas por la hipófisis y los ovarios: estrógeno, progesterona, hormona luteinizante y hormona foliculoestimulante.

CAMBIOS UTERINOS

Después de la menstruación el endometrio gana en grosor y se hace más vascular bajo la influencia del estrógeno y la hormona foliculoestimulante.

Durante los primeros 14 días del ciclo menstrual madura un folículo de Graaf. La ovulación tiene lugar hacia el día 14, cuando el oocito secundario es expulsado y barrido de la trompa uterina.

El folículo roto se convierte en un cuerpo secretor de hormonas denominado cuerpo lúteo. Segrega progesterona, que estimula un mayor engrosamiento de la mucosa uterina (es el endometrio) en la que se implantará el óvulo fecundado.

Si no se produce fecundación, los niveles de progesterona y estrógeno descienden. Ese descenso provoca la descomposición del endometrio, que se expulsa en el flujo menstrual.

Cómo se produce el orgasmo

Hombres y mujeres experimentan numerosos cambios fisiológicos durante el orgasmo, clímax de la relación sexual. El orgasmo masculino se relaciona con la eyaculación y el femenino aumenta la posibilidad de una fecundación con éxito.

El coito es el medio por el cual las células sexuales masculinas (espermatozoides) se transfieren al tracto reproductor femenino.

Durante el acto sexual el hombre introduce su pene erecto en la vagina de la mujer. La estimulación sexual hace que se bombee semen desde los testículos a través del pene, lo que conduce a la eyaculación.

FASES DE LA RESPUESTA SEXUAL

La respuesta sexual sigue una serie de fases definidas, durante las que el cuerpo experimenta diferentes cambios físicos según alcanza distintos niveles de respuesta. Después de un periodo inicial de deseo, hombres y mujeres viven cuatro fases:

- Excitación.
- Meseta.
- Orgasmo.
- Resolución.

Mujeres y hombres manifiestan distintas respuestas sexuales, que difieren además de unas personas a otras. Para ambos sexos el orgasmo es el clímax de la relación sexual.

MOTIVOS FISIOLÓGICOS

La eyaculación de semen que acompaña al orgasmo masculino es un requisito indispensable para la fecundación, y según se cree el orgasmo femenino eleva la posibilidad de que el óvulo sea fecundado.

El orgasmo crea también una urgencia del coito en primer lugar; para muchas personas la búsqueda de esta placentera sensación es la fuerza que impulsa a copular.

Para que se produzca el orgasmo hombres y mujeres deben experimentar una excitación física y mental. La magnitud exacta del orgasmo variará de unas personas a otras.

Respuesta sexual masculina

EXCITACIÓN

Cuando un hombre experimenta excitación, se produce un aumento súbito de flujo sanguíneo en sus genitales que procura la erección del pene. Además aumenta el pulso cardiaco, la presión arterial y el ritmo de la respiración.

MESETA

El pene, aún erecto, se oscurece, y en su punta puede lubricarse con secreciones de las glándulas bulbouretrales (situadas en la base del pene). Los testículos se hinchan y se contraen hacia el cuerpo del hombre.

Los espermatozoides se mueven por una serie de contracciones musculares desde el epidídimo al final del vaso deferente. Aquí, se mezclan con los líquidos de la próstata y las vesículas seminales para producir semen. En este momento es cuando el hombre experimenta la sensación conocida como «inevitabilidad eyaculadora», de forma que incluso aunque cesara la estimulación del pene se producirá la eyaculación.

Las contracciones durante el orgasmo masculino tienen la intensidad suficiente para impulsar el semen en el tracto reproductor de la mujer. El hombre sufre normalmente de tres a cinco grandes contracciones en el orgasmo.

ORGASMO

Un orgasmo es el clímax de la excitación sexual. La intensa liberación de tensión sexual acumulada durante la estimulación y la excitación suele centrarse en los genitales, pero también puede afectar al resto del cuerpo.

El orgasmo en los hombres se acompaña generalmente de la eyaculación simultánea. Así sucede cuando las intensas contracciones de los músculos de la uretra y de alrededor de la base del pene impulsan el semen fuera del cuerpo. Existen normalmente de tres a cinco contracciones principales en intervalos de 0,8 segundos. La sensación orgásmica puede ser abrumadora y muchos hombres impulsan involuntariamente la pelvis hacia delante penetrando más con el pene en la vagina de la mujer.

Los orgasmos masculinos suelen ser más cortos que la mayoría de los orgasmos femeninos, ya que duran en general siete u ocho segundos. Durante el orgasmo la respiración, el pulso cardiaco y la presión arterial llegan a un máximo.

RESOLUCIÓN

Después del orgasmo el pene y los testículos recuperan su tamaño normal. La respiración y el pulso cardiaco del hombre se ralentizan y la presión arterial desciende.

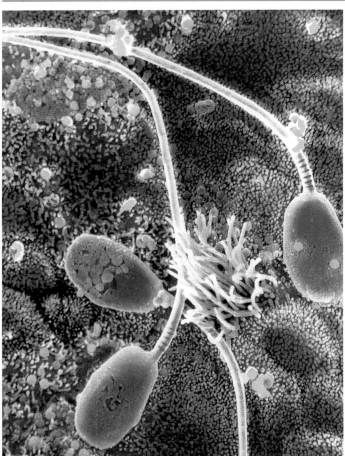

Respuesta sexual femenina

Se cree que el orgasmo femenino ayuda al paso de los espermatozoides hacia el útero durante el coito, con lo que se eleva al máximo la posibilidad de fecundación. Sin embargo, algunas mujeres nunca experimentan un orgasmo durante el coito y no por ello dejan de concebir.

EXCITACIÓN

Durante la fase de excitación femenina, el clítoris y la vagina aumentan de tamaño como consecuencia de un mayor riego sanguíneo. Los labios mayores se oscurecen y los menores se aplanan y se separan.

Uno de los primeros signos de excitación sexual en la mujer es el humedecimiento alrededor de la abertura vaginal. Ello se debe a la estimulación de las células secretoras que revisten la vagina. Este líquido lubrica la vagina preparándola para la penetración, que puede o no tener lugar posteriormente.

Las mamas se agrandan ligeramente y los pezones se ponen erectos. Las areolas (alrededor de los pezones) se hinchan y oscurecen. Aumentan la presión arterial, el pulso cardiaco, el ritmo de la respiración y la tensión muscular.

Esta fase de excitación puede tener una duración variable. Puede llevar a la fase de meseta o remitir suavemente.

MESETA

Si la excitación sexual y la estimulación continúan, la mujer entrará en la fase de meseta. Esta fase se caracteriza por un aumento en la presión arterial en toda la región genital. La parte inferior de la vagina se estrecha para ayudar a sostener el pene durante el coito. La vagina superior se agranda y el útero se eleva en la cavidad pélvica, provocando una expansión de la cavidad vaginal y creando un espacio para guardar el semen.

Durante esta fase los labios menores se oscurecen y el clítoris se acorta y se retira del ámbito labial. Pueden secretarse algunas gotas de fluido de las glándulas vestibulares, que están situadas en la unión entre

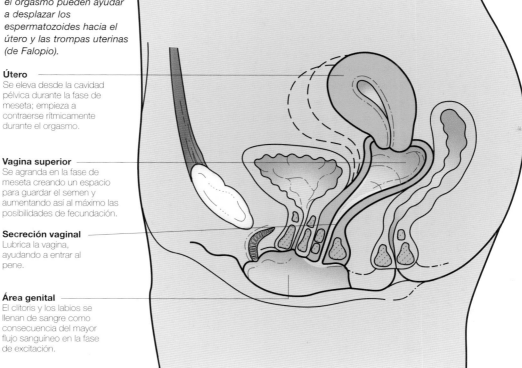

La excitación sexual en las mujeres

Las contracciones durante el orgasmo pueden ayudar a desplazar los espermatozoides hacia el útero y las trompas uterinas (de Falopio).

Útero
Se eleva desde la cavidad pélvica durante la fase de meseta; empieza a contraerse rítmicamente durante el orgasmo.

Vagina superior
Se agranda en la fase de meseta creando un espacio para guardar el semen y aumentando así al máximo las posibilidades de fecundación.

Secreción vaginal
Lubrica la vagina, ayudando a entrar al pene.

Área genital
El clítoris y los labios se llenan de sangre como consecuencia del mayor flujo sanguíneo en la fase de excitación.

la vagina y la vulva. Con una estimulación continuada esta fase puede llevar al orgasmo, la tercera y más corta de las cuatro fases.

ORGASMO

El orgasmo femenino puede ser intenso, pero rara vez dura más de 15 segundos. Un orgasmo empieza con una oleada de contracciones rítmicas en la parte inferior de la vagina. Las primeras contracciones tienen lugar cada 0,8 segundos, la misma frecuencia con la que el pene expulsa el semen. Después de las contracciones iniciales el intervalo se va haciendo cada vez más largo. Es posible que las contracciones de la mujer ayuden a los espermatozoides a desplazarse por el útero y las trompas uterinas (de Falopio).

Las contracciones orgásmicas se extienden por toda la vagina hasta el útero. Los músculos de la pelvis y el perineo (la parte del cuerpo entre el ano y la vagina) y de alrededor de la abertura de la vejiga y el recto también se contraen. Las mujeres suelen experimentar entre 5 y 15 contracciones orgásmicas, dependiendo de la intensidad del orgasmo.

Los músculos de la espalda y los pies pueden experimentar asimismo espasmos involuntarios durante el orgasmo haciendo arquearse la espalda y contraerse los dedos de los pies. La frecuencia cardiaca puede elevarse hasta 180 pulsaciones por minuto y el ritmo respiratorio alcanzará 40 respiraciones por minuto. La presión arterial se eleva y las pupilas y los orificios de la nariz se dilatan. Durante el orgasmo la mujer a veces respira con rapidez y otras veces contiene la respiración.

RESOLUCIÓN

Una vez que la fase del orgasmo se ha completado, empieza la de resolución. Durante este tiempo las mamas de la mujer recuperan su tamaño normal, los músculos del cuerpo se relajan y se restauran los valores normales de pulso cardiaco y respiración.

Periodo refractario

Después de la eyaculación, los hombres experimentan un periodo refractario, durante el cual no pueden alcanzar otro orgasmo. Este periodo latente en los hombres puede durar entre dos minutos y varias horas.

Las mujeres no tienen periodo refractario y algunas son capaces de experimentar orgasmos múltiples.

Hombres y mujeres reaccionan de formas diferentes después de un orgasmo. Sin embargo, es común que ambos se sientan relajados y soñolientos.

Cómo se produce la concepción

Millones de espermatozoides viajan hacia el tracto reproductor femenino
en busca del oocito (óvulo). Centenares de ellos son necesarios para
romper la cubierta exterior del oocito, pero sólo uno lo fecunda.

La fecundación se produce cuando un único gameto (masculino) y un gameto femenino (óvulo u oocito) se unen después del coito. Tienen lugar entonces la fusión de ambas células y la concepción de una nueva vida.

ESPERMATOZOIDES
Después del acto sexual los espermatozoides contenidos en el semen del hombre se desplazan hacia el útero. En su camino se nutren con la mucosidad alcalina del conducto cervical. Desde el útero los espermatozoides siguen camino hacia la trompa uterina (de Falopio).

Aunque la distancia por recorrer es sólo de unos 20 cm, el viaje puede durar hasta dos horas, ya que la relación entre el tamaño del espermatozoide y dicha distancia es considerable.

SUPERVIVENCIA
Aunque una eyaculación media contiene alrededor de 300 millones de espermatozoides, sólo una fracción de éstos (unos 10.000) se las arreglará para llegar hasta la trompa uterina, donde se localiza el óvulo. Menos aún serán los que alcancen el oocito, dado que muchos espermatozoides serán destruidos por el entorno vaginal hostil o se perderán en otras zonas del tracto reproductor.

Los espermatozoides no pueden fecundar un oocito hasta que hayan pasado un cierto tiempo en el cuerpo de la mujer. Los líquidos del tracto reproductor activan los espermatozoides, de forma que el movimiento de flagelo de su cola se hace más potente.

También ayudan a los espermatozoides las contracciones del útero, que los impulsan hacia arriba en el cuerpo. Las contracciones son estimuladas por las prostaglandinas contenidas en el semen y que se producen también durante el orgasmo femenino.

EL OOCITO
Una vez expulsado del folículo (durante la ovulación), el oocito es impelido hacia el útero por el movimiento ondulatorio de las células que revisten la trompa uterina. El oocito suele unirse al esperma unas dos horas después del coito en la parte externa de la trompa uterina.

El camino hacia la fecundación

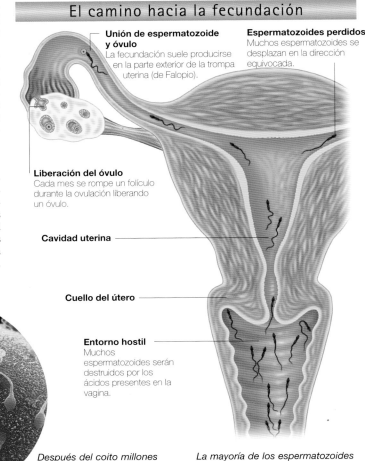

Unión de espermatozoide y óvulo
La fecundación suele producirse en la parte exterior de la trompa uterina (de Falopio).

Espermatozoides perdidos
Muchos espermatozoides se desplazan en la dirección equivocada.

Liberación del óvulo
Cada mes se rompe un folículo durante la ovulación liberando un óvulo.

Cavidad uterina

Cuello del útero

Entorno hostil
Muchos espermatozoides serán destruidos por los ácidos presentes en la vagina.

Después del coito millones de espermatozoides buscan camino por el tracto reproductor en busca del óvulo.

La mayoría de los espermatozoides se destruye o se pierde en su camino hacia el oocito en la trompa de Falopio.

Llegada al oocito

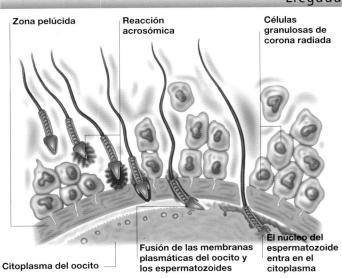

Zona pelúcida

Reacción acrosómica

Células granulosas de corona radiada

Fusión de las membranas plasmáticas del oocito y los espermatozoides

El núcleo del espermatozoide entra en el citoplasma

Citoplasma del oocito

En el viaje hacia el oocito las secreciones presentes en el tracto reproductor femenino consumen el colesterol de los espermatozoides debilitando así sus membranas acrosómicas. Este proceso se conoce por capacitación y sin él no podría producirse la fecundación.

Una vez en la proximidad del oocito, los espermatozoides se sienten atraídos químicamente hacia él. Cuando los espermatozoides terminan por entrar en contacto con el oocito, sus membranas acrosómicas se desprenden por completo, con lo que se libera el contenido de cada acrosoma (el compartimento portador de enzimas del espermatozoide).

PENETRACIÓN
Las enzimas liberadas por los espermatozoides provocan la descomposición de las células del cúmulo ovárico y de la zona pelúcida, las capas protectoras externas del oocito. Se necesitan como mínimo 100 acrosomas para abrir una vía por la que, por digestión a través de estas capas, entre un único espermatozoide.

De este modo los espermatozoides que llegan primero al oocito se sacrifican para permitir la penetración del citoplasma del oocito por otro espermatozoide.

Cuando los espermatozoides llegan al oocito liberan enzimas. Estas enzimas descomponen las capas externas protectoras del óvulo dejando entrar al espermatozoide.

Fecundación

Cuando un solo espermatozoide ha entrado en el oocito, el material genético de cada célula se fusiona. Se forma un cigoto que se divide para formar un embrión.

Una vez que el espermatozoide ha penetrado en el oocito, tiene lugar una reacción química en el interior de éste haciendo imposible que entre ningún otro espermatozoide.

MEIOSIS II
La entrada del núcleo del espermatozoide en el oocito desencadena la terminación de la división nuclear (meiosis II) iniciada durante la ovulación. Se forman entonces un oocito haploide y un segundo cuerpo polar (que degenera).

Casi inmediatamente los núcleos del espermatozoide y el oocito se fusionan para producir un cigoto diploide, que contiene material genético de la madre y del padre.

DETERMINACIÓN DEL SEXO
En este momento de la fecundación se determina el sexo. Es el espermatozoide, por tanto el padre, el que determina el sexo del hijo.

El sexo está determinado por una combinación de dos cromosomas sexuales llamados X e Y. La mujer contribuirá con un cromosoma X, mientras que el hombre puede contribuir con uno X o uno Y. La fecundación del oocito (X) por un espermatozoide que contenga un cromosoma X o Y dará lugar, respectivamente, a una mujer (XX) o un varón (XY).

DIVISIÓN CELULAR
Varias horas después de la fecundación, el cigoto experimenta una serie de divisiones mitóticas para producir un grupo de células denominado mórula. Las células de la mórula se dividen cada 12 a 15 horas, produciendo un blastocisto formado por unas 100 células.

El blastocisto secreta la hormona gonadotropina coriónica humana, que impide que el cuerpo lúteo se descomponga, manteniendo así la secreción de progesterona.

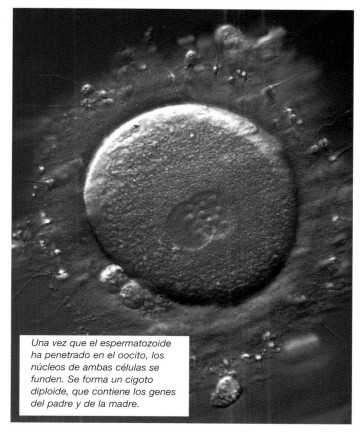

Una vez que el espermatozoide ha penetrado en el oocito, los núcleos de ambas células se funden. Se forma un cigoto diploide, que contiene los genes del padre y de la madre.

Implantación y desarrollo

En su recorrido por la trompa uterina el cigoto se divide. Se forma un blastocisto, que se implanta en la mucosa de la pared uterina.

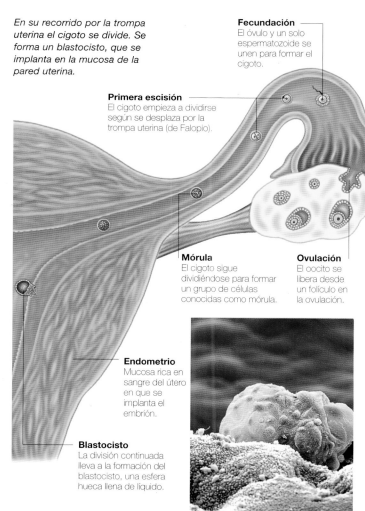

Fecundación
El óvulo y un solo espermatozoide se unen para formar el cigoto.

Primera escisión
El cigoto empieza a dividirse según se desplaza por la trompa uterina (de Falopio).

Mórula
El cigoto sigue dividiéndose para formar un grupo de células conocidas como mórula.

Ovulación
El oocito se libera desde un folículo en la ovulación.

Endometrio
Mucosa rica en sangre del útero en que se implanta el embrión.

Blastocisto
La división continuada lleva a la formación del blastocisto, una esfera hueca llena de líquido.

Unos tres días después de la fecundación el blastocisto iniciará su viaje desde la trompa uterina (de Falopio) al útero.

Normalmente el blastocisto sería incapaz de atravesar el esfínter de la trompa uterina. Sin embargo, los niveles crecientes de progesterona activados por la fecundación provocan la relajación del músculo permitiendo al blastocisto proseguir viaje hacia el útero.

Una trompa uterina dañada o bloqueada que impida que el paso del blastocisto en esta fase provocaría un embarazo ectópico, en el que el embrión empieza a desarrollarse en la trompa uterina.

PARTOS MÚLTIPLES
En la mayoría de los casos la mujer liberará un oocito cada mes de los ovarios alternos. Sin embargo, a veces una mujer puede producir un oocito de cada ovario, y a veces los dos son fecundados por espermatozoides separados produciendo el desarrollo de mellizos. En este caso cada feto se nutrirá de su propia placenta.

Muy ocasionalmente un oocito fecundado puede dividirse espon-

Cuando el cigoto llega al útero, se adhiere al endometrio. Nutrido por el rico riego sanguíneo del mismo, empezará a desarrollarse.

táneamente en dos para producir dos embriones. Nacerán entonces dos gemelos idénticos que comparten exactamente los mismos genes e incluso la misma placenta.

Los gemelos siameses se dan cuando existe una división incompleta del oocito varias horas después de la fecundación.

IMPLANTACIÓN
Una vez que ha alcanzado el útero el blastocisto se implantará en la mucosa engrosada de la pared uterina.

Las hormonas liberadas desde el blastocisto significan que éste no se identificará como un cuerpo extraño y no será expulsado. Una vez que el blastocisto se ha implantado con seguridad, se iniciará la gestación.

IMPERFECCIONES
Aproximadamente la tercera parte de los oocitos no consigue implantarse en el útero y finalmente se pierde.

De los que se implantan, muchos embriones contienen imperfecciones en su material genético, como puede ser un cromosoma adicional.

Muchas de estas imperfecciones hacen que el embrión se pierda poco después de la implantación. Esta situación puede darse antes incluso de la primera falta, con lo que la mujer no sabrá siquiera que está embarazada.

Cómo se produce el parto

Hacia el final del embarazo se producen cambios fisiológicos en la madre y
el feto. Las hormonas liberadas provocan la contracción de la pared uterina
que hace salir al bebé y la placenta.

El parto es la fase final del embarazo. Suele ocurrir unos 280 días (40 semanas) después del último periodo menstrual.

La serie de acontecimientos fisiológicos que implica la expulsión del bebé desde el cuerpo de la madre se conoce globalmente como parto.

INICIO DEL PARTO

La señal precisa que desencadena el parto no se conoce, si bien se han identificado muchos factores que tienen un papel importante en su inicio.

Antes del parto los niveles de progesterona secretados por la placenta en la circulación de la madre alcanzan un máximo. La progesterona es la hormona responsable de mantener la mucosa uterina durante el embarazo y tiene un efecto inhibidor en el músculo liso del útero.

ACTIVADORES HORMONALES

Hacia el final del embarazo existe en el útero un espacio crecientemente limitado y el suministro de oxígeno al feto es cada vez más restringido (resultante de un aumento más rápido en el tamaño del feto que en el de la placenta). Se produce entonces una elevación en el nivel de hormona adenocorticotrópica (ACTH) que se secreta desde el lóbulo anterior de la hipófisis del feto.

En consecuencia, la corteza suprarrenal del feto se ve impelida a producir unos mensajeros químicos (glucocorticoides) que inhiben la

Cambios hormonales antes del parto

Hipotálamo de la madre

Receptores de estiramiento uterino estimulados

Glucocorticoides suprarrenales

Placenta

Descenso en producción de progesterona

Producción aumentada de estrógeno

Producción de oxitocina

Niveles aumentados de ACTH de hipófisis fetal

Contracción de músculo liso uterino

Disminución de niveles de oxígeno y espacio limitado

secreción de progesterona desde la placenta.

Entre tanto, los niveles de la hormona estrógeno liberados por la placenta en la circulación de la madre alcanzan un máximo. Esto lleva a que las células miometriales del útero formen un número incrementado de receptores de oxitocina (que hacen el útero más sensible a la oxitocina).

CONTRACCIONES

Finalmente la influencia inhibidora de la progesterona en los músculos lisos del útero se ve superada por el efecto estimulador del estrógeno.

La mucosa interna del útero (miometrio) se debilita y el útero empieza a contraerse irregularmente. Estas contracciones, conocidas como contracciones de Braxton

Cuando el embarazo llega a término se producen diversos cambios hormonales. Estos cambios hacen que la mucosa uterina se debilite y comiencen las contracciones.

Hicks, ayudan a ablandar el cuello del útero en preparación para el nacimiento y a menudo las madres gestantes las confunden con el inicio del parto.

Inicio del parto

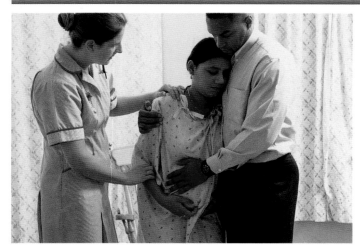

Cuando el embarazo llega a término, los receptores de estiramiento del cuello uterino activan el hipotálamo de la madre (una región del encéfalo) para estimular su hipófisis posterior con el objeto de liberar la hormona oxitocina. Algunas células del feto también empiezan a liberar esta hormona. Los niveles elevados de oxitocina hacen a la placenta liberar prostaglandinas y en conjunto estimulan al útero a contraerse.

La oxitocina desencadena contracciones uterinas que empujan el feto contra el cuello del útero. Un mayor estiramiento del cuello uterino estimula la liberación de más oxitocina.

INTENSIFICACIÓN DE LAS CONTRACCIONES

Cuando el útero se debilita debido a los niveles suprimidos de progesterona y es más sensible a la oxitocina, las contracciones se hacen más intensas y frecuentes y se inician las contracciones rítmicas del parto.

Se activa un mecanismo de «realimentación positiva»: cuanto mayor es la intensidad de las contracciones, más oxitocina se libera, lo que a su vez hace que las contracciones se vuelvan más intensas. La cadena se rompe cuando el cuello del útero deja de estirarse después del alumbramiento y descienden los niveles de oxitocina.

Fases del parto

El parto puede dividirse en tres fases distintas: dilatación del cuello del útero, expulsión del feto y alumbramiento.

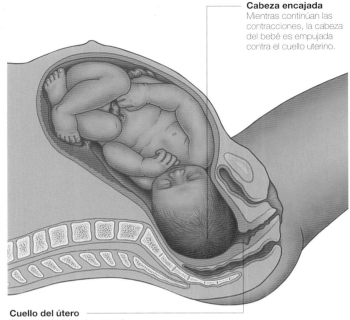

Cabeza encajada
Mientras continúan las contracciones, la cabeza del bebé es empujada contra el cuello uterino.

DILATACIÓN

Para que la cabeza del bebé pueda pasar por el canal del parto, el cuello del útero y la vagina deben dilatarse unos 10 cm de diámetro. Cuando comienza el parto, se inician contracciones débiles pero regulares en la parte superior del útero.

Estas contracciones iniciales están separadas entre sí por unos 15-30 minutos y duran unos 10-30 segundos. Conforme avanza el parto, las contracciones se hacen más rápidas e intensas y la parte inferior del útero empieza además a contraerse.

La cabeza del bebé es empujada contra el cuello uterino con cada contracción haciendo que éste se ablande y se dilate gradualmente. Al final la bolsa amniótica, que ha protegido al bebé durante el embarazo, se rompe y se libera el líquido amniótico.

ENCAJAMIENTO

La fase de dilatación es la parte más larga del parto y puede durar de 8 a 24 horas. Durante esta fase el bebé empieza a descender a través del canal del parto a la vez que gira hasta que la cabeza se encaja entrando en la pelvis.

La dilatación es la fase más larga del parto. Pueden necesitarse hasta 24 horas para que el cuello del útero se dilate suficientemente y permita el alumbramiento.

Cuello del útero
Sigue dilatándose al avanzar las contracciones.

Expulsión

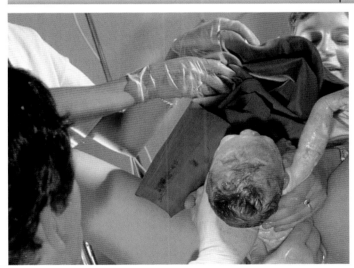

La segunda fase del parto, la expulsión, dura desde la dilatación completa a la expulsión del niño fuera del cuerpo de la madre.

Normalmente en ese momento el cuello uterino está totalmente dilatado, se producen intensas contracciones cada 2-3 minutos y cada una dura aproximadamente un minuto.

NECESIDAD DE EMPUJAR

En este momento la madre tiene una necesidad imperiosa de empujar con los músculos abdominales.

Una vez que el cuello del útero se ha dilatado completamente, el bebé está listo para nacer. La madre sentirá una necesidad imperiosa de empujar expulsando al bebé a través del cuello uterino.

Esta fase puede durar hasta dos horas, aunque en general es mucho más rápida en los partos siguientes.

EXPULSIÓN

El coronamiento tiene lugar cuando la mayor parte de la cabeza del bebé llega a la vagina. En muchos casos la vagina se distenderá de tal modo que puede desgarrarse.

Una vez que ha salido la cabeza del bebé, el resto del cuerpo se expulsa con mucha más facilidad.

Cuando el bebé sale con la cabeza por delante, el cráneo (en su diámetro más ancho) actúa como una cuña para dilatar el cuello uterino. Esta presentación cefálica permite al bebé respirar antes incluso de haber salido completamente de la madre.

Expulsión de la placenta

La fase final del parto, el momento de expulsión de la placenta, puede tener lugar hasta 30 minutos después del parto.

Después de que el bebé ha nacido las contracciones uterinas rítmicas prosiguen. Éstas actúan para comprimir los vasos sanguíneos uterinos limitando así la hemorragia. Las contracciones hacen también que la placenta se desprenda de la pared del útero.

ALUMBRAMIENTO

La placenta y las membranas fetales anexas (secundinas) se sacan fácilmente tirando con suavidad del cordón umbilical. Deben eliminarse todos los fragmentos placentarios para evitar una hemorragia uterina continuada y la infección posparto.

Se contará el número de vasos del cordón umbilical cortado, ya que la ausencia de arteria umbilical se asocia a menudo con trastornos cardiovasculares en el bebé que acaba de nacer.

NIVELES HORMONALES

Los niveles en sangre de estrógeno y progesterona descienden drásticamente una vez que su fuente, la placenta, ha sido expulsada. Durante las cuatro o cinco semanas posteriores al parto, el útero se contrae, aunque sigue siendo mayor que antes del embarazo.

Las contracciones continúan después del nacimiento. Gracias a ellas la placenta se desprende de la pared uterina y puede ser expulsada junto al cordón umbilical.

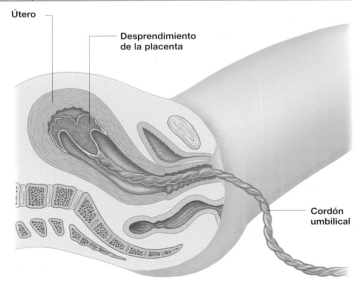

Útero

Desprendimiento de la placenta

Cordón umbilical

La función de la sangre

La sangre transporta oxígeno dador de vida y todos los nutrientes vitales
que las células de nuestro cuerpo necesitan para funcionar. También extrae
los productos de desecho que se generan en los tejidos.

La sangre supone aproximadamente el 8% del peso del cuerpo humano. El varón adulto tiene de promedio unos 5 litros de sangre, aunque este volumen varía de forma considerable dependiendo principalmente del tamaño de la persona. El volumen sanguíneo de una mujer adulta es de unos 4 litros como media; un niño de 6 años tiene en torno a 1,6 litros y un recién nacido, sólo 0,35 litros.

CIRCULACIÓN DE LA SANGRE

La sangre circula dentro de un sistema cerrado de vasos sanguíneos, constituidos por arterias, capilares y venas. Esta compleja red transporta sangre a y desde todos los tejidos y órganos del cuerpo.

En cualquier momento en el hombre medio la cantidad de sangre en las diversas partes de la circulación es aproximadamente la siguiente:

- Arterias: 1.200 ml.
- Capilares: 350 ml.
- Venas: 3.400 ml.

Por lo tanto, la mayoría de la sangre en circulación está en las venas y muy poca en los capilares. La sangre de las venas (sangre venosa que vuelve al corazón) es mucho más oscura que la arterial, ya que contiene relativamente poco oxígeno. La sangre oxigenada que sale del corazón, presente en las arterias, es de un rojo brillante. La sangre capilar, es decir, la que vemos cuando nos cortamos, tiene un rojo un poco menos brillante que la arterial.

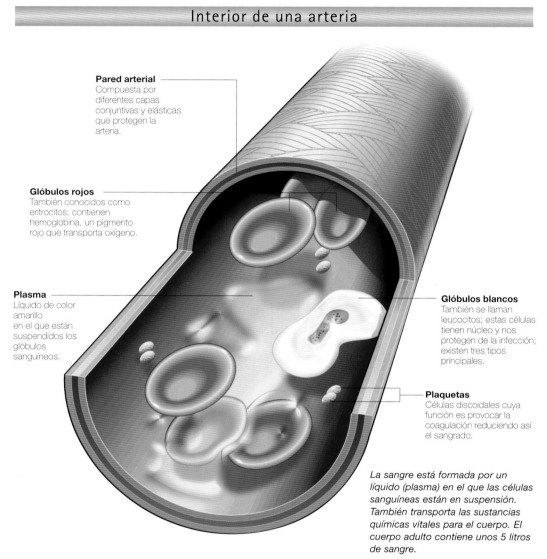

Interior de una arteria

Pared arterial
Compuesta por diferentes capas conjuntivas y elásticas que protegen la arteria.

Glóbulos rojos
También conocidos como eritrocitos; contienen hemoglobina, un pigmento rojo que transporta oxígeno.

Plasma
Líquido de color amarillo en el que están suspendidos los glóbulos sanguíneos.

Glóbulos blancos
También se llaman leucocitos; estas células tienen núcleo y nos protegen de la infección; existen tres tipos principales.

Plaquetas
Células discoidales cuya función es provocar la coagulación reduciendo así el sangrado.

La sangre está formada por un líquido (plasma) en el que las células sanguíneas están en suspensión. También transporta las sustancias químicas vitales para el cuerpo. El cuerpo adulto contiene unos 5 litros de sangre.

Cómo se fabrica la sangre

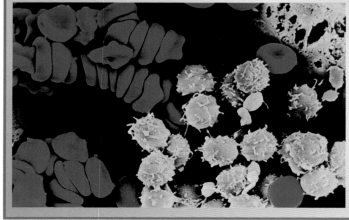

Las células de la sangre se fabrican principalmente en la médula ósea, el tejido blando presente en el centro de los huesos, en un proceso denominado eritropoyesis. Algunas de estas células se producen también en el bazo, un órgano grande situado en la esquina superior izquierda del abdomen. En los niños las células sanguíneas se fabrican principalmente en la médula de los huesos largos, en brazos y piernas. En los adultos se producen sobre todo en los huesos planos, como los de la pelvis.

La producción de sangre tiene lugar a una velocidad asombrosa. Literalmente miles de millones de nuevos glóbulos rojos salen de la médula ósea cada 24 horas. La razón de esta impresionante velocidad de fabricación es simplemente que las células de la sangre se deterioran con mucha rapidez; un glóbulo rojo vive de promedio entre 60 y 120 días y cada segundo mueren unos dos millones de estas células.

Esta micrografía de color falso muestra glóbulos rojos y blancos inmaduros en la médula ósea. Todas las células proceden de un único tipo de célula ancestral por un proceso denominado hemopoyesis.

Componentes de la sangre

La sangre que circula por nuestro cuerpo no es una sola sustancia, sino que consta de varios ingredientes importantes. Suspendidos en el plasma están los glóbulos rojos y blancos y las plaquetas; cada tipo de célula tiene una finalidad específica.

La sangre está formada por varias clases de células en suspensión en un líquido amarillo claro llamado plasma. El plasma es un líquido espeso que contiene varias sustancias químicas en tránsito de una parte del cuerpo a otra. Sus constituyentes incluyen:

■ Proteínas: 7%.
■ Sales: 0,9%.
■ Glucosa: 0,1%.

Las principales proteínas de la sangre se llaman albúmina, globulina

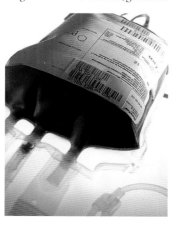

y fibrinógeno. Ayudan a aportar nutrición a los tejidos del cuerpo y también son importantes para protegernos de las enfermedades infecciosas. El fibrinógeno desempeña un papel vital en la coagulación sanguínea: se convierte en fibrina, un material de tipo malla que ayuda a detener el sangrado después de una herida.

La glucosa, una forma de azúcar, es el principal combustible de la sangre, y las sales constituyen el mineral fundamental del cuerpo. Su presencia explica su sabor salado.

GLÓBULOS ROJOS

Existen tres tipos de células sanguíneas: glóbulos rojos, glóbulos blancos y plaquetas. Los glóbulos rojos (también llamados eritrocitos) son las células más comunes en la sangre. Incluyen el pigmento hemoglobina, una sustancia química que contiene hierro y transporta el oxígeno desde los pulmones.

Cada glóbulo rojo mide unos 0,00072 mm de diámetro, y en nuestro cuerpo hay unos 25 millones de estas células. Un centímetro cúbico de sangre contiene aproximadamente cinco millones de glóbulos rojos.

Principales elementos de la sangre

La sangre de donaciones puede usarse entera para transfusiones durante una operación o después de una lesión traumática. A veces los glóbulos rojos pueden separarse y concentrarse.

Plasma
Supone el 55-60% de la sangre completa.

Glóbulos blancos y plaquetas
Los glóbulos blancos (leucocitos) incluyen a los granulocitos y los monocitos; supone aproximadamente el 1% del volumen sanguíneo.

Glóbulos rojos
Eritrocitos, 40-45% del volumen sanguíneo.

Glóbulos blancos y plaquetas

Los glóbulos blancos o leucocitos son mucho menores en número que los rojos. Los niños tienen unas 10.000 unidades en 1 mm^3 de sangre, aunque en los adultos esta cifra es muy inferior. Los glóbulos blancos son vitales en la protección contra las enfermedades. Se dividen en varios tipos:

■ Neutrófilos. Combaten la infección bacteriana y fúngica.
■ Eosinófilos. Ayudan al cuerpo a defenderse de los parásitos y también de las reacciones alérgicas.

■ Linfocitos. Participan en la creación de inmunidad contra la infección.
■ Monocitos. Capaces de fagocitar las partículas invasoras en el torrente sanguíneo.
■ Basófilos. Pueden fagocitar a los invasores. Se sabe poco de ellos.

Las plaquetas o trombocitos son células muy pequeñas que intervienen en los procesos de la coagulación sanguínea. En 1 milímetro cúbico de sangre hay en torno a un

cuarto de millón de plaquetas. Cuando un vaso sanguíneo se corta o resulta dañado, las plaquetas (que son muy pegajosas) se adhieren inmediatamente al punto de la lesión y también entre ellas, y así (junto con la fibrina) ayudan a taponar el hueco y a contener la hemorragia.

Este glóbulo blanco es un linfocito T o célula T cubierto por microvellosidades (semejantes a pelos) características. Estas células son importantes para la inmunidad.

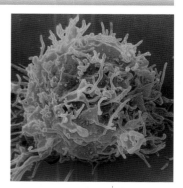

Qué sucede cuando sangramos

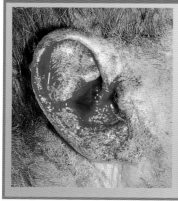

Si nos hacemos un corte en la piel, inmediatamente empezamos a sangrar. La mayoría de los cortes son pequeños, y suponen sólo una ligera pérdida de sangre capilar. La sangre deja pronto de manar, sobre todo si se aplica una firme presión en la herida.

La razón principal por la que cesa la hemorragia es la capacidad natural de la sangre de coagular. Cadenas de una

El sangrado en el oído puede ser grave y tal vez sea indicio de traumatismo cerebral; también podría tratarse de una herida superficial.

sustancia denominada fibrina forman un tapón de tipo reticular en el punto de sangrado, lo que ayuda a detener la pérdida de sangre.

Si una herida afecta a una vena o una arteria, el problema es bastante más serio. Las venas son tubos bastante grandes (pueden vislumbrarse a través de la piel) y si se cortan suelen perder grandes cantidades de sangre en un periodo largo. Aunque puede contenerse la hemorragia presionando el punto, seguramente se necesitará coser quirúrgicamente. Más serio es todavía un corte que

afecte a una arteria, lo que puede traducirse en el bombeo forzado fuera del cuerpo de grandes cantidades de sangre en muy poco tiempo. Si no se aplica una presión firme inmediatamente, la persona podría morir desangrada en unos minutos.

El motivo por el cual la pérdida de sangre puede provocar rápidamente la muerte es que el cuerpo (sobre todo, el encéfalo) necesita un riego continuo de sangre para funcionar. Con escasez de sangre no habrá suficiente oxígeno y como consecuencia las células pronto morirán.

Cómo circula la sangre

La circulación transporta sangre a y desde todos los tejidos del cuerpo manteniendo un entorno óptimo para la supervivencia y función de las células. También permite el transporte de hormonas por el cuerpo.

La función de la circulación es aportar sangre a todos los tejidos corporales para llevar combustible, nutrición y oxígeno a las células. También transporta productos de desecho desde los tejidos hasta los riñones o los pulmones para su expulsión.

La circulación se consigue gracias al bombeo forzado de la sangre por parte del corazón en una serie de chorros a través del sistema arterial. Las arterias se dividen en ramas cada vez menores y las más pequeñas (arteriolas) suministran sangre a capilares microscópicos. Los capilares atraviesan los tejidos y se anastomosan (se unen) con las venas más pequeñas (vénulas).

Las vénulas confluyen para formar las venas, que llevan de nuevo la sangre al corazón. Al volver al corazón la sangre se bombea a los pulmones para reoxigenarse.

Las arterias y las venas están unidas por una red de capilares. Con más de 150.000 km de longitud, esta red permite el intercambio de oxígeno y nutrientes entre los sistemas arterial y venoso.

Sistema circulatorio

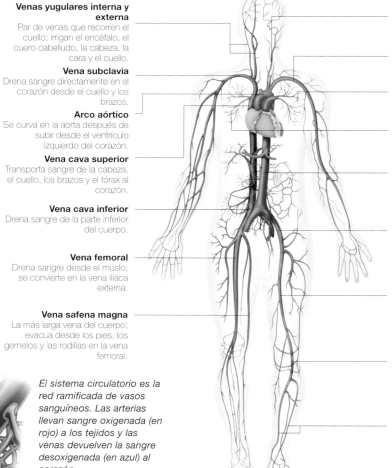

SANGRE DESOXIGENADA

Venas yugulares interna y externa
Par de venas que recorren el cuello; irrigan el encéfalo, el cuero cabelludo, la cabeza, la cara y el cuello.

Vena subclavia
Drena sangre directamente en el corazón desde el cuello y los brazos.

Arco aórtico
Se curva en la aorta después de subir desde el ventrículo izquierdo del corazón.

Vena cava superior
Transporta sangre de la cabeza, el cuello, los brazos y el tórax al corazón.

Vena cava inferior
Drena sangre de la parte inferior del cuerpo.

Vena femoral
Drena sangre desde el muslo; se convierte en la vena iliaca externa.

Vena safena magna
La más larga vena del cuerpo; evacua desde los pies, los gemelos y las rodillas en la vena femoral.

El sistema circulatorio es la red ramificada de vasos sanguíneos. Las arterias llevan sangre oxigenada (en rojo) a los tejidos y las venas devuelven la sangre desoxigenada (en azul) al corazón.

SANGRE OXIGENADA

Arteria carótida común
Una de las dos arterias que irrigan la cabeza y el encéfalo.

Arteria axilar
Par de arterias que irrigan la cabeza y el encéfalo.

Arterias pulmonares
Transportan sangre desoxigenada del corazón a los pulmones.

Venas pulmonares
Transportan sangre oxigenada desde los pulmones de nuevo al corazón.

Aorta
La arteria más larga del cuerpo; sube desde el corazón y se ramifica hacia la cabeza, los brazos, el tronco y el abdomen.

Arteria iliaca común
Irriga la pelvis y las extremidades inferiores; se ramifica en las arterias interna menor y externa.

Arteria femoral
Sube desde la iliaca externa y pasa por el muslo para convertirse en la arteria poplítea.

Arteria poplítea
Se eleva desde la femoral; recorre la parte baja de la pierna.

Arterias tibiales anterior y posterior
Ramas de la arteria poplítea que irrigan la parte baja de la pierna; se dividen en arterias metatarsiana (pies) y digital (dedos).

Presión arterial

La presión arterial es la fuerza por unidad de superficie ejercida por la sangre en el sistema arterial. Se mide en milímetros de mercurio (mmHg) o en kilopascales, dependiendo de cada país.

La presión arterial se expresa siempre como dos cifras, por ejemplo 150/110. La primera cifra o «tensión alta», representa la presión en las arterias cuando el corazón se está contrayendo (sístole) o presión sistólica. La segunda cifra se refiere a la «tensión baja», representa la presión en las arterias cuando el corazón se relaja (diástole) o presión diastólica.

La presión diastólica se considera a menudo más importante desde el punto de vista clínico, sobre todo cuando se valora la hipertensión, ya que la presión sistólica se ve afectada fácilmente por factores como la ansiedad. La presión arterial suele medirse colocando un manguito inflable conectado a un dispositivo de medida rodeando la parte superior del brazo.

La hipertensión (alta presión arterial) afecta a millones de perso-

nas. En la mayoría de los casos se desconoce la causa, pero es importante detectarla y tratarla, ya que su presencia aumenta el riesgo de ataque cardiaco o accidente cerebrovascular.

El médico toma la presión arterial leyendo el valor en el brazo superior del paciente. En términos ideales, la presión en esta parte del cuerpo debería estar siempre por debajo de la cifra de 140/90 mmHg.

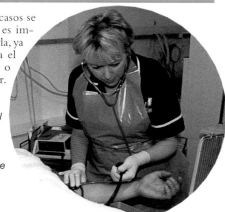

Flujo sanguíneo a través del cuerpo

El flujo sanguíneo es el volumen de sangre presente en la circulación, un órgano del cuerpo o un vaso sanguíneo individual durante un periodo de tiempo dado.

El flujo de sangre a través de un vaso sanguíneo se determina mediante una combinación de la diferencia de presión entre los dos extremos del vaso y la resistencia al flujo de sangre a través del mismo vaso.

La presión arterial es máxima en los vasos cercanos a la bomba, es decir, en la aorta y la arteria pulmonar. Conforme va alejándose del corazón, la presión disminuye. Sin embargo, de los dos parámetros (presión y resistencia), es la resistencia la que tiene mayor influencia en el

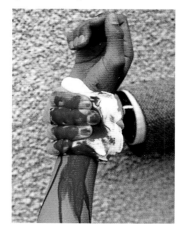

Cuando se corta una arteria, la sangre sale a chorros, ya que la presión arterial la bombea a presión. Sin embargo, la sangre venosa no tiene presión y fluye más despacio.

flujo sanguíneo. El flujo total de sangre en la circulación de un adulto en reposo es de unos 5 litros por minuto; este valor se refiere como gasto cardiaco.

El flujo sanguíneo en tejidos individuales se controla con bastante precisión en relación con las necesidades de los tejidos. Cuando están activos, pueden necesitar hasta 20 o 30 veces más sangre que en reposo. Sin embargo, el gasto cardiaco no puede aumentar más de unas cuatro a siete veces.

Dado que el cuerpo no puede simplemente elevar el flujo de sangre total, el flujo local que llega a tejidos específicos se controla mediante mecanismos de vigilancia. La sangre se distribuye según las necesidades específicas de los tejidos y se dirige desde los tejidos que no necesitan nutrientes u oxígeno en este momento.

FLUJO SANGUÍNEO VENOSO
El «impulso» debido al latido cardiaco no se comunica a los capilares diminutos. Por tanto, no hay pulso en las venas. Sin embargo, la sangre refluye a través de las venas hacia el corazón por una combinación de mecanismos: la contracción de los músculos de las piernas y los brazos, la presencia de válvulas venosas eficientes y el simple proceso de la respiración, que ayuda a aspirar la sangre a través de las venas hacia el tórax.

Distribución de la sangre

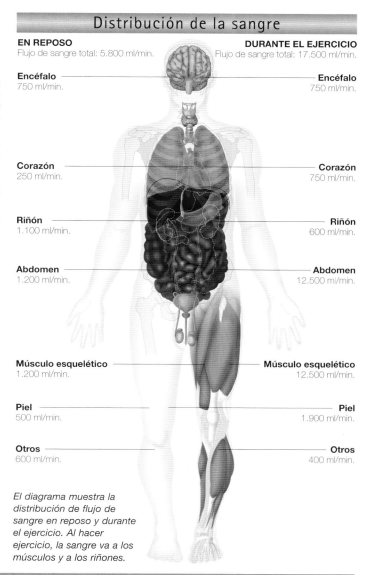

EN REPOSO	DURANTE EL EJERCICIO
Flujo de sangre total: 5.800 ml/min.	Flujo de sangre total: 17.500 ml/min.
Encéfalo 750 ml/min.	**Encéfalo** 750 ml/min.
Corazón 250 ml/min.	**Corazón** 750 ml/min.
Riñón 1.100 ml/min.	**Riñón** 600 ml/min.
Abdomen 1.200 ml/min.	**Abdomen** 12.500 ml/min.
Músculo esquelético 1.200 ml/min.	**Músculo esquelético** 12.500 ml/min.
Piel 500 ml/min.	**Piel** 1.900 ml/min.
Otros 600 ml/min.	**Otros** 400 ml/min.

El diagrama muestra la distribución de flujo de sangre en reposo y durante el ejercicio. Al hacer ejercicio, la sangre va a los músculos y a los riñones.

Distribución del volumen sanguíneo

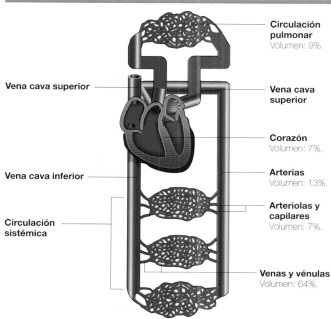

- Vena cava superior
- Vena cava inferior
- Circulación sistémica

- **Circulación pulmonar** Volumen: 9%.
- **Vena cava superior**
- **Corazón** Volumen: 7%.
- **Arterias** Volumen: 13%.
- **Arteriolas y capilares** Volumen: 7%.
- **Venas y vénulas** Volumen: 64%.

El sistema circulatorio puede dividirse en dos partes principales: pulmonar (pulmones) y sistémico (todo el cuerpo). El diagrama muestra el modo en que se distribuye la sangre por estas zonas.

La circulación mueve la sangre por el cuerpo en dos redes, que empiezan y terminan en el corazón.

CIRCULACIÓN SISTÉMICA
La circulación sistémica contiene la mayor proporción del volumen de sangre circulante, aproximadamente el 84%. Sin embargo, sólo el 7% del volumen sanguíneo se encuentra en los lechos capilares, donde tiene lugar el intercambio esencial de nutrientes celulares y productos de desecho. En estos vasos sanguíneos diminutos la sangre se encuentra en íntimo contacto con los tejidos por primera vez. Los capilares tienen paredes permeables, lo

que permite el paso de las moléculas químicas de la sangre a los tejidos. Análogamente las sustancias químicas que se han formado en los tejidos pueden difundirse a través de las paredes capilares hacia la sangre, con lo que se extraen de dichos tejidos.

CIRCULACIÓN PULMONAR
La circulación pulmonar permite la descarga de los productos de desecho de la sangre a los pulmones y la absorción de oxígeno desde el aire. El retorno sanguíneo desde las venas principales del cuerpo al lado derecho del corazón se bombea de nuevo a través de la arteria pulmonar hacia los pulmones. Aquí la arteria se divide en pequeñas arteriolas y después en capilares que atraviesan los tejidos del pulmón. Las venas pulmonares llevan entonces la sangre rica en oxígeno de nuevo al corazón.

Cómo se transporta la sangre

Los vasos sanguíneos son los tubos que transportan sangre por el cuerpo.
Las arterias llevan sangre del corazón a los tejidos del cuerpo; desde éstos
las venas transportan la sangre desoxigenada de nuevo al corazón.

TIPOS DE VASOS SANGUÍNEOS

Los vasos sanguíneos son variables en tamaño, según la cantidad de sangre que transporten; así, los vasos más grandes se encuentran cerca del corazón. La sangre destinada a los tejidos del cuerpo sale del corazón a través de la aorta, que se curva y pasa por detrás del corazón y lleva la sangre por el tórax. Desde la aorta unas arterias más pequeñas conducen sangre a los principales órganos del cuerpo, donde se ramifican en vasos de menor tamaño.

Las arterias pequeñas o arteriolas suministran sangre a los capilares, de los que se absorben oxígeno y nutrientes para los tejidos, a los cuales se suministra a su vez dióxido de carbono y materiales de desecho. La sangre que sale de los tejidos se recoge en venas, que drenan en vasos cada vez mayores; los más anchos, las dos venas cavas, suministran de nuevo la sangre al corazón. Desde aquí la sangre se bombea a los pulmones, donde se reoxigena para la circulación.

Estructura de una arteria típica

Túnica íntima
Pared interior de la arteria formada por tres capas.

Túnica adventicia
Cubierta exterior.

Tejido conjuntivo

Lámina elástica interna

Células endoteliales

Luz
Espacio central a través del cual pasa la sangre.

Túnica media
Compuesta por células de músculo liso; permite que la arteria se contraiga y regula el diámetro del vaso.

El revestimiento de una arteria se ve en esa sección transversal. La luz (en negro) es la parte superior derecha, y la pared interior muy elástica (en rosa) aparece plegada debido a la contracción de la arteria.

Arterias y arteriolas

La sangre sale del corazón a presión, por lo que las arterias tienen paredes musculares gruesas compuestas por varias capas (túnicas). Alrededor del conducto central (luz) está la túnica íntima, que consiste en un revestimiento de células endotelia-les, una capa de tejido conjuntivo y una capa de tejido denominado lámina elástica interna. La capa media (túnica media) está formada por células de músculo liso y láminas de tejido elástico conocidas por elastina. La capa externa (túnica adventicia) es un recubrimiento externo resistente de tejido conjuntivo fibroso.

Las arterias más grandes emergen directamente del corazón. Se conocen como arterias elásticas o conductoras, ya que contienen una proporción relativamente elevada de tejido elástico. Esto los permite expandirse al llenarse de sangre y contraerse de nuevo forzando la sangre hacia delante en su camino a las arterias menores.

ARTERIOLAS

Las arterias con un diámetro comprendido entre 0,3 y 0,01 mm se denominan arteriolas. La mayor de ellas tiene las tres túnicas, pero la túnica media comprende únicamente fibras elásticas dispersas. La menor carece de recubrimiento externo y consiste sólo en un revestimiento endotelial rodeado por una única capa de células musculares en espiral. El flujo de sangre desde las arteriolas es controlado por los nervios simpáti-cos, que hacen contraerse a las células musculares, estrechando o dilatando la luz de las arteriolas.

Pulso

Cuando el corazón late, el impacto de la sangre forzada hacia la aorta desde el ventrículo izquierdo provoca una onda de presión que recorre todas las arterias del cuerpo.

Cuando una arteria está cerca de la piel, esta onda de presión se siente como un pulso. Los lugares más sencillos para percibir el pul-so son la arteria radial en la muñeca y la arteria carótida común en el cuello.

Los médicos suelen tomar el pulso en la muñeca. El pulso se corresponde con el ritmo cardiaco y el valor medio para un adulto sano en reposo es de 60 a 80 pulsaciones por minuto.

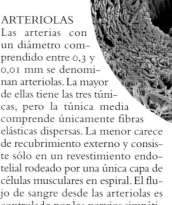

Los glóbulos rojos son visibles en su recorrido a través de la luz (centro) de esta arteriola. El vaso está rodeado por tejido conjuntivo (en amarillo).

Venas y capilares

Las venas son los vasos que mueven la sangre desoxigenada desde el resto del cuerpo al corazón. Los capilares forman una red entre las venas y las arterias de todos los tejidos.

Venas

La estructura de las venas es muy similar a la de las arterias, pero las venas suelen ser más grandes y con paredes más finas, y contienen menos músculo y tejido elástico y colágeno, con lo que pueden comprimirse o distenderse. Las vénulas o venas más pequeñas recogen la sangre de los capilares y van desembo-

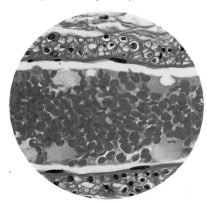

En la luz de esta vena pueden verse los eritrocitos (glóbulos rojos). Contienen hemoglobina, que transporta oxígeno.

cando en venas cada vez mayores. La sangre de la parte inferior del cuerpo llega a la vena cava inferior y vierte en la aurícula derecha del corazón. La sangre de la parte superior del cuerpo es recogida por la vena cava superior y también vierte en la aurícula derecha.

En su mayor parte las venas cuentan con un sistema de válvulas unidireccionales que permiten que la sangre circule en una sola dirección. Las válvulas tienen forma semilunar, con dos semicírculos de tejido, y son dominantes en las venas de las extremidades inferiores.

La presión arterial en las venas es baja. El movimiento de la sangre se ve ayudado por el bombeo musculoesquelético, en el que la contratación de los músculos esqueléticos circundantes comprime la vena y fuerza la sangre hacia delante. En las venas de menos de 1 mm de diámetro y en regiones en las que la actividad muscular es más o menos continua, como las cavidades torácica y abdominal, no hay válvulas, ya que el flujo sanguíneo se mantiene en solitario por la presión muscular.

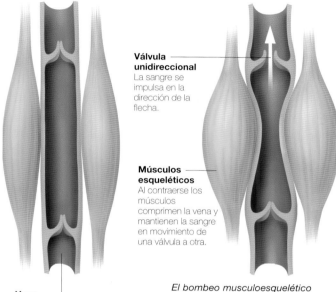

Músculos relajados

Músculos contraídos

Válvula unidireccional
La sangre se impulsa en la dirección de la flecha.

Músculos esqueléticos
Al contraerse los músculos comprimen la vena y mantienen la sangre en movimiento de una válvula a otra.

Vena
Cada vena se divide en segmentos por medio de válvulas antirretorno que evitan el reflujo de la sangre.

El bombeo musculoesquelético mueve la sangre a través de las venas hacia el corazón. Los músculos se contraen contra la vena flexible forzando a las válvulas a abrirse.

Tipos de capilares

Existen al menos tres clases diferentes de capilares:

■ Los capilares continuos están formados por una sola célula endotelial larga que se redondea para formar un tubo.
■ Los capilares fenestrados están formados por dos o más células endoteliales con una serie de poros (fenestraciones), especialmente cerca de las uniones celulares.
■ Los capilares discontinuos, también llamados sinusoidales o senos vasculares, están formados por células con grandes fenestraciones.

■ Los capilares continuos son los menos permeables, y los líquidos se transfieren a y desde los tejidos circundantes por exocitosis y endocitosis, procesos según los cuales las vesículas que contienen los líquidos se mueven a través de las células endoteliales.
■ En los capilares fenestrados y sinusoidales las sustancias químicas pasan con más facilidad a través de las membranas finas que cubren los poros. Los capilares fenestrados son comunes en las glándulas endocrinas y los riñones; los sinusoidales se encuentran en el hígado y el bazo.

Estructura de un capilar fenestrado

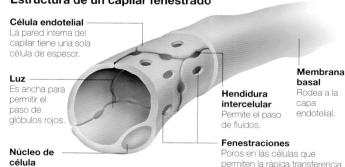

Célula endotelial
La pared interna del capilar tiene una sola célula de espesor.

Luz
Es ancha para permitir el paso de glóbulos rojos.

Núcleo de célula endotelial

Hendidura intercelular
Permite el paso de fluidos.

Membrana basal
Rodea a la capa endotelial.

Fenestraciones
Poros en las células que permiten la rápida transferencia de materiales a los tejidos.

Desvanecimiento

El desvanecimiento (síncope) es una pérdida temporal de conciencia debida a un descenso en el riego sanguíneo del encéfalo. Puede deberse a una atmósfera cargada, a levantarse de golpe, a permanecer de pie durante largo tiempo sin cambiar de posición, a una obstrucción en las arterias del cuello al mover la cabeza de repente o a una reacción emocional muy intensa. También se produce con gasto cardiaco deficiente, ataque cardiaco, arritmia (perturbación del pulso cardiaco) o enfermedad de las válvulas cardiacas.

El desvanecimiento puede afectar a cualquier persona y a cualquier edad con independencia de su estado de salud o forma física, aunque es más común en ancianos. Antes de perder la conciencia la víctima puede sufrir un ligero mareo y náuseas, palidecer y sentir sudor frío.

El desvanecimiento cuando se está mucho tiempo de pie se debe a la acumulación de sangre en las piernas. El flujo sanguíneo puede restaurarse flexionando los músculos de las piernas.

Cómo coagula la sangre

La sangre realiza un circuito completo por el cuerpo cada minuto y por tanto es preciso taponar rápidamente toda lesión en el lecho vascular para evitar una pérdida excesiva de sangre. Este proceso se denomina hemostasis.

La sangre fluye libremente en los vasos sanguíneos intactos debido en parte a un exceso de anticoagulantes de ocurrencia natural. Sin embargo, si se rompe la pared del vaso sanguíneo, se inicia una serie de reacciones químicas para detener la hemorragia (hemostasis). Sin estos procesos hemostáticos el menor de los cortes podría hacer que una persona muriera desangrada.

La hemostasis hace intervenir a numerosos factores de coagulación de la sangre, que están presentes en el plasma, así como sustancias químicas liberadas por las plaquetas y las células dañadas.

LAS FASES DE LA HEMOSTASIS

La hemostasis puede descomponerse en tres fases principales, que se producen en rápida sucesión después de una lesión:

■ Vasoconstricción. La primera fase implica la constricción del vaso sanguíneo dañado; así se puede reducir significativamente la pérdida de sangre en plazo corto.
■ Formación de un tapón de plaquetas. El daño en el vaso sanguíneo hace que las plaquetas, que están presentes en el plasma, se adhieran entre sí y al vaso sanguíneo dañado.
■ Coagulación. Después el tapón de plaquetas se refuerza con una malla de fibras de fibrina. Esta red de fibrina atrapa los glóbulos rojos y blancos para formar un tapón hemostático secundario o coágulo de sangre.

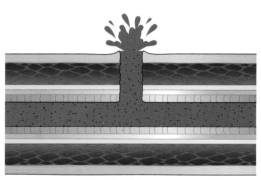

Lesión

Cuando un vaso sanguíneo resulta dañado, la sangre escapa de la circulación reduciendo el volumen sanguíneo. La pérdida excesiva de sangre se evita mediante la hemostasis.

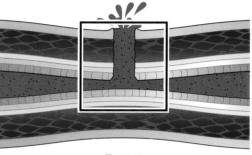

Fase 1

La primera fase de la hemostasis es la vasoconstricción; el vaso sanguíneo dañado se estrecha para reducir la cantidad de sangre que circula por él.

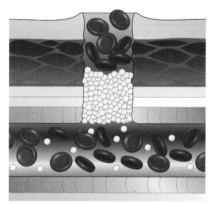

Fase 2

La segunda fase es la formación de un tapón de plaquetas. Éstas (en blanco) se apelmazan y pegan entre sí para sellar temporalmente el orificio en el vaso sanguíneo.

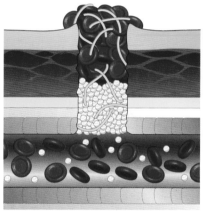

Fase 3

Por último, se forma un coágulo de sangre; los glóbulos rojos y blancos de la sangre quedan atrapados en una malla de fibrina (tiras amarillas), que tapona el agujero hasta que se repara de forma permanente.

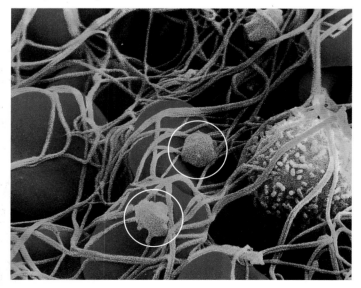

Aquí puede verse una red de hebras de fibrina que atrapan glóbulos rojos durante la coagulación. Esta micrografía revela también un glóbulo blanco (amarillo) y plaquetas (rodeadas con círculos) en el coágulo.

Cómo se forman los coágulos de sangre

La formación de un coágulo de sangre es un proceso muy complicado que hace intervenir a más de 30 sustancias químicas diferentes. Algunas de estas sustancias, llamadas factores de coagulación, potencian la formación del coágulo mientras que otras, los anticoagulantes, inhiben la coagulación.

La coagulación es iniciada por una cascada compleja de reacciones bioquímicas que implican a 13 factores de coagulación. El resultado final es la formación de un complejo químico denominado activador de la protrombina. Este compuesto cataliza la conversión de una proteína plasmática llamada trombina. La trombina, a su vez, cataliza la unión mutua de las moléculas de fibrinógeno presentes en el plasma para producir una malla de fibrina. Esta malla atrapa los glóbulos rojos y blancos en el orificio de la pared del vaso.

El gran número de etapas químicas implicadas en el proceso de coagulación hace que ésta deba controlarse muy estrechamente. Este hecho es importante, porque una coagulación innecesaria podría ser peligrosa, sobre todo si bloquea un vaso sanguíneo que irriga a un órgano importante.

Contracción del coágulo y reparación

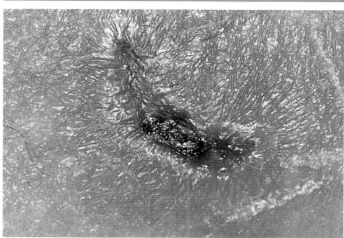

Unos 30-60 minutos después de que se ha formado el coágulo, las plaquetas dentro del mismo se contraen (como los músculos, las plaquetas contienen dos proteínas contráctiles denominadas actina y miosina). Esta contracción tira de las hebras de fibrina, acercando los bordes del tejido dañado y ayudando a cerrar la herida.

El coágulo es temporal; al mismo tiempo que se contrae, los tejidos circundantes se dividen para reparar el vaso sanguíneo.

En esta mordedura de perro, en fase de curación, se está formando tejido cicatricial a ambos lados de la laceración.

FIBRINÓLISIS

Una vez que el tejido ha sanado (al cabo de unos dos días), la malla de fibrina que sostiene el coágulo se disuelve. Este proceso, conocido por fibrinólisis, está catalizado por la enzima plasmina, que se produce a partir de la proteína plasmática plasminógeno.

Las moléculas de plasminógeno se incorporan al coágulo de sangre durante su formación, en el que permanecen latentes hasta que se activan por el proceso de curación. En consecuencia, la mayoría de la plasmina queda restringida al coágulo.

Normalmente se mantiene un equilibrio entre coagulación y fibrinólisis en el cuerpo.

Plaquetas

Las plaquetas son fragmentos citoplásmicos capaces de sobrevivir en la circulación hasta diez días. Se forman en la médula ósea por células extraordinariamente grandes denominadas megacariocitos. En términos estrictos, no se trata de células, ya que no tienen núcleo y por tanto no pueden dividirse. La microscopía electrónica revela tres zonas en las plaquetas:

■ La membrana externa consiste en un recubrimiento superficial de glucoproteína que hace que se adhieran sólo al tejido lesionado. La membrana contiene también grandes cantidades de fosfolípidos que desempeñan diversos papeles en el proceso de coagulación sanguínea.

■ El citosol (solución dentro de la membrana celular) contiene proteínas contráctiles (que incluyen actina y miosina), microfilamentos y microtúbulos. Son impor

Esta micrografía electrónica muestra plaquetas sanguíneas activadas que se agrupan en la superficie de la pared de un vaso sanguíneo dañado.

tantes para la contracción del coágulo.

■ Los gránulos de plaquetas contienen una diversidad de compuestos hemostáticamente activos que se liberan cuando se activan las plaquetas. Estos compuestos son potentes agentes de agregación que atraen más plaquetas al lugar de la herida. Así, la formación del tapón de plaquetas es un proceso que se autoalimenta.

En esta micrografía hay una sola plaqueta sanguínea activada. En este estado las plaquetas desarrollan proyecciones (seudópodos) desde la pared celular, también visibles en esta imagen.

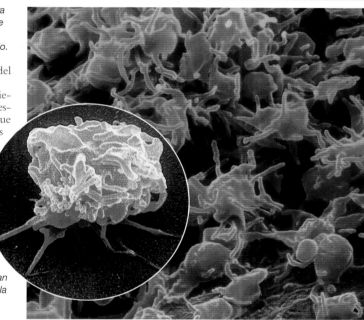

Fármacos anticoagulantes

El principal uso clínico de los anticoagulantes es prevenir la formación de un coágulo sanguíneo (trombo) en un vaso sanguíneo no dañado. Un coágulo grande podría llegar a bloquear un vaso sanguíneo que podría causar la muerte de los tejidos que éste irriga.

USOS CLÍNICOS

Los anticoagulantes, como la heparina, se administran por inyección intravenosa (vía parenteral), mientras que otros fármacos, como la warfarina, se administran por vía oral. Los dos tipos de fármacos tienen modos de acción muy diferen-

tes: mientras la warfarina tarda entre 48 y 72 horas en hacer efecto, la acción de la heparina es inmediata.

La heparina es el anticoagulante usado más a menudo en términos clínicos, sobre todo en operaciones cardiacas y en pacientes que reciben transfusiones sanguíneas. La warfarina se emplea predominantemente en pacientes en riesgo de sufrir arritmia (frecuencia cardiaca irregular).

La aspirina bloquea la agregación de plaquetas y la formación de tapones de plaquetas. En la prevención secundaria de enfermedad cardiovascular o cerebrovascular trombótica se usa una dosis de 75-150 mg al día.

La warfarina se ha usado extensamente como raticida. Las ratas que ingieren comida con warfarina mueren desangradas, ya que su sangre es incapaz de coagularse.

Hemofilia

Se llama hemofilia a un grupo de trastornos hereditarios de la sangre causados por la carencia de uno de los factores de coagulación. La más común (85% de los casos) es la hemofilia A, que se debe a una deficiencia del factor de coagulación VIII. La enfermedad se caracteriza por hemorragia espontánea dolorosa en las articulaciones y los músculos. El caso más conocido de hemofilia A es el de la familia de la reina Victoria, muchos de cuyos varones fueron víctimas de la enfermedad.

La dolencia se trata reponiendo el factor ausente obtenido del plasma humano. Existen también versiones de ingeniería genética para pacientes que no pueden producir factores VIII o IX (en la llamada enfermedad de Christmas).

Cómo nos protege la sangre de la enfermedad

Además de transportar nutrientes a todos los tejidos del cuerpo y retirar de éstos los productos de desecho, la sangre contiene componentes que son parte vital de la respuesta inmunitaria humana a la infección.

La sangre es el gran líquido defensivo de nuestro cuerpo. Está presente constantemente en el sistema circulatorio (cardiovascular), lista para responder a cualquier amenaza microbiana que pudiera surgir.

MÉDULA ÓSEA

Todas las células de la sangre inician su vida en la médula ósea, una sustancia gelatinosa contenida en las cavidades de los huesos. Los distintos tipos de células sanguíneas proceden de un solo tipo de célula denominada célula madre, que puede transformarse en los glóbulos rojos, plaquetas y glóbulos blancos del sistema inmunitario.

Estas células migran a otras regiones, como el bazo o el timo (en el cuello), donde maduran para convertirse en tipos celulares diferenciados.

EL SISTEMA LINFÁTICO

El funcionamiento del sistema inmunitario se ve facilitado por el sistema linfático. Este sistema hace circular una mezcla de líquidos denominada linfa por todo el cuerpo, aunque es diferente del sistema circulatorio, que transporta sangre. Más importante aún es que el sistema linfático lleva los glóbulos blancos por todo el cuerpo.

En los capilares, los más pequeños de los vasos sanguíneos, la presión hace que el líquido y las moléculas pequeñas entren en los espacios intercelulares. Este líquido intersticial baña y nutre los tejidos circundantes. Posteriormente se vierte al sistema linfático, donde circula y termina por revertir al torrente sanguíneo. No se bombea de forma activa, sino que depende de que los vasos sean comprimidos por los músculos de alrededor.

Cuando el cuerpo sufre infección por bacterias, se liberan señales químicas. Éstas hacen que los glóbulos blancos, llamados leucocitos, salgan de los capilares y ataquen a las bacterias invasoras.

Defensa contra la infección

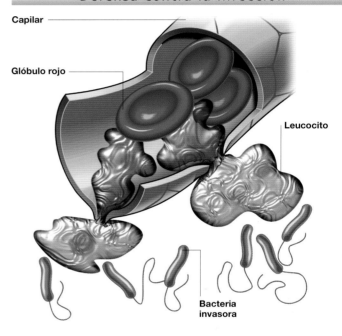

Capilar

Glóbulo rojo

Leucocito

Bacteria invasora

Virus

Al ser los virus tan pequeños (de sólo 0,00001 mm de diámetro), tienen una eficacia muy alta para entrar en los tractos respiratorio y gastrointestinal. La sangre puede combatir los virus liberando anticuerpos a la zona afectada.

El rinovirus, mostrado en la imagen, es una de las causas del resfriado común. La sangre se defiende contra estos virus transportando anticuerpos.

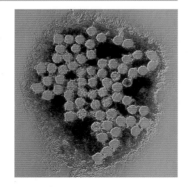

Invasores unicelulares

Las bacterias y protozoos son buscados, ingeridos (por fagocitosis) y destruidos por los fagocitos de los glóbulos blancos.

Los microbios invasores inducen la producción de factores que atraen a los fagocitos hacia la zona infectada; entonces son rodeados por anticuerpos e ingeridos.

Las bacterias E. coli se asocian a la intoxicación alimentaria. Los fagocitos de la sangre pueden ingerir estos microbios.

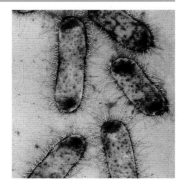

Invasores multicelulares

Los helmintos son gusanos parásitos, comunes sobre todo en los países cálidos. La sangre los ataca con glóbulos blancos especializados que se conocen como eosinófilos, así llamados porque se tiñen de rojo al exponerse a la eosina, un tinte de laboratorio.

Los parásitos, como este anquilostoma, están presentes a menudo en el intestino. Los eosinófilos del torrente sanguíneo pueden atacar a estos invasores.

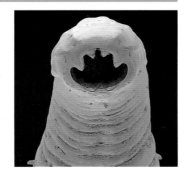

Hongos

Los organismos fúngicos son muy eficaces como invasores de las zonas húmedas y calientes del cuerpo humano, como el espacio entre los dedos de los pies. El cuerpo combate estas invasiones llevando anticuerpos a la zona a través de la sangre como respuesta inmunitaria.

El cuerpo responde a muchas infecciones fúngicas con anticuerpos que son transportados en la sangre hasta la zona en cuestión.

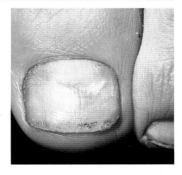

Componentes defensivos de la sangre

Aunque algunas infecciones pueden desbordar la capacidad de nuestras defensas, los diversos componentes de la sangre luchan con éxito contra la mayoría de los invasores.

Los componentes de la sangre que combaten las infecciones son:

■ Fagocitos. Si un microbio entra en el cuerpo, casi con toda seguridad se encontrará con glóbulos blancos especializados: neutrófilos polimorfos y monocitos. Su función es fagocitar las partículas invasoras y descomponerlas a través de un proceso de digestión intracelular. Los fagocitos no viven exclusivamente en la sangre: se extienden fuera de los vasos sanguíneos y en los tejidos, una mejor ubicación para atacar a los microbios invasores.

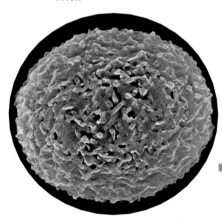

Los neutrófilos polimorfos, el tipo más común de glóbulo blanco, atacan a los organismos invasores por fagocitosis.

De los dos tipos de fagocitos, los polimorfos son de vida relativamente corta, mientras los monocitos son más duraderos y se convierten en otro tipo de células denominadas macrófagos. Los macrófagos crean una zona de inflamación alrededor de los microbios, ayudando a limitar su difusión. Cuando les es posible, los fagocitan.

■ Células linfoides. Estos glóbulos blancos existen en tres formas:

Linfocitos T. Son muy eficaces en el ataque contra virus. Los virólogos los clasifican en varios grupos (células T auxiliares, células T supresoras, células T citotóxicas y células T mediadoras de hipersensibilidad), que se combinan para intentar destruir los virus.

Linfocitos B. Participan en la producción de anticuerpos contra los microbios.

Células citolíticas y células citolíticas naturales (NK). A menudo son capaces de reconocer células humanas que han sido capturadas por virus como fábricas intracelulares y las destruyen.

■ Interferones. Se trata de agentes químicos producidos por células infectadas por virus y linfocitos T. Los interferones circulan por el torrente sanguíneo activando células NK y ofreciendo defensa contra los virus.

■ Complemento. Este componente de la sangre consiste en unas

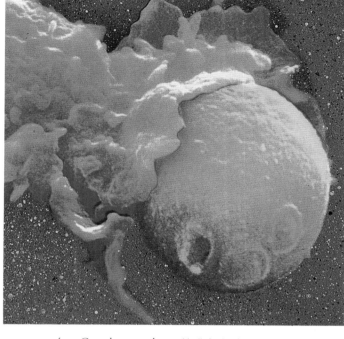

20 proteínas. Cuando se produce una infección, todas ellas trabajan en conjunto para atacar a las bacterias y organizar la inflamación alrededor de la zona infectada.

■ Proteínas de fase aguda. Se trata de proteínas de la sangre con capacidad para atacar a ciertas bacterias e inhabilitarlas en las primeras fases de la infección.

■ Eosinófilos. Son glóbulos blancos especializados que desempe-

Un linfocito (en color azul) ingiere una espora de levadura (en color amarillo) por fagocitosis. Los linfocitos atacan normalmente a los invasores con enzimas, y no por fagocitosis.

ñan un papel importante en la lucha contra la infección por helmintos. Pueden inactivar algunos de estos parásitos uniéndose a ellos y liberando una proteína tóxica.

Anticuerpos de la sangre

Los anticuerpos son componentes vitales de la sangre, moléculas complejas llamadas inmunoglobinas que se forman como respuesta a la infección. Existen varios tipos de inmunoglobinas:

■ IgC. Constituye aproximadamente las tres cuartas partes de la inmunoglobina en la sangre normal. Es muy eficaz para neutralizar las

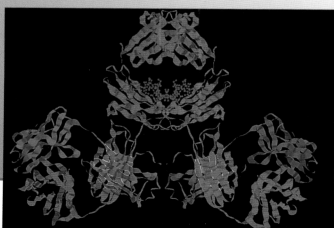

toxinas (tóxicos) producidas por ciertos microbios.

■ IgM. Supone la cuarta parte aproximadamente de las inmunoglobinas séricas. Activa el complemento de manera que pueda atacar a las células extrañas.

■ IgA. Forma en torno a la quinta parte de la carga de inmunoglobinas de la sangre y se suministra principalmente a zonas como

En esta imagen generada por ordenador se muestra la estructura de un anticuerpo, que son capaces de unirse a células extrañas o toxinas y neutralizarlas.

la boca, las vías respiratorias y el intestino, donde es probable que los gérmenes ataquen. Actúa como una secreción antiséptica ayudando a que los microbios penetren en las superficies mucosas del cuerpo.

■ IgE. Según se cree, tiene un papel en la defensa del cuerpo contra los helmintos al crear inflamaciones defensivas. Por desgracia a menudo se producen en cantidades muy excesivas en las personas que sufren alergias provocando una inflamación inapropiada. Se asocian con síntomas como el asma, la fiebre del heno y las reacciones alérgicas de la piel.

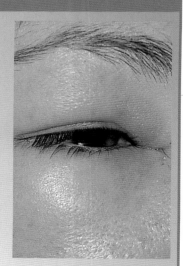

En algunos casos, se producen cantidades excesivas de un anticuerpo denominado IgE. Como consecuencia pueden darse síntomas de una reacción alérgica.

¿Qué es la presión arterial?

El corazón debe bombear sangre a presión suficiente para abastecer a los tejidos del cuerpo de oxígeno y nutrientes. La presión arterial es vigilada estrechamente por el cuerpo y se mantiene a su nivel óptimo.

La sangre sale del corazón de forma pulsátil: cada vez que se contrae el corazón se expulsan del mismo unos 70 mililitros de sangre. Sin embargo, pese a este flujo discontinuo y troceado de sangre a través de la raíz de la aorta, el flujo sanguíneo por los capilares es suave y continuo.

ARTERIAS ELÁSTICAS

El flujo continuo se produce porque las arterias no son cilindros rígidos. Al contrario, tienen paredes elásticas que pueden expandirse y contraerse como una cinta elástica. Así, durante la sístole (cuando el corazón se contrae), la sangre entra en las arterias más deprisa de lo que sale de los lechos capilares; el volumen aumentado de sangre en las arterias induce a las paredes arteriales a expandirse.

Corazón contrayéndose

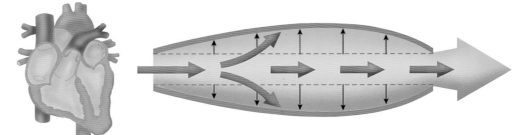

Corazón relajándose

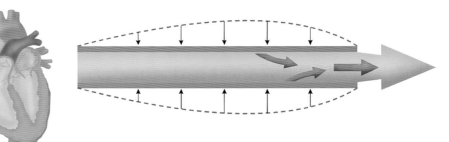

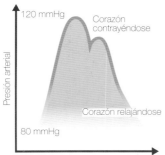

FLUJO SANGUÍNEO SUAVE

Esta elasticidad característica hace que la sangre fluya más suavemente cuando recorre las partes bajas del árbol vascular; aunque la pre-

Durante la sístole (arriba), la sangre se fuerza hacia las arterias elásticas, que se expanden. En la diástole (abajo) se contraen, impulsando la sangre con suavidad hacia delante.

sión arterial fluctúa con cada latido cardiaco, sería mucho más pulsátil si las arterias fueran tubos rígidos e inflexibles (una analogía sería el flujo de agua por una manguera de jardín si se abriera y cerrara intermitentemente el grifo al que está conectada).

El flujo suave de sangre por los capilares ofrece ventajas, pues unos cambios intensos en la presión da-

La presión arterial cambia durante cada latido cardiaco desde unos 80 milímetros de mercurio (mmHg) (diastólica) a 120 mmHg (sistólica). La diferencia (40 mmHg) recibe el nombre de presión de pulso.

ñarían los capilares, cuyas paredes tienen una sola célula de espesor. Si esto sucediera, sería catastrófico para el cuerpo humano.

Cómo se mide la presión arterial

Los médicos utilizan para medir la presión arterial un esfingomanómetro:

1. Se coloca un manguito rodeando el brazo del paciente y se infla para bloquear el flujo de sangre a través de la arteria braquial.
2. Se deja salir gradualmente aire del manguito mientras el médico escucha con un estetoscopio situado «corriente abajo» del manguito. Se anota la presión a la que puede oírse la sangre corriendo por la arteria (presión sistólica).
3. Mientras sale más aire del manguito, la sangre fluye suavemente de nuevo por la arteria y desaparece el ruido que hace al pasar. Esta presión se denomina diastólica.

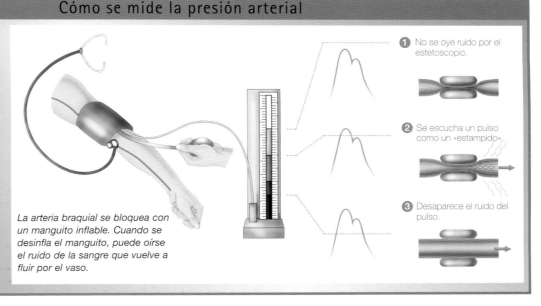

La arteria braquial se bloquea con un manguito inflable. Cuando se desinfla el manguito, puede oírse el ruido de la sangre que vuelve a fluir por el vaso.

❶ No se oye ruido por el estetoscopio.

❷ Se escucha un pulso como un «estampido».

❸ Desaparece el ruido del pulso.

¿Qué determina la presión arterial?

En su nivel más simple la presión arterial es el producto de dos factores: gasto cardiaco y resistencia periférica total.

■ El gasto cardiaco es la cantidad de sangre que bombea el corazón por todo el cuerpo cada minuto. Por ejemplo, en un varón adulto sano el corazón late unas 70 veces por minuto con cada contracción ventricular bombeando alrededor de 70 mililitros de sangre (el denominado volumen sistólico). Así, el gasto cardiaco sería de 4.900 mililitros (70 ml por 70 ml es igual a 4.900 ml) por minuto.

■ La resistencia periférica total (RPT) es la que se encuentra la sangre cuando circula por el cuerpo. La resistencia es muy sensible al diámetro del vaso por el que está fluyendo la sangre; al reducir a la mitad este diámetro, su resistencia aumenta 16 veces.

IMPORTANCIA DEL VOLUMEN SANGUÍNEO

Sin embargo, la circulación es un sistema cerrado: la sangre se devuelve al corazón por las venas y no sale del cuerpo con cada contracción. Así, el volumen de sangre circulante determina también la presión arterial. Este hecho puede ser importante, por ejemplo, en hemorragias (pérdida de sangre) graves.

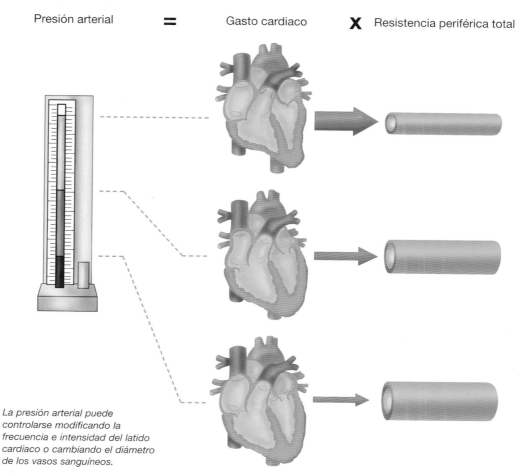

Presión arterial **=** Gasto cardiaco **X** Resistencia periférica total

La presión arterial puede controlarse modificando la frecuencia e intensidad del latido cardiaco o cambiando el diámetro de los vasos sanguíneos.

¿Cómo se controla la presión arterial?

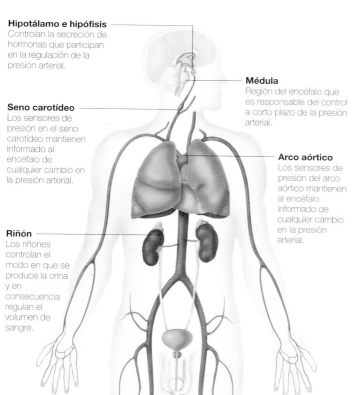

Hipotálamo e hipófisis
Controlan la secreción de hormonas que participan en la regulación de la presión arterial.

Seno carotídeo
Los sensores de presión en el seno carotídeo mantienen informado al encéfalo de cualquier cambio en la presión arterial.

Riñón
Los riñones controlan el modo en que se produce la orina y en consecuencia regulan el volumen de sangre.

Médula
Región del encéfalo que es responsable del control a corto plazo de la presión arterial.

Arco aórtico
Los sensores de presión del arco aórtico mantienen al encéfalo informado de cualquier cambio en la presión arterial.

El cuerpo tiene tres formas de regular la presión arterial: puede modificar el gasto cardiaco alterando la fuerza o la frecuencia de la contracción cardiaca; cambiar el diámetro y la elasticidad de los vasos sanguíneos para regular la RPT; o modificar el volumen de sangre circulante.

CONTROL A CORTO PLAZO

Existen dos mecanismos que controlan la presión arterial a corto plazo.

■ Control nervioso. Los sensores de presión arterial de las arterias envían información a través de los nervios a una región del encéfalo denominada médula, que calcula si es preciso corregir la presión arterial. En caso afirmativo la médula envía a su vez señales nerviosas al corazón para modificar su frecuencia e intensidad de latido y a los vasos sanguíneos para modificar su diámetro.

■ Control químico. Un gran número de las sustancias

En la regulación de la presión arterial participa un gran número de estructuras, tanto a corto como a largo plazo.

químicas transportadas en la sangre pueden estrechar o dilatar los vasos sanguíneos.

CONTROL A LARGO PLAZO

A largo plazo el volumen está controlado por sustancias químicas que actúan en los riñones. Si la presión arterial desciende, los riñones retienen agua produciendo una cantidad de orina más concentrada e incrementando así el volumen sanguíneo.

El estrés excesivo puede contribuir al desarrollo de alta presión arterial al provocar un mal funcionamiento de una región del encéfalo denominada médula.

Cómo el encéfalo controla la presión arterial

La médula, una región del encéfalo situada justo encima de la médula espinal, vigila constantemente la presión arterial y corrige los cambios en la presión enviando señales nerviosas al corazón y a los vasos sanguíneos.

La presión de la sangre en las arterias se mide continuamente por medio de sensores de presión especializados llamados barorreceptores («baro» es un prefijo que significa presión).

Los barorreceptores son terminaciones nerviosas contenidas dentro de las paredes de una arteria que son capaces de detectar hasta la menor distensión que se produzca en la pared arterial. Estos sensores de presión se encuentran principalmente en el arco aórtico y los senos carotídeos.

NERVIOS BARORRECEPTORES

Las terminaciones barorreceptoras son parte de las fibras nerviosas que viajan hasta una región del encéfalo denominada médula. Estas terminaciones barorreceptoras on muy numerosos.

Las fibras aferentes (del latín *afferere*, llevar hacia) de los barorreceptores aórticos forman el nervio aórtico, que se une al nervio vago (10° craneal) antes de entrar en la médula, donde terminan en una región conocida como núcleo del tracto solitario (NTS).

Anatomía del reflejo barorreceptor

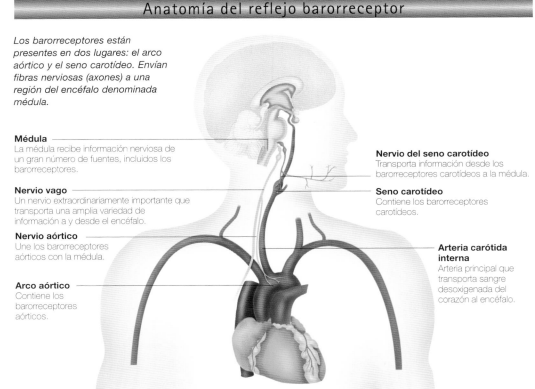

Los barorreceptores están presentes en dos lugares: el arco aórtico y el seno carotídeo. Envían fibras nerviosas (axones) a una región del encéfalo denominada médula.

Médula
La médula recibe información nerviosa de un gran número de fuentes, incluidos los barorreceptores.

Nervio vago
Un nervio extraordinariamente importante que transporta una amplia variedad de información a y desde el encéfalo.

Nervio aórtico
Une los barorreceptores aórticos con la médula.

Arco aórtico
Contiene los barorreceptores aórticos.

Nervio del seno carotídeo
Transporta información desde los barorreceptores carotídeos a la médula.

Seno carotídeo
Contiene los barorreceptores carotídeos.

Arteria carótida interna
Arteria principal que transporta sangre desoxigenada del corazón al encéfalo.

Respuesta de barorreceptores

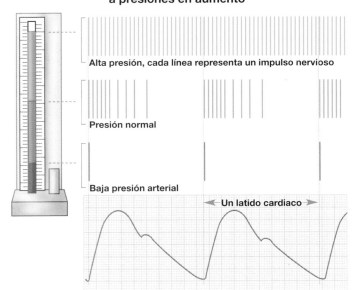

Respuesta de los nervios barorreceptores a presiones en aumento

Alta presión, cada línea representa un impulso nervioso

Presión normal

Baja presión arterial

◄— **Un latido cardiaco** —►

La pared arterial estirándose se transforma en actividad eléctrica en las fibras nerviosas barorreceptoras. Cuando la presión sube, se incrementa la actividad nerviosa.

Como la sangre se mueve a través de las arterias por un flujo pulsátil, y no continuo, los nervios barorreceptores no se activan a un ritmo uniforme.

Ello se debe a que durante la sístole (cuando el corazón se contrae y la presión es máxima) las paredes arteriales se distienden haciendo que los nervios barorreceptores disparen una salva de impulsos nerviosos que viajan hasta la médula. Sin embargo, durante la diástole (cuando el corazón se relaja y la presión es mínima) las paredes arteriales no se estiran, lo que hace que los barorreceptores se silencien.

Es importante saber que muchos barorreceptores estarán activos a presiones normales; ello permite informar a la médula si la presión desciende (ralentizando el ritmo de los impulsos nerviosos), lo cual sería imposible si los nervios estuvieran en silencio en reposo.

PROPIEDADES
No todos los barorreceptores tienen las mismas propiedades:

■ Algunos responden a bajas presiones, mientras que otros lo hacen sólo cuando la presión arterial ha alcanzado niveles muy altos.

■ El intervalo de presiones en el que son sensibles se modifica también considerablemente.

■ Los barorreceptores varían en su sensibilidad al ritmo de cambio de la presión arterial; se cree que este parámetro es muy importante, ya que permite al encéfalo adelantarse a los cambios de presión.

Función de la médula

Los nervios barorreceptores se proyectan y terminan en una región de la médula denominada núcleo del tracto solitario (NTS). El NTS desempeña un papel importante en el control de las funciones autónomas (inconscientes), lo que incluye, sin restringirse a ello, el control de la presión arterial. Si resulta dañado, por ejemplo por un accidente cerebrovascular, las consecuencias pueden ser fatales.

FUNCIÓN DEL NTS

El NTS recibe información no sólo de los barorreceptores, sino también de un gran número de otras fuentes que incluyen los receptores presentes en el corazón, el tracto gastrointestinal, los pulmones, el esófago y la lengua. Las neuronas del NTS no actúan como una simple estación de retransmisión para esta diversa información aferente. Al contrario, calculan cuál sería la presión arterial correcta después de tener en cuenta la información obtenida de todas las demás fuentes.

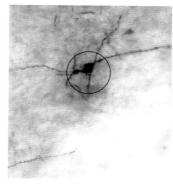

Micrografía de una neurona en el NTS, que recibe información de los barorreceptores. El cuerpo celular, que contiene el núcleo, tiene forma ovalada oscura (rodeado por el círculo).

La traza superior muestra la actividad eléctrica de una neurona situada en el NTS. El ritmo de activación de la neurona aumenta al elevarse la presión arterial (abajo).

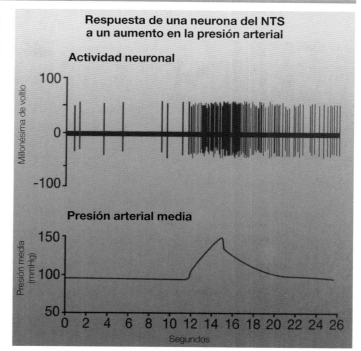

Respuesta de una neurona del NTS a un aumento en la presión arterial

Actividad neuronal

Presión arterial media

La vía del reflejo barorreceptor

La vía del reflejo barorreceptor

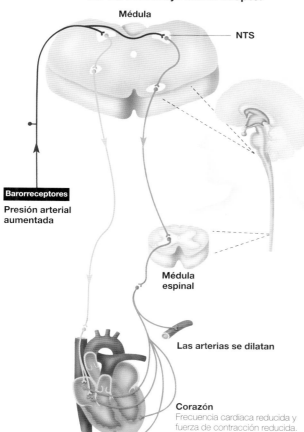

Médula

NTS

Barorreceptores
Presión arterial aumentada

Médula espinal

Las arterias se dilatan

Corazón
Frecuencia cardiaca reducida y fuerza de contracción reducida.

El reflejo barorreceptor corrige un aumento en la presión arterial reduciendo el ritmo y la intensidad del latido cardiaco e induciendo una relajación de las arterias, con lo que se reduce la presión arterial.

Durante periodos de estrés intenso el reflejo barorreceptor está suprimido por los nervios que tienen su origen en el hipotálamo. Ésta puede ser una de las causas de la hipertensión.

Si la presión arterial aumenta, los barorreceptores responden a la distensión de la pared arterial enviando una salva de impulsos nerviosos al NTS.

En condiciones normales el NTS intentará corregir este aumento en la presión enviando impulsos nerviosos al corazón indicándole que reduzca su frecuencia e intensidad de las contracciones, y a las arterias señalándoles que se hagan más elásticas. Ello tendrá el efecto de reducir tanto el gasto cardiaco (cantidad de sangre que bombea el corazón en cada minuto) como la resistencia al flujo sanguíneo en las arterias. Estos efectos combinados actuarán para reducir la presión arterial.

REINICIO DEL REFLEJO BARORRECEPTOR

El reflejo barorreceptor actúa para mantener la presión arterial en lo que los fisiólogos llaman punto de ajuste. Una analogía con el punto de ajuste sería el valor de la temperatura dado por un termostato con calefacción central; el punto de ajuste del reflejo barorreceptor puede modificarse del mismo modo que un termostato. El cuerpo actúa influyendo en la presión umbral a la cual se activan los barorreceptores periféricos (reinicio periférico) o alterando la sensibilidad de las neuronas dentro de la médula (reinicio central).

REINICIO PERIFÉRICO

Si la presión se mantiene a un nivel elevado durante muchos minutos, los barorreceptores se acostumbran a la nueva presión y «piensan» que es la correcta. Así no podrán informar con precisión al encéfalo sobre los niveles de presión a largo plazo.

REINICIO CENTRAL

Cuando nos vemos expuestos a una situación estresante, las neuronas del NTS que median en el reflejo barorreceptor se suprimen intensamente permitiendo un aumento de la presión arterial. Esta situación daba una ventaja a nuestros antepasados, porque los preparaba para la lucha o para salir huyendo de sus agresores.

Sin embargo, este mecanismo neuronal podría ser responsable de la alta incidencia de la hipertensión que se observa en la sociedad occidental. El estrés que sufrimos en nuestra vida cotidiana, en algunos casos al menos, eleva el punto de ajuste y provoca hipertensión.

Células linfoides y vasos de drenaje linfático

Las células linfoides se dividen en linfocitos B, que producen anticuerpos, y linfocitos T, que destruyen las células infectadas. La red linfática en su conjunto drena finalmente en el sistema venoso y tiene una destacada función en el sistema inmunitario.

Distribuidos por todo el cuerpo hay grupos discretos de tejido linfoide, que tienen un papel importante en el sistema inmunitario:

■ Bazo. Ofrece un lugar para que las células del sistema inmunitario proliferen y vigila la sangre en busca de células dañadas o materia extraña.

■ Timo. Pequeña glándula situada en el tórax, justo detrás de la parte superior del esternón. Recibe los linfocitos recién formados de la médula ósea, que maduran en linfocitos T, un grupo importante de células linfoides.

■ Tejido linfoide del tracto gastrointestinal. Tejido linfoide situado debajo de la mucosa del tracto digestivo, generalmente el anillo de tejido linfoide en la parte posterior de la boca y algunos grupos discretos de nódulos linfoides conocidos como placas de Peyer, presentes en las paredes de la última parte del intestino delgado. Se cree que estos grupos sirven de asiento para la maduración de los linfocitos B, otro conjunto importante de linfocitos.

La gran cantidad de tejido linfoide en la pared del tracto digestivo protege de la infección por organismos que entran por la boca.

Tejidos y órganos linfoides

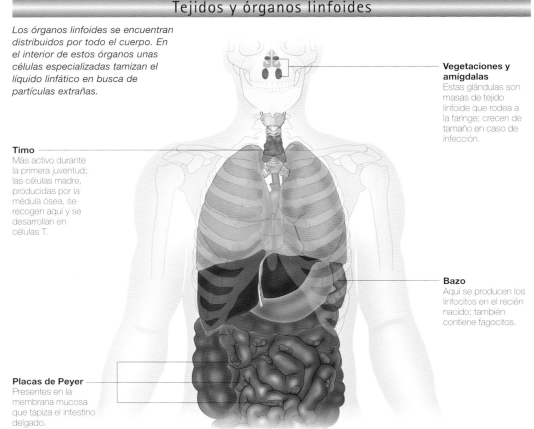

Los órganos linfoides se encuentran distribuidos por todo el cuerpo. En el interior de estos órganos unas células especializadas tamizan el líquido linfático en busca de partículas extrañas.

Timo
Más activo durante la primera juventud; las células madre, producidas por la médula ósea, se recogen aquí y se desarrollan en células T.

Vegetaciones y amígdalas
Estas glándulas son masas de tejido linfoide que rodea a la faringe; crecen de tamaño en caso de infección.

Bazo
Aquí se producen los linfocitos en el recién nacido; también contiene fagocitos.

Placas de Peyer
Presentes en la membrana mucosa que tapiza el intestino delgado.

La función de los linfocitos

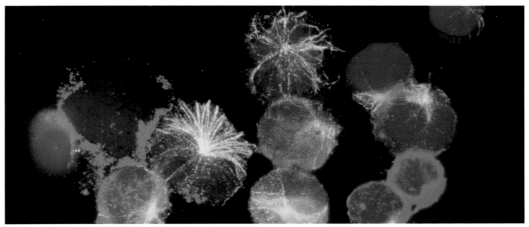

Las células citolíticas naturales constituyen un tipo de linfocito. Pueden destruir las células cancerosas y las infectadas por virus.

Las células del sistema inmunitario, linfocitos, pueden reconocer proteínas extrañas, como las presentes en la superficie de los microorganismos invasores o en las células de los tejidos trasplantados.

En respuesta los linfocitos se multiplican y montan una respuesta inmunitaria, algunos (células T) atacando directamente las células extrañas y otros (células B) fabricando anticuerpos que se unen a las proteínas extrañas permitiendo su localización y destrucción.

Los linfocitos se forman en la médula ósea y circulan libremente en el torrente sanguíneo. En esta circulación pueden preparar rápidamente una respuesta a las infecciones.

Vasos de drenaje linfático

Los vasos linfáticos forman una red que discurre a través de los tejidos. Estos vasos convergen y vierten en las venas.

DRENAJE DEL TÓRAX

De los nódulos linfáticos que se sitúan en el tórax, los más importantes clínicamente son los nódulos mamarios internos a ambos lados del esternón. Éstos reciben el 25% de la linfa de la mama y pueden ser asiento de la diseminación de un cáncer de mama. Dentro del tórax, el mayor grupo de nódulos linfáticos se encuentra en la base de la tráquea y los bronquios. Otros grupos de nódulos linfáticos dentro del tórax se sitúan junto a los principales vasos sanguíneos.

EXTREMIDADES SUPERIORES E INFERIORES

En las extremidades existen vasos sanguíneos superficiales y profundos; los superficiales suelen estar situados siguiendo las venas, mientras que los profundos acompañan a las arterias. El grupo axilar de nódulos (axilas) recibe la linfa de las extremidades superiores, el tronco por encima del ombligo y las mamas. Los nódulos linfáticos inguinales (ingle) reciben la linfa de los vasos superficiales y los vasos linfáticos profundos que discurren junto a las arterias. La linfa se desplaza desde los nódulos inguinales a los de la aorta y confluye finalmente en los troncos linfáticos lumbares.

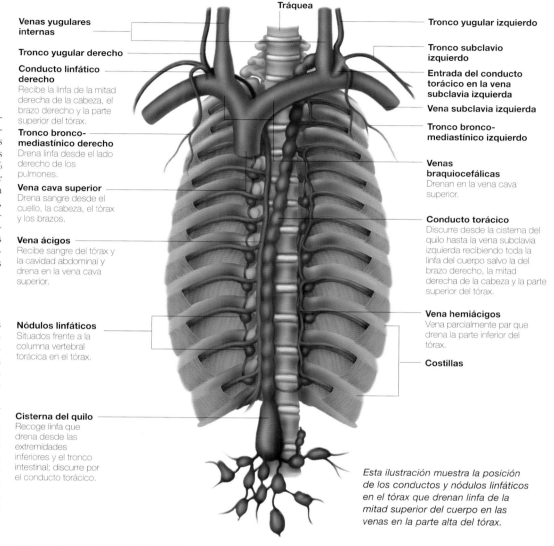

Tráquea

Venas yugulares internas

Tronco yugular derecho

Conducto linfático derecho
Recibe la linfa de la mitad derecha de la cabeza, el brazo derecho y la parte superior del tórax.

Tronco bronco-mediastínico derecho
Drena linfa desde el lado derecho de los pulmones.

Vena cava superior
Drena sangre desde el cuello, la cabeza, el tórax y los brazos.

Vena ácigos
Recibe sangre del tórax y la cavidad abdominal y drena en la vena cava superior.

Nódulos linfáticos
Situados frente a la columna vertebral torácica en el tórax.

Cisterna del quilo
Recoge linfa que drena desde las extremidades inferiores y el tronco intestinal; discurre por el conducto torácico.

Tronco yugular izquierdo

Tronco subclavio izquierdo

Entrada del conducto torácico en la vena subclavia izquierda

Vena subclavia izquierda

Tronco bronco-mediastínico izquierdo

Venas braquiocefálicas
Drenan en la vena cava superior.

Conducto torácico
Discurre desde la cisterna del quilo hasta la vena subclavia izquierda recibiendo toda la linfa del cuerpo salvo la del brazo derecho, la mitad derecha de la cabeza y la parte superior del tórax.

Vena hemiácigos
Vena parcialmente par que drena la parte inferior del tórax.

Costillas

Esta ilustración muestra la posición de los conductos y nódulos linfáticos en el tórax que drenan linfa de la mitad superior del cuerpo en las venas en la parte alta del tórax.

Trastornos del sistema linfático

Al devolverse la linfa desde los tejidos al torrente sanguíneo en los vasos linfáticos, atraviesa una serie de nódulos linfáticos. Éstos actúan como filtros, por lo que eliminan células y microorganismos.

La linfa de cada zona del cuerpo drena a través de un conjunto determinado de nódulos linfáticos y esta pauta de drenaje es de gran importancia clínica en el diagnóstico y tratamiento del cáncer y la infección.

En el cáncer los nódulos linfáticos que drenan la zona afectada pueden crecer de tamaño y endurecerse, siendo palpables para el médico. La búsqueda de nódulos linfáticos agrandados hará al médico sospechar un tumor secundario y le dará indicación del lugar del tumor primario. El conocimiento del drenaje linfático permite también a un cirujano resecar los nódulos linfáticos apropiados cuando está extirpando un tumor para verificar o ayudar a prevenir la extensión secundaria.

La infección bacteriana de la piel puede producir un trastorno conocido como linfangitis, en el que los vasos linfáticos se infectan e inflaman. Cuando la vía de conexión de estos vasos linfáticos se sitúa justo debajo de la piel, puede verse como una serie de líneas rojas que son dolorosas y sensibles al tacto. La linfangitis, junto con el aumento doloroso de tamaño de los nódulos linfáticos asociados, es un rasgo de infección con bacterias de *Streptococcus*.

La línea roja en el interior del brazo de este hombre se debe a linfangitis, una infección de los vasos linfáticos.

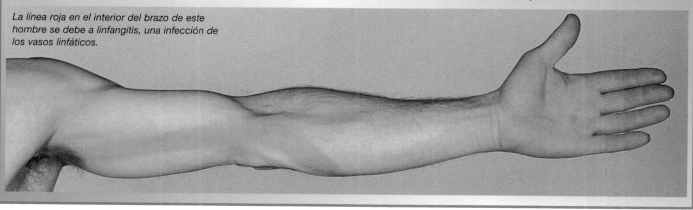

Drenaje linfático regional

La linfa de todas las partes del cuerpo regresa al torrente sanguíneo a través de una serie de nódulos linfáticos. Es vital conocer las pautas de drenaje de la linfa para vigilar la diseminación de cánceres o infecciones.

La linfa es el líquido presente en el interior de los vasos del sistema linfático. La función principal de los vasos linfáticos es recoger el exceso de fluido de los tejidos y devolverlo a la circulación sanguínea.

La linfa de cada parte del cuerpo sigue una ruta específica de vuelta a la circulación sanguínea, que atraviesa en su camino grupos de nódulos linfáticos dotados de una función filtradora.

NÓDULOS DE LA CABEZA Y EL CUELLO

Los grupos de nódulos linfáticos de las estructuras de la cabeza y el cuello reciben nombre según su posición:

- Occipital.
- Mastoideo o retroauricular (detrás de la oreja).
- Parotídeo.
- Bucal.
- Submandibular (bajo la mandíbula).
- Submentoniano (bajo el mentón).
- Cervical anterior.
- Cervical superficial.
- Cervical profundo en el cuello, situado sobre otros grupos de nódulos que rodean y drenan en la faringe, la laringe y la tráquea.

NÓDULOS CERVICALES PROFUNDOS

Estos nódulos linfáticos drenan todos en última instancia en el grupo cervical profundo situado en una cadena a lo largo de los grandes vasos sanguíneos del cuello.

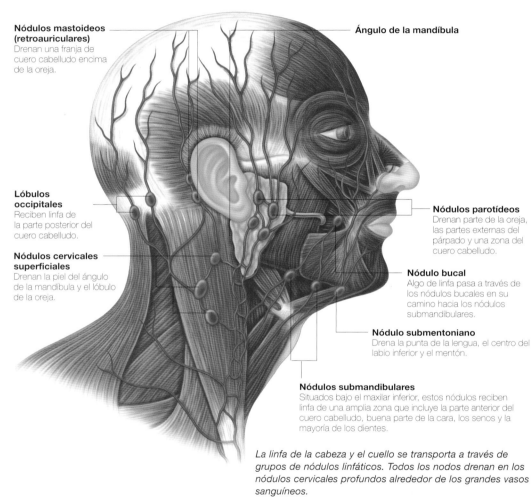

Nódulos mastoideos (retroauriculares)
Drenan una franja de cuero cabelludo encima de la oreja.

Ángulo de la mandíbula

Lóbulos occipitales
Reciben linfa de la parte posterior del cuero cabelludo.

Nódulos cervicales superficiales
Drenan la piel del ángulo de la mandíbula y el lóbulo de la oreja.

Nódulos parotídeos
Drenan parte de la oreja, las partes externas del párpado y una zona del cuero cabelludo.

Nódulo bucal
Algo de linfa pasa a través de los nódulos bucales en su camino hacia los nódulos submandibulares.

Nódulo submentoniano
Drena la punta de la lengua, el centro del labio inferior y el mentón.

Nódulos submandibulares
Situados bajo el maxilar inferior, estos nódulos reciben linfa de una amplia zona que incluye la parte anterior del cuero cabelludo, buena parte de la cara, los senos y la mayoría de los dientes.

La linfa de la cabeza y el cuello se transporta a través de grupos de nódulos linfáticos. Todos los nodos drenan en los nódulos cervicales profundos alrededor de los grandes vasos sanguíneos.

Drenaje linfático de la lengua

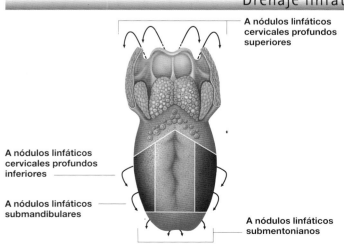

A nódulos linfáticos cervicales profundos superiores

A nódulos linfáticos cervicales profundos inferiores

A nódulos linfáticos submandibulares

A nódulos linfáticos submentonianos

Los cirujanos se enfrentan a menudo al problema de tratar úlceras malignas de la lengua. El conocimiento de las pautas de drenaje de los vasos linfáticos de la lengua resulta de gran ayuda para manejar información sobre la diseminación de la enfermedad.

PAUTAS DE DRENAJE

La linfa drena desde las siguientes zonas:

Los vasos linfáticos de la lengua tienen su propio drenaje. Su estudio ayuda al tratamiento de la enfermedad maligna, causada a menudo por el hábito de fumar.

- Punta de la lengua: la linfa de ambos lados de esta zona de la lengua drena en el grupo submentoniano de nódulos linfáticos, bajo el mentón.
- Laterales de la lengua: la linfa drena desde cada lado del grupo submandibular de nódulos.
- Parte central de la lengua: esta zona drena en los nódulos cervicales profundos inferiores, que se sitúan a lo largo de la vena yugular interna, muy profundos en el cuello.
- Parte posterior de la lengua: la linfa de los dos lados de esta zona drena en los nódulos linfáticos cervicales profundos superiores.

Drenaje linfático del intestino

Los vasos y nódulos linfáticos que conforman el drenaje linfático del sistema gastrointestinal siguen las pautas generales de las arterias que irrigan el tracto digestivo. La linfa del intestino delgado transporta grasas absorbidas de los alimentos al torrente sanguíneo.

Buena parte del tracto digestivo está confinada y suspendida dentro de un pliegue del tejido conjuntivo, conocido como mesenterio. Los vasos sanguíneos que irrigan el tracto digestivo se sitúan dentro de este mesenterio, formando arcadas que se conectan entre sí para llegar a todas las partes de esta larga estructura.

UBICACIÓN DE LOS NÓDULOS

Los nódulos linfáticos que reciben linfa inicialmente del intestino están situados dentro del mesenterio en diversos lugares:

■ En la parte del intestino.
■ Entre las arcadas arteriales.
■ A lo largo de las grandes arterias mesentéricas superior e inferior.

Estos grupos mesentéricos de nódulos reciben en algunos casos los nombres según su posición con respecto al intestino o a la arteria a la que acompañan. Desde la pared intestinal la linfa drena a través de estos nódulos para finalmente alcanzar los nódulos preaórticos, que se sitúan junto a la gran arteria central, la aorta.

ABSORCIÓN DE GRASA

Además de su función normal, la linfa que sale del intestino delgado tiene una función adicional: la de transportar las grasas absorbidas desde el alimento.

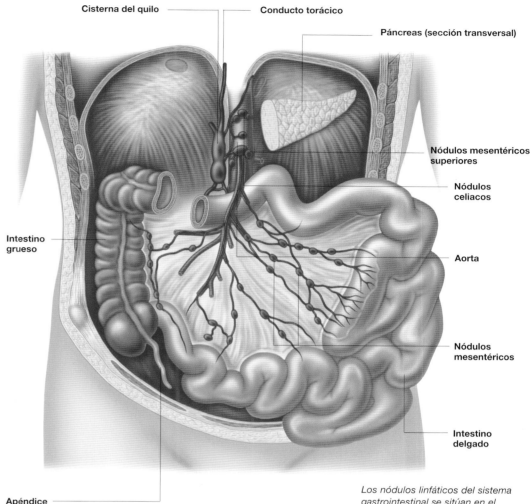

Cisterna del quilo

Conducto torácico

Páncreas (sección transversal)

Nódulos mesentéricos superiores

Nódulos celiacos

Intestino grueso

Aorta

Nódulos mesentéricos

Intestino delgado

Apéndice
Tiene su propio nódulo linfático.

Los nódulos linfáticos del sistema gastrointestinal se sitúan en el mesenterio. Éste es un pliegue de membrana que encierra buena parte del tracto digestivo.

La mucosa del intestino delgado lleva numerosas microvellosidades. Estas diminutas proyecciones de la membrana mucosa aumentan enormemente la zona superficial del intestino para ayudar a la absorción.

VASOS CENTRALES

Dentro de cada microvellosidad hay un vaso linfático central llamado lácteo. La función de los vasos lácteos es extraer las partículas de grasa absorbidas del alimento que son demasiado grandes para entrar en los capilares sanguíneos.

Estas grasas se desplazan a través del sistema linfático para ser suministradas al torrente sanguíneo con el resto de la linfa.

Drenaje linfático del estómago

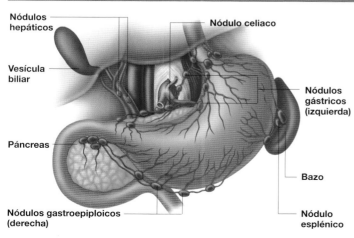

Nódulos hepáticos

Vesícula biliar

Páncreas

Nódulos gastroepiploicos (derecha)

Nódulo celiaco

Nódulos gástricos (izquierda)

Bazo

Nódulo esplénico

Como el intestino, el drenaje linfático del estómago suele seguir el patrón del suministro sanguíneo arterial.

CUATRO GRUPOS

Los nódulos que reciben la linfa del estómago comprenden cuatro grupos principales:

■ Los nódulos gástricos izquierdo y derecho reciben linfa de la zona irrigada por las arterias gástricas izquierda y derecha.

Existen cuatro grupos principales de nódulos linfáticos en el estómago. Comprenden los nódulos gástrico, esplénico, gastroepiploico y celiaco.

■ Los nódulos esplénicos están situados en el hilio (hueco) del bazo en el lado izquierdo del estómago. Estos nódulos reciben linfa de la zona del estómago irrigada por las arterias gástricas cortas.
■ Los nódulos epiploicos izquierdo y derecho se encuentran a lo largo de la gran curva del estómago y reciben linfa de zonas irrigadas por las arterias gastroepiploicas correspondientes.

Toda la linfa recibida del estómago por estos grupos se desplaza para drenar en los nódulos celiacos.

Cómo actúan las células

Los tejidos vivos del cuerpo están formados por células, unos compartimentos microscópicos
confinados por membranas y llenos de una solución concentrada de sustancias químicas.
Las células son las unidades vivas mínimas del cuerpo.

Todos los tejidos del cuerpo están constituidos por grupos de células que realizan funciones especializadas, unidos por unos intrincados sistemas de comunicación. Existen en el cuerpo más de 200 células diferentes. Aunque enormemente compleja, la estructura corporal final se genera por un repertorio limitado de actividades celulares. La mayoría de las células crece, se divide y muere mientras realiza funciones concretas para su tejido, como sucede con la contracción de células musculares.

Normalmente las células contienen elementos estructurales denominados orgánulos, que participan en el metabolismo celular y en el ciclo vital. Ello incluye la absorción de nutrientes, la división celular y la síntesis de proteínas, las moléculas responsables de la mayor parte de las funciones enzimáticas, metabólicas y estructurales de la célula.

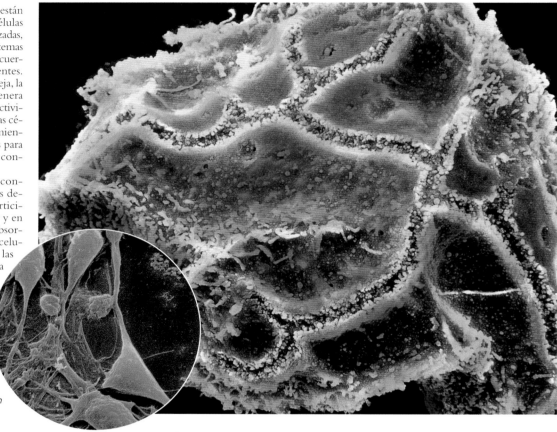

Hepatocito visto en una micrografía (imagen grande). Se trata de una célula especializada del hígado que realiza varias funciones. En la imagen pequeña (en verde) se observan neuronas o células del sistema nervioso de la corteza cerebral.

Células inmortales

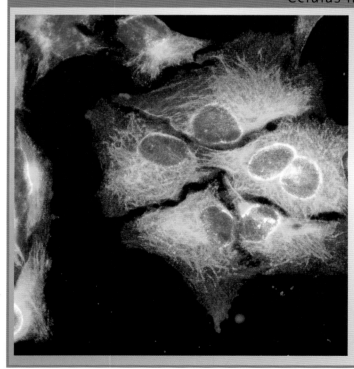

Las células HeLa, a diferencia de las normales, siguen dividiéndose indefinidamente. Se han usado en la investigación a escala mundial porque son muy fáciles de cultivar.

La mayoría de las células, cuando se cultivan en laboratorio, pueden dividirse sólo unas 50 veces antes de morir. Se llama células inmortales a las que, cultivadas en placas de Petri, están activas indefinidamente, por lo que son de extraordinaria utilidad en investigación.

En 1951 a Henrietta Lacks, una estadounidense de 31 años, se le detectó una pequeña lesión en el cuello del útero y se le practicó una biopsia para determinar si las células eran malignas (cancerosas). La muestra de células enviadas al laboratorio era efectivamente maligna, y pese al tratamiento recibido la mujer murió ocho meses más tarde por cáncer de cuello uterino.

La muestra de las células terminó en el laboratorio de George Gey, un pionero del cultivo tisular, quien después de trabajar con ellas durante varias semanas concluyó que se dividían más deprisa que ninguna otra célula que hubiera visto antes.

Las células, llamadas en la actualidad HeLa, demostraron ser resistentes e inmortales, y al crecer de una forma tan rápida y fiable terminaron en manos también de otros investigadores. Desde entonces se utilizaron extensamente en la investigación biológica. La vacuna de la polio se desarrolló en menos de un año gracias a su empleo.

Por desgracia las células HeLa tenían la capacidad de contaminar y subvertir a otras células que crecían en el mismo laboratorio, y se produjeron casos de experimentos realizados en un tipo celular determinado que terminaron por efectuarse sin saberlo en células HeLa.

Las células HeLa se conservan en cultivos de laboratorio. Tales colonias se han mantenido durante los 40 años transcurridos desde su primer cultivo a partir de su extracción del cuello del útero de Henrietta Lacks.

Estructura de una célula

La estructura celular puede dividirse en la membrana externa, un núcleo que contiene ADN y las estructuras llamadas orgánulos dentro de la célula. Cada componente de una célula tiene una función específica, como la producción o almacenamiento de energía o la síntesis de proteínas.

LA MEMBRANA PLASMÁTICA

La membrana plasmática envuelve a cada célula y la separa de su entorno externo, que incluye otras células. En el interior de la membrana hay una solución de proteínas, electrolitos y carbohidratos conocida como citosol, así como estructuras subcelulares unidas a la membrana denominadas orgánulos. En la membrana se extienden proteínas responsables de la comunicación con el entorno externo y para el transporte de nutrientes y productos de desecho.

EL NÚCLEO

El núcleo está en el centro de la célula y contiene el ADN celular dispuesto en cromosomas, así como proteínas estructurales para el arrollamiento y la protección del ADN. El núcleo está rodeado por una membrana con grandes poros, que permite el movimiento de moléculas entre el núcleo y el citosol, a la vez que contiene los cromosomas dentro del primero.

La forma de cada tipo de célula varía dependiendo de su función. En esta sección transversal pueden verse muchos orgánulos presentes en la mayoría de las células.

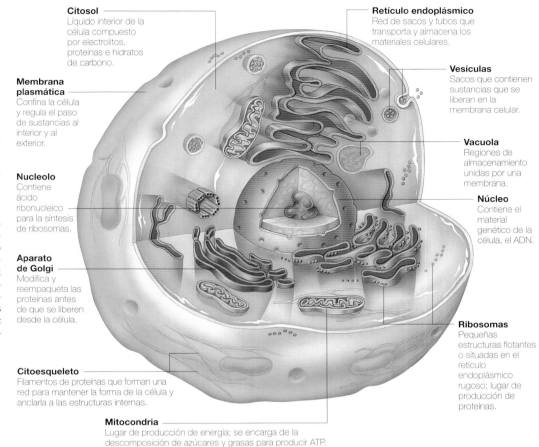

Citosol Líquido interior de la célula compuesto por electrolitos, proteínas e hidratos de carbono.

Membrana plasmática Confina la célula y regula el paso de sustancias al interior y al exterior.

Nucleolo Contiene ácido ribonucleico para la síntesis de ribosomas.

Aparato de Golgi Modifica y reempaqueta las proteínas antes de que se liberen desde la célula.

Citoesqueleto Filamentos de proteínas que forman una red para mantener la forma de la célula y anclarla a las estructuras internas.

Mitocondria Lugar de producción de energía; se encarga de la descomposición de azúcares y grasas para producir ATP.

Retículo endoplásmico Red de sacos y tubos que transporta y almacena los materiales celulares.

Vesículas Sacos que contienen sustancias que se liberan en la membrana celular.

Vacuola Regiones de almacenamiento unidas por una membrana.

Núcleo Contiene el material genético de la célula, el ADN.

Ribosomas Pequeñas estructuras flotantes o situadas en el retículo endoplásmico rugoso; lugar de producción de proteínas.

Dentro de la célula: el citoplasma

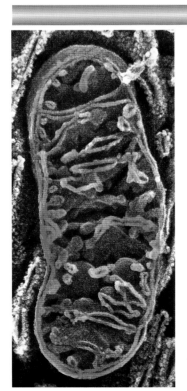

En esta micrografía de alta resolución se observa una mitocondria, de color rosa. Las mitocondrias son las «fábricas» de la célula, donde tiene lugar la respiración.

El citoplasma es el contenido interior de la célula, sin incluir el núcleo, formado por un líquido (el citosol) y gran número de orgánulos. Los orgánulos incluyen:

■ Mitocondrias. Responsables de la producción de energía. Los nutrientes en forma de azúcares y grasas se descomponen en presencia de oxígeno para fabricar ATP (adenosin-trifosfato), una fuente de energía usada por la célula.
■ Ribosomas. Se encargan de la producción de proteínas, usando la impronta registrada en el material genético de la célula.
■ Retículo endoplásmico. Es una extensa red de tubos, sacos y láminas de membrana que recorre la célula. Permite el transporte y el almacenamiento de moléculas.

■ Aparato de Golgi. Es una pila de sacos aplanados, vital para la modificación, empaquetamiento y ordenación de las moléculas grandes de la célula.
■ Vesículas y vacuolas. Las vesículas son zonas confinadas por la membrana dentro de la célula dedicadas a procesos especializados o a almacenamiento. Las vacuolas aparecen como «agujeros» al microscopio y normalmente son regiones de almacenamiento o digestión rodeadas por una membrana.

■ Citoesqueleto. El citoesqueleto es la fina red de filamentos de proteínas usados para mantener la forma de la célula, fijar los componentes en su lugar y proporcionar una base para los movimientos celulares.

Esta micrografía electrónica muestra una sección del retículo endoplásmico rugoso de una célula animal (líneas rojas). Las estructuras unidas a la superficie son ribosomas.

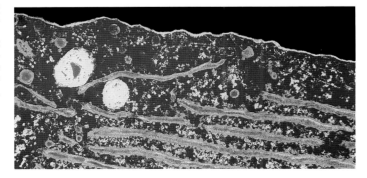

Cómo se dividen las células

La mayoría de las células que conforman el cuerpo humano se divide de forma regular. Esto sucede no sólo durante los periodos de crecimiento, sino también cuando es preciso sustituir células degradadas.

Todos los tejidos están formados por células, unos compartimentos microscópicos confinados por membranas. Las nuevas células se forman por división celular, durante la cual una célula replica su material genético y después separa su contenido en dos células hijas. El proceso de la división celular tiene lugar continuamente en todo el cuerpo, desde el desarrollo del feto hasta la edad adulta.

¿POR QUÉ SE DIVIDEN LAS CÉLULAS?

Las células se dividen cuando el tejido cultural está creciendo o cuando las células de ese tejido se degradan y deben sustituirse. La división está regulada minuciosamente y ha de producirse de acuerdo con las necesidades del tejido circundante, así como en sincronía con el ciclo interno de crecimiento celular.

Las células que se dividen sin control se vuelven cancerosas. La mayoría de las quimioterapias se basa en regímenes que destruyen las células en división, pero que tienen menos efecto en las que no se están dividiendo.

CÉLULAS EMBRIONARIAS

La división celular más prolífica tiene lugar durante el primer desarrollo embrionario; en nueve meses un óvulo (una célula) se desarrolla hasta convertirse en un embrión y posteriormente un feto de más de 10.000 millones de células.

Conforme avanza el desarrollo, muchas células se dividen para realizar una función especializada (por ejemplo, células marcapasos en el corazón), en un proceso llamado diferenciación.

En casi todos los tejidos hay células embrionarias, que son aquéllas no plenamente diferenciadas, pero que pueden dividirse y diferenciarse como respuesta a los estímulos o a una herida.

Una vez que el óvulo es fecundado, se divide progresivamente; este embrión humano está en la fase de cuatro células.

En el proceso de división de las células, los cromosomas que contienen material genético se dividen en dos nuevas células.

El ciclo vital de una célula

El ciclo de división celular es el proceso por el cual una célula duplica su material genético y después se divide en dos células hijas idénticas. El ciclo se divide en dos fases principales: interfase, cuando se replican los componentes celulares, y mitosis, cuando la célula se divide en dos.

La interfase se subdivide en dos fases: de crecimiento (G_1 y G_2) y de síntesis (S). Durante la primera fase de crecimiento (G_1) la célula produce hidratos de carbono, lípidos y proteínas. Las células de crecimiento lento, como las hepáticas, pueden permanecer en esta fase durante años, mientras que las de rápido crecimiento, como las de la médula ósea, sólo pasan en la fase G_1 entre 16-24 horas.

Si una célula no se está dividiendo activamente, sale del ciclo celular durante la fase G_1 y entra en un estado denominado G_0. Por ejemplo, en los adultos muchas células altamente especializadas, como las neuronas y las del músculo cardiaco, no se dividen y permanecen en la fase G_0. Ello ralentiza, y a veces hace imposible, la curación y regeneración de estos tejidos.

REPLICACIÓN DE CROMOSOMAS

El siguiente periodo de la interfase, que se conoce como fase S, supone la replicación de los cromosomas, de manera que la célula tiene temporalmente 92 cromosomas en vez de los 42 normales. Durante la fase S también se sintetizan las proteínas, entre ellas las que forman las estructuras del huso que separa los cromosomas. En la mayoría de las células humanas la fase S dura entre 8 y 10 horas.

Las proteínas adicionales se sintetizan en la segunda fase de crecimiento, G_2.

La célula se divide en dos células hijas durante un proceso denominado mitosis. La mitosis se subdivide en cuatro fases: profase, metafase, anafase y telofase.

La duración de un ciclo celular completo varía de un día a otro, dependiendo del tipo de célula en cuestión. Algunos ejemplos de las velocidades de sustitución para diferentes tipos de células son:

- Células hepáticas: 12 meses.
- Glóbulos rojos: 80-120 días.
- Células de la piel: 14-28 días.
- Mucosa intestinal: 3-5 días.

La división celular tiene lugar en dos fases: interfase (morado), cuando se replica el contenido celular, y mitosis (naranja), cuando se divide la célula. La interfase se subdivide en fases G_1, S y G_2. La mitosis se subdivide en profase, metafase, anafase y telofase.

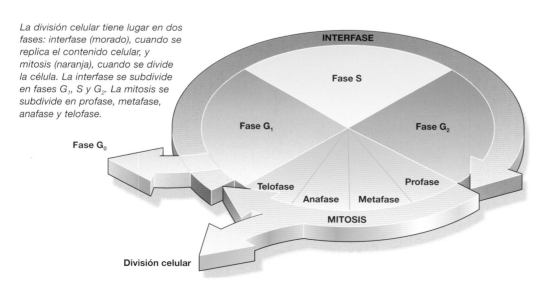

INTERFASE

Fase S

Fase G₁

Fase G₂

Fase G₀

Telofase

Anafase

Metafase

Profase

MITOSIS

División celular

Las cuatro fases de la mitosis

1 Profase

Durante la profase el ADN se condensa en cromosomas reconocibles, el núcleo se desmantela y el contenido nuclear entra en el citoplasma.

Esta micrografía electrónica de barrido (MEB) muestra los cromosomas condensados (rojo), la membrana nuclear (naranja) y el citoplasma (verde).

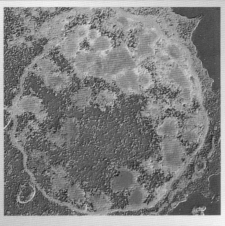

2 Metafase

Durante la metafase los cromosomas se unen al aparato mitótico, una serie de filamentos de proteínas sintetizados especialmente y fijos a lados opuestos de la célula.

Aquí la célula está al final de la metafase: la membrana nuclear ha desaparecido y los cromosomas (rojos) se alinean a lo largo del centro de la célula.

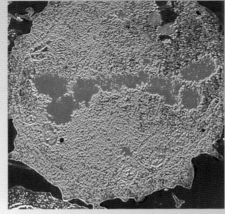

3 Anafase

Durante la anafase los cromosomas se separan por la acción del aparato mitótico en la célula. La mitad de los cromosomas se desplaza a cada lado de la célula.

Esta MEB muestra las primeras fases de la anafase, que es el momento en el que los cromosomas se separan y la membrana celular se endenta.

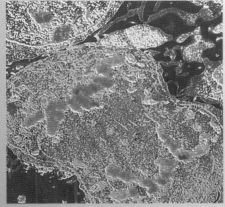

4 Telofase

Durante la telofase se vuelven a formar las membranas nucleares, el contenido celular se redistribuye y la membrana se pinza para formar dos células.

En esta MEB la célula está al final de la telofase: las dos células recién formadas están todavía unidas por un estrecho puente que contiene elementos del aparato mitótico.

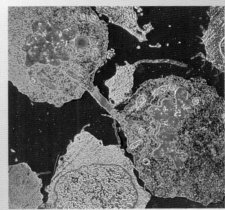

Muerte y suicidio celular

Existen dos formas por las cuales las células pueden morir: destruidas por un agente nocivo en un proceso llamado necrosis; o por la inducción de un «suicidio», un mecanismo que los científicos llaman apoptosis.

NECROSIS

Cuando el cuerpo se expone a daños químicos o mecánicos, las células pueden morir simplemente porque no pueden funcionar de manera adecuada. Este proceso, conocido por necrosis, sucede cuando se viola la integridad celular o cuando moléculas o estructuras esenciales para la supervivencia celular dejan de estar disponibles o en funcionamiento. Por ejemplo, cuando una persona muere, ya no existen nutrientes u oxígeno a disposición de todas las células del cuerpo, que sufre así una necrosis y muere. La gangrena es otro ejemplo de necrosis: el tejido muerto se ennegrece por la acción de ciertas bacterias en la hemoglobina, que se descompone para producir depósitos oscuros de sulfuro de hierro.

APOPTOSIS

La mayoría de las células cuenta con un programa incorporado que las lleva a suicidarse. Los científicos creen que este programa es tan propio de la célula como la mitosis.

Existen dos razones principales por las cuales las células se suicidan. Primero, la muerte celular programada es necesaria a menudo por el propio desarrollo del cuerpo humano. Por ejemplo, la formación de los dedos de las manos y los pies del feto requiere la eliminación del tejido situado entre ellos por apoptosis.

En segundo lugar, el suicidio celular puede ser necesario para destruir células que suponen una amenaza para el organismo. Por ejemplo, las células de linfocitos T defensivas destruyen a las células infectadas por virus induciendo en ellas la apoptosis.

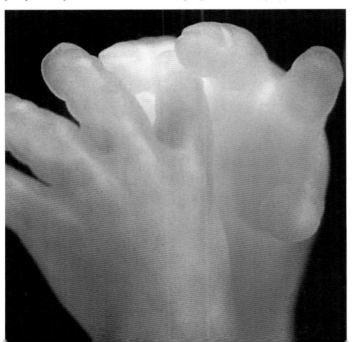

En las primeras fases del desarrollo fetal los dedos de las manos están unidos y tienen una apariencia palmeada. Este aspecto desaparece cuando el feto se desarrolla debido a la apoptosis.

Meiosis

La meiosis es una forma especial de división celular que sólo se produce en la formación de los espermatozoides y los óvulos. Durante la meiosis existen dos ciclos de división, aunque sólo una duplicación de cromosomas, con lo que espermatozoides y óvulos tienen sólo 23 cromosomas. La meiosis es única, ya que tiene lugar un cruce entre cromosomas pares. Como consecuencia, los cromosomas de los espermatozoides y los óvulos no son idénticos a los de cada progenitor.

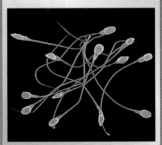

La meiosis es el proceso que crea los óvulos y los espermatozoides. A diferencia de las demás células del cuerpo, estos gametos (células sexuales) contienen sólo 23 cromosomas, y no 46.

Cómo se comunican las células

Para que el cuerpo actúe de manera coordinada es esencial que las células se comuniquen entre sí.
Lo hacen liberando mensajeros químicos o excitando eléctricamente a las células vecinas.

El cuerpo humano contiene un total aproximado de 10 billones de células, formadas por sólo 200 tipos celulares diferentes. Sin embargo, las ventajas de tener células especializadas sólo se percibirán si esta organización multicelular actúa de manera coordinada.

■ Estímulos internos. El cuerpo debe poder responder a los cambios en su entorno interno. Por ejemplo, las células del páncreas detectan un aumento en la concentración de la glucosa en sangre después de una comida; liberan una hormona (insulina) que hace que las células de otros tejidos absorban glucosa de la sangre para aportar energía.

■ Estímulos externos. Análogamente el cuerpo debe también poder detectar y responder a estímulos externos. Por ejemplo, no serviría de nada tener ojos que vieran a un depredador si después no se pudiera enviar esta información visual al resto del cuerpo para que se preparara para la lucha con él o bien para la huida.

Las neuronas se comunican liberando mensajeros químicos que afectan a la excitabilidad eléctrica de las células vecinas.

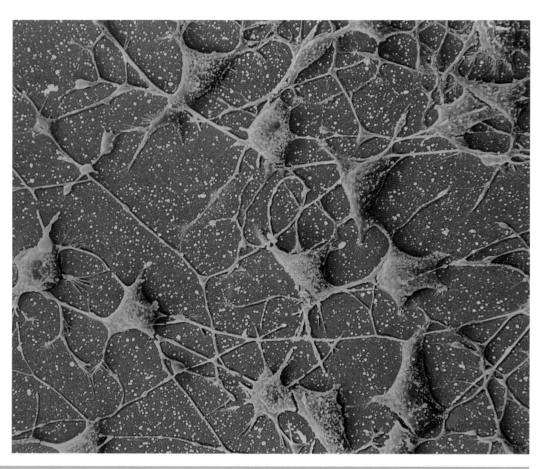

Comunicación eléctrica y química entre células

Las células del corazón se comunican eléctricamente

Las células del corazón están unidas por poros de proteínas, que permiten que los iones cargados eléctricamente atraviesen la membrana celular. Así es posible que llegue al corazón una onda de excitación eléctrica.

Las células cardiacas (verde) se comunican con otras por medios eléctricos. Pero las sustancias químicas (por ejemplo, adrenalina) liberadas por tejidos distantes pueden afectar a su comportamiento.

Los estímulos internos y externos son detectados por sustancias químicas especializadas (normalmente, proteínas) denominadas receptores, que transducen (convierten) la información en una forma que puede retransmitirse a otras células del cuerpo. En sentido amplio, la comunicación entre las células del cuerpo se realiza con mensajeros químicos o por corrientes eléctricas.

COMUNICACIÓN ELÉCTRICA

La mayoría de los mensajes eléctricos es transportada por células nerviosas (aunque las células del corazón también se comunican eléctricamente), que están adaptadas especialmente para transmitir impulsos nerviosos de una región del cuerpo a otra. Por ejemplo, algunas fibras nerviosas pueden llegar a medir un metro de longitud.

La principal ventaja de la comunicación eléctrica es la velocidad a la que se transmite la información; algunos nervios pueden propagar impulsos nerviosos a velocidades de 120 metros por segundo. Además, como el «cableado» de las neuronas es muy preciso, la información puede suministrarse a lugares muy específicos.

COMUNICACIÓN QUÍMICA

En contraste, dado el hecho de que al torrente sanguíneo se liberan muchos mensajeros químicos, como las hormonas, estas moléculas pueden afectar a un amplio número de células, pero lo hacen con relativa lentitud. Por ejemplo, cuando una persona está expuesta a una situación estresante, la adrenalina no se libera «a chorros» en un periodo de 15-30 segundos. Esto se debe a que las moléculas de adrenalina tienen que difundirse desde la glándula suprarrenal (situada justo encima de los riñones) hasta el torrente sanguíneo, que después la transporta por el cuerpo hasta los órganos diana (como el corazón, que acelera su frecuencia y aumenta la intensidad del latido).

Tipos de comunicación química

Los mensajeros químicos pueden clasificarse en tres grupos basándose en el tipo de célula que libera la sustancia química y en el modo en que el mensajero químico alcanza su punto de acción. Estos grupos incluyen hormonas, factores paracrinos y autocrinos y neurohormonas.

Hormonas

Las hormonas son sustancias químicas liberadas por una glándula al torrente sanguíneo, que después las transporta a lugares distantes de todo el cuerpo. Pueden tener un lugar de acción específico o afectar a una amplia variedad de células diferentes regulando simultáneamente un amplio número de distintos procesos corporales.

Por ejemplo, la adrenalina es liberada a la sangre desde la médula suprarrenal, la región central de cada una de las glándulas suprarrenales, que se sitúa encima de los riñones. La adrenalina tiene una extensa diversidad de acciones, que incluyen estrechamiento de los vasos sanguíneos, aumento de la actividad cardiaca, dilatación de las pupilas del ojo e inhibición del tracto gastrointestinal.

ESPECIFICIDAD HORMONAL
Como todas las células del cuerpo están en estrecha proximidad al paso de los vasos sanguíneos, podría esperarse que una hormona pudiera afectar a todas las células del cuerpo. Sin embargo, no sucede así. Para que una hormona influya en la bioquímica interna de una célula (una «conducta» celular), la célula debe tener el receptor de proteínas adecuado dentro de su membrana celular; haciendo una analogía, cada puerta debe contener un buzón para que el cartero pueda entregar una carta.

Las hormonas son mensajeros químicos liberados desde una glándula al torrente sanguíneo, que después lleva la hormona a tejidos distantes.

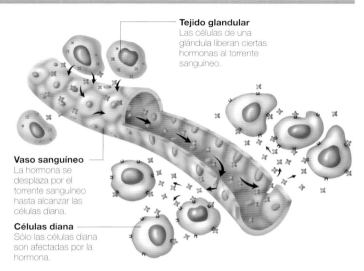

Tejido glandular
Las células de una glándula liberan ciertas hormonas al torrente sanguíneo.

Vaso sanguíneo
La hormona se desplaza por el torrente sanguíneo hasta alcanzar las células diana.

Células diana
Sólo las células diana son afectadas por la hormona.

Factores paracrinos y autocrinos

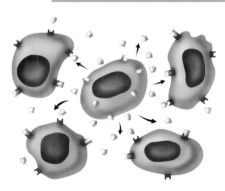

Los factores paracrinos son emitidos al espacio acuoso situado entre las células. Afectan a células de tipo diferente al que los liberó.

Los mensajeros químicos del segundo grupo difieren de las hormonas porque no son llevados por el torrente sanguíneo a sus células diana.

En su lugar estas sustancias químicas se liberan a un espacio acuoso situado entre las células para afectar al mismo tipo de célula que los liberó (factores autocrinos) o a células diferentes, aunque próximas (factores paracrinos). Sin embargo, debe observarse que una sustancia química puede ser a la vez un factor autocrino y paracrino.

FACTORES PARACRINOS
Uno de los factores paracrinos más comunes es la histamina química. La histamina se libera desde células especializadas llamadas mastocitos, que están presentes en la mayoría de

los tejidos. Participan en las reacciones alérgicas y en algunas de las rutas químicas inflamatorias que se inician cuando se daña un tejido. Los antihistamínicos actúan impidiendo que los mastocitos liberen este factor paracrino.

FACTORES AUTOCRINOS
Los factores autocrinos afectan al mismo tipo de tejido que los liberó. Por ejemplo, la mayoría de las células liberan factores autocrinos, que inhiben su propia división celular y la de las células cercanas similares. Se cree que las células cancerosas o bien no liberan estos inhibidores o bien no responden a ellos con el resultado de que la división celular continúa ininterrumpidamente.

Los factores autocrinos son mensajeros químicos que sólo afectan al mismo tipo de célula que los liberó originalmente.

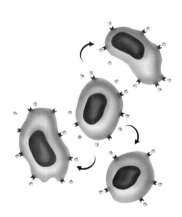

Neurohormonas

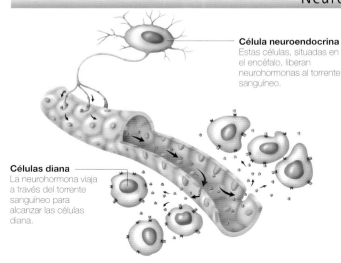

Célula neuroendocrina
Estas células, situadas en el encéfalo, liberan neurohormonas al torrente sanguíneo.

Células diana
La neurohormona viaja a través del torrente sanguíneo para alcanzar las células diana.

La mayoría de las neuronas se comunica entre sí emitiendo un mensajero químico que se difunde entre la hendidura (o sinapsis) que las separa.

Sin embargo, algunas neuronas no realizan sinapsis con las demás. En su lugar sus terminales sinápticos están situados cerca de vasos sanguíneos; cuando estas neuronas son es-

timuladas, liberan una neurohormona al torrente sanguíneo, que después se lleva a órganos diana distantes de un modo muy similar a la liberación de hormonas por una glándula.

OXITOCINA
La oxitocina es una neurohormona que es liberada al torrente sanguíneo por células neuroendocrinas situadas en el hipotálamo. Esto sucede como respuesta a la estimulación de nervios sensoriales en el pezón de la madre cuando el bebé se amamanta. La sangre transporta la neurohormona a la glándula mamaria, donde induce la expulsión de leche por el pezón.

Las neurohormonas son liberadas por células nerviosas especializadas, que reciben el nombre de células neuroendocrinas. Estas sustancias químicas se transportan en el torrente sanguíneo a las células diana.

Estructura de la membrana celular

La membrana celular separa el interior del exterior de la célula. Como es sólo permeable para ciertas moléculas, el interior de la célula se controla de forma muy estrecha.

Todas las células están cubiertas por una membrana, formada principalmente por fosfolípidos (moléculas grasas que contienen fosfatos) y proteínas, que actúan como barrera entre el interior y el exterior celular. Algunas moléculas pueden atravesarla libremente, mientras que otras tienen el acceso restringido o prohibido.

Una membrana rodea a la célula como un todo (denominado asimismo membrana plasmática), al igual que los orgánulos (los componentes subcelulares) que están contenidos dentro de la membrana.

La membrana celular es mucho más que una simple cubierta protectora; al determinar qué sustancias químicas pueden pasar dentro y fuera de la célula, ésta es capaz de llevar un estrecho control del entorno interior, así como de comunicarse con otras células.

CONSTRUCCIÓN QUÍMICA

La membrana celular está compuesta por cuatro grupos de sustancias químicas: fosfolípidos (25%), proteínas (55%), colesterol (15%) e hidratos de carbono y otros lípidos (5%).

■ Las moléculas de fosfolípidos están dispuestas en dos capas (denominadas bicapa). Actúan como una barrera muy fina, aunque impenetrable al agua y a moléculas hidrosolubles como la glucosa. Sin embargo, las moléculas liposolubles, como el oxígeno, el

Cómo se forma la membrana celular

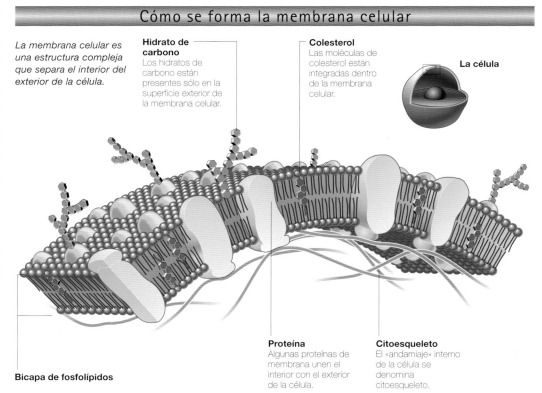

La membrana celular es una estructura compleja que separa el interior del exterior de la célula.

Hidrato de carbono
Los hidratos de carbono están presentes sólo en la superficie exterior de la membrana celular.

Colesterol
Las moléculas de colesterol están integradas dentro de la membrana celular.

La célula

Proteína
Algunas proteínas de membrana unen el interior con el exterior de la célula.

Citoesqueleto
El «andamiaje» interno de la célula se denomina citoesqueleto.

Bicapa de fosfolípidos

dióxido de carbono y los esteroides, pueden atravesarla libremente.
■ La parte de fosfolípidos de la membrana es extraordinariamente fina; si un ser humano tuviera la altura de la membrana, un glóbulo rojo que la atravesara se extendería a una anchura de 1,5 kilómetros.

■ Las proteínas aportan un medio por el cual las moléculas hidrosolubles entran y salen de la célula. Permiten que las células se comuniquen entre sí, las reconozcan y puedan adherirse a ellas.
■ Las moléculas de colesterol en cierto sentido se «disuelven» dentro de la bicapa de fosfolípidos. El colesterol reduce la fluidez de

la membrana interfiriendo con el movimiento lateral de las colas de fosfolípidos.
■ Los hidratos de carbono se unen a proteínas (glucoproteínas) y lípidos (glucolípidos). Sobresalen inevitablemente en la superficie exterior de la membrana y son importantes para la adhesión y la comunicación celular.

Especializaciones de la membrana

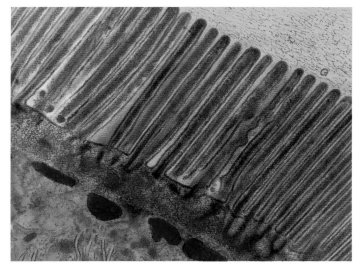

Las microvellosidades (en morado) aumentan el área superficial disponible para la absorción de nutrientes desde la luz del tracto digestivo (en amarillo).

Las membranas celulares no son las mismas para todas las células. Ello se debe a la inmensa variedad de funciones que realizan las células en diferentes partes del cuerpo.

MICROVELLOSIDADES

Las microvellosidades son plegamientos especializados de la membrana celular que incrementan enormemente su área superficial total. Son especialmente útiles en células cuya función principal es absorber sustancias químicas del exterior hacia dentro de la célula. Por ejemplo,

en cada célula epitelial intestinal se cuentan unas 1.000 microvellosidades, que actúan para absorber nutrientes desde el tracto gastrointestinal. Cada una de estas microvellosidades tiene aproximadamente una milésima de milímetro, con lo que se incrementa hasta 20 veces el área superficial disponible para la absorción de nutrientes.

ADHESIÓN ENTRE CÉLULAS

Mientras algunas células, como las sanguíneas y los espermatozoides, son entidades independientes con cierto grado de movimiento, la mayoría de las células del cuerpo se anuda entre sí para formar tejidos; las células del cuerpo se mantienen juntas por uniones especializadas entre sus membranas.

La función de las proteínas de membrana

Las proteínas integradas en la membrana celular desempeñan un papel importante en muchas funciones celulares. Algunas cubren la membrana celular uniendo el interior y el exterior de la célula y así permiten a las células comunicarse químicamente con otras.

Las proteínas de membrana son responsables de la mayoría de las funciones especializadas de la membrana celular. Pueden descomponerse en dos grupos principales:

■ Proteínas integrales. Mientras algunas proteínas integrales sobresalen a través de la membrana celular sólo en un lado, la inmensa mayoría atraviesan la membrana y así están expuestas al interior y al exterior de la célula. Estas proteínas transmembrana permiten a menudo el intercambio de sustancias entre los entornos interno y externo, ya sea formando un poro a través de la membrana o trasladando químicamente las moléculas a su través. Las proteínas integrales proporcionan también sitios de unión para las sustancias químicas emitidas por otras células; ello permite que las células, incluidas las neuronas, puedan comunicarse entre sí.

■ Proteínas periféricas. Estas proteínas no están integradas en la bicapa de fosfolípidos. En su lugar suelen unirse al lado interno de las proteínas integrales. Pueden actuar como enzimas, que aceleran las reacciones químicas del interior celular, o participar en el cambio de la forma de la célula; por ejemplo, durante la división celular.

Funciones de las proteínas de membrana

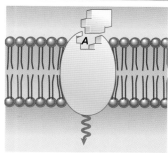

La superficie externa de algunas proteínas proporciona un sitio de unión (A) para los mensajeros químicos emitidos por otras células.

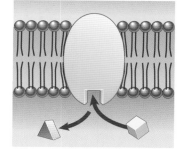

La superficie interna de algunas proteínas actúa como una enzima acelerando las reacciones químicas que tienen lugar en su interior.

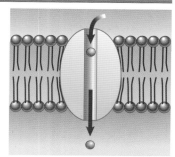

Las proteínas de transporte cubren la membrana formando un poro para que las sustancias químicas se desplacen al interior o al exterior de la célula.

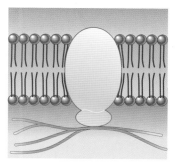

El andamiaje interno de la célula (citoesqueleto, líneas rojas) se une a la superficie interna de las proteínas de membrana.

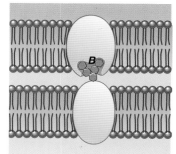

Algunas glucoproteínas (moléculas formadas por proteínas unidas a hidratos de carbono) actúan como etiquetas de identificación (B).

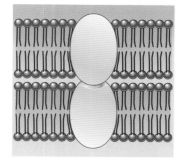

Las proteínas de membrana de las células adyacentes pueden unirse ofreciendo varias clases de uniones entre las dos células.

¿Por qué son tan importantes los fosfolípidos?

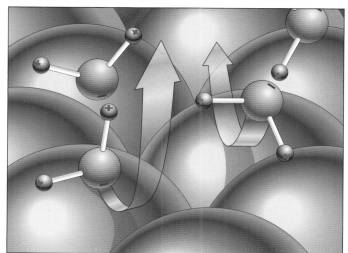

Las moléculas de agua están formadas por un átomo de oxígeno ligeramente negativo (en rojo) unido a dos átomos de hidrógeno ligeramente positivos (en azul). Como las «colas» de los fosfolípidos son no polares, la membrana celular resulta impermeable al agua.

Membrana celular

MOLÉCULAS DE AGUA

Las moléculas de agua están compuestas por dos átomos de hidrógeno unidos a uno de oxígeno (de ahí su fórmula química, H_2O). Aunque no tienen una carga eléctrica neta (una molécula de agua en su conjunto es neutra eléctricamente), el oxígeno de un extremo de la molécula tiende a ser ligeramente negativo y los dos hidrógenos del otro extremo son ligeramente positivos.

Como consecuencia de esta propiedad química se dice que el agua es una molécula «polar» ya que, como un imán, tiene dos «polos» eléctricos.

De ello resultan moléculas de agua que interaccionan entre sí eléctricamente: el oxígeno negativo de una molécula de agua es atraído hacia los hidrógenos positivos de las moléculas de agua vecinas. El grado de esta atracción, que depende de la temperatura del entorno, determina si las moléculas de agua formarán hielo, líquido o vapor.

FOSFOLÍPIDOS Y AGUA

El agua también interacciona con otras moléculas polares, como la glucosa (por ello la glucosa es hidrosoluble o soluble en agua). Sin embargo, las moléculas no polares, que incluyen las grasas, son insolubles en agua.

Los fosfolípidos son bloques elementales ideales para la membrana celular, que está diseñada para separar el contenido interno de la célula del entorno exterior debido a su especial estructura química: una molécula de fosfolípido está compuesta por una cabeza «que busca el agua» (hidrófila), provista de fósforo, unida a una cola «que huye del agua» (hidrófoba) y que contiene lípidos. Esto significa que cuando los fosfolípidos se combinan con agua, las cabezas hidrófilas se mezclan con las moléculas de agua circundantes, mientras que las colas hidrófobas las evitan. Así, las moléculas de agua sólo pueden atravesar la membrana celular pasando por los poros de las proteínas integradas en ella.

Cómo cruzan las sustancias químicas la membrana celular

Las células del cuerpo necesitan controlar su entorno interno cuidadosamente para funcionar del modo adecuado. La membrana celular proporciona una barrera que regula qué sustancias químicas pasarán al interior y al exterior de la célula.

Todas las células del cuerpo están rodeadas por una membrana, que constituye una barrera importante para separar el contenido interno de la célula de su entorno exterior. Esta función es vital, ya que el contenido celular ha de mantenerse estrechamente regulado para que las células funcionen adecuadamente.

MEMBRANAS SEMIPERMEABLES

La membrana celular no es una barrera impermeable. Al contrario, deja que algunas sustancias la atraviesen libremente, a la vez que restringe o inhibe totalmente el paso de otros productos químicos; de ahí el término de «membrana semipermeable».

Por ejemplo, la glucosa, una molécula esencial que aporta energía al cuerpo, puede moverse libremente a través de la membrana celular. Sin embargo, para impedir que la glucosa no utilizada abandone la célula se convierte en una sustancia denominada glucosa-6-fosfato, que no

puede atravesar la célula hacia el exterior.

Otras moléculas capaces de atravesar la membrana celular con facilidad son el oxígeno, que se emplea en el metabolismo de la glucosa, y el dióxido de carbono, un producto de desecho que se difunde al exterior de la célula.

POROS DE PROTEÍNAS

Otras partículas, como los iones de sodio y los aminoácidos, sólo pueden atravesar la membrana a través de poros abiertos por proteínas de membrana específicas; muchos de éstos actúan como puertas que se abren o se cierran sólo como respuesta a una señal química predeterminada.

Por ejemplo, algunos poros de proteínas se abren únicamente cuando una sustancia química liberada de otra célula (por ejemplo, una hormona) se une a su superficie externa. Otros poros se abren en respuesta a un cambio en la tensión eléctrica.

Transporte pasivo

Difusión simple

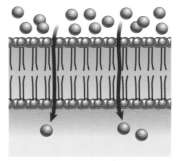

Algunas moléculas, como los esteroides, pueden desplazarse libremente a través de la membrana celular (en verde) hacia la célula.

Poros de proteínas

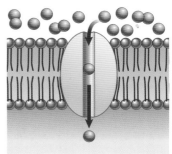

Algunas proteínas abren poros que permiten que sustancias químicas pequeñas, como los átomos de sodio, crucen la membrana celular.

Transporte facilitado

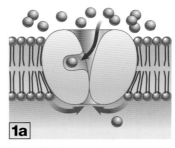

1a

Las moléculas grandes, como la glucosa, son «embarcadas» a través de la membrana. Difieren de los poros en que no están abiertas permanentemente.

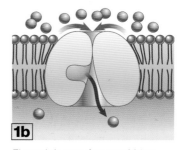

1b

El canal de proteínas cambia su forma ligeramente después de que la sustancia química haya «atracado» con ella, lo que permite que esta sustancia se libere en el interior de la membrana celular.

Ósmosis

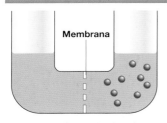

Un tubo con forma de U está separado en dos compartimentos, uno está formado por agua pura y el otro con una solución concentrada de azúcar.

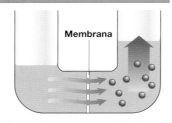

La membrana es permeable al agua, pero no a las moléculas de azúcar; por tanto, el agua se desplaza a través de la membrana hacia la solución de azúcar.

Se llama ósmosis al movimiento de las moléculas de agua a través de una membrana desde un lugar en que están en alta concentración a otro donde tienen baja concentración. Este proceso puede ilustrarse llenando la mitad de un vaso de dos compartimentos con agua pura y la otra mitad con una solución de azúcar concentrada. Como separador de los compartimentos hay una membrana semipermeable cuyos poros pequeños permiten el paso de agua, pero no de moléculas de azúcar. Las moléculas de agua atravesarán la

membrana desde el lado que contiene el agua pura a la solución de azúcar.

IMPORTANCIA DE LA ÓSMOSIS

La ósmosis desempeña un papel muy importante en el cuerpo humano. Por ejemplo, el volumen de sangre puede controlarse modificando la concentración de sodio en la orina; el agua fluye hacia el tracto urinario como consecuencia de la ósmosis y después se excreta reduciendo así el volumen de sangre.

Abertura del poro de proteína mediada por receptor

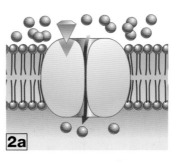

2a

Algunos canales de proteínas se abren sólo cuando una molécula mensajera (a menudo emitida por otra célula) se une a la superficie externa de la proteína, como si fuera una llave.

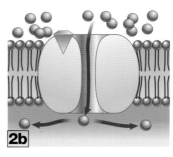

2b

Estas proteínas receptoras son especialmente importantes en las neuronas (células nerviosas), ya que permiten que una neurona influya en el entorno interior de otra.

Transporte activo

Algunas moléculas pueden atravesar la membrana celular sin ayuda porque son insolubles en la membrana celular o demasiado grandes para atravesar los poros de proteínas.

Al igual que la acción osmótica del agua, otras moléculas tienen una tendencia natural a moverse desde un lugar de alta concentración a otro de concentración menor (como una bola rueda pendiente abajo) hasta que se dispersan uniformemente en el espacio disponible; esta «difusión del gradiente de concentración».

Si una molécula tiene que desplazarse en contra de su gradiente de concentración («pendiente arriba») para acceder a una célula o salir de ella, se arrastra por medio de un proceso denominado transporte activo. Sin embargo, el transporte activo exige un uso de energía por parte de la célula.

Existen dos formas de transporte activo: bombas de membrana y transporte vesicular. Las primeras son proteínas que atraviesan la membrana y que tienen capacidad para impulsar una pequeña cantidad de moléculas a través de la misma. El transporte vesicular implica el transporte de un alto número de moléculas.

Bombas de membrana

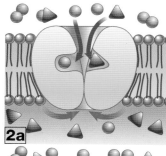

Transporte activo simple

1a **1b**

Una forma de llevar una sustancia química en contra de su gradiente de concentración (en este caso, del interior al exterior de una célula) es «a bordo» de una proteína; este proceso necesita energía.

Cotransporte

2a **2b**

Si una molécula se difunde hacia un menor gradiente de concentración (esferas rojas), otra molécula (triángulos morados) puede «escalar» y desplazarse en contra de su gradiente de concentración.

Contratransporte

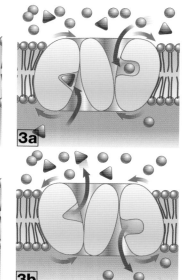

3a **3b**

El contratransporte es muy similar al cotransporte en el sentido de que el movimiento «pendiente abajo» de una sustancia química aporta la energía para que otra pueda ser transportada «pendiente arriba».

Transporte vesicular: exocitosis

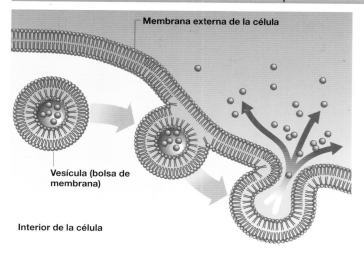

Membrana externa de la célula

Vesícula (bolsa de membrana)

Interior de la célula

La exocitosis es un proceso por el cual grandes cantidades de una sustancia son transportadas del interior al exterior de una célula.

Como las bombas de membrana, la exocitosis requiere energía. Este modo de transporte es responsable de la secreción de hormonas desde glándulas endocrinas y de la liberación de neurotransmisores de las células nerviosas. En consecuencia la exocitosis desempeña un papel importante para

La sustancia química que se emite desde la célula se empaqueta en una bolsa de membrana (vesícula). Esta bolsa se fusiona con la membrana celular liberando su contenido.

permitir la comunicación entre células.

EL PROCESO DE EXOCITOSIS

La sustancia que se libera desde la célula se empaqueta primero en una bolsa denominada vesícula, compuesta por fosfolípidos y proteínas, como las presentes en la membrana celular. Las proteínas de la vesícula reconocen las proteínas de la membrana y se unen a ellas, con lo que las dos membranas se fusionan y finalmente se rompen diseminando el contenido de la vesícula al exterior de la célula. La membrana celular no aumenta de tamaño cuando le llegan más vesículas, sino que éstas se reciclan continuamente.

Transporte vesicular: endocitosis

La endocitosis es en muchos sentidos justo lo contrario de la exocitosis: es un proceso que permite que se absorban sustancias en la célula desde el entorno externo. Existen tres formas típicas de endocitosis:

■ Fagocitosis (literalmente, ingestión de comida celular). Un material sólido y grande (por ejemplo, una bacteria) es fagocitado por la membrana celular y ab-

sorbido al interior de la célula, donde se digiere.
■ Pinocitosis (literalmente, «ingestión de bebida celular»). Se fagocitan gotitas de líquido del exterior celular, que contienen moléculas disueltas.

En la imagen se observa una bacteria Clostridium (en azul). La membrana celular ingiere la bacteria por un proceso denominado fagocitosis.

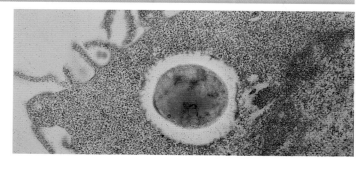

Neuronas

Una neurona es una célula especializada del sistema nervioso. La función principal de las neuronas es transportar información a modo de impulsos eléctricos de una parte del cuerpo a otra.

Los tejidos del sistema nervioso están formados por dos clases de células, neuronas o células nerviosas, que transmiten información a modo de señales eléctricas; y las pequeñas células de sostén (gliales) que las rodean.

RASGOS COMUNES
Las neuronas son las células grandes y altamente especializadas del sistema nervioso, cuya función es recibir información y transmitirla por todo el cuerpo. Aunque variables en estructura, las neuronas tienen algunos rasgos comunes:

▪ Cuerpo celular. La neurona posee un único cuerpo celular a partir del cual surge una serie de ramificaciones.
▪ Dendritas. Son las finas ramificaciones de la neurona, en realidad prominencias del cuerpo celular.
▪ Axón. Cada neurona tiene un axón que transmite los impulsos eléctricos del cuerpo celular.

CARACTERÍSTICAS
Las neuronas tienen algunas características especiales:

▪ Las neuronas no pueden dividirse, por lo que no se sustituyen cuando se destruyen o resultan dañadas.
▪ Las neuronas viven mucho tiempo; como no pueden regenerarse, han de durar toda la vida.
▪ Las neuronas tienen necesidades de energía muy altas y por tanto apenas sobreviven unos minutos si les falta oxígeno o glucosa en la sangre.

Estructura de una neurona motora

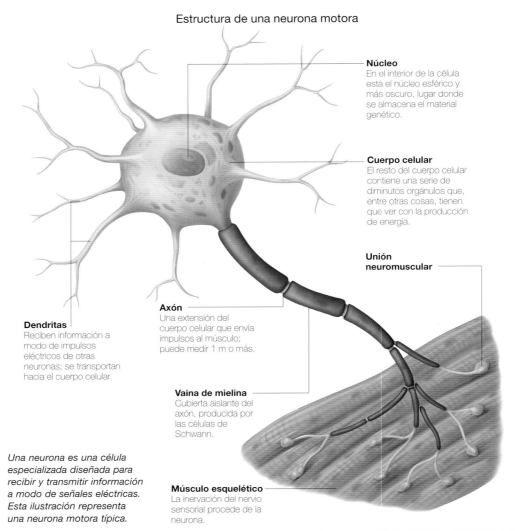

Núcleo
En el interior de la célula está el núcleo esférico y más oscuro, lugar donde se almacena el material genético.

Cuerpo celular
El resto del cuerpo celular contiene una serie de diminutos orgánulos que, entre otras cosas, tienen que ver con la producción de energía.

Unión neuromuscular

Dendritas
Reciben información a modo de impulsos eléctricos de otras neuronas; se transportan hacia el cuerpo celular.

Axón
Una extensión del cuerpo celular que envía impulsos al músculo; puede medir 1 m o más.

Vaina de mielina
Cubierta aislante del axón, producida por las células de Schwann.

Músculo esquelético
La inervación del nervio sensorial procede de la neurona.

Una neurona es una célula especializada diseñada para recibir y transmitir información a modo de señales eléctricas. Esta ilustración representa una neurona motora típica.

Tipos estructurales de neurona

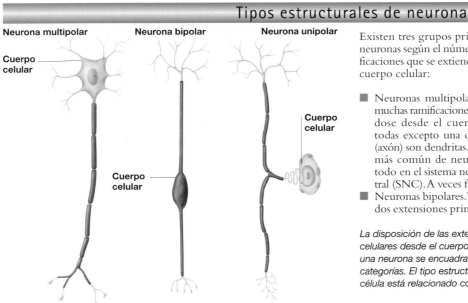

Neurona multipolar

Cuerpo celular

Neurona bipolar

Cuerpo celular

Neurona unipolar

Cuerpo celular

Existen tres grupos principales de neuronas según el número de ramificaciones que se extienden desde el cuerpo celular:

▪ Neuronas multipolares. Tienen muchas ramificaciones extendiéndose desde el cuerpo celular, todas excepto una de las cuales (axón) son dendritas. Es la forma más común de neurona, sobre todo en el sistema nervioso central (SNC). A veces falta el axón.
▪ Neuronas bipolares. Tienen sólo dos extensiones principales: una

La disposición de las extensiones celulares desde el cuerpo celular de una neurona se encuadra en tres categorías. El tipo estructural de la célula está relacionado con su función.

sola dendrita y un axón. Esta clase de neurona es poco frecuente en el cuerpo y está presente en órganos sensoriales especiales, como la retina en el ojo.
▪ Neuronas unipolares. Tienen una única extensión principal, que se divide en otra periférica que recibe información, a menudo desde un receptor sensorial, y una central, que entra en el SNC.

FUNCIÓN NEURONAL
Las neuronas pueden clasificarse también, según sus funciones, en neuronas sensoriales (aferentes) y neuronas motoras (eferentes). La mayoría de las neuronas sensoriales son unipolares, mientras que las neuronas motoras son multipolares.

La vaina de mielina

La velocidad de una señal eléctrica a lo largo de un axón neuronal aumenta por la presencia de una vaina de mielina, una capa de aislante graso.

La vaina de mielina tiene distinta formación según el lugar donde se encuentra:

■ En el sistema nervioso periférico (cuyos nervios se sitúan fuera del encéfalo y la médula espinal) la vaina de mielina es producida por células de Schwann especializadas. Estas células se envuelven alrededor del axón de una célula nerviosa para formar una vaina de círculos concéntricos de sus membranas celulares.

■ En el sistema nervioso central las neuronas adquieren su vaina de mielina a partir de células denominadas oligodendrocitos, que pueden mielinizar más de un axón nervioso a la vez.

ASPECTO

Las fibras nerviosas con vainas de mielina tienden a ser más blancas que las desmielinizadas, que tienen un tono gris. La «materia blanca» del encéfalo está compuesta por densas agrupaciones de fibras nerviosas mielinizadas, mientras que la «materia gris» está formada por cuerpos celulares nerviosos y fibras desmielinizadas.

FUNCIÓN

Cada célula de Schwann se sitúa junto a la siguiente, pero sin contacto. La distancia entre ellas, en la que no hay mielina, recibe el nombre de nodo de Ranvier. Cuando pasa una señal eléctrica por el nervio, debe «saltar» de un nodo a otro, lo que hace el recorrido más rápido en conjunto que si no hubiera vainas de mielina.

Aislamiento de un nervio periférico

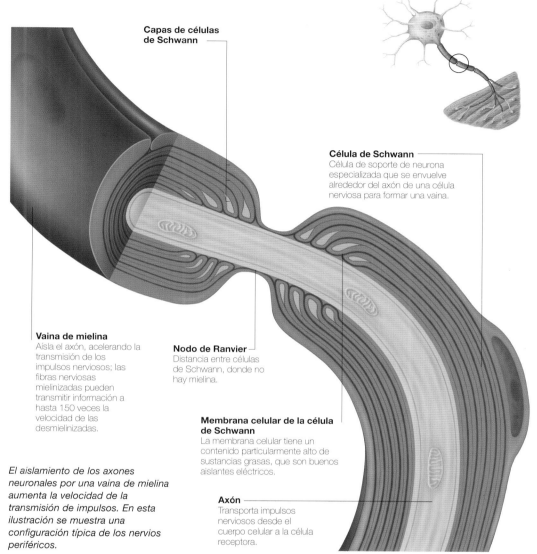

Capas de células de Schwann

Célula de Schwann
Célula de soporte de neurona especializada que se envuelve alrededor del axón de una célula nerviosa para formar una vaina.

Vaina de mielina
Aísla el axón, acelerando la transmisión de los impulsos nerviosos; las fibras nerviosas mielinizadas pueden transmitir información a hasta 150 veces la velocidad de las desmielinizadas.

Nodo de Ranvier
Distancia entre células de Schwann, donde no hay mielina.

Membrana celular de la célula de Schwann
La membrana celular tiene un contenido particularmente alto de sustancias grasas, que son buenos aislantes eléctricos.

Axón
Transporta impulsos nerviosos desde el cuerpo celular a la célula receptora.

El aislamiento de los axones neuronales por una vaina de mielina aumenta la velocidad de la transmisión de impulsos. En esta ilustración se muestra una configuración típica de los nervios periféricos.

Células de sostén del sistema nervioso central

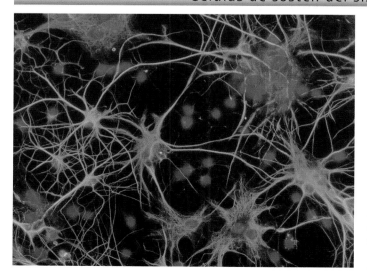

Las neuronas están rodeadas por la neuroglia, una denominación colectiva dada al grupo de pequeñas células de sostén que configuran casi la mitad del volumen del sistema nervioso central. Las células de la neuroglía o neurogliocitos superan en número a las neuronas en una proporción de 10 a 1 y tienen una diversidad de funciones:

■ Astrocitos. Los neurogliocitos más abundantes tienen forma de estrella. Fijan las neuronas a su aporte sanguíneo y determinan

Los astrocitos son células en forma de estrellas en el sistema nervioso central. Sus numerosas ramas de tejido conjuntivo dan soporte y nutrición a las neuronas.

qué sustancias pasarán entre la sangre y el encéfalo (la llamada barrera hematoencefálica).

■ Microgliocitos. Como las células similares de otras partes del cuerpo, estas pequeñas células ovaladas están especializadas en ingerir o fagocitar cualquier microorganismo invasor o tejido muerto.

■ Oligodendrocitos. Estas células proporcionan la vaina de mielina a las neuronas del SNC.

■ Células ependimarias. Revisten los ventrículos llenos de líquido del SNC. Estas células pueden tener una amplia diversidad de formas, desde planas a columnares. Poseen cilios diminutos en la superficie que baten para mantener la circulación en el líquido cefalorraquídeo.

Cómo funcionan las neuronas

Las neuronas generan impulsos nerviosos, mensajes eléctricos que viajan de
un extremo de una célula nerviosa al otro. Esta capacidad es esencial para
que podamos relacionarnos con el mundo que nos rodea.

El sistema nervioso central humano contiene al menos 200.000 millones de neuronas (células nerviosas); en promedio, cada neurona se comunica con miles de otras células nerviosas. Esta complejidad permite al encéfalo interpretar la rica información sensorial que recibe de los cinco sentidos y reaccionar.

NEUROANATOMÍA

Aunque las neuronas de diferentes regiones del sistema nervioso pueden parecer muy distintas, comparten sus tres elementos básicos:

- Las dendritas (del griego *dendros,* que significa árbol) son prominencias ramificadas de la membrana celular que aportan una gran área superficial para recibir los neurotransmisores emitidos por otras neuronas. Las dendritas transducen (convierten) esta información química en pequeños impulsos eléctricos, que después se transportan al cuerpo celular.
- La mayor parte de una neurona está constituida por el cuerpo celular que, como en la mayoría de las células del cuerpo, contiene un núcleo. Una región del cuerpo celular denominada cresta axónica une todos los pequeños impulsos nerviosos generados por las numerosas dendritas e inicia potenciales de acción (impulsos nerviosos) de modo consiguiente.
- El axón de una neurona transporta impulsos nerviosos desde el cuerpo celular a los terminales sinápticos, terminaciones especializadas que emiten neurotransmisores para comunicarse con otras neuronas.

Anatomía de una neurona (célula nerviosa)

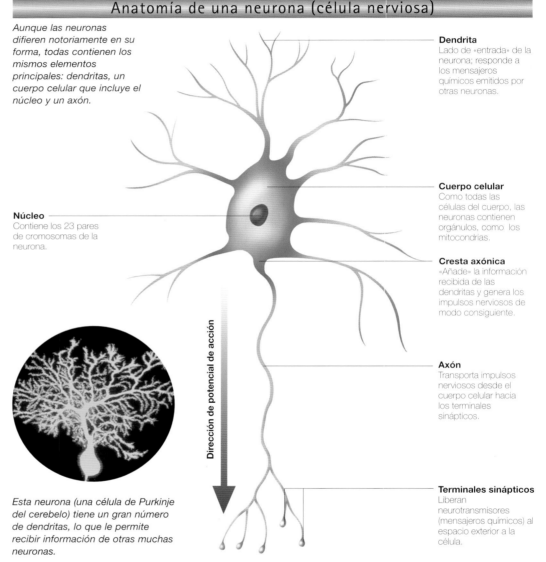

Aunque las neuronas difieren notoriamente en su forma, todas contienen los mismos elementos principales: dendritas, un cuerpo celular que incluye el núcleo y un axón.

Dendrita
Lado de «entrada» de la neurona; responde a los mensajeros químicos emitidos por otras neuronas.

Núcleo
Contiene los 23 pares de cromosomas de la neurona.

Cuerpo celular
Como todas las células del cuerpo, las neuronas contienen orgánulos, como los mitocondrias.

Cresta axónica
«Añade» la información recibida de las dendritas y genera los impulsos nerviosos de modo consiguiente.

Axón
Transporta impulsos nerviosos desde el cuerpo celular hacia los terminales sinápticos.

Terminales sinápticos
Liberan neurotransmisores (mensajeros químicos) al espacio exterior a la célula.

Dirección de potencial de acción

Esta neurona (una célula de Purkinje del cerebelo) tiene un gran número de dendritas, lo que le permite recibir información de otras muchas neuronas.

¿Qué hace que las neuronas sean diferentes de las demás células del cuerpo?

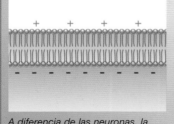

A diferencia de las neuronas, la mayoría de las células del cuerpo no tiene poros de proteínas que puedan abrirse y cerrarse como respuesta a una señal predeterminada.

La composición química del fluido contenido en una célula (el citosol) es diferente de la del líquido presente fuera de la célula (líquido extracelular).

En comparación con el líquido extracelular, el citosol tiene menos cargas positivas y más negativas; esto significa que el interior de la célula es ligeramente negativo comparado con el exterior. La carga eléctrica a través de la membrana recibe el nombre de potencial de membrana, y en la mayoría de las células es de aproximadamente –70 milivoltios (milésimas de voltio).

Lo que hace a las neuronas tan especiales es que pueden modificar la carga eléctrica a través de su membrana para generar impulsos nerviosos. Lo hacen porque su membrana celular contiene poros de proteínas a modo de puertas que permiten el paso de iones eléctricos cargados (sodio, potasio, calcio o cloruro) de forma transitoria, con lo que se modifica el potencial de membrana de la neurona. Otras células no tienen estos poros de proteínas y así su potencial de membrana permanece relativamente constante.

Las neuronas pueden generar impulsos nerviosos porque su membrana contiene canales de puerta que responden a los mensajeros químicos (izquierda) o a un cambio en el voltaje (derecha).

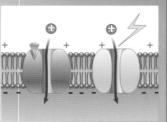

Cómo se generan los impulsos nerviosos

Las neuronas generan impulsos nerviosos modificando la carga que atraviesa su membrana. Si ésta se reduce (por ejemplo, por enfriamiento), la producción de impulsos disminuye.

Una neurona sólo puede generar un potencial de acción cuando se ha estimulado adecuadamente. Los neurotransmisores (mensajeros químicos), emitidos por las neuronas cercanas, hacen que la membrana dendrítica se abra. Ello permite que iones positivos de sodio fluyan hacia la dendrita haciendo que el potencial de membrana sea ligeramente menos negativo.

EL «DISPARO» DE UN POTENCIAL DE ACCIÓN
Si en la neurona entra un número suficiente de iones de sodio como para elevar el potencial de membrana hasta el «potencial umbral», se abren otros poros de proteínas dependientes del voltaje, lo que permite que entren todavía más iones de sodio positivos a la neurona.

Un electroencefalograma (EEG) registra los campos eléctricos generados por los miles de millones de potenciales de acción que genera el encéfalo cada segundo.

Los potenciales de acción no están graduados en amplitud (es decir, no varían de intensidad). Al contrario, cuando se alcanza el potencial umbral, el potencial de membrana se dispara súbitamente hasta su nivel máximo.

Por analogía, para tirar de la cisterna en un cuarto de baño ha de aplicarse una presión suficiente al mango para que abra la válvula que une la cisterna con la taza. Sin embargo, una vez que el agua empieza a caer, no es posible detener el vaciado.

RECUPERACIÓN DEL POTENCIAL DE ACCIÓN
Cuando el potencial de membrana alcanza su nivel máximo, los canales de sodio se cierran y otros canales, que son permeables a los iones positivos de potasio, se abren como respuesta al elevado potencial de membrana (los canales de potasio se abren únicamente como respuesta a un alto voltaje). Los iones de potasio positivos fluyen al exterior de la célula llevando de nuevo el potencial de membrana hacia su valor de reposo.

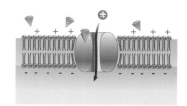

1 *Algunos neurotransmisores abren los canales de sodio en la membrana dendrítica, con lo que permiten el paso hacia la célula de iones de sodio positivos.*

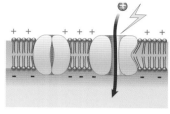

2 *Cuando el voltaje alcanza un valor umbral, los canales de sodio activados por voltaje se abren permitiendo que todavía más iones positivos entren en la célula.*

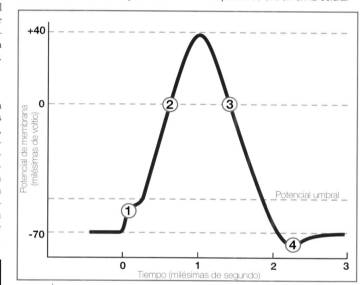

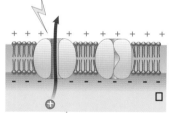

3 *Los canales de sodio se cierran y se abren los de potasio permitiendo que los iones de potasio positivos salgan de la célula.*

4 *Finalmente se inactivan los canales de sodio y los de potasio; en este punto la neurona está en reposo y no se producen más potenciales de acción.*

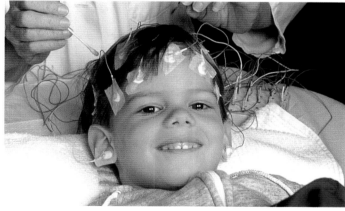

Velocidad de los impulsos nerviosos

Cada axón transmite impulsos nerviosos a una velocidad constante. Sin embargo, existe un amplio grado de variabilidad en la velocidad a la que diferentes axones conducen los potenciales de acción.

DIÁMETRO DEL NERVIO
Por ejemplo, las velocidades de conducción pueden variar entre 0,5 y 120 metros por segundo aproximadamente. La velocidad depende del diámetro del nervio (los nervios con diámetro grande conducen más deprisa que los que tienen diámetro pequeño), así como del grado de aislamiento del nervio; la velocidad de conducción aumenta en las fi-

bras nerviosas envueltas con una sustancia aislante grasa denominada mielina.

EFECTO DE LA TEMPERATURA
Además, la velocidad de transmisión de los impulsos nerviosos varía con la temperatura. Por ejemplo, al enfriar un tobillo inflamado con una bolsa de hielo se aplaca el dolor, porque reduce el número de potenciales de acción a lo largo del nervio.

Al colocar una bolsa de hielo en un tobillo inflamado se alivia el dolor al ralentizar la transmisión de los impulsos nerviosos.

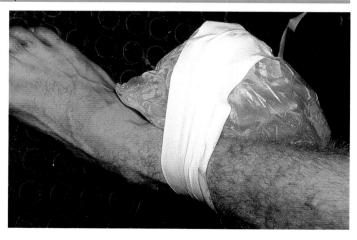

Cómo se comunican las neuronas

Las neuronas se comunican entre sí emitiendo mensajeros químicos llamados neurotransmisores. Los fármacos terapéuticos y las drogas ilegales actúan modificando la eficacia de estas moléculas transmisoras.

Las neuronas no entran en contacto directo entre sí. Existe entre ellas una distancia muy pequeña, que separa la célula nerviosa que envía la información (neurona presináptica) de la que recibe dicha información (neurona postsináptica).

Esta distancia significa que un impulso nervioso no puede desplazarse directamente de una neurona a la siguiente. Cuando un impulso

Esta micrografía electrónica de transmisión muestra una neurona presináptica (izquierda) que contiene vesículas (en azul) en contacto sináptico con una neurona postsináptica (derecha).

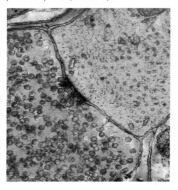

nervioso llega a los terminales sinápticos, el cambio repentino en el voltaje hace que los iones de calcio circulen hacia la célula presináptica.

EMISIÓN DE NEUROTRANSMISORES

Los iones de calcio provocan que las vesículas (pequeños sacos confinados por membranas que contienen mensajeros químicos denominados neurotransmisores) se muevan hacia delante y se acoplen con la membrana de la célula presináptica liberando su contenido a la hendidura sináptica.

Las moléculas de neurotransmisores se difunden a través de la célula postsináptica y activan las proteínas receptoras situadas dentro de su membrana. Esta acción puede tener el efecto de excitar o inhibir la célula postsináptica (dependiendo del neurotransmisor y de su receptor apropiado), aumentando o reduciendo, respectivamente, la probabilidad de que se genere un potencial de acción.

Las moléculas de neurotransmisores se difunden a través de la hendidura sináptica y se unen a receptores en la membrana postsináptica.

1 El cambio de voltaje a través de la membrana provoca el aflujo de iones de calcio

Vesículas que contienen moléculas de neurotransmisores

Hendidura sináptica

Neurona presináptica

2 Los iones de calcio hacen que las vesículas liberen neurotransmisores

3 El neurotransmisor abre los poros para excitar o inhibir la neurona postsináptica

Neurona postsináptica

Control nervioso del músculo

Algunos nervios se proyectan desde la médula espinal para inervar los músculos. Cuando un impulso nervioso llega a una «unión neuromuscular», hace que se libere un neurotransmisor denominado acetilcolina desde las terminaciones nerviosas.

Micrografía que muestra una unión neuromuscular. El nervio (en negro) puede verse inervando el músculo rosado.

La acetilcolina se difunde a través de la hendidura sináptica y se une a receptores del tejido muscular. Así se inicia una secuencia de acontecimientos que da como resultado la contracción de las fibras musculares.

De este modo el sistema nervioso central controla qué músculos se contraen en un momento dado, lo que resulta esencial para movimientos complicados como el de andar.

Efectos de los neurotransmisores

Después de que un neurotransmisor se ha unido con su receptor y lo ha activado en la membrana postsináptica, rápidamente se desprende y o bien se descompone por la acción de las enzimas que flotan en la hendidura sináptica o bien es absorbido en el terminal presináptico, donde se reempaqueta en otra vesícula. Así se asegura que el efecto del neurotransmisor en una molécula receptora sea breve.

Algunas drogas ilegales, como la cocaína, así como ciertos fármacos, actúan impidiendo que el neurotransmisor (dopamina, en el caso

de la cocaína) se reabsorba; de este modo se prolonga el tiempo durante el cual el neurotransmisor puede activar receptores en la membrana postsináptica llevando a un efecto estimulador más prolongado.

La cocaína actúa inhibiendo la absorción del neurotransmisor dopamina, lo que permite que las moléculas de dopamina activen sus receptores durante más tiempo.

Procesamiento neuronal

El encéfalo es una estructura increíblemente compleja; cada una de sus neuronas está conectada a miles de otras más situadas a lo largo del sistema nervioso.

Como los impulsos nerviosos no varían en intensidad, la información se codifica en la frecuencia de los mismos (es decir, el número de potenciales de acción que genera una neurona por segundo), de forma similar al código Morse.

Uno de los grandes problemas a que se enfrentan los neurocientíficos en la actualidad es intentar comprender cómo se produce este sistema relativamente sencillo de codificación; por ejemplo, las respuestas emocionales que sentimos cuando un amigo o un pariente muere, o la capacidad de arrojar una pelota con tal precisión que

impacta contra un objeto a unos 20 metros.

A este respecto está claro que la información no se transmite de una neurona a otra de manera lineal. Cada neurona probablemente recibe informaciones sinápticas de otras muchas (un fenómeno llamado convergencia) y puede influir sobre un gran número (hasta 100.000) de neuronas (divergencia).

Se ha calculado que el número de rutas posibles para que los impulsos nerviosos recorran esta vasta red neuronal es superior al de partículas subatómicas contenidas en todo el universo.

Esta micrografía electrónica de barrido muestra muchas neuronas presinápticas (en azul) que forman sinapsis con una neurona postsináptica (naranja).

La transferencia de información no tiene lugar de manera lineal. Una sola neurona puede influir en millares de otras células semejantes y recibir la influencia de ellas.

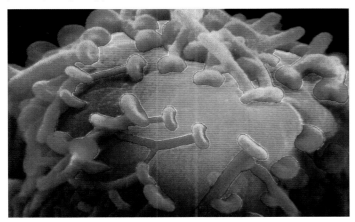

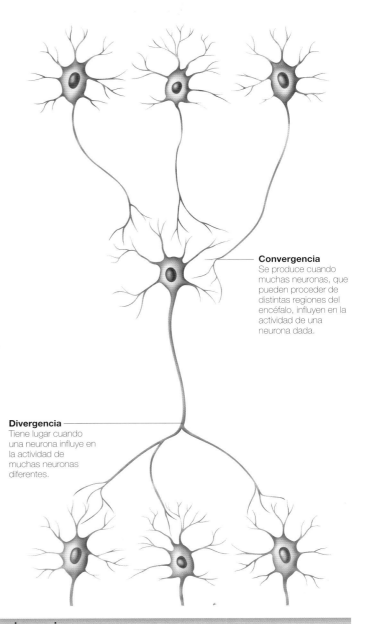

Convergencia
Se produce cuando muchas neuronas, que pueden proceder de distintas regiones del encéfalo, influyen en la actividad de una neurona dada.

Divergencia
Tiene lugar cuando una neurona influye en la actividad de muchas neuronas diferentes.

Tipos de sinapsis

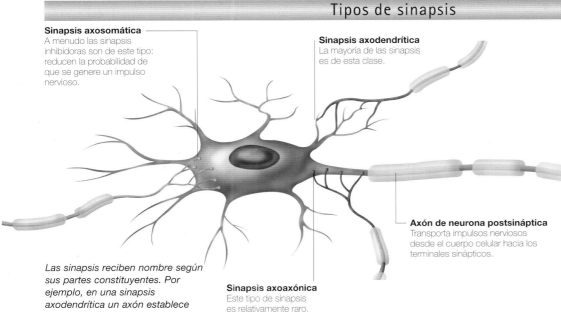

Sinapsis axosomática
A menudo las sinapsis inhibidoras son de este tipo: reducen la probabilidad de que se genere un impulso nervioso.

Sinapsis axodendrítica
La mayoría de las sinapsis es de esta clase.

Axón de neurona postsináptica
Transporta impulsos nerviosos desde el cuerpo celular hacia los terminales sinápticos.

Sinapsis axoaxónica
Este tipo de sinapsis es relativamente raro.

Las sinapsis reciben nombre según sus partes constituyentes. Por ejemplo, en una sinapsis axodendrítica un axón establece contacto sináptico con una dendrita.

Existen dos tipos principales de sinapsis: las que provocan la excitación de la neurona postsináptica y las que la inhiben (lo cual depende en gran medida del tipo de neurotransmisor que se libere). Una neurona activará únicamente un impulso nervioso cuando las entradas de excitación superen a las de inhibición.

INTENSIDAD DE LAS SINAPSIS
Cada neurona recibe un gran número de entradas de excitación e inhibición. Cada una de las sinapsis presentes tendrá mayor o menor efecto a la hora de determinar si se inicia un potencial de acción.

Por ejemplo, las sinapsis que tienen el efecto más potente son generalmente las que están cerca de la zona de iniciación del impulso nervioso en el cuerpo celular (soma).

La función del agua

Los seres humanos no sobreviven sin agua porque es esencial para la hidratación y ciertos procesos corporales, además de constituir una fuente vital de minerales. Si la ingesta de agua es insuficiente, puede producirse deshidratación.

De todas las formas de nutrición el agua es la más importante. Una persona puede sobrevivir varias semanas sin alimento, pero si no tiene agua perecerá en unos días.

El motivo de ello es que un porcentaje muy elevado del cuerpo está constituido por agua. La mayoría de las células contienen un 80% de agua aproximadamente, mientras que el plasma (componente líquido de la sangre) está formado en un 92% por agua.

FUENTES DE AGUA

Es esencial que la ingesta de agua sea suficiente para que el cuerpo pueda cubrir sus necesidades. La mayor parte de los alimentos contienen algo de agua; en la carne, del 40 al 75%, y en las verduras, hasta el 95%. Sorprendentemente incluso las comidas secas, como el pan y los cereales, incluyen hasta un 30% de agua.

Sin embargo, es vital complementar el alimento con bebida regular de agua para que el cuerpo alcance niveles óptimos de hidratación. Como guía general, se deben beber unos 2 litros de agua al día (en torno a ocho vasos).

TIPO DE LÍQUIDO

Por desgracia, la mayoría de la gente no bebe suficiente líquido y a menudo no ingiere bebida del tipo correcto.

Para muchas personas, el grueso de la ingesta de agua proviene de bebidas como té, café y colas. Aunque estas bebidas contienen agua, también tienen cafeína, un diurético que en realidad actúa para inducir al cuerpo a que se desprenda de una cantidad valiosa de agua elevando la producción de orina. Las bebidas que contienen alcohol sirven también para deshidratar el cuerpo.

El agua es esencial para la supervivencia, ya que constituye una alta proporción del cuerpo. Lo ideal es beber unos 2 litros de agua al día.

Ventajas del agua

Las ventajas de beber agua a menudo se pasan por alto, pese al hecho de que la falta de agua puede tener un impacto muy serio en la salud. Además de aplacar la sed, el agua es esencial para numerosos procesos corporales: ayuda a mantener la temperatura del cuerpo, actúa como lubricante, facilita una serie de reacciones químicas y sirve como medio de mezcla.

TEMPERATURA CORPORAL

El agua tiene un alto calor específico, lo que significa que se necesita una cantidad relativamente importante de energía para elevar su temperatura. En consecuencia, el agua del cuerpo presenta resistencia a grandes fluctuaciones en la temperatura corporal. Además, esta agua permite refrescar el cuerpo a altas temperaturas o durante el ejercicio físico. Así sucede a través de la evaporación de agua en forma de sudor.

PROTECCIÓN

El agua actúa como lubricante para prevenir el rozamiento dentro del cuerpo. Por ejemplo, las lágrimas producidas por las glándulas lagrimales impiden que la superficie del ojo se frote con el párpado. El agua forma también un cojín en las articulaciones y entre los órganos para protegerlos de traumatismos (por ejemplo, el líquido cefalorraquídeo que rodea al encéfalo).

REACCIONES QUÍMICAS

Las reacciones químicas que tienen lugar en el cuerpo no se producirían sin agua. Las moléculas deben disolverse en agua para formar iones (átomos cargados eléctricamente) antes de reaccionar. Por ejemplo, cuando se disuelve cloruro de sodio en agua, se separa en iones sodio y cloruro independientes, que así tienen libertad para reaccionar con otros iones.

Además, las membranas celulares dependen del agua para el movimiento de enzimas desde el interior y al exterior de las células. Las enzimas son esenciales para la función celular y sin agua suficiente estas reacciones no se producirían.

MEDIO DE MEZCLA

El agua se mezcla con otras sustancias para formar una solución (por ejemplo, cuando se disuelve cloruro de sodio en agua para formar sudor), una suspensión (los glóbulos rojos en plasma) o un coloide (un líquido que contiene materiales no disueltos que no se sedimentan, como serían el agua y las proteínas de las células).

La capacidad del agua de mezclarse con otras sustancias la permite actuar como un medio eficaz para el transporte de nutrientes, gases y productos de desecho por todo el cuerpo en líquidos corporales como el plasma.

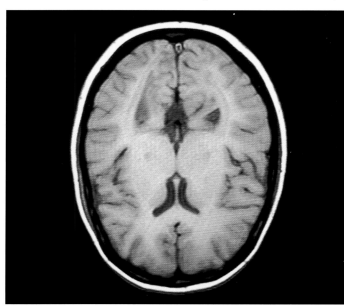

El líquido cefalorraquídeo es un líquido acuoso que rodea al encéfalo y la médula espinal. Amortigua el contacto del cerebro con el cráneo al mover la cabeza.

Pérdida de agua

Una serie de mecanismos regulares asegura que los líquidos del cuerpo se mantengan dentro de límites estrechos (homeostasis). Este equilibrio puede verse perturbado por temperaturas extremas o por enfermedad, cuando la pérdida exagerada de agua podría llevar a una deshidratación.

TRES RUTAS

El agua se pierde del cuerpo por tres rutas:

■ Sudoración. La pérdida de líquido a través del sudor depende de una serie de factores, como la temperatura ambiental, la humedad y el grado de ejercicio. El volumen de sudor perdido por una persona en reposo es insignificante. Sin embargo, cuando hace ejercicio a altas temperaturas o tiene fiebre, el volumen de pérdida de agua por el sudor aumenta sustancialmente. Una persona que trabaja al aire libre en verano, por ejemplo, puede perder hasta 5 litros de sudor.

■ Orina. La cantidad de líquido ingerido suele superar las necesidades del cuerpo: el exceso se elimina a través de los riñones en forma de orina. Los fármacos o las dolencias médicas que aumentan el volumen de orina pueden causar deshidratación.

■ Defecación. Sólo una pequeña parte de los líquidos corporales se pierde por la defecación, ya que el agua se reabsorbe en el colon. Sin embargo, no sucede así en el caso de la diarrea. Este problema se produce cuando unas olas de movimiento incrementadas en el tracto intestinal hacen que la materia fecal pase por el colon con demasiada rapidez para que tenga lugar la reabsorción del agua. En consecuencia, por este trastorno se pueden perder grandes cantidades de líquido en el cuerpo.

DESHIDRATACIÓN

La pérdida de líquidos corporales puede producir deshidratación, potencialmente letal y que ha de tratarse con urgencia. Los niños y los ancianos (el sentido de la sed suele decrecer con la edad) tienen un mayor riesgo de sufrir deshidratación.

Los síntomas de la deshidratación son alta temperatura corporal, fatiga, náuseas, sed extrema, evacuación de pequeñas cantidades de orina oscura, dolor de cabeza y confusión.

La deshidratación severa se define como una pérdida de más del 1% del peso corporal en líquido. Por ejemplo, una persona que pesa 70 kg tendría que perder 700 gramos de líquido para considerarse gravemente deshidratada. Los sujetos afectados pueden sufrir baja presión arterial, pérdida de consciencia, fuertes calambres en los brazos, las piernas, el estómago y la espalda, convulsiones, insuficiencia cardiaca, ojos hundidos, pérdida de elasticidad de la piel y respiración rápida y profunda.

La deshidratación se trata reponiendo los líquidos perdidos, además de los electrolitos (sales) que éstos contienen. En casos leves lo

En el mundo en desarrollo los programas de educación ayudan a prevenir la deshidratación. Los casos leves pueden tratarse con el uso de sales de rehidratación oral.

anterior puede conseguirse tomando sales de rehidratación oral (una bolsita de polvos que se mezcla con agua para reponer líquidos y sales como sal y glucosa). Los casos graves se tratan con una infusión intravenosa de solución salina para restaurar rápidamente los niveles de líquido.

Lamentablemente en el mundo en desarrollo, donde el suministro de agua no contaminada es limitado y no siempre existen centros hospitalarios, muchas personas mueren cada día por deshidratación.

El mecanismo de la sed

Cuando se estimula el centro de la sed en el hipotálamo, se activa una sensación de sed. El problema del cuerpo se resuelve al beber agua.

El cuerpo necesita un equilibrio de agua bastante constante. Ello significa que el agua perdida, principalmente por el sudor y la orina, debe reponerse. Algunas circunstancias, como un calor o ejercicio excesivo, el uso de diuréticos o una dieta rica en sal, pueden dar como resultado un rápido agotamiento del agua.

Mantenimiento del equilibrio

El cuerpo vigila constantemente los niveles de agua verificando el volumen y la concentración de la sangre. Si el volumen desciende, y/o la concentración aumenta, registra la necesidad de conservar agua y de aumentar la cantidad que se bebe. Esta función está controlada principalmente por el hipotálamo en el encéfalo.

El hipotálamo envía «instrucciones» a los riñones para que reduz-

El nivel de agua en el cuerpo afecta a la concentración y el volumen de sangre. El encéfalo activará la sensación de sed cuando haya que ajustar estos valores.

can la cantidad de orina evacuada, a la vez que el centro de la sed inicia la sensación de sed. Así se activa un impulso de beber. También se activa el centro de la sed con la boca seca causada por la dieta, los fármacos o el nerviosismo.

Cómo actúa el ADN

El ADN es el material genético de todos los organismos y está situado en el núcleo de cada
célula. El descubrimiento de su estructura química revolucionó las ciencias biológicas y
nuestro conocimiento de la genética humana.

Las propiedades químicas del ADN (ácido desoxirribonucleico) le permiten desempeñar dos funciones muy importantes:

■ Proporciona a las células del cuerpo las «recetas» necesarias para construir proteínas a partir de los 20 aminoácidos esenciales presentes en las proteínas.
■ Es capaz de hacer copias de sí mismo, con lo que da los medios para que estas «recetas» de proteínas puedan transmitirse de una generación a la siguiente; esto significa que es posible legar características como el color de los ojos o los rasgos faciales de padres a hijos.

CROMOSOMAS
La inmensa mayoría del ADN humano está empaquetada en 23 pares de cromosomas, que se almacenan en el núcleo de la célula; un conjunto de 23 cromosomas se hereda del padre, y el otro conjunto de la madre.

Las excepciones a esta regla son los espermatozoides y los óvulos, que contienen sólo un conjunto de 23 cromosomas; y los glóbulos rojos, que no tienen cromosomas.

GENES
El ADN útil (en oposición al denominado ADN «redundante», ver más abajo) se empaqueta dentro de los cromosomas en estructuras denominadas genes. Según se cree, en el cuerpo humano hay unos 100.000 genes, cada uno de los cuales suministra la «receta» que dice a la célula cómo fabricar una proteína específica.

Sin embargo, aunque todas las células del cuerpo contienen una copia de cada receta de proteínas, no todas estas recetas se «activan». Así se diferencia una célula cardiaca de, por ejemplo, una hepática: cada una produce su propio conjunto de proteínas.

ADN REDUNDANTE
La mayor parte del ADN es de tipo redundante y carece de una finalidad conocida en el cuerpo humano. Gran parte de este ADN se hereda de nuestros primeros antepasados y sus parásitos, lo que se remonta al inicio de la vida sobre la Tierra hace unos 4.000 millones de años.

En los seres humanos, el ADN está empaquetado en 23 pares de cromosomas. Estas estructuras en «X» se replican durante la división celular.

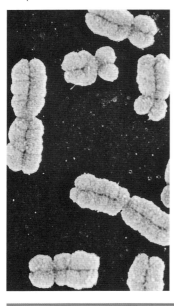

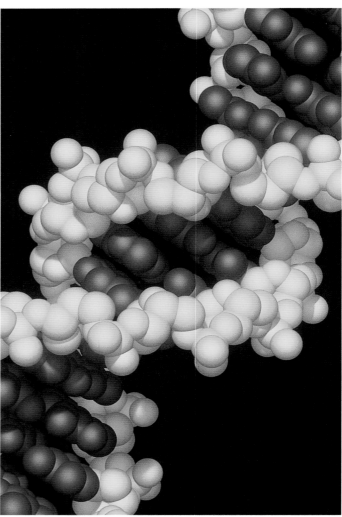

El ADN está compuesto por dos cadenas de nucleótidos (aquí mostradas en azul y en amarillo) que se curvan y entrecruzan en trayectoria helicoidal (la llamada doble hélice).

Mutaciones en el ADN

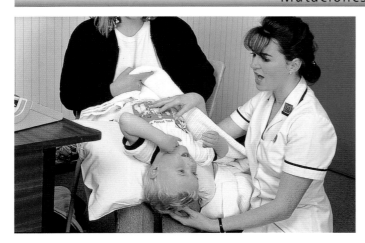

Si el conjunto de instrucciones (es decir, la secuencia de ADN) que detalla cómo fabricar una proteína específica se altera aun de forma mínima, se dice que se ha producido una mutación; la consecuencia puede ser la fabricación de una proteína defectuosa o la carencia de ella.

El resultado de esta situación puede ser muy grave; por ejemplo, la fibrosis quística se debe a una mutación en un solo punto de una de las moléculas de ADN en la persona afectada.

Las mutaciones no son necesariamente perjudiciales y se producen espontáneamente durante toda la vida. Sin embargo, algunas sustancias químicas elevan las tasas de mutación, como sucede, por ejemplo, con el agente naranja, un defoliante usado en la guerra del Vietnam. La radiación nuclear también puede tener un efecto de mutación. Si se produce un número elevado de mutaciones, las posibilidades de que alguna sea nociva aumentan estadísticamente, con lo que estos mutágenos son dañinos para los seres humanos.

Los afectados de fibrosis quística tienen un gen mutado que produce una proteína defectuosa. El resultado es que los pulmones se obstruyen con la mucosidad.

Estructura del ADN

La capacidad del ADN de hacer copias de sí mismo es el resultado directo de su estructura química. Una molécula de ADN consiste en dos cadenas entrelazadas de nucleótidos,

James Watson (izquierda) y Francis Crick (derecha) recibieron el Premio Nobel por su contribución al descubrimiento de la estructura del ADN.

que son espejos exactos una de la otra y que discurren en direcciones opuestas.

Estas dos cadenas están formadas por un «esqueleto» de azúcar-fosfato al que se unen moléculas especializadas denominadas bases. Estas bases son: adenina, guanina, citosina y timina (abreviadas por las letras A, G, C y T). Lo que dota al ADN de sus características especiales es que las cuatro bases sólo forman pares en las siguientes combinaciones: A con T y G con C. Así, una cadena de ADN con la secuencia «TGATCG» se unirá sólo a una cadena complementaria con la secuencia «ACTAGC».

El ADN está formado por dos cadenas que discurren en direcciones opuestas. Las dos cadenas están unidas por moléculas especiales denominadas bases.

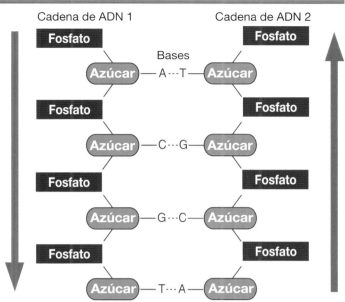

Cómo se replica el ADN

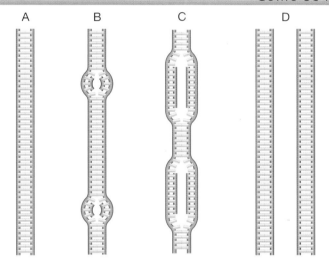

A B C D

El ADN hace una copia de sí mismo durante un proceso denominado replicación. Primero, la doble hélice original del ADN progenitor se desenrolla separando y dejando expuestos los pares de bases. Como cada base se unirá sólo con una de las otras tres (A con T, pero no con G o C, por ejemplo), puede construirse una cadena complementaria en cada una de las cadenas originales. Así, una doble hélice de ADN se convierte en dos dobles hélices idénticas.

El ADN (A) se desenrolla simultáneamente en una serie de puntos (B). Se construye una nueva cadena (en rojo) en cada cadena original (B y C) formando dos moléculas de ADN (D).

Las dos cadenas de una molécula de ADN se separan entre sí y se forma una cadena nueva en cada una. Así, pueden obtenerse dos cadenas idénticas a partir del original.

Molécula de ADN

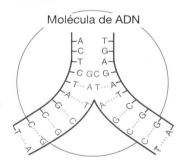

El ADN como un libro de recetas de proteínas

En muchos sentidos el ADN se asemeja a un idioma; sin embargo, a diferencia del español tiene sólo 64 «palabras» de tres letras, que pueden formarse a partir de cuatro letras: A, G, C y T. Los genetistas llaman codones a estas «palabras», ya que codifican un aminoácido específico (bloques elementales de proteínas).

Las proteínas están formadas por estructuras denominadas ribosomas en el citoplasma. Sin embargo, como el ADN no puede salir del núcleo, lo primero que ha de hacerse es «transcribir» una cadena de ADN en una molécula mensajera monocatenaria con una estructura muy similar a la cadena de ADN denominada ARN mensajero (ARNm), capaz de atravesar la membrana nuclear. El ARNm se «traduce» después en los ribosomas del citoplasma de manera que los aminoácidos correctos puedan unirse en el orden correcto.

Las proteínas están formadas por aminoácidos según una plantilla copiada de ADN. Este proceso tiene lugar en estructuras subcelulares llamadas ribosomas, presentes en el interior de la célula.

1 Aminoácido
A bordo del ribosoma mediante una molécula de transporte.

Molécula de transporte

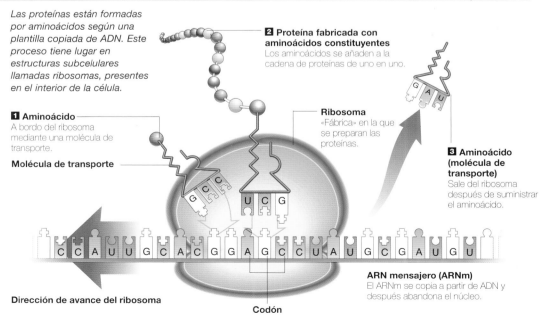

2 Proteína fabricada con aminoácidos constituyentes
Los aminoácidos se añaden a la cadena de proteínas de uno en uno.

Ribosoma
«Fábrica» en la que se preparan las proteínas.

3 Aminoácido (molécula de transporte)
Sale del ribosoma después de suministrar el aminoácido.

Dirección de avance del ribosoma

Codón

ARN mensajero (ARNm)
El ARNm se copia a partir de ADN y después abandona el núcleo.

Cómo pueden afectarnos nuestros genes

Los genes defectuosos no siempre producen enfermedades. Es posible que personas totalmente normales sean portadoras de los mismos. Estas personas a menudo conocen su problema sólo cuando tienen un niño afectado con una pareja que es una portadora normal.

Una característica observable en una persona se denomina fenotipo. El fenotipo se aprecia en una enfermedad, pero también en el color de los ojos, la forma de la nariz y cualquier otro atributo semejante. La información genética que da origen a un fenotipo se conoce como genotipo.

Un locus génico es el lugar en un cromosoma en el que reside el gen de un rasgo particular. Las diferentes formas de un gen que pueden estar presentes en un locus reciben el nombre de alelos. Si existen dos alelos, «A» y «a», para un locus génico dado, pueden formarse tres genotipos: «AA», «Aa» o «aa». «Aa» se conoce como heterocigoto y «aa» y «AA» son homocigotos.

Si el alelo «A» es dominante, enmascarará los efectos del alelo

En este árbol familiar, los padres tienen alelo «A» dominante y «a» recesivo. Si «A» es el fenotipo de ojos marrones y «a» representa los ojos azules, sólo se obtendrán azules con el genotipo «aa». Aunque el dominante «A» es el que marca el fenotipo.

«a» recesivo, y producirá un fenotipo reconocible en un individuo heterocigoto (Aa). Los alelos recesivos sólo producen fenotipo reconocible en el estado homocigoto (aa).

Si los dos alelos se reconocen en el estado heterocigoto (Aa), se designan como codominantes. La expresión de los grupos sanguíneos ABo es un ejemplo de los efectos de la codominancia.

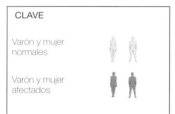

Trastornos autosómicos dominantes

Los individuos afectados (varones o mujeres) que llevan un gen anormal dominante tienen un 50% de probabilidades de producir descendientes afectados con una pareja normal. Sólo las personas que heredan una copia del gen resultarán afectadas. La acondroplasia (enanismo) es un trastorno autosómico dominante.

CLAVE

Varón y mujer normales

Varón y mujer afectados

Una persona puede ser normal o estar afectada por un trastorno autosómico dominante. Cuando su pareja no está afectada, hay un 50% de probabilidades de que su hijo resulte afectado.

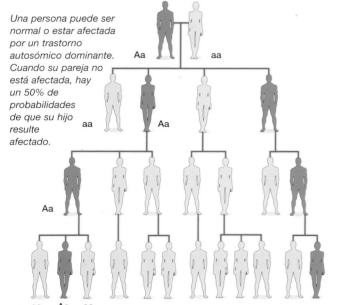

Trastornos como la acondroplasia (ilustrada en la imagen) son resultado de la herencia de un gen afectado de la madre o del padre.

Trastornos autosómicos recesivos

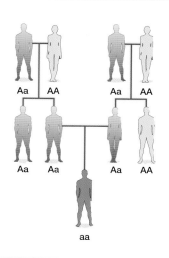

Individuos no afectados de cualquier sexo pueden ser portadores. Cuando dos portadores (Aa, heterocigotos) tienen un hijo, existe un riesgo de una cuarta parte (25%) de que el niño esté afectado. Un ejemplo de trastorno autosómico recesivo es la enfermedad de las células falciformes, un problema de la sangre que afecta sobre todo a personas de ascendencia afroamericana.

La enfermedad de las células falciformes afecta a la hemoglobina y provoca que los glóbulos rojos se distorsionen en formas distintivas. El trastorno se produce cuando la persona hereda el gen de células falciformes de sus dos progenitores.

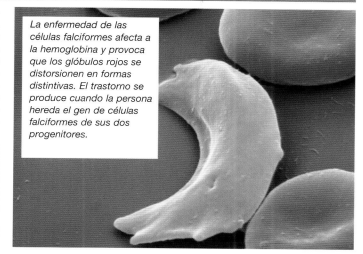

CLAVE
Varón y mujer normales
Varón y mujer portadores
Varón y mujer afectados

Trastornos ligados al sexo

En estos trastornos el rasgo anormal se transporta en los cromosomas sexuales (X e Y). Los varones tienen un solo cromosoma X, con lo que todas sus hijas lo heredarán del padre. También heredarán uno de los dos cromosomas X de la madre. Los hijos recibirán el cromosoma Y del padre y uno de los dos cromosomas X de la madre.

Si uno de los dos cromosomas X de la madre contiene un gen que puede dar origen a un trastorno, la madre se dice «portadora». La mitad de los hijos de una mujer portadora probablemente resultarán afectados. La mitad de las hijas será portadora del gen. Los varones resultarán afectados clínicamente, porque sólo tienen un cromosoma X, mientras que las mujeres no lo serán, ya que tienen dos cromosomas X. Los varones afectados sólo pueden heredar el gen a través de la línea materna.

Un ejemplo bien conocido de trastorno ligado al cromosoma X es la hemofilia, que afectó a la línea familiar de la reina Victoria. La calvicie también puede estar ligada con el cromosoma X. Los rasgos relacionados con el cromosoma Y incluyen genes para la determinación sexual y el desarrollo masculino. La transmisión de padre a hijo sólo es posible en rasgos ligados al cromosoma Y, ya que este cromosoma es heredado sólo por los varones.

Este árbol familiar muestra la herencia recesiva ligada al cromosoma sexual de la hemofilia en las familias reales de Europa. En todos los afectados la herencia se remonta a la reina Victoria en el siglo XIX, que era portadora de la enfermedad. La actual familia real británica no está afectada porque desciende de una persona no afectada (el hijo de la reina Victoria, Eduardo VII).

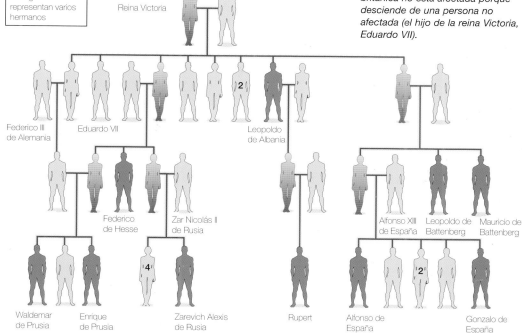

Las figuras representan varios hermanos

Reina Victoria

Federico III de Alemania — Eduardo VII — Leopoldo de Albania

Federico de Hesse — Zar Nicolás II de Rusia — Alfonso XIII de España — Leopoldo de Battenberg — Mauricio de Battenberg

Waldemar de Prusia — Enrique de Prusia — Zarevich Alexis de Rusia — Rupert — Alfonso de España — Gonzalo de España

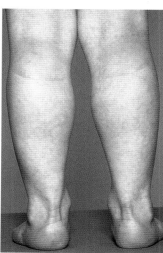

La distrofia muscular (de Duchenne) ligada al sexo es un ejemplo de un trastorno recesivo grave relacionado con el cromosoma X. Produce debilidad muscular progresiva, que se inicia en las primeras fases de la infancia.

Mutaciones esporádicas

Durante el proceso normal de duplicación del ADN pueden cometerse errores, que se conocen por mutaciones nuevas. Sólo algunas de las mutaciones tienen lugar en zonas del ADN que llevan a una alteración del fenotipo. En su mayoría ocurren en regiones no relacionadas con la función génica.

Se ha comprobado que la acondroplasia (enanismo) aparece en algunas familias a través de mutaciones nuevas. La mutación sigue heredándose después en las nuevas generaciones de forma autosómica dominante.

La acondroplasia que se produce como una nueva mutación es heredada posteriormente por los descendientes de forma autosómica dominante. Es decir, un niño tiene un 50% de probabilidades de resultar afectado si un progenitor lo padece.

Cómo olemos

Los orificios de la nariz transportan aire hacia células especializadas situadas justo debajo de la parte anterior del cráneo. Estas células son capaces de detectar miles de tipos diferentes de olores a concentraciones muy bajas.

Nuestro sentido del olfato es similar al del gusto. Ello se debe a que tanto el gusto como el olfato dependen de la capacidad de células especializadas para detectar y responder a la presencia de numerosas sustancias químicas diferentes. Los receptores olfativos presentes en la nariz «transducen» (convierten) estas señales químicas en impulsos eléctricos que viajan a lo largo de las fibras nerviosas al encéfalo.

RECEPTORES OLFATIVOS

Los olores se transportan a la nariz cuando inhalamos y se disuelven en el interior recubierto por mucosidad en la cavidad nasal. Esta mucosidad actúa como un disolvente, «atrapando» las moléculas gaseosas del olor. Se renueva continuamente asegurando que las moléculas de olor inhaladas en cada respiración tengan pleno acceso a las células olfativas receptoras. Una pequeña extensión de membrana mucosa situada en el techo de los senos nasales, justo debajo de la base del encéfalo, contiene unos 40 millones de células de receptores olfativos. Se trata de células nerviosas especializadas que responden a los olores a concentraciones de unas partes por billón. El extremo de cada célula olfativa contiene hasta 20 pelos, denominados cilios, que flotan en la mucosa nasal; así aumenta enormemente el área superficial de la célula potenciando su capacidad de detectar sustancias químicas.

Cuando las moléculas de olor se unen a las proteínas receptoras en una célula olfativa, inician una serie

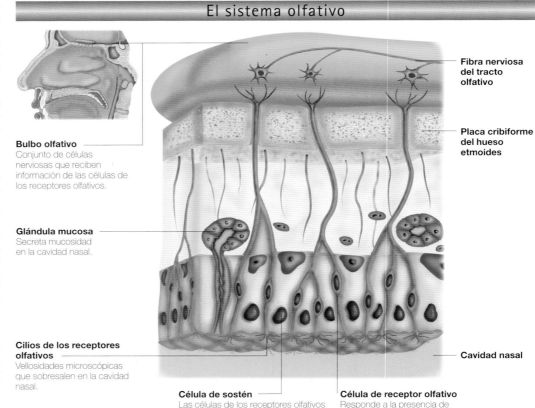

El sistema olfativo

Bulbo olfativo
Conjunto de células nerviosas que reciben información de las células de los receptores olfativos.

Glándula mucosa
Secreta mucosidad en la cavidad nasal.

Cilios de los receptores olfativos
Vellosidades microscópicas que sobresalen en la cavidad nasal.

Fibra nerviosa del tracto olfativo

Placa cribiforme del hueso etmoides

Cavidad nasal

Célula de sostén
Las células de los receptores olfativos están integradas en células de sostén.

Célula de receptor olfativo
Responde a la presencia de moléculas de olor.

de impulsos nerviosos. Estos impulsos se desplazan a lo largo del axón de la célula (una fibra nerviosa que surge del cuerpo de la neurona), que se proyecta a través de la placa cribiforme, el fino estrato de cráneo situado inmediatamente encima del epitelio olfativo. Las células olfativas, a su vez, se comunican con otras células nerviosas situadas en el bulbo olfativo, que transporta información a través de los nervios olfativos (también conocidos como nervio craneal I) al resto del encéfalo.

Las moléculas de olor se disuelven en la mucosidad secretada en la cavidad nasal. Los receptores especializados responden a moléculas de olor enviando impulsos nerviosos al encéfalo a través de una estructura denominada bulbo olfativo.

Dimensiones del olor

Los receptores de la retina de la parte posterior del ojo responden a tres colores (rojo, azul y verde). Los del gusto lo hacen a siete modalidades. En cambio, según se cree, existen centenares (cuando no miles, los científicos no lo saben con seguridad) de tipos diferentes de receptores olfativos.

Sin embargo, como la mayoría de nosotros diferencia entre unos 20.000 olores distintos, parece poco probable que haya un receptor in-

Un catador de vino especializado puede distinguir entre numerosos olores. Según se cree, una nariz no entrenada puede detectar unos 20.000 olores diferentes.

dividual dedicado a cada molécula de olor. Se piensa más bien que una molécula de olor activa muchos tipos diferentes de receptores con grados variables de éxito; algunos receptores responden rápidamente a un olor específico, mientras otros lo hacen sólo de modo sutil. Este patrón de actividad es interpretado en el encéfalo para representar un olor específico.

Cuando una molécula de olor se une a un receptor olfativo, se inicia una cascada compleja de reacciones químicas en el interior de la célula olfativa. Ello tiene el efecto de amplificar la señal original; así, el encéfalo puede reconocer olores en concentraciones acusadamente bajas.

Memoria, emociones y olores

La forma en que el encéfalo interpreta los olores es diferente de la de otros sentidos (por ejemplo, la visión): algunas ramas del nervio olfativo se proyectan directamente a las zonas del encéfalo que controlan las emociones y la memoria sin desplazarse primero a la corteza, la región responsable del desarrollo de la experiencia consciente.

En cambio, la información visual se transmite primero a la corteza visual, un área implicada en la percepción consciente de la visión, antes de que se reenvíe a las zonas de la emoción y la memoria.

EFECTO EN LA MEMORIA

La neuroanatomía de las vías olfativas hace que los olores tengan un efecto muy profundo en nuestra memoria. La reexposición a un olor que se percibió por primera vez en la infancia, por ejemplo, nos devuelve un tropel de recuerdos de ese periodo.

Este escáner TEP del encéfalo muestra la actividad olfativa. Las zonas de baja actividad se muestran en morado; las zonas muy activas aparecen en amarillo.

Los olores experimentados por primera vez en la infancia pueden evocar recuerdos muy intensos cuando se vuelven a percibir en épocas posteriores de la vida.

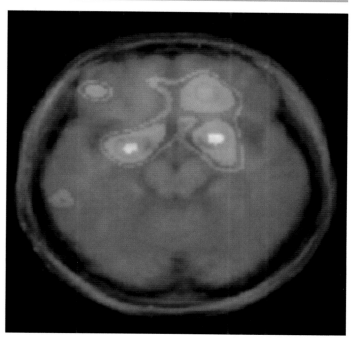

El papel de las feromonas

Algunos animales emiten tipos especiales de sustancias químicas denominados feromonas en el aire, el agua o la tierra para influir en el comportamiento o la fisiología de otros miembros de su especie. En la actualidad existe un amplio debate sobre el grado en que los seres humanos usan las feromonas para comunicarse inconscientemente entre sí.

La investigación sugiere que los seres humanos responden en cierto grado a las feromonas. Por ejemplo,

Se ha sugerido que los seres humanos reaccionan inconscientemente a las feromonas liberadas por posibles compañeros sexuales, pero no existen evidencias firmes que lo demuestren.

un estudio demostró que algunas madres pueden distinguir la camiseta que ha llevado su hijo o hija de la de otros niños de la misma edad.

SINCRONÍA MENSTRUAL

En los últimos 30 años un grupo de investigación estadounidense ha aportado numerosas pruebas que sugieren que los ciclos menstruales de las mujeres que comparten piso tienden a converger con el tiempo.

Un estudio reciente, en el que se recogió el olor de la axila en pañuelos de algodón de mujeres donantes que después se ofrecieron a otras mujeres para que se sonaran, demostró que este hecho se debe a que las mujeres son receptivas a las feromonas de las demás.

¿Es bueno nuestro sentido del olfato?

En comparación con otros animales los seres humanos tienen un olfato muy poco desarrollado. Para tomar un ejemplo extremo, un perro cuenta con 25 veces más células olfativas que el hombre, con un 30% de su corteza cerebral dedicada a oler, en comparación con el 5% en el ser humano. Esto explica que

perros bien entrenados puedan detectar concentraciones 10.000 más débiles que nosotros.

Nuestro sentido del olfato parece haberse deteriorado durante el proceso de evolución. Una explicación posible es el alejamiento de la nariz del suelo por el desarrollo de la marcha bípeda; en términos evo-

lutivos, resultaba menos ventajoso tener una gran zona de la corteza cerebral dedicada a detectar olores.

El desarrollo de las funciones cognitivas superiores, como el lenguaje, que necesita un considerable poder de procesamiento cortical, también puede haber contribuido a la dependencia reducida del olfato.

La evolución de una marcha bípeda, que hizo que la nariz se alejara del suelo, puede haber reducido la capacidad del olfato en el Homo sapiens.

Pérdida del olfato

La anosmia («ausencia de olfato») es un térmico usado para describir la pérdida repentina de la sensación de oler. A menudo se produce después de un golpe en la cabeza que daña los nervios olfativos, pero también puede deberse a una infección nasal que afecta a los receptores del olfato.

Los trastornos encefálicos pueden afectar también a este sentido. Por ejemplo, algunos epilépticos experimentan un «aura olfativa» antes de un ataque convulsivo. Otros trastornos son las alucinaciones olfativas, en las que la persona afectada percibe un olor específico, que suele ser desagradable.

Cómo estornudamos

El estornudo es un mecanismo de defensa diseñado para proteger el tracto respiratorio
de materias irritantes. La exhalación explosiva que se produce durante el estornudo
sirve para limpiar las vías respiratorias superiores.

La nariz es la ruta principal de entrada al aparato respiratorio. Actúa como un filtro de aire muy eficaz que impide que el polvo y las partículas grandes transportadas por el aire entren a los pulmones y facilita que el aire se ajuste a la temperatura corporal antes de pasar al espacio pulmonar.

MECANISMO DE DEFENSA

El estornudo, una expulsión de aire repentina, forzada e involuntaria a través de la nariz y la boca, es uno de los muchos mecanismos de defensa de que dispone el cuerpo.

Está diseñado principalmente para proteger el sistema respiratorio de partículas irritantes que, en caso contrario, podrían entrar al aparato respiratorio. El estornudo sirve también para desalojar las partículas acumuladas en la nariz evitando así la congestión del sistema de filtrado de la misma.

REACCIÓN EXPLOSIVA

Un estornudo es una explosión de aire que se expulsa de los pulmones a presión a través de las vías respiratorias hacia la boca y la nariz. La mayoría del aire comprimido de un estornudo sale por la boca, aunque un porcentaje es dirigido por el paladar blando para despejar la nariz.

La velocidad de esta expansión explosiva de aire en un estornudo puede alcanzar 160 km/h, equivalente a la velocidad del viento de un tifón.

Un estornudo incluye hasta 5.000 gotitas, que pueden contener material infeccioso y expulsarse a una distancia de la nariz de hasta 3,7 metros.

El mecanismo del estornudo

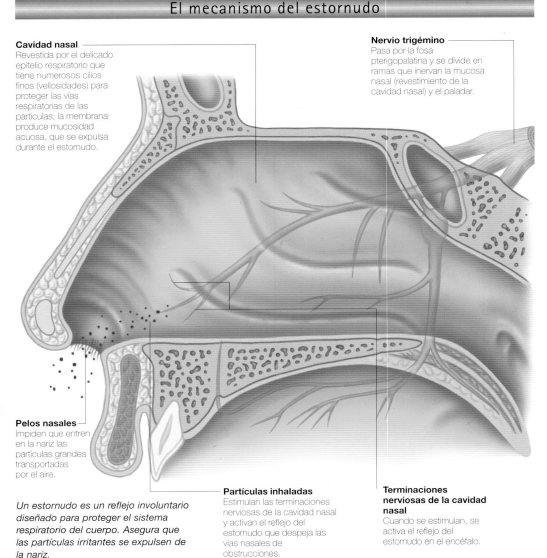

Cavidad nasal
Revestida por el delicado epitelio respiratorio que tiene numerosos cilios finos (vellosidades) para proteger las vías respiratorias de las partículas; la membrana produce mucosidad acuosa, que se expulsa durante el estornudo.

Nervio trigémino
Pasa por la fosa pterigopalatina y se divide en ramas que inervan la mucosa nasal (revestimiento de la cavidad nasal) y el paladar.

Pelos nasales
Impiden que entren en la nariz las partículas grandes transportadas por el aire.

Partículas inhaladas
Estimulan las terminaciones nerviosas de la cavidad nasal y activan el reflejo del estornudo que despeja las vías nasales de obstrucciones.

Terminaciones nerviosas de la cavidad nasal
Cuando se estimulan, se activa el reflejo del estornudo en el encéfalo.

Un estornudo es un reflejo involuntario diseñado para proteger el sistema respiratorio del cuerpo. Asegura que las partículas irritantes se expulsen de la nariz.

Activadores comunes del estornudo

Aunque estornudar puede ser un síntoma clásico de congestión nasal que acompaña al resfriado común, existen otros muchos estímulos que activan esta reacción refleja. Los más comunes son:

■ Inhalación de partículas finas de la atmósfera, como polvo, pelos, humo y aerosoles.

El estornudo se activa por varios estímulos. Por ejemplo, las personas con fiebre del heno reaccionan al polen alergeno, que las hace estornudar con frecuencia.

■ Alergia al moho, activada por la inhalación de esporas transportadas por el aire.
■ Inhalación de células cutáneas y del cuero cabelludo (caspa) humanas o animales.
■ Fiebre del heno (alergia al polen) y a los ácaros del polvo domésticos.
■ Infecciones del tracto respiratorio superior.
■ Pólipos nasales.
■ Mirar a una luz brillante, sobre todo al sol.
■ Cambios en la temperatura ambiental.
■ Abstinencia de inhalar cocaína.

Qué ocurre cuando estornudamos

El estornudo se produce por una reacción refleja desencadenada por las terminaciones nerviosas sensoriales de la mucosa de la cavidad nasal. La parte voluntaria del encéfalo se sortea durante esta reacción provocando una respuesta automática e involuntaria.

El estornudo se produce cuando las terminaciones nerviosas sensoriales de las membranas mucosas que revisten la cavidad nasal son estimuladas por activadores como el polvo inhalado. Así se produce la sensación de picor que a menudo precede al estornudo. Se sigue una reacción refleja, en la que las células secretoras de la membrana mucosa son estimuladas para producir una mucosidad acuosa (el estornudo no puede producirse con la nariz seca).

IMPULSO NERVIOSO

Simultáneamente las fibras nerviosas sensoriales dentro de la membrana mucosa transmiten impulsos nerviosos al centro respiratorio del encéfalo (el bulbo raquídeo, situado en la base del encéfalo).

El encéfalo reenvía estos impulsos nerviosos a los músculos respiratorios haciendo que se contraigan. Así se obliga al cuerpo a inhalar, cerrar las vías respiratorias y comprimir el tórax y después exhalar rápidamente.

El aire de los pulmones «explota» hacia arriba y el exterior expulsando el exceso de secreción junto con partículas atrapadas a través de la nariz y la boca.

La parte voluntaria del encéfalo no participa en esta reacción involuntaria, por lo cual no tenemos control sobre el estornudo.

La rápida exhalación que acompaña al estornudo provoca una expulsión forzada de mucosidad acuosa. El estornudo no puede controlarse conscientemente.

Estornudo como reacción al sol

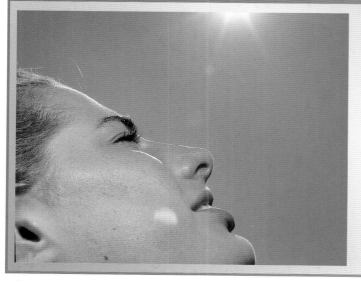

Aproximadamente el 25% de las personas estornudan al verse expuestas a una luz brillante, como el sol. Este fenómeno se ha analizado durante al menos 40 años y a menudo se denomina «reflejo de estornudo fótico».

No se conoce exactamente por qué sucede este hecho, aunque tal vez resulte de un cruce de las vías reflejas del encéfalo. En cualquier reflejo una señal nerviosa sensorial dirigida hacia el encéfalo se comunica directamente con una vía de respuesta neuronal de salida que sortea la parte que está consciente del mismo.

Normalmente esta vía refleja sigue rutas diferentes y separadas a través del sistema nervioso. En el caso del reflejo de estornudo fótico es posible que las señales neuronales se crucen entre el reflejo normal del ojo como respuesta a la luz y el del estornudo. En tal situación la exposición a la luz intensa activa simultáneamente la contracción de la pupila y un estornudo. No existe ninguna ventaja aparente en estornudar cuando nos da el sol y probablemente se trata de un rasgo evolutivo vestigial (redundante).

Otros activadores inexplicados del estornudo son peinarse el pelo, depilarse las cejas y frotarse el ángulo interior del ojo.

Muchas personas estornudan como reacción a la luz intensa, sobre todo la solar. Se desconoce el motivo de esta reacción.

Cómo actúan las papilas gustativas

Tenemos aproximadamente 10.000 papilas gustativas situadas principalmente en la superficie de la lengua y los tejidos blandos de la boca. Por su sensibilidad y su distribución somos capaces de discernir entre los sabores de los alimentos que degustamos y aquellos que rechazamos.

SENTIDO QUÍMICO

El gusto es, junto con el olfato, un sentido químico. Depende de la unión de sustancias químicas de los alimentos a los receptores situados en células específicas, las papilas gustativas, que después se transmiten por los nervios al encéfalo para su interpretación como «sabores».

La lengua es, naturalmente, el principal órgano del gusto, ya que el alimento que ingiere el cuerpo debe pasar por la boca. La superficie superior de la lengua está cubierta por numerosas proyecciones de pequeño tamaño denominadas papilas, y en torno a estas estructuras se agrupan las papilas gustativas. Sin embargo, algunas se encuentran en otros lugares, como son la faringe, el paladar blando y la epiglotis.

PAPILAS

Existen tres clases principales de papilas (la palabra papila significa literalmente protuberancia en forma de pezón). En orden creciente de tamaño, son las papilas filiformes (cónicas), fungiformes (de tipo seta) y circunvaladas (circulares). En los seres humanos la mayoría de las papilas gustativas están presentes en estas dos últimas formas. Las papilas fungiformes se distribuyen por toda la lengua con un mayor número en los laterales y la punta. Las circunvaladas son las de mayor tamaño y hay entre 7 y 12 hacia la parte posterior de la lengua, dispuestas en una «V» invertida superficial. Las papilas gustativas están presentes en los laterales de las superficies superiores de las papilas fungiformes.

ESTRUCTURA CELULAR

Cada papila gustativa está formada por entre 40 y 100 células epiteliales, que conforman el epitelio, capa que recubre toda la superficie externa del cuerpo y sus estructuras huecas. Entre las papilas gustativas existen tres tipos: células de sostén, receptoras y basales. Las células receptoras también se llaman gustativas y provocan las sensaciones del gusto. Las células de sostén forman la mayor parte de la papila gustativa y separan unas células receptoras de otras. Las células gustativas se reponen continuamente en un plazo medio de unos diez días.

Partes de la lengua

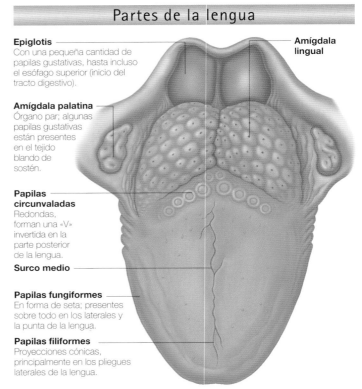

Epiglotis
Con una pequeña cantidad de papilas gustativas, hasta incluso el esófago superior (inicio del tracto digestivo).

Amígdala lingual

Amígdala palatina
Órgano par; algunas papilas gustativas están presentes en el tejido blando de sostén.

Papilas circunvaladas
Redondas, forman una «V» invertida en la parte posterior de la lengua.

Surco medio

Papilas fungiformes
En forma de seta; presentes sobre todo en los laterales y la punta de la lengua.

Papilas filiformes
Proyecciones cónicas, principalmente en los pliegues laterales de la lengua.

Ruta del gusto

Una micrografía electrónica en color de la lengua muestra papilas fungiformes (en rosa) con papilas gustativas en la superficie, rodeadas de papilas filiformes (en azul), cuya textura ayuda a manipular la comida.

Desde cada célula gustativa se proyectan unas pilosidades gustativas finas y sensibles a través de las capas de células epiteliales hasta la superficie, donde se lavan en la saliva que disuelve la sustancia que se va a degustar. Las pilosidades reciben a veces el nombre de membranas receptoras, como reconocimiento del papel que tienen en la transmisión inicial del gusto.

Las células nerviosas sensoriales forman arrollamientos alrededor de las células gustativas, y desde aquí se empiezan a enviar impulsos del gusto hacia el encéfalo. Esta transmisión de impulsos desde las células gustativas al encéfalo recibe el nombre de «ruta gustativa».

Las papilas circunvaladas en sección transversal dejan ver las papilas gustativas que se abren a través de un poro gustativo en los laterales de cada estructura en proyección.

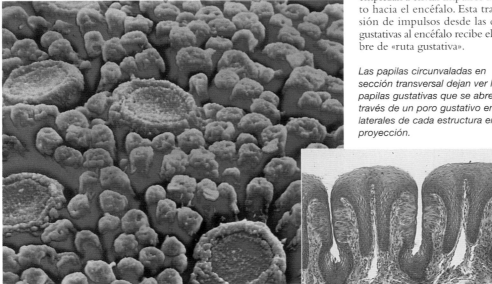

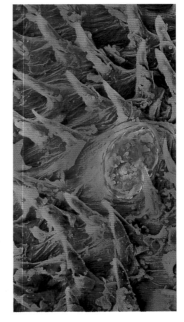

El poro gustativo atraviesa la papila gustativa bajo la superficie. Está rodeado por papilas linguales, que tienen una función sensorial y táctil.

El mecanismo del gusto

Una vez disuelta la comida por la saliva en la boca se estimulan las papilas gustativas de la superficie de la lengua. Las células gustativas convierten entonces la reacción química en impulsos nerviosos. Cuando la información llega al encéfalo, puede analizarse la información del gusto.

Cuando una sustancia química alimenticia se une a una célula gustativa, se envían impulsos nerviosos al tálamo, parte del encéfalo que recibe la información sensorial. El tálamo procesa los impulsos y los clasifica en funciones similares. Posteriormente el tálamo los transmite a la parte del encéfalo asociada con el sentido del gusto: la corteza gustativa.

El tálamo es incapaz de discernir apenas si la experiencia del gusto es buena o desagradable. Ésta es la tarea de la corteza gustativa, más sensible.

CORTEZA GUSTATIVA

La corteza gustativa identifica el alimento como bueno o malo y decide si seguir comiendo o no. Para que se deguste una sustancia debe disolverse en saliva y entrar en contacto con los pelos gustativos. Desde aquí se envían impulsos nerviosos que transmiten impulsos al encéfalo.

Una rama del nervio facial transmite impulsos desde las papilas gustativas de los dos tercios anteriores de la lengua, y la rama lingual del nervio glosofaríngeo inerva el tercio posterior de la lengua. Parecería que existe un flujo bidireccional de información al encéfalo en relación con el gusto y la necesidad de comer ciertos alimentos para satisfacer las necesidades que presenta el cuerpo en cada momento.

Las células gustativas de las diferentes regiones de la lengua tienen distintos umbrales en los que se activan. En la región más amarga de la lengua las células pueden detectar sustancias como venenos en muy bajas concentraciones. Esto explica el modo en que se supera la aparente desventaja de su ubicación y cómo funciona su naturaleza «protectora». Los receptores del ácido son poco sensibles y los del dulce y el salado, los menos sensibles de todos. Los receptores del gusto reaccionan rápidamente a una nueva sucesión, por lo común en unos tres a cinco segundos.

El gusto, como se llama corrientemente, depende en gran medida de nuestro sentido del olfato. El gusto es olfato en un 80%, lo que explica la pérdida de sabor de los alimentos cuando estamos resfriados.

La boca contiene también otros receptores que pueden acentuar la sensación del gusto. Los alimentos picantes añaden al placer de la comida la estimulación de los receptores del dolor en la boca.

Estructura de una papila gustativa

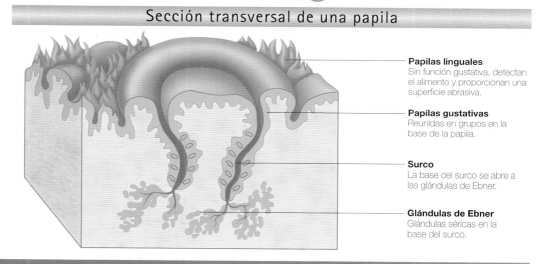

Poro

Pelo gustativo (microvellosidad)
Receptor sensorial de la célula gustativa bañado en saliva.

Célula gustativa
También conocida como célula del gusto o receptora.

Células de sostén
Aíslan las células gustativas entre sí y del epitelio lingual.

Células epiteliales
Forman el epitelio (capa exterior) de la lengua.

Fibras nerviosas
Transmiten impulsos a la región del tálamo en el encéfalo.

Sección transversal de una papila

Papilas linguales
Sin función gustativa, detectan el alimento y proporcionan una superficie abrasiva.

Papilas gustativas
Reunidas en grupos en la base de la papila.

Surco
La base del surco se abre a las glándulas de Ebner.

Glándulas de Ebner
Glándulas séricas en la base del surco.

Sensaciones en cada parte de la lengua

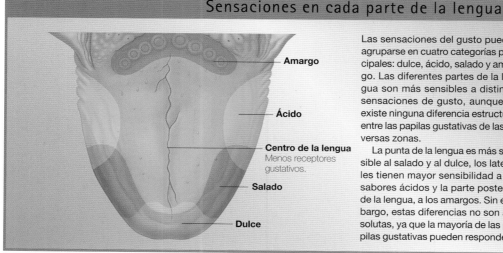

Amargo

Ácido

Centro de la lengua
Menos receptores gustativos.

Salado

Dulce

Las sensaciones del gusto pueden agruparse en cuatro categorías principales: dulce, ácido, salado y amargo. Las diferentes partes de la lengua son más sensibles a distintas sensaciones de gusto, aunque no existe ninguna diferencia estructural entre las papilas gustativas de las diversas zonas.

La punta de la lengua es más sensible al salado y al dulce, los laterales tienen mayor sensibilidad a los sabores ácidos y la parte posterior de la lengua, a los amargos. Sin embargo, estas diferencias no son absolutas, ya que la mayoría de las papilas gustativas pueden responder a dos o tres y a veces las cuatro sensaciones del gusto. Algunas sustancias parecen cambiar de sabor conforme avanzan por la boca; la sacarina, por ejemplo, es dulce al principio, pero deja después un regusto amargo.

Muchos venenos naturales y alimentos estropeados tienen un sabor amargo. Por tanto, los receptores del sabor amargo, ubicados en la parte posterior de la lengua, podrían tener una función protectora en muchos casos. En otras palabras, la parte posterior de la lengua detecta los alimentos «malos» y los rechaza para evitar que el cuerpo sufra.

Cómo hablamos

Todas las lenguas habladas están construidas por una serie de sonidos
separados o fonemas. En español estos fonemas se producen mediante la
expulsión de aire por los pulmones.

Los sonidos del habla producidos al hablar la mayoría de las lenguas son consecuencia directa de la expulsión de aire desde los pulmones. En primera instancia el aire se desplaza desde los pulmones a través de la tráquea hacia la laringe (caja de resonancia).

La laringe actúa como una válvula, por ejemplo, sellando los pulmones frente a irritantes dañinos durante la tos. La abertura de la laringe se denomina glotis, que está cubierta por dos colgajos de tejido retráctil o pliegues vocales (el término cuerdas vocales es incorrecto, pues no se trata en sí de cuerdas).

PLIEGUES VOCALES
Cuando el aire atraviesa la glotis, los pliegues vocales resuenan produciendo un sonido zumbante. El tono de este zumbido está determinado por la tensión y la posición de los pliegues vocales. Sin embargo, no todos los sonidos del habla dependen de la «voz» producida por los pliegues vocales; por ejemplo, en el sonido «sssss» no hay voz, mientras que el «zzzzz» exige una vibración de los pliegues vocales.

EXPULSIÓN DE AIRE
El aire vibrante se mueve después hacia arriba atravesando la faringe (garganta) antes de salir de la cabeza, bien sobre la lengua y a través de los dientes, bien por detrás del paladar blando y a través de la nariz.

Órganos del habla

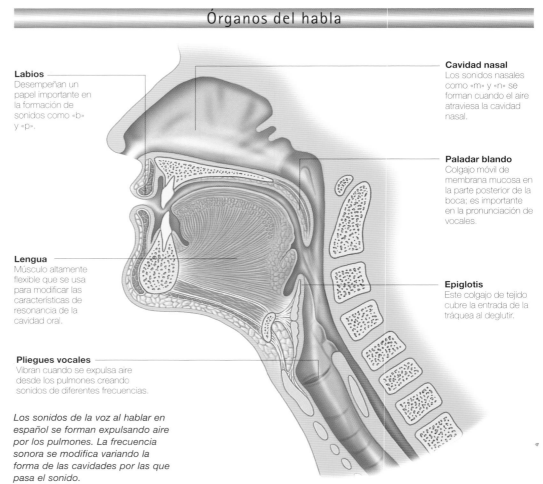

Labios
Desempeñan un papel importante en la formación de sonidos como «b» y «p».

Lengua
Músculo altamente flexible que se usa para modificar las características de resonancia de la cavidad oral.

Pliegues vocales
Vibran cuando se expulsa aire desde los pulmones creando sonidos de diferentes frecuencias.

Cavidad nasal
Los sonidos nasales como «m» y «n» se forman cuando el aire atraviesa la cavidad nasal.

Paladar blando
Colgajo móvil de membrana mucosa en la parte posterior de la boca; es importante en la pronunciación de vocales.

Epiglotis
Este colgajo de tejido cubre la entrada de la tráquea al deglutir.

Los sonidos de la voz al hablar en español se forman expulsando aire por los pulmones. La frecuencia sonora se modifica variando la forma de las cavidades por las que pasa el sonido.

Ubicación de los pliegues vocales

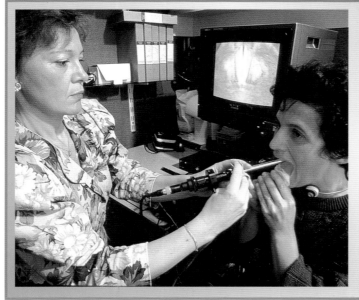

Durante el habla la mucosa que recubre los pliegues vocales vibra entre 120 y 250 veces por segundo. Para ver directamente esta vibración el movimiento se ralentiza usando una luz estroboscópica. Se introduce un laringoscopio rígido en la parte posterior de la lengua y se inspeccionan los pliegues vocales mientras la persona vocaliza.

Puede usarse un laringoscopio para examinar los pliegues vocales. El laringoscopio retransmite la imagen a un monitor de televisión.

*Arriba. Esta imagen de laringoscopio muestra los pliegues vocales humanos en reposo; obsérvese que los pliegues aparecen separados.
Abajo. La imagen muestra los pliegues vocales durante el habla.*

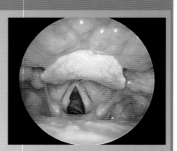

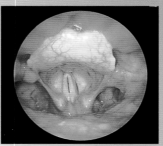

Sonidos de la voz

Cada una de las cámaras por las que pasa el aire desde los pulmones tiene una forma y un tamaño diferentes; la longitud de onda del sonido se modifica conforme se desplaza a través de estas cámaras con el resultado de que se emite un sonido modificado por la boca o la nariz.

VOCALES

Los sonidos vocálicos se producen cuando el aire puede desplazarse libremente desde la laringe al exterior. Estos sonidos vocálicos se generan modificando las dimensiones de las cámaras por las que debe transitar el sonido. Por ejemplo, cuando se repiten los sonidos vocálicos «be» y «ba» alternativamente se sentirá el cuerpo de la lengua avanzar y retroceder. Este movimiento altera las características de resonancia de la cavidad bucal modificando el sonido producido.

Los labios también son importantes al pronunciar los sonidos vocálicos y determinar el sonido final, como en el paladar blando (el colgajo carnoso en la parte final del techo de la boca). Si el paladar blando está abierto, el aire puede fluir a través de la nariz y de la boca produciendo una «nasalización».

CONSONANTES

Al contrario que las vocales, las consonantes son producidas cuando se interpone una barrera en el paso del aire. Cuando se pronuncia el sonido «sssss», la punta de la lengua se coloca justo detrás de los dientes; así se estrecha el paso por el que ha de transcurrir el aire emitiendo un sonido siseante. Sonidos como éste se dicen «fricativos», porque se crean por la fricción del aire en movimiento. Otros sonidos fricativos son «sh» y «f», todos ellos producidos al crear una turbulencia en el flujo del aire.

Otros sonidos consonánticos se forman al interrumpir el flujo de aire por completo, en vez de obstaculizarlo. Se consigue aplicando la punta de la lengua («t»), el cuerpo de la misma («k») o los labios («p»). Alternativamente puede blo-quearse el paso de aire a través de la boca, mientras se abre el paladar blando para emitir sonidos como «m» y «n».

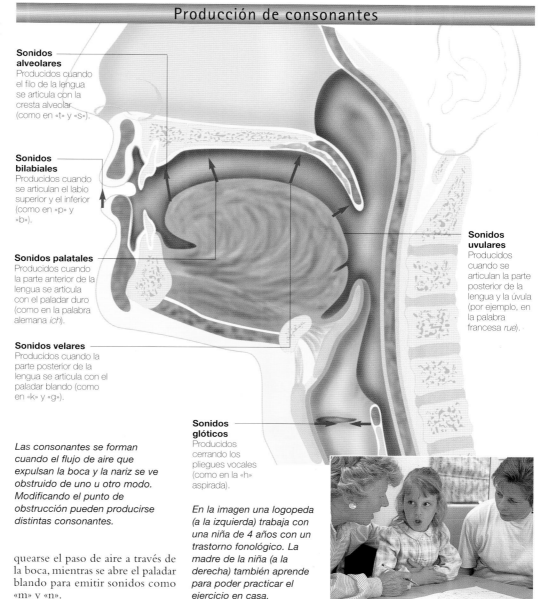

Producción de consonantes

Sonidos alveolares
Producidos cuando el filo de la lengua se articula con la cresta alveolar (como en «t» y «s»).

Sonidos bilabiales
Producidos cuando se articulan el labio superior y el inferior (como en «p» y «b»).

Sonidos palatales
Producidos cuando la parte anterior de la lengua se articula con el paladar duro (como en la palabra alemana *ich*).

Sonidos velares
Producidos cuando la parte posterior de la lengua se articula con el paladar blando (como en «k» y «g»).

Sonidos uvulares
Producidos cuando se articulan la parte posterior de la lengua y la úvula (por ejemplo, en la palabra francesa *rue*).

Sonidos glóticos
Producidos cerrando los pliegues vocales (como en la «h» aspirada).

Las consonantes se forman cuando el flujo de aire que expulsan la boca y la nariz se ve obstruido de uno u otro modo. Modificando el punto de obstrucción pueden producirse distintas consonantes.

En la imagen una logopeda (a la izquierda) trabaja con una niña de 4 años con un trastorno fonológico. La madre de la niña (a la derecha) también aprende para poder practicar el ejercicio en casa.

Otros sonidos del habla

La cantante sudafricana Miriam Makeba habla la lengua xhosa. Muchas de sus populares canciones contienen un gran número de «consonantes de chasquido».

Las palabras del español se pronuncian sobre una base de una treintena de sonidos distintos llamados fonemas. No todos los idiomas emplean los mismos fonemas. Así, se ha estimado que el número de fonemas usados por todos los idiomas del mundo es de varios millares.

Mientras en español los sonidos del habla se producen expulsando aire de los pulmones, otras lenguas aplican a menudo técnicas diferentes:

■ Los sonidos de chasquido se forman por una profunda aspiración con la lengua o los labios (que podría representarse, por ejemplo, con un «tut tut») y se usan ampliamente en lenguas no europeas.

■ Los sonidos glotálicos se forman usando la glotis (espacio entre los pliegues vocales) para crear un movimiento turbulento del aire. Estos sonidos pueden crearse moviendo el aire hacia dentro (sonidos implosivos) o hacia fuera (sonidos eyectivos).

Cómo enfocan los ojos

La vista es el principal de los sentidos humanos y para toda nuestra información visual dependemos de unos ojos relativamente pequeños. A pesar de su tamaño, podemos enfocar la mirada en una estrella lejana o en una mota de polvo y ver en la luz brillante del sol o casi en la oscuridad.

El ojo humano funciona como una cámara. Los rayos luminosos de un objeto atraviesan una abertura (la pupila) y se enfocan por acción del cristalino en la retina, una capa fotosensible en la parte posterior del ojo. La calidad óptica y la versatilidad del ojo son muy superiores a las de cualquier cámara.

La retina, el equivalente en el ojo de la película de una cámara, es una membrana fotosensible compuesta por capas de fibras nerviosas y una membrana pigmentada sensible a la luz. Contiene dos clases de células fotosensibles: conos y bastones.

CONOS Y BASTONES

Los conos son sensibles a la luz roja, verde o azul y sus señales permiten al encéfalo interpretar una imagen en color. También son responsables de la agudeza visual.

Los bastones son extremadamente sensibles, pero con luz baja no diferencian entre colores, motivo por el cual los objetos parecen perder el color por la noche. Los bastones y los conos están unidos al encéfalo por células nerviosas que pasan por la parte posterior del ojo a través del nervio óptico.

Para ver los objetos con claridad, los músculos del ojo deben tirar del cristalino y enfocar la luz en la retina. Si este proceso no funciona bien, o el cristalino o el ojo tienen una forma inadecuada, la imagen aparecerá borrosa y se necesitarán gafas, o incluso cirugía.

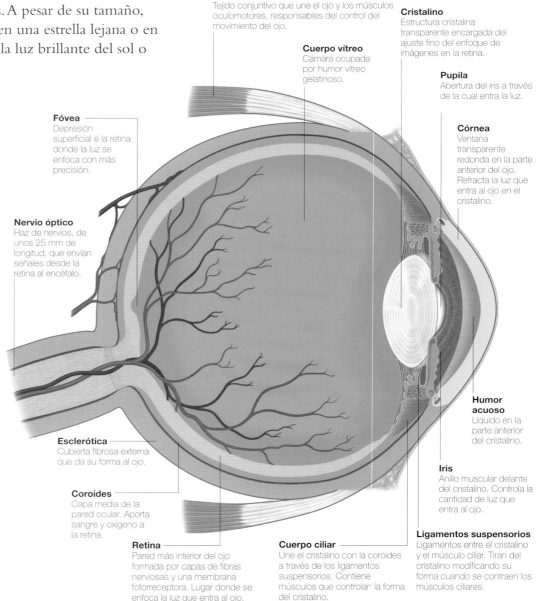

Tendones de los músculos oculomotores
Tejido conjuntivo que une el ojo y los músculos oculomotores, responsables del control del movimiento del ojo.

Cuerpo vítreo
Cámara ocupada por humor vítreo gelatinoso.

Cristalino
Estructura cristalina transparente encargada del ajuste fino del enfoque de imágenes en la retina.

Pupila
Abertura del iris a través de la cual entra la luz.

Córnea
Ventana transparente redonda en la parte anterior del ojo. Refracta la luz que entra al ojo en el cristalino.

Fóvea
Depresión superficial e la retina donde la luz se enfoca con más precisión.

Nervio óptico
Haz de nervios, de unos 25 mm de longitud, que envían señales desde la retina al encéfalo.

Humor acuoso
Líquido en la parte anterior del cristalino.

Iris
Anillo muscular delante del cristalino. Controla la cantidad de luz que entra al ojo.

Esclerótica
Cubierta fibrosa externa que da su forma al ojo.

Coroides
Capa media de la pared ocular. Aporta sangre y oxígeno a la retina.

Retina
Pared más interior del ojo formada por capas de fibras nerviosas y una membrana fotorreceptora. Lugar donde se enfoca la luz que entra al ojo.

Cuerpo ciliar
Une el cristalino con la coroides a través de los ligamentos suspensorios. Contiene músculos que controlan la forma del cristalino.

Ligamentos suspensorios
Ligamentos entre el cristalino y el músculo ciliar. Tiran del cristalino modificando su forma cuando se contraen los músculos ciliares.

Músculos del ojo

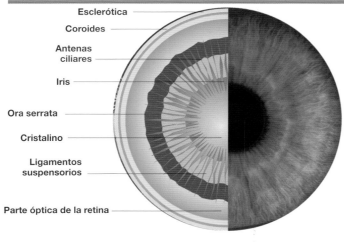

Esclerótica
Coroides
Antenas ciliares
Iris
Ora serrata
Cristalino
Ligamentos suspensorios
Parte óptica de la retina

El iris es una estructura muscular en forma de anillo con un orificio en el centro que recibe el nombre de pupila. El iris contiene un pigmento coloreado distintivo. Los músculos del iris se usan para agrandar o reducir la pupila de tamaño, lo que permite que entre más o menos luz al ojo dependiendo de

Esta imagen compuesta muestra (a la izquierda) la estructura del globo ocular desde el interior, con el cristalino en el centro; y (a la derecha) el aspecto exterior del ojo, donde el cristalino está cubierto por la córnea.

las condiciones en las que la persona intenta ver.

Los músculos del iris se encuentran en el cuerpo ciliar, que es la parte del ojo que une la coroides (capa media de la pared ocular) con el iris.

El cuerpo ciliar consta de tres partes:

■ El anillo ciliar, junto a la coroides.
■ Las antenas ciliares, que son 70 bordes radiales alrededor del cuerpo ciliar.
■ El músculo ciliar, que controla la curvatura del cristalino.

Enfoque en la retina

La luz que entra al ojo pasa a través de la córnea y el humor acuoso, dos elementos que refractan (curvan) los rayos de luz hacia dentro.

La córnea refracta la mayoría de la luz de entrada y la función del cristalino es realizar un ajuste fino del enfoque de los rayos de manera que la imagen se proyecte con precisión en la retina. El cristalino es una estructura cristalina formada por varias capas. Está unido al cuerpo ciliar muscular por ligamentos suspensorios. Los movimientos del músculo ciliar modifican la forma del cristalino según la necesidad del ojo de enfocar un objeto cercano o alejado. Los diagramas mostrados más abajo (visión del ojo desde el interior y el lateral, respectivamente) ilustran el modo en que se ajusta la forma del cristalino en caso necesario.

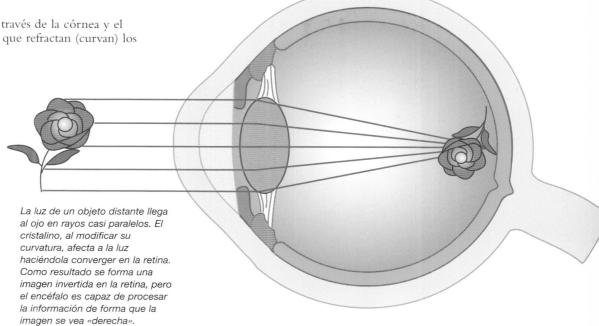

La luz de un objeto distante llega al ojo en rayos casi paralelos. El cristalino, al modificar su curvatura, afecta a la luz haciéndola converger en la retina. Como resultado se forma una imagen invertida en la retina, pero el encéfalo es capaz de procesar la información de forma que la imagen se vea «derecha».

Mirar objetos cercanos

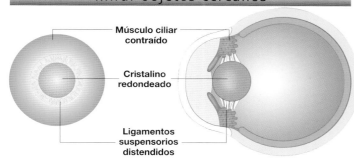

Músculo ciliar contraído
Cristalino redondeado
Ligamentos suspensorios distendidos

Los rayos luminosos de un objeto cercano divergen más, por lo que necesitan mayor difracción. El músculo ciliar se contrae reduciendo la tensión en los ligamentos suspensorios y el cristalino se hace más redondeado. Cuando los rayos luminosos atraviesan el cristalino redondeado convergen de forma clara en la parte posterior del ojo.

Mirar objetos alejados

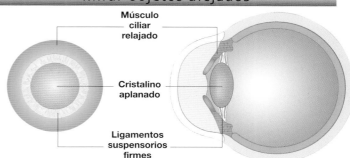

Músculo ciliar relajado
Cristalino aplanado
Ligamentos suspensorios firmes

Los rayos luminosos de objetos lejanos son más paralelos cuando llegan al ojo, con lo que requieren menor refracción del cristalino. El músculo ciliar se relaja y la tensión del ligamento suspensorio tira de los bordes del cristalino hacia fuera aplanándolo y adelgazándolo. Los rayos se enfocan en la parte posterior del ojo.

Defectos oculares comunes

Dos defectos comunes del ojo son la miopía y la hipermetropía.

La **miopía** es la incapacidad de enfocar objetos lejanos. Normalmente se debe a un globo ocular ligeramente alargado, lo que significa que la imagen más nítida de un objeto distante se forma delante de la retina.

La **hipermetropía**, por su parte, tiene lugar cuando el globo ocular es demasiado corto con el resultado de que el punto de enfoque de la luz para objetos cercanos se sitúa detrás de la retina.

La miopía se corrige llevando gafas (o lentes de contacto) que colocan una lente divergente (cóncava) delante del ojo; la hipermetropía se resuelve con gafas con una lente convergente (convexa).

Otro defecto ocular común es la **presbicia** o incapacidad del ojo de enfocar objetos cercanos por la pérdida de elasticidad del cristalino. El defecto surge naturalmente al envejecer, a menudo desde una edad mediana, y se corrige con el empleo de lentes convergentes. En muchas ocasiones se trata de la primera vez que la persona necesita gafas para corregir un problema visual.

El **astigmatismo** se produce como consecuencia de una forma ligeramente inadecuada del globo ocular, lo que hace que la imagen del objeto aparezca distorsionada. Puede corregirse llevando gafas con lentes cilíndricas que cancelan la distorsión provocada por el ojo.

MIOPÍA
Los rayos luminosos paralelos se enfocan delante de la retina, con lo que los objetos distantes se ven borrosos. Una lente cóncava hace divergir los rayos luminosos que inciden sobre el cristalino, corrigiendo la visión.

HIPERMETROPÍA
Los rayos luminosos de un objeto se enfocan detrás de la retina cuando se relajan los músculos que controlan el enfoque de la lente. Grados elevados de hipermetropía producen borrosidad en la visión cercana.

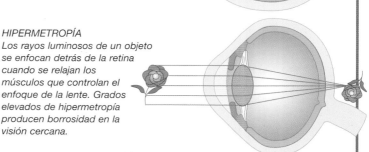

Cómo funciona la retina

La retina, situada en la parte posterior del ojo, contiene células especializadas llamadas fotorreceptores que son sensibles a la luz de diferentes colores. Gracias a ellas podemos ver tanto en la luz como en la oscuridad.

El ojo se ha adaptado a través de la evolución para ser extremadamente sensible a la luz. Sin embargo, el grueso del tejido ocular no responde a la luz. Los músculos que rodean al globo ocular, al igual que el iris, la córnea y el cristalino, actúan en conjunto sólo para enfocar la luz en la retina, una zona relativamente pequeña en la parte posterior del globo ocular que contiene fotorreceptores.

ESTRUCTURA DE LA RETINA

En su nivel más simple, la retina está formada por cuatro capas de células:

■ En la parte posterior se sitúa la capa exterior pigmentada. Estas células epiteliales absorben luz (pero no la «detectan»), impidiendo así que se disperse por el ojo.
■ Después se alinea una capa de fotorreceptores, que convierten la energía luminosa en eléctrica.
■ Los potenciales eléctricos que generan los fotorreceptores se transmiten a las células bipolares.
■ Las células bipolares se comunican a su vez con las células ganglionares; los axones (fibras nerviosas) de las últimas convergen y giran en ángulo recto antes de salir del ojo a través del nervio óptico, que transporta información sobre la escena visual hasta el encéfalo.

Así, la luz tiene que viajar primero por las células ganglionares y bipolares antes de alcanzar los fotorreceptores fotosensibles en la parte posterior de la retina. Esta disposición aparentemente «de atrás hacia delante» no impide que los fotorreceptores detecten la luz.

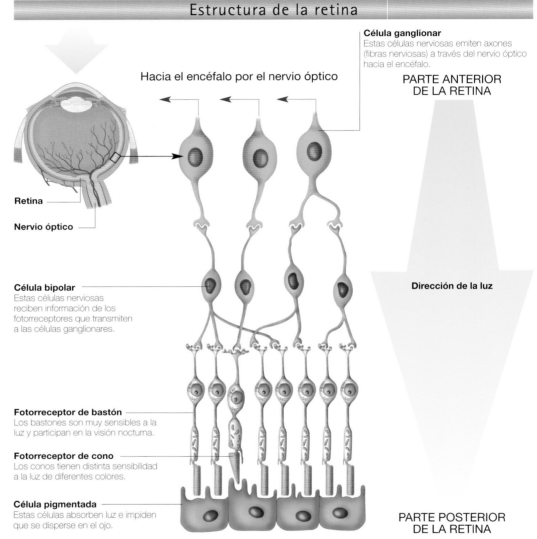

Estructura de la retina

Célula ganglionar
Estas células nerviosas emiten axones (fibras nerviosas) a través del nervio óptico hacia el encéfalo.

PARTE ANTERIOR DE LA RETINA

Hacia el encéfalo por el nervio óptico

Retina

Nervio óptico

Célula bipolar
Estas células nerviosas reciben información de los fotorreceptores que transmiten a las células ganglionares.

Dirección de la luz

Fotorreceptor de bastón
Los bastones son muy sensibles a la luz y participan en la visión nocturna.

Fotorreceptor de cono
Los conos tienen distinta sensibilidad a la luz de diferentes colores.

Célula pigmentada
Estas células absorben luz e impiden que se disperse en el ojo.

PARTE POSTERIOR DE LA RETINA

Agudeza visual

Demostración del punto ciego

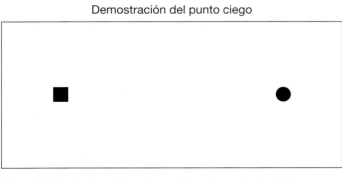

Cierre el ojo izquierdo y enfoque la vista en el cuadrado. El círculo debería desaparecer con la página sostenida a unos 15 cm del ojo, ya que la imagen cae en el nervio óptico.

Esta micrografía electrónica muestra la fóvea, una depresión crateriforme de la retina. Esta zona tiene la mayor agudeza visual de la retina.

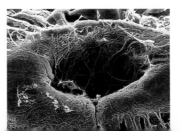

Hay dos tipos de fotorreceptores: los bastones, que actúan con luz tenue y proporcionan baja agudeza visual en escalas de grises; y los conos, que funcionan con luz brillante y aportan una alta agudeza visual y visión de los colores.

DISTRIBUCIÓN

La distribución relativa de los dos tipos de fotorreceptores varía en el ámbito de la retina. Por ejemplo, las regiones periféricas contienen principalmente bastones con relativamente pocos conos. En contraste, en el centro de la retina, directamente detrás del centro del cristalino, hay una región del tamaño de un alfiler denominada fóvea que contiene sólo conos.

La fóvea es la única parte de la retina que tiene conos en densidad suficiente para permitirnos una visión cromática muy detallada. Por este motivo sólo la milésima parte de nuestro campo visual puede enfocarse en un momento dado; tenemos que mover los ojos de forma continua para abarcar una escena visual rápidamente cambiante, por ejemplo, al conducir un automóvil.

Conos y bastones

Existen dos tipos de fotorreceptores: bastones, que son sensibles a bajos niveles de luz, y conos, que responden a luz de diferentes colores.

Los bastones son los más numerosos de los dos tipos de fotorreceptores; se ha estimado que suman unos 120 millones de células, en comparación con los seis millones de conos. Además, los bastones son unas 300 veces más sensibles a la luz que los conos.

VISIÓN NOCTURNA
Esta sensibilidad, unida a su relativa abundancia, hace a los bastones idóneos para ver en la oscuridad, con niveles de luz bajos. Sin embargo,

Micrografía electrónica de un grupo de células de bastones (en verde). Las células de bastones son muy sensibles a la luz y, por tanto, se emplean principalmente para visión en la oscuridad.

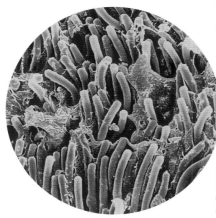

también aportan al encéfalo una agudeza visual reducida sólo en escalas de grises. Ello se debe a que cada célula de bastones forma uniones con más de una célula bipolar, que a su vez envía impulsos eléctricos al encéfalo a través de numerosas células ganglionares. Así, una célula ganglionar que sale del ojo a través del nervio óptico proporciona al encéfalo información recopilada de un gran número de células de bastones. Esto explica el motivo por el que la visión parece estar formada por numerosos puntos grises y grandes al salir a la oscuridad de la noche.

VISIÓN DIURNA
Al contrario que los bastones, los conos actúan principalmente con luz intensa y ofrecen al encéfalo una gran agudeza visual e información sobre el color de la escena visual. A ello ayuda el hecho de que cada célula individual de cono tenga «línea directa» con el encéfalo; una célula de cono está en contacto sólo con una célula bipolar, que se comunica a su vez con una única célula ganglionaria. Así, una neurona del encéfalo puede recibir información de la actividad de un único fotorreceptor de cono.

Los bastones y los conos tienen una forma similar. La principal diferencia entre ellos es el fotopigmento que contienen.

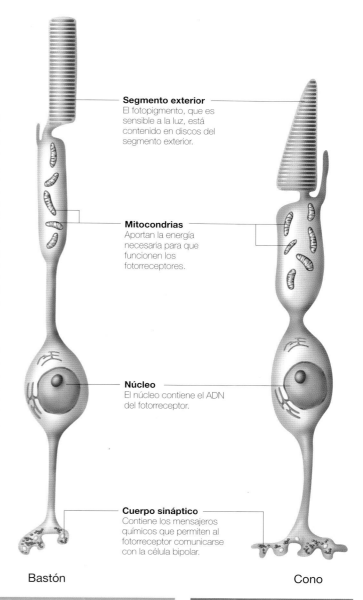

Segmento exterior
El fotopigmento, que es sensible a la luz, está contenido en discos del segmento exterior.

Mitocondrias
Aportan la energía necesaria para que funcionen los fotorreceptores.

Núcleo
El núcleo contiene el ADN del fotorreceptor.

Cuerpo sináptico
Contiene los mensajeros químicos que permiten al fotorreceptor comunicarse con la célula bipolar.

Bastón   Cono

Visión de los colores

Podemos ver en color porque tenemos tres tipos diferentes de conos, cada uno de los cuales es sensible a luz de distintas longitudes de onda (colores).

Cada uno de los tres tipos de conos contiene un fotopigmento diferente; un fotopigmento es una molécula que responde a la luz de longitudes de onda específicas y que puede modificar la excitabilidad eléctrica de la célula fotorreceptora.

Los tres conos son llamados azules, verdes y rojos. Debe destacarse que estos nombres no se corresponden necesariamente con el color de la luz que los activa óptimamente. Por ejemplo, los conos verdes son los que mejor responden de los tres a la luz verde, aunque son activados sobre todo por el amarillo.

DIFERENCIACIÓN DE COLORES
Podemos distinguir entre diferentes colores porque la luz de una longitud de onda específica activará los conos azules, verdes y rojos en diferente magnitud. Los conos envían impulsos al encéfalo a una velocidad proporcional al grado en que se activan; el encéfalo interpreta la proporción de los impulsos nerviosos que provienen de los tres tipos de conos como representativa de un color específico.

Existen tres clases de fotorreceptores de tipo cono, cada uno de los cuales responde a una gama diferente de colores.

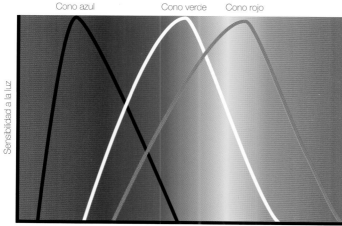

Cono azul   Cono verde   Cono rojo

Sensibilidad a la luz

Tipo de color

Ceguera cromática

La ceguera al color rojo es un trastorno hereditario relativamente común que afecta a uno de cada 12 hombres y a uno de cada 100 mujeres. Las personas afectadas tienen una deficiencia en los conos rojos o verdes que hace imposible que diferencien el rojo del verde y el naranja del amarillo.

Las personas con ceguera cromática no podrán ver la «L» de esta prueba de cromatismo porque los puntos rojos y verdes les parecen iguales.

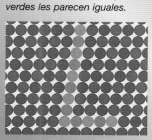

Cómo se producen las lágrimas

Los ojos son estructuras altamente complejas y delicadas. La constante secreción de líquido desde las glándulas lagrimales lubrica ambos ojos y los protege de los cuerpos extraños y de las infecciones.

El ojo es el órgano de la percepción visual, nuestro sentido dominante. Envía información visual al encéfalo acerca de nuestro entorno y tiene un papel crucial en la comunicación.

MOVIMIENTO DE LO OJOS

Para alcanzar un amplio campo de visión el globo ocular está diseñado para moverse alrededor de la órbita mediante un control muscular fino.

Con el objetivo de facilitar este movimiento cada ojo produce secreciones lagrimales. Estas secreciones humedecen la conjuntiva (membrana que recubre el ojo) y lubrican el ojo permitiéndole así moverse con más eficacia dentro de la cuenca.

El globo ocular está diseñado de manera que pueda moverse en el interior de la órbita. La secreción de lágrimas humedece y lubrica el ojo facilitando su movimiento.

Las lágrimas son producidas y segregadas por la glándula lagrimal situada justo encima del ojo. El exceso de líquido se drena a través de los conductos lagrimales hacia la cavidad nasal.

El líquido lagrimal es producido, distribuido y desechado por el aparato lagrimal.

ANATOMÍA DEL APARATO LAGRIMAL

El aparato lagrimal consta de la glándula lagrimal (en la que se producen las secreciones o lágrimas) y los conductos que drenan el exceso de secreciones en la cavidad nasal.

Cada glándula lagrimal se sitúa dentro de la órbita (cuenca ocular) justo encima de la prominencia exterior del ojo, y tiene el tamaño y la forma de una almendra. Estas glándulas especializadas son responsables de la producción constante de secreción lagrimal, la solución salina también conocida como lágrimas. Las lágrimas se segregan en el ojo a través de varias pequeñas aberturas en la glándula lagrimal.

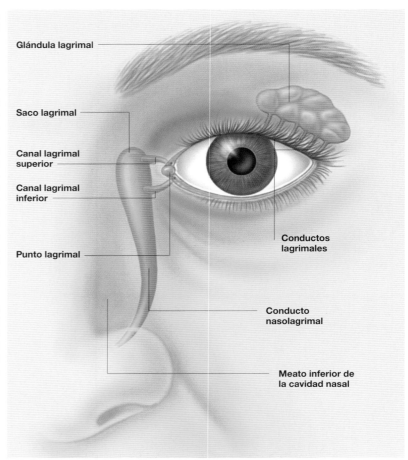

Glándula lagrimal

Saco lagrimal

Canal lagrimal superior

Canal lagrimal inferior

Punto lagrimal

Conductos lagrimales

Conducto nasolagrimal

Meato inferior de la cavidad nasal

Producción y drenaje del líquido lagrimal

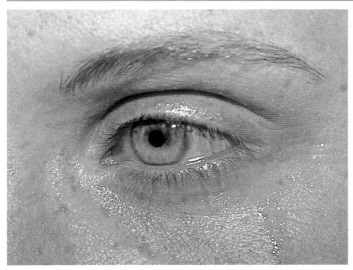

Cuando el ojo parpadea (con un intervalo de entre dos y diez segundos), se extiende hacia abajo un líquido lagrimal en todo el espacio ocular.

La cantidad normal de lágrimas que lavan la parte anterior del globo ocular no se vierte por las mejillas gracias a un aceite que las glándulas palpebrales depositan en los márgenes de los párpados.

La mayor parte del líquido producido por las glándulas lagrimales se evapora de la superficie del ojo, aunque una parte del mismo se recoge en el ángulo interior del ojo.

El líquido lagrimal lava el globo ocular antes de drenar en el conducto lagrimal. Desde aquí el líquido se vierte a la cavidad nasal a través del conducto nasolagrimal.

DRENAJE DEL LÍQUIDO

El exceso de líquido recogido en el ángulo interior del ojo entra en los conductos lagrimales a través de dos aberturas diminutas denominadas puntos lagrimales. Se asemejan a minúsculos puntos rojos en el margen interno de cada párpado, junto al puente de la nariz.

Desde los conductos lagrimales el líquido drena en el saco lagrimal y de ahí pasa al conducto nasolagrimal, que es una extensión del saco lagrimal. A continuación el líquido se evacua en la cavidad nasal.

Se ha estimado que una persona normal produce entre 0,75 y 1,1 ml de líquido lagrimal al día, que sirve para mantener los ojos húmedos y libres de infecciones.

Producción de lágrimas

Las lágrimas se producen cuando las glándulas lagrimales reciben un estímulo para segregar cantidades elevadas de líquido. Esta situación se da como respuesta a sustancias irritantes o a un acceso emocional.

Cuando la secreción lagrimal aumenta sustancialmente, el exceso desborda los párpados y gotea desde el ángulo de los ojos formando unas gotas características que caen por las mejillas como lágrimas. El exceso de líquido lagrimal también pasa a las cavidades nasales provocando congestión y el suspiro característico que acompaña a las lágrimas.

REACCIÓN REFLEJA
Un desencadenante de este exceso de secreción de líquido lagrimal es la presencia de cuerpos extraños, como arenilla, en los ojos. Cuando un cuerpo extraño penetra en el ojo, se estimulan las glándulas lagrimales para producir cantidades incrementadas de líquido lagrimal. Este exceso de líquido irriga el ojo y arrastra el cuerpo extraño. De este modo se protege el ojo de daños e infecciones.

En el caso de irritantes potencialmente dañinos, como sustancias químicas perjudiciales, el aumento en la producción de líquido lagrimal sirve para diluir y expulsar la sustancia irritante.

Un ejemplo de este mecanismo se observa al cortar una cebolla. La cebolla desprende productos químicos penetrantes a la atmósfera, que se disuelven en la humedad presente en la superficie de los ojos liberando un ácido que escuece.

Las glándulas lagrimales se ven así estimuladas para producir una

Las sustancias químicas pungentes liberadas por la cebolla al ser cortada estimulan una mayor producción de líquido lagrimal. El exceso de este líquido limpia los irritantes potencialmente peligrosos en el ojo.

mayor cantidad de líquido lagrimal, que se vierte a los ojos, diluye el irritante y los lava. Cuando el líquido lagrimal es excesivo, gotea y hace parecer que se está llorando.

MECANISMO DESENCADENANTE
Las lágrimas se segregan como parte de una respuesta refleja (automática e involuntaria) a una diversidad de estímulos. Algunos ejemplos son los irritantes para el ojo y la mucosa de la nariz, así como las comidas calientes o picantes que entran en contacto con la boca y la lengua. El flujo de lágrimas se produce también asociado al vómito, la tos y el bostezo.

En cada caso la reacción es controlada de forma autónoma por una región del encéfalo conocida por hipotálamo.

Cuando se estimulan los receptores oculares, los impulsos nerviosos se transmiten al hipotálamo a través de los nervios faciales que inervan las glándulas lagrimales, y tiene lugar un arco reflejo por el que se estimula a las glándulas lagrimales para que produzcan más lágrimas.

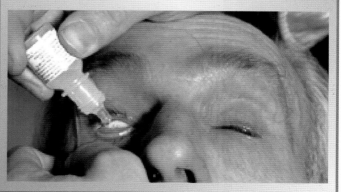

Llanto

Se sabe poco del mecanismo que desencadena el llanto como respuesta a un asunto emocional. Sin embargo, se sabe que las lágrimas tienen un papel vital en la comunicación.

La producción de lágrimas como consecuencia de un episodio emocional se denomina llanto y obedece a un tipo de respuesta diferente. La investigación ha demostrado que incluso cuando resultan dañados los nervios que provocan una producción refleja de lágrimas sigue produciéndose la respuesta emocional del llanto.

LLORAR POR EMOCIÓN
El significado de las lágrimas inducidas por la emoción no se conoce bien. El descubrimiento de que las secreciones lagrimales contienen encefalinas, unos opiáceos naturales, y el hecho de que sólo los seres humanos lloran por motivo emocional sugieren que el llanto puede tener un papel en la reducción del estrés. Tal vez por ello se acompaña de una sensación de alivio.

Llorar es también una forma eficaz de comunicar dolor o angustia a los demás.

Composición de las lágrimas

El líquido lagrimal contiene mucosidad, anticuerpos y lisozima, una enzima que destruye las bacterias. La función de este líquido es limpiar y proteger la superficie ocular, así como humedecerla y lubricarla.

Algunos trastornos médicos, como la queratoconjuntivitis seca (ojos secos), son resultado de un deterioro en la función lagrimal, lo que provoca que los ojos se sequen y contraigan infecciones. En estos casos los pacientes necesitan una solución salina artificial (como la que se usa para las lentes de con-

tacto que ayuda a lubricar el ojo y a ahuyentar la infección.

Al envejecer las glándulas lagrimales pierden actividad y los ojos tienen menor humedad. En consecuencia son más proclives a sufrir infecciones e irritación en las últimas fases de la vida.

Los anticuerpos presentes en las lágrimas ayudan a ahuyentar la infección. Como las glándulas lagrimales pierden actividad con la edad, los ojos son más propensos a sufrir infecciones.

Cómo se controla el equilibrio en el oído

El oído no sólo facilita la audición, sino que es también responsable de mantener el equilibrio al realizar las tareas cotidianas, desde subir unas escaleras hasta montar en patines. Las delicadas y complejas estructuras del equilibrio están en el oído interno.

Los esquiadores olímpicos pueden mantener el equilibrio a velocidades superiores a 90 km/h. Ello es posible gracias a las estructuras del oído.

El oído está formado por tres partes. La parte visible exterior del mismo (pabellón auricular y conducto auditivo) reúne y concentra las ondas sonoras. En el oído medio el tímpano vibra y los tres osículos (pequeños huesos) transmiten estas vibraciones al oído interno. El oído interno realiza dos funciones: la cóclea recibe las ondas sonoras y ayuda a transmitirlas al encéfalo, donde se interpretan como sonido, y el laberinto vestibular o no auditivo detecta los cambios en la posición del cuerpo.

LABERINTO ÓSEO

La parte del oído interno relacionada con el equilibrio es el laberinto óseo. Dentro del mismo están el vestíbulo, los canales semicirculares y el laberinto membranoso. El laberinto membranoso está rodeado por un líquido llamado perilinfa. Otro fluido, la endolinfa, está contenido en el laberinto membranoso. Estos líquidos no sólo ocupan espacio; son parte vital del sistema general del equilibrio.

Las partes individuales del laberinto óseo son sensibles al movimiento, la orientación y la rotación de la cabeza.

Estructura del oído

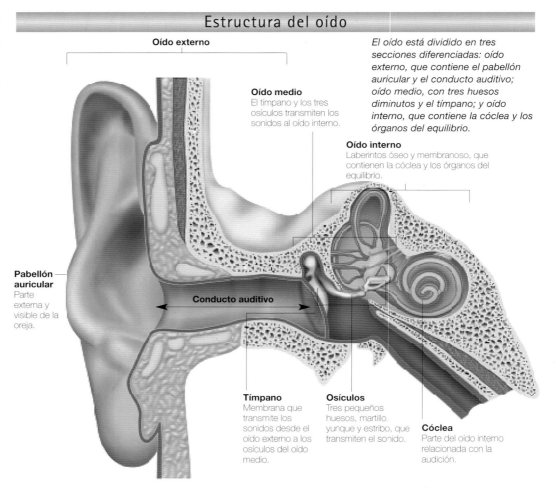

Oído externo

El oído está dividido en tres secciones diferenciadas: oído externo, que contiene el pabellón auricular y el conducto auditivo; oído medio, con tres huesos diminutos y el tímpano; y oído interno, que contiene la cóclea y los órganos del equilibrio.

Oído medio
El tímpano y los tres osículos transmiten los sonidos al oído interno.

Oído interno
Laberintos óseo y membranoso, que contienen la cóclea y los órganos del equilibrio.

Pabellón auricular
Parte externa y visible de la oreja.

Conducto auditivo

Tímpano
Membrana que transmite los sonidos desde el oído externo a los osículos del oído medio.

Osículos
Tres pequeños huesos, martillo, yunque y estribo, que transmiten el sonido.

Cóclea
Parte del oído interno relacionada con la audición.

Un esquiador olímpico en la modalidad de eslalon se desplaza a altas velocidades y en ángulos agudos, pese a lo cual mantiene un conocimiento de la posición del cuerpo gracias al sentido del equilibrio incorporado en el oído interno.

Pérdida de equilibrio

Cuando se está uno quieto, el líquido de los conductos y las cámaras del oído están en equilibrio. Al mover la cabeza el líquido se desplaza en dirección contraria y el encéfalo detecta el cambio de posición. La magnitud de este cambio es diferente en cada oído (dependiendo del sentido en que se gire), pero el sistema conserva el equilibrio. Sin embargo, si el sistema vestibular de un oído está dañado, la actividad del otro provoca una falsa sensación de giro (vértigo) hacia el lado no afectado.

Si la función vestibular de ambos oídos está deteriorada, la postura y la marcha pueden verse afectadas seriamente provocando vértigo y desorientación. Al cambiar el entorno, como sucede al volar en avión o viajar en barco, el sistema vestibular también se modifica y puede provocar un mareo. Se produce un efecto similar al beber demasiado alcohol.

Recientemente los científicos espaciales han estado estudiando los efectos de la ingravidez en el sistema vestibular. Algunos astronautas sufren síntomas vestibulares menores al regresar de su misión. No se han detectado molestias permanentes.

Partes del oído que controlan el equilibrio

Los tubos y cámaras del laberinto óseo protegen los tubos y cámaras membranosos del laberinto membranoso, son sus líquidos y sus sensores.

CANALES SEMICIRCULARES

Los canales semicirculares son tres tubos óseos en cada oído que se sitúan aproximadamente en ángulo recto entre sí. Debido a su posición y estructura pueden detectar el movimiento en el espacio tridimensional y son las partes sensibles a la rotación.

Cada canal posee un extremo ampliado denominado ampolla y está repleto de endolinfa. En la ampolla de cada canal hay células receptoras que poseen vellosidades finas proyectadas hacia la endolinfa. Cuando nos movemos, estas vellosidades se desplazan con el movimiento de la endolinfa. Así se estimula el nervio vestibular, que envía señales al cerebelo.

Al movernos un reflejo conocido por nistagmo (movimiento hacia atrás y adelante de los ojos) ayuda a evitar el mareo. Los ojos se mueven lentamente en contra de la dirección de giro, lo que nos permite concentrarnos en un punto fijo.

LABERINTO MEMBRANOSO

El vestíbulo contiene dos sacos membranosos llamados utrícula y sáculo. Ambos se conocen como otolitos y responden a nuestra orientación. En la superficie interna de cada saco se encuentra una masa de células sensoriales de 2 mm de anchura llamada mácula, que vigila la posición de la cabeza.

La mácula de la utrícula se sitúa en horizontal y proporciona información cuando movemos la cabeza hacia los lados. Se sabe menos de la mácula del sáculo, pero como se sitúa en vertical probablemente responde a la inclinación atrás y adelante de la cabeza. Juntas, ambas permiten detectar todas las posiciones posibles de la cabeza.

Los órganos sensoriales (sobre todo los de la utrícula) juegan un papel importante en el control de los músculos de las piernas, el tronco y el cuello para mantener el cuerpo y la cabeza en posición recta.

El oído interno

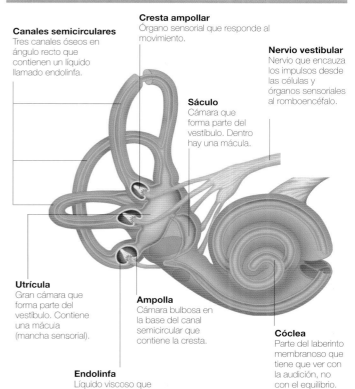

Canales semicirculares
Tres canales óseos en ángulo recto que contienen un líquido llamado endolinfa.

Cresta ampollar
Órgano sensorial que responde al movimiento.

Nervio vestibular
Nervio que encauza los impulsos desde las células y órganos sensoriales al romboencéfalo.

Sáculo
Cámara que forma parte del vestíbulo. Dentro hay una mácula.

Utrícula
Gran cámara que forma parte del vestíbulo. Contiene una mácula (mancha sensorial).

Ampolla
Cámara bulbosa en la base del canal semicircular que contiene la cresta.

Cóclea
Parte del laberinto membranoso que tiene que ver con la audición, no con el equilibrio.

Endolinfa
Líquido viscoso que responde al movimiento de la cabeza.

Cómo actúan las máculas

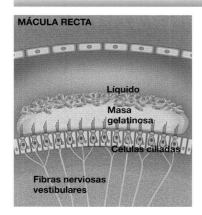

MÁCULA RECTA

Líquido
Masa gelatinosa
Células ciliadas
Fibras nerviosas vestibulares

Cada mácula consta de una capa de tejido conocida por neuroepitelio. En esta capa hay células sensoriales llamadas ciliadas, que envían impulsos nerviosos continuos al encéfalo.

Las células ciliadas están cubiertas por una masa gelatinosa que contiene pequeñas partículas granulares que compensan el peso de las vellosidades. Cuando

La mácula de la utrícula es una capa gelatinosa horizontal con minúsculas vellosidades incluidas.

se desvían los haces de vellosidades, debido por ejemplo a una inclinación de la cabeza, las células ciliadas se estimulan para modificar la velocidad a la que se envían los impulsos nerviosos.

Las células ciliadas cerca del centro son redondeadas y las de la periferia, cilíndricas. Así se incrementa la sensibilidad ante ligeras inclinaciones de cabeza.

Al inclinar la cabeza, el líquido de la endolinfa y la gravedad tiran de la masa gelatinosa hacia abajo estimulando las células ciliadas.

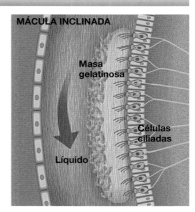

MÁCULA INCLINADA

Masa gelatinosa
Células ciliadas
Líquido

Qué sucede con la cresta dentro de las ampollas

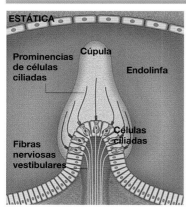

ESTÁTICA

Prominencias de células ciliadas
Cúpula
Endolinfa
Células ciliadas
Fibras nerviosas vestibulares

La cresta es una estructura sensorial cónica, la base inflada de cada canal semicircular. Existen seis crestas en cada oído. Cada cresta, rodeada por un líquido llamado endolinfa, responde a los cambios en la velocidad de movimiento de la cabeza transmitiendo información a lo largo del

Las prominencias pilosas de la cúpula gelatinosa están conectadas con las células ciliadas y las fibras nerviosas. Cuando la cabeza está quieta, la cúpula no se mueve.

nervio vestibular hacia el encéfalo.

Las células ciliadas sensibles están inmersas en un cono gelatinoso denominado cúpula. Todo movimiento de la cabeza hace que el fluido se mueva por la cúpula, flexionándola y activando las células ciliadas.

Al mover la cabeza el líquido de la endolinfa desplaza la cúpula estimulando las prominencias pilosas. Éstas envían señales al encéfalo, que registra el movimiento.

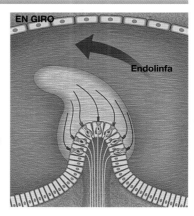

EN GIRO

Endolinfa

Cómo se procesa el sonido en el encéfalo

Los sonidos que inciden en el oído interno se convierten en señales neuronales (nerviosas). Este proceso es complejo y sutil y permite al encéfalo interpretar y comprender una amplia gama de sonidos.

La cóclea, órgano de la audición situado en el oído interno, es una estructura ósea arrollada que contiene un sistema de cavidades lleno de líquido.

La cavidad central o conducto coclear contiene la estructura específica de la audición denominada órgano de Corti. Situado en la membrana basilar, este órgano espiral contiene los miles de células ciliadas sensoriales que convierten el movimiento mecánico (causado por vibraciones sonoras que resuenan en el líquido) en impulsos nerviosos eléctricos que se transmiten después al encéfalo.

VÍAS HASTA EL ENCÉFALO

Las vías neuronales del sistema auditivo están compuestas por secuencias de neuronas dispuestas en serie y en paralelo. Los impulsos nacen en el órgano de Corti y alcanzan finalmente las zonas auditivas de la corteza cerebral conocidas como circunvolución temporal transversa de Heschl.

ESTACIONES DE TRÁNSITO

Cuando la actividad temporal se transmite hacia el encéfalo pasa por varias estaciones de tránsito. Algunas de estas estaciones responden de manera determinada a diversos aspectos de la señal auditiva, dando así

al encéfalo más contexto del sonido. Por ejemplo, algunas neuronas cocleares experimentan un intenso brote de actividad al inicio de un sonido denominado patrón de respuesta primaria; así se informa a la corteza auditiva del comienzo de una secuencia sonora.

Las neuronas, las estaciones de tránsito y diversos centros auditivos del encéfalo se encuentran en ambos lados del cuerpo. Los centros auditivos del encéfalo reciben sonido del oído opuesto.

Órgano de Corti
Contiene células ciliadas sensibles a las vibraciones que transmiten señales a través del nervio auditivo.

Esta sección transversal de la cóclea muestra el modo en que se transmiten las vibraciones por las divisiones membranosas entre las cámaras de las células ciliadas del órgano de Corti.

Vía de señales al encéfalo

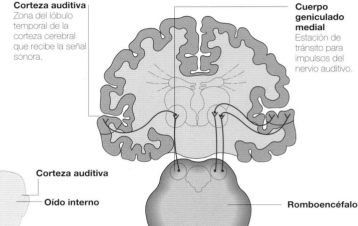

Corteza auditiva
Zona del lóbulo temporal de la corteza cerebral que recibe la señal sonora.

Cuerpo geniculado medial
Estación de tránsito para impulsos del nervio auditivo.

Corteza auditiva

Oído interno

Romboencéfalo

Núcleos cocleares en el tronco encefálico
Lugar en que las neuronas del nervio auditivo establecen la primera sinapsis.

Neuronas
Estas neuronas conectan los núcleos cocleares con los cuerpos geniculados mediales.

Médula

Nervio auditivo
Transmite señal desde las células ciliadas hasta el encéfalo.

Las señales nerviosas de las células ciliadas cocleares viajan por el nervio auditivo y la médula espinal a la corteza auditiva.

Interpretación de los sonidos

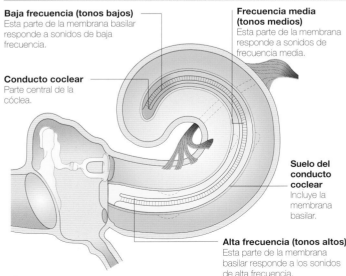

Baja frecuencia (tonos bajos)
Esta parte de la membrana basilar responde a sonidos de baja frecuencia.

Conducto coclear
Parte central de la cóclea.

Frecuencia media (tonos medios)
Esta parte de la membrana responde a sonidos de frecuencia media.

Suelo del conducto coclear
Incluye la membrana basilar.

Alta frecuencia (tonos altos)
Esta parte de la membrana basilar responde a los sonidos de alta frecuencia.

Las células ciliadas del órgano de Corti son capaces de transmitir diferentes tonos como respuesta a distintas frecuencias en diferentes lugares a lo largo de la membrana basilar, con lo que contribuyen al proceso de filtro del sonido.

LA MEMBRANA BASILAR

Las células que están situadas en la base de la membrana basilar responden más fácilmente a ondas sonoras de alta frecuencia, mientras las del extremo son más sensibles a sonidos de baja frecuencia. Esto equi-

La estimulación de grupos de células ciliadas en lugares específicos de la membrana basilar permite al encéfalo diferenciar sonidos de distintas frecuencias o alturas.

vale al modo en que un piano emite sonidos con un extremo productor de notas agudas y el otro de sonidos graves.

Sin embargo, existen sutilezas adicionales que se usan para transducir los diferentes tonos.

Imagínese un diapasón que emitiera la nota La al ser percutido. Las ondas sonoras que alcanzan la cóclea resonarán todas a una frecuencia de 440 ciclos por segundo (hercios). Así se induce una vibración de la membrana basilar 440 veces por segundo. No obstante, existe una sección concreta de la membrana basilar construida de tal manera que vibrará a la máxima amplitud 440 veces por segundo. Entonces se ajustarán las neuronas de esa región para que emitan señales 440 veces por segundo.

Cómo interpreta el encéfalo las señales sonoras

Una vez que los impulsos nerviosos se transmiten a la corteza auditiva, varias zonas del encéfalo se hacen responsables de la interpretación de las señales.

Todavía queda mucho por saber sobre el modo en que el encéfalo interpreta el sonido y el lenguaje. Sabemos que hay varias zonas del lóbulo temporal a ambos lados del encéfalo responsables de la interpretación de diferentes aspectos del sonido. También sabemos que estas zonas reciben gran cantidad de información contextual adicional de los varios puestos de estacionamiento conforme las señales neuronales básicas siguen camino hacia la corteza auditiva.

IDENTIFICACIÓN DE LOS SONIDOS

El encéfalo identifica los sonidos reconociendo sus características esenciales, como volumen, tono, duración e intervalos entre sonidos. A partir de estos elementos el encéfalo crea una «imagen» acústica propia de cada sonido, de forma parecida a como un televisor en color es capaz de reproducir el espectro cromático completo en una pantalla por medio de puntos de sólo tres colores.

La corteza auditiva tiene también que discernir muchos sonidos diferentes que le llegan a un tiempo filtrando y analizando estos sonidos para producir información significativa. Naturalmente el encéfalo usa el contexto en el que se recibe el sonido para realizar suposiciones sobre lo que va a oír. Por ejemplo, si la corteza visual detecta que hay una chica hablando, se esperará oír el habla que ella pronuncia.

CORTEZA DE ASOCIACIÓN AUDITIVA

La corteza de asociación auditiva se usa para procesar sonidos complejos dado que son muchas las ondas sonoras que llegan a la vez. Resulta particularmente importante en el reconocimiento del lenguaje y una lesión en esta zona hace que la persona detecte los sonidos sin ser capaz de distinguir unos de otros.

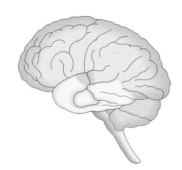

La corteza auditiva (en rosa) reconoce y analiza los sonidos. La corteza de asociación (en amarillo) ayuda a distinguir los rasgos más complejos de los sonidos.

La corteza visual influye en el contexto en el que se interpreta el sonido. Cuando se usa un teléfono no se tienen pistas visuales y se reciben solamente informaciones auditivas.

Localización del sonido

Sonidos procedentes de detrás de la cabeza

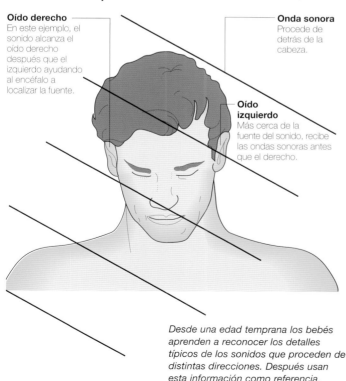

Oído derecho
En este ejemplo, el sonido alcanza el oído derecho después que el izquierdo ayudando al encéfalo a localizar la fuente.

Onda sonora
Procede de detrás de la cabeza.

Oído izquierdo
Más cerca de la fuente del sonido, recibe las ondas sonoras antes que el derecho.

Desde una edad temprana los bebés aprenden a reconocer los detalles típicos de los sonidos que proceden de distintas direcciones. Después usan esta información como referencia.

El encéfalo es muy preciso en la integración de la información para localizar un sonido.

Las dos formas principales que sirven para ello consisten en captar las minúsculas diferencias en la sincronización y la intensidad del sonido que llega a las dos orejas.

Una onda sonora alcanzará el oído más cercano a la fuente de sonido una fracción de segundo antes de que llegue al otro. El encéfalo puede interpretar la diferencia de tiempo para distinguir la dirección del sonido.

Además, si el sonido llega desde un lateral, la cabeza provoca una «sombra sonora» que apantalla un oído, de manera que éste recibe menos sonido que el otro. A menudo nuestra respuesta consiste en girar la cabeza en la dirección del sonido para igualar la intensidad que se recibe en ambos.

Sin embargo, incluso con un solo oído se puede localizar una fuente sonora. Se consigue por los pequeños detalles del sonido causados por las ondas que se desvían al alcanzar la superficie irregular del pabellón auricular, que varían con el ángulo por el cual el sonido se aproxima al oído. Con el desarrollo aprendemos que determinadas diferencias de sonido se asocian con ciertas direcciones y a partir de este principio podemos detectar la dirección de una fuente sonora.

Las ondas sonoras que llegan en un ángulo a la cabeza alcanzarán cada oído en un momento diferente. Así podremos detectar la dirección desde la que procede el sonido.

Cómo se siente
el dolor

El dolor no es sólo una señal de que se ha producido un daño en algunos tejidos del cuerpo; también alerta a quien lo sufre de un peligro. Los analgésicos alivian, pero el cuerpo tiene también su propio sistema de inhibición del color.

Cualquier suceso que provoque un grado de daño en los tejidos del cuerpo, ya sea mecánico (por presión o por una herida), químico (por ejemplo, exposición a un ácido) o térmico (calor o frío extremos), produce la emisión de grandes cantidades de sustancias químicas, como serotonina e histamina.

Además de producir reacciones dentro de los tejidos, como inflamación y enrojecimiento, estas sustancias químicas son detectadas por células sensoriales especiales denominadas terminaciones nerviosas libres, que están presentes en las capas superficiales de la piel, además de en algunos de los órganos internos. También se denominan nociceptores, porque reaccionan ante sustancias nocivas.

IMPULSOS DEL DOLOR

Como respuesta a los cambios químicos en los tejidos, las células sensoriales envían impulsos nerviosos a estaciones de retransmisión en la médula espinal. Desde éstas siguen camino por más estaciones repetidoras en la parte inferior del encéfalo, en el tronco encefálico y el tálamo, hasta llegar a los niveles encefálicos superiores. En ellos se analiza la información y se percibe como dolor. En la mayoría de los casos las personas se apartarán de la fuente del dolor.

Receptores en la piel

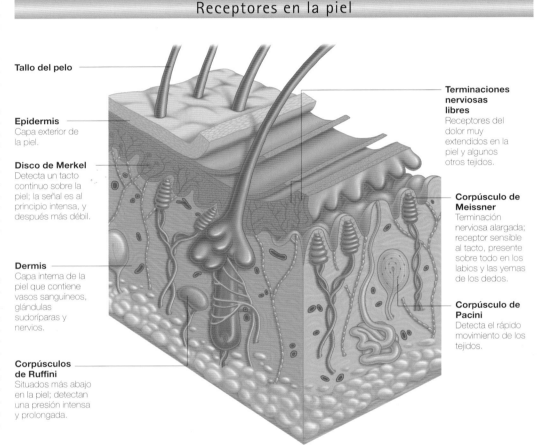

Tallo del pelo

Epidermis
Capa exterior de la piel.

Disco de Merkel
Detecta un tacto continuo sobre la piel; la señal es al principio intensa, y después más débil.

Dermis
Capa interna de la piel que contiene vasos sanguíneos, glándulas sudoríparas y nervios.

Corpúsculos de Ruffini
Situados más abajo en la piel; detectan una presión intensa y prolongada.

Terminaciones nerviosas libres
Receptores del dolor muy extendidos en la piel y algunos otros tejidos.

Corpúsculo de Meissner
Terminación nerviosa alargada; receptor sensible al tacto, presente sobre todo en los labios y las yemas de los dedos.

Corpúsculo de Pacini
Detecta el rápido movimiento de los tejidos.

Clasificación del dolor

Existen dos tipos de dolor, que se distinguen según la velocidad con que se recibe la sensación. El primero, que se percibe en cuanto se siente el daño en el tejido, es intenso y profundo y se denomina dolor agudo. Sus impulsos viajan con extraordinaria rapidez al encéfalo a través de fibras nerviosas especiales denominadas fibras A, que tienen vainas de mielina para acelerar los impulsos.

El objetivo del dolor agudo es inducir una reacción inmediata e inconsciente para apartar el cuerpo del peligro; los impulsos de fibras A nos hacen, por ejemplo, retirar la mano de una llama.

Después de un cierto tiempo el dolor agudo se amortigua y se sustituye por el segundo tipo: una sensación sorda, punzante e insistente, que caracteriza al dolor crónico. Los impulsos del dolor crónico proceden de receptores sensoriales profundos en los tejidos y viajan diez veces más lentamente que los del dolor agudo a través de fibras nerviosas desmielinizadas llamadas fibras C.

Las personas que padecen un dolor crónico intenso, como este paciente de cáncer, pueden necesitar la administración intravenosa de analgésicos. Estos fármacos actúan suprimiendo los impulsos de las fibras C.

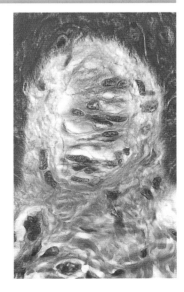

Los corpúsculos de Meissner, como el que muestra la imagen, transmiten señales a través de fibras nerviosas mielinizadas. Las señales del dolor agudo también viajan por fibras mielinizadas.

Inhibición del dolor

El cuerpo tiene tres sistemas de alivio del dolor: cada uno se basa en impedir que los impulsos nerviosos lleguen a los niveles superiores del encéfalo bloqueándolos en los niveles espinales o en el encéfalo inferior.

El primero, y el más sencillo, de los sistemas de alivio del dolor se resume en el principio del frotamiento. Sin embargo, en este término se esconde una secuencia compleja de hechos.

Dos nervios confluyen en la estación de retransmisión en la columna, en una unión que se denomina sinapsis. Un nervio transporta señales desde las terminaciones nerviosas sensoriales y el otro las comunica a la columna en dirección al encéfalo. Los neurólogos ven la sinapsis como una puerta: normalmente está cerrada, pero impulsos intensos, como los del dolor agudo, fuerzan a abrirla.

Sin embargo, la sinapsis sólo se abre a un tipo de ruta cada vez. Por esta razón los impulsos de fibras A, que viajan más deprisa, alcanzan la sinapsis antes que los de fibra C y los bloquean hasta que los primeros se han amortiguado. Pero si una zona dolorosa se frota vigorosamente, se generan impulsos de fibras A que de nuevo alcanzan primero la sinapsis bloqueando los impulsos más lentos de las fibras C. Como resultado el dolor crónico se alivia.

BLOQUEO QUÍMICO

El segundo sistema depende del bloqueo del paso de los impulsos nerviosos por medios químicos. En respuesta a las señales dolorosas, el encéfalo produce sustancias químicas denominadas endorfinas, que son los analgésicos naturales del cuerpo. Las endorfinas bloquean los receptores del tronco encefálico y el tálamo y con ello las puertas en las retransmisiones espinales. La heroína y la morfina son analgésicos porque bloquean los mismos receptores.

SUPRESIÓN

Finalmente el encéfalo puede enviar impulsos por la médula espinal para suprimir señales dolorosas en la retransmisión espinal. Este efecto se percibe sobre todo en casos de dolor extremo, como cuando un soldado está luchando por su vida o un atleta supera sus propios límites.

TOLERANCIA AL DOLOR

La intensidad con que se siente el dolor está determinada por la cantidad de endorfinas (sustancias químicas analgésicas en el encéfalo). El ejercicio aumenta los niveles de endorfinas, al igual que la relajación, una actitud mental positiva y el sueño. En cambio, el miedo, la depresión, el nerviosismo, la falta de ejercicio y la concentración en el dolor reducen los niveles de endorfinas. Cuanto menor sea el número de endorfinas más se sentirá el dolor.

Esta quemadura de segundo grado se produjo con aceite hirviendo. El dolor de lesiones como éstas es agudo al principio para cronificarse unos días más tarde.

Una respuesta natural y subconsciente al dolor es frotarse la zona dolorida, sobre todo cuando los músculos están afectados. Fisiológicamente la acción de frotarse actúa eficazmente para aliviar el dolor.

Dolor referido

A veces el dolor se siente en una zona que no es en realidad la fuente del mismo y en tales casos la sensación se denomina dolor referido. Algunos ejemplos son los dolores en la zona del diafragma, que pueden sentirse en el extremo del hombro, y el dolor cardiaco, como la angina de pecho, que se siente en el tórax, el cuello y el interior del brazo.

Existen dos explicaciones para este fenómeno. Primero, los tejidos que parten del mismo bloque constitutivo embriológico (es decir, provenientes de la misma zona de tejido básico en el feto en su desarrollo en el interior del útero) comparten a menudo los mismos retransmisores espinales, con lo que la actividad en una parte del retransmisor también desencadena actividad en otra parte del mismo. En segundo lugar, puede haber tantos impulsos nerviosos desde un órgano interno que inundan las rutas reservadas normalmente para otras áreas del cuerpo.

Los médicos estudian a veces el dolor referido como parte del diagnóstico de un trastorno que afecta a los órganos internos. A menudo sorprenden incluso al paciente, que tal vez no entienda por qué se pasa por alto durante la investigación el origen principal de su malestar (es decir, la fuente del dolor).

El dolor referido que afecta al oído es muy común. La causa a menudo se relaciona con los dientes, como el caso de abscesos o caries, o con dolor de laringe o faringe (por ejemplo, amigdalitis).

Cómo funciona la memoria

La memoria es la capacidad del encéfalo para almacenar y acceder a la información. La memoria a corto plazo guarda sólo pequeñas cantidades de información, mientras que en la memoria a largo plazo se conservan grandes masas de datos.

La memoria es la capacidad de almacenar y recuperar información. Recordar es una función vital, ya que sin ella no serían posibles el aprendizaje, el pensamiento y el razonamiento. Aprendemos, por ejemplo, a no tocar los objetos calientes desde muy temprana edad, pues recordamos que queman y causan dolor. Además, nuestros recuerdos, la suma de nuestras experiencias, tienen un papel muy importante en el desarrollo de nuestra personalidad.

ENCÉFALO

La memoria se contempla como una función del encéfalo, a menudo semejante al modo en que los ordenadores almacenan y procesan la información.

Mientras un ordenador sólo puede guardar 1.000 millones de bits de información, el encéfalo almacena hasta 100 billones. Por otra parte, la palabra «almacenar» es equívoca, ya que, a diferencia del ordenador, no hay un centro particular en el que se registren nuestros recuerdos. Recordar parece ser función de muchas partes del encéfalo, no de una única estructura.

ENTRADA EN LA MEMORIA

El almacenamiento en la memoria es muy complejo y nuestras experiencias sensoriales sugieren que existen muchas clases diferentes de

memoria: visual (vista), auditiva (oído), olfativa (olfato), gustativa (gusto) y táctil (tacto).

La información nunca se presenta de una sola forma, sino que suele venir integrada en un contexto complejo. Por nuestra experiencia diaria sabemos lo importantes que son el contexto y las asociaciones para una memorización eficaz.

Por ejemplo, un solo elemento de información que nos llega por el habla se incluirá en el contexto de otros datos como el rostro del interlocutor, la voz y las muestras de emoción.

DOS FORMAS

Existen dos formas de memoria: de corto y de largo plazo. La primera

Las personas llevan consigo una enorme cantidad de información reunida con el paso de los años. Estos datos se guardan en la memoria a largo plazo.

conserva pequeñas cantidades de datos y su contenido se pierde con rapidez. La segunda almacena grandes masas de información.

Memoria a corto plazo

La investigación ha demostrado que la memoria a corto plazo es capaz de conservar entre cinco y siete elementos de información a la vez durante un máximo de un minuto.

Por ejemplo, se puede recordar un número de teléfono mientras se marca. Sin embargo, si la línea está ocupada y hay que volverlo a marcar, habrá que consultar de nuevo el número, que no ha dejado un rastro de recuerdo en el encéfalo.

La razón de esta incapacidad para recordar a corto plazo reside en que los datos complejos no pueden almacenarse en el momento en que

Si una persona está marcando un número de teléfono por primera vez, sólo lo recordará brevemente. La memoria a corto plazo guarda pocos elementos de información a la vez.

se perciben. Parece que el cerebro necesita algún modo de análisis y selección para determinar qué información asimilar y cuál descartar. Al parecer, este proceso no puede darse sin un primer almacenamiento temporal de los datos.

CONSOLIDACIÓN

Al final, la memoria tiene que recordar primero por medio del proceso a corto plazo antes de que se consolide. Este proceso necesita una repetición o estudio y normalmente cierta clasificación (organización en categorías de elementos relacionados).

La consolidación mueve un hecho de la memoria a corto plazo a la de largo plazo. Según se piensa, esta consolidación produce una alteración en la estructura del encéfalo porque se forma un rastro de memoria.

Memoria a largo plazo

En la memoria a largo plazo se almacenan grandes cantidades de información. Estos datos se guardan y se consultan por medio de ingentes colecciones de células nerviosas situadas en el encéfalo: la amígdala cerebral y el hipocampo.

Toda persona lleva consigo una cantidad inconmensurable de información, a menudo preservada de por vida en la memoria a largo plazo. Hoy se sabe exactamente adonde deben pasar los datos sensoriales en el encéfalo para registrarse en la memoria.

HEMISFERIOS CEREBRALES
Los circuitos de interfaz, a través de los cuales se registra y consulta la memoria a largo plazo, se encuentran en grandes estructuras en las superficies internas de los lóbulos temporales de cada hemisferio cerebral en el encéfalo.

Estas inmensas colecciones de células nerviosas reciben los nombres de amígdala cerebral e hipocampo y en conjunto conforman el sistema límbico. Ambas estructuras están conectadas a todas las zonas sensoriales de la corteza (capa externa del encéfalo) y una lesión en las mismas; por ejemplo, por un ac-

cidente cerebrovascular o un traumatismo cerebral, producirá una profunda pérdida de memoria.

SITIOS DE MEMORIA
La base física exacta de la memoria a largo plazo no se conoce. Sin embargo, existen evidencias de que los sitios de memoria son los mismos que las zonas del encéfalo en las que se procesan las impresiones sensoriales correspondientes en la corteza.

Parece que durante el recuerdo la amígdala cerebral y el hipocampo reproducen la actividad neurológica que tiene lugar durante la actividad sensorial en la parte apropiada de la corteza cerebral.

La amígdala cerebral y el hipocampo son estructuras del encéfalo asociadas con la memoria. Convierten la nueva información en recuerdos de larga duración.

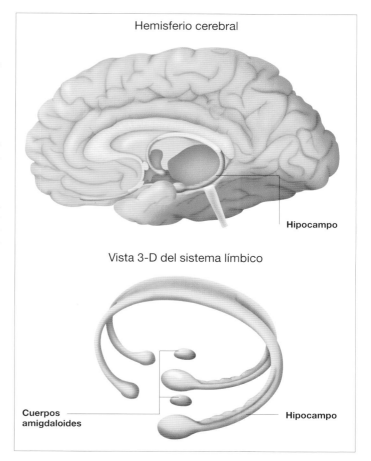

Hemisferio cerebral

Hipocampo

Vista 3-D del sistema límbico

Cuerpos amigdaloides

Hipocampo

Amnesia

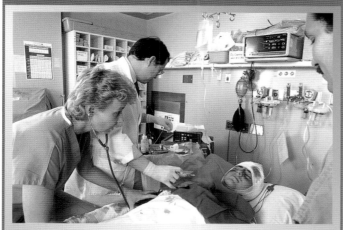

Se llama amnesia a la incapacidad de recordar hechos pasados o recientes. En la mayoría de los casos se debe a un daño físico en el encéfalo, aunque en circunstancias raras puede inducirse por un trauma emocional, cuando una experiencia es demasiado dolorosa de recordar.

Dos tipos
Pueden darse dos formas de amnesia:

■ Amnesia retrógrada. Es la más común después de un golpe en la cabeza. El paciente no consigue recordar lo que sucedió varias horas antes del accidente,

Los pacientes con lesiones en la cabeza pueden sufrir amnesia, que afectará a sus recuerdos antes (retrógrada) o después (anterógrada) del incidente.

ya que el encéfalo no ha tenido oportunidad de procesar esa información.
■ Amnesia anterógrada. Se debe a un daño en el hipocampo, con lo que ha quedado deteriorada la capacidad de recordar lo que sucedió después de la lesión. La memoria del pasado permanece intacta, pero la vida diaria se vuelve difícil porque el paciente no asimila las experiencias de un momento al siguiente.

Pérdida de memoria

La mayor parte de nosotros no tenemos recuerdos de los primeros años de nuestra vida, después de lo cual la memoria parece fragmentaria y vaga, hasta los diez años de edad. Probablemente se debe a que, en los primeros años de vida, el encéfalo no se ha desarrollado suficientemente para procesar y almacenar la información.

DEGENERACIÓN
Análogamente, en los últimos años de la vida, el encéfalo experimenta una degeneración natural, por lo que la memoria puede verse afectada.

Es interesante ver que en las personas de edad avanzada resulta afectada sobre todo la memoria a corto plazo. Por ejemplo, un anciano re-

cuerda los detalles exactos de un viaje realizado 50 años antes, pero es incapaz de rememorar lo que hizo ayer. Ello se debe a que, a menudo, la capacidad de procesar nueva información disminuye con la edad por cambios físicos y químicos en el encéfalo. Por otra parte, la recuperación de recuerdos de largo plazo los agudiza, dejando una traza permanente en el encéfalo.

Las personas mayores tienen frecuentemente una buena memoria de hechos del pasado, pero se ven en apuros si tienen que recordar lo que hicieron hace poco. Ello se debe a cambios en el cerebro relacionados con la edad.

Cómo sentimos las emociones

Los estímulos externos recibidos a través de los sentidos llegan al encéfalo como impulsos nerviosos. Su importancia emocional es determinada por el sistema límbico antes de producir una respuesta fisiológica.

La experiencia de una emoción supone una combinación de procesos físicos y mentales que producen sensaciones fisiológicas y psicológicas.

RESPUESTA A LOS ESTÍMULOS

A grandes rasgos, las emociones se producen como respuesta a estímulos externos. La emoción experimentada depende de la naturaleza de los estímulos y de la interpretación que de ellos hace la persona.

Los aspectos físicos de la experiencia emocional pueden dividirse en dos elementos principales:

■ Los procesos neurológicos producidos por estímulos ambientales o psicológicos.
■ La reacción fisiológica que se desencadena por esos estímulos.

FUNCIÓN DE LA AMÍGDALA CEREBRAL

Los impulsos nerviosos de los sentidos llegan al encéfalo en el tálamo, una estructura del mesencéfalo donde se procesan y transmiten de varias formas. Según se cree, su importancia emocional está determinada por el sistema límbico del encéfalo y en particular por la amígdala cerebral, una estructura en forma de almendra cerca del tronco encefálico.

La amígdala asigna un contenido y un valor emocional a los estímulos recibidos para ofrecer una evaluación inicial rápida de su significado. Ayuda así a determinar rápidamente si algo es peligroso. El estímulo de encontrarse inesperadamente con alguien, por ejemplo, en una habitación oscura es valorado por la amígdala como una amenaza potencial y se produce así una respuesta emocional inicial de miedo.

FUNCIÓN DE LA CORTEZA

Los centros del encéfalo superior de la corteza pueden superponerse a la amígdala cerebral integrando datos de otras fuentes, como la memoria y el contexto, para conseguir una determinación más precisa y sopesada de la importancia emocional.

En el ejemplo anterior la corteza usa la memoria para identificar a la persona encontrada como un amigo y suplanta la emoción inicial producida por la amígdala.

Las reacciones emocionales pueden complicarse por la cultura y el contexto. Las emociones estimuladas por espectáculos de ficción, como el teatro, producen respuestas físicas reales.

Fisiología de la emoción

La prueba del detector de mentiras funciona según la suposición de que mentir produce una respuesta emocional en la persona que habla. Esta respuesta puede identificarse a raíz de cambios físicos.

Los procesos fisiológicos son responsables de lo que se denomina sensaciones viscerales implicadas en la emoción. Entre estas respuestas se incluyen sequedad de boca, pupilas dilatadas o un vuelco en el estómago.

Un objetivo de la emoción es desencadenar una respuesta activa y estas sensaciones viscerales forman parte del proceso por el cual la emoción alerta al cuerpo mediante una respuesta física. Por ejemplo, un estímulo que provoca miedo preparará también el cuerpo para que actúe ante este sentimiento.

EL SISTEMA ENDOCRINO

El nivel y el tipo de respuesta fisiológica están determinados por el sistema nervioso autónomo (SNA), regulado a su vez por el sistema endocrino, que libera hormonas como respuesta a los desencadenantes emocionales. Estas hormonas producen muchas de las sensaciones viscerales asociadas con la emoción. Dos de las hormonas más importantes en este contexto son la adrenalina y la noradrenalina, que definen la división simpática del SNA para una respuesta de luchar o huir.

PAUTAS DE REACCIÓN

Las hormonas producen amplias sensaciones fisiológicas que son comunes a diferentes clases de emoción. Sin embargo, las emociones específicas producen pautas más específicas de respuesta fisiológica de acuerdo con su efecto en otro tipo de mensajeros químicos: los neurotransmisores.

Estos mensajeros actúan en conjunción con las hormonas para producir un abanico de pautas de respuesta distintivas, cada una con su propio ritmo cardiaco, temperatura digital, respuesta cutánea galvánica (conductividad eléctrica de la piel), etc.

Factores psicológicos y culturales

Muchas emociones complejas, como la vergüenza, ponen en marcha impulsos de los centros cerebrales que controlan el aprendizaje y la memoria. Los factores culturales también afectan a la respuesta final.

La emoción implica algo más que sensaciones viscerales. Como experiencia subjetiva, es tanto psicológica como fisiológica. Los experimentos demuestran que los fármacos y las hormonas pueden producir correspondencias fisiológicas con los impulsos emotivos sin la sensación consciente de emoción.

En particular, emociones más complejas y menos viscerales, como la culpa, implican más informaciones de los centros cerebrales superiores y procesos como el aprendizaje, la memoria y la imagen de uno mismo.

CONTEXTO Y CULTURA

Los factores que influyen en la psicología de la emoción incluyen la cultura y el contexto. Por ejemplo, en el contexto de una visita a un parque temático los estímulos terroríficos pueden producir una mezcla de miedo y placer. Las influencias culturales en las emociones incluyen emociones específicas de la cultura, como el «amor triste» de los chinos. Mientras en Occidente el amor se interpreta como una emoción positiva, en China el amor no lo es siempre y puede entenderse como una emoción negativa o ambivalente.

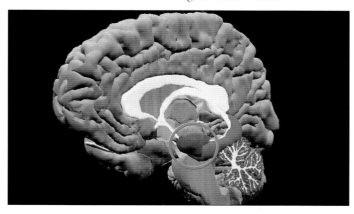

Los impulsos nerviosos envían estímulos externos de los sentidos al encéfalo. Parte del sistema límbico, la amígdala (rodeada por el círculo), determina después la respuesta.

Las atracciones de feria producen respuestas emocionales variadas. Nuestros centros encefálicos superiores intervienen para determinar si la experiencia es divertida o terrorífica.

Expresión de la emoción

Durante largo tiempo se ha creído que algunas emociones están vinculadas físicamente con el modo en que se expresan, sobre todo en términos de la actividad muscular de la expresión facial. En términos sencillos, algunas emociones y expresiones faciales están «integradas» indisolublemente.

Como consecuencia, se ha dado en pensar que sería posible invertir el proceso y adoptar una expresión para inducir una emoción determinada.

Por ejemplo, se ha descubierto que al sonreír se lleva a las personas a interpretar los estímulos como más positivos. Los mecanismos sugeridos que explican esta conclusión son:

■ La sonrisa induce la emisión de endorfinas (opiáceos naturales que influyen en el estado de ánimo).
■ Al sonreír se produce un cierto efecto de realimentación que se relaciona con los centros encefálicos vinculados a la felicidad y las emociones positivas.

Hemisferios cerebrales

Los dos hemisferios del encéfalo tienen distintos papeles en el reconoci-miento de las caras, las expresiones faciales e incluso el reconocimiento y la experiencia de las emociones positivas y negativas. Por ejemplo:

■ Algunas zonas del hemisferio izquierdo están especializadas en el reconocimiento y proceso de emociones positivas, como la felicidad.
■ Algunas áreas del hemisferio derecho se han especializado en emociones negativas, como la tristeza y el dolor.

La cara de la izquierda es una imagen especular de la derecha, pero se percibe como más feliz. Ello se debe al modo en que se procesa la emoción en los hemisferios cerebrales.

Las lesiones cerebrales pueden deteriorar la experiencia de algunas emociones y exagerar otras. Las lesiones en el hemisferio izquierdo pueden producir miedo excesivo o depresión, mientras que en el derecho los daños producen risa incontrolable o manía. Las personas con depresión clínica pueden mostrar una función reducida del lóbulo frontal izquierdo.

Esta lateralización hemisférica se explica mediante la ilustración adjunta. ¿Qué cara le parece más feliz?

La mayoría de la gente elegirá la de la izquierda. Ello se debe a que en esta imagen el rostro sonriente aparece en el campo visual izquierdo del observador y es procesada principalmente por el hemisferio derecho, donde tiene lugar principalmente el reconocimiento de la expresión. Las caras son, en realidad, imágenes especulares una de la otra.

Cómo se produce la risa

La risa es la respuesta del cuerpo a la sensación de felicidad y comprende tanto gestos como sonidos. Aunque no es esencial para la supervivencia, se cree que actúa como una especie de mecanismo de alivio.

La risa es la respuesta fisiológica a la felicidad y el buen humor y parece una singularidad humana. Consta de dos componentes: un conjunto de gestos y la producción del sonido. Cuando nos topamos con algo humorístico, el encéfalo activa estas dos respuestas simultáneamente induciendo al mismo tiempo cambios en todo el cuerpo.

MÚSCULOS FACIALES

Al reír se contraen 15 músculos faciales y se estimula el músculo cigomático mayor, lo que provoca el levantamiento del labio superior. Entre tanto la epiglotis bloquea parcialmente la laringe, con lo que la inspiración de aire es irregular y resulta entrecortada. En casos extremos pueden activarse los conductos lagrimales haciendo correr por el rostro lágrimas de risa. La persona que ríe puede incluso enrojecer mientras respira entrecortadamente.

VARIEDAD DE RUIDOS

La respuesta de la risa se acompaña de ruidos característicos, que van desde una risilla a la carcajada estruendosa.

La investigación de la estructura sonora de este fenómeno (el patrón de ondas de sonido que se producen al reír) muestra que toda risa humana consta de patrones variables de una forma básica, constituidos por notas básicas de tipo vocálico repetidas cada 210 milisegundos.

Esta investigación también ha revelado que la risa activa otros circuitos neuronales del encéfalo, que a su vez generan más risa. Así se explica por qué es contagiosa.

Como promedio las personas se ríen unas 17 veces al día. Los clubes de la risa (como éste de Bombay) convocan a la gente a reunirse para reír.

La función de la risa

Como sucede con toda conducta humana, es difícil determinar la finalidad exacta de la risa, aunque parece reportar diversos beneficios físicos y fisiológicos. Muchas teorías sugieren que la risa pudiera haber evolucionado como un mecanismo liberador, por lo cual nuestros ancestros la usaban como un gesto de alivio compartido al superar un peligro. Más aún, dado que la risa inhibe la respuesta de «luchar o huir», diseñada para protegerse del peligro, podría indicar también confianza en el compañero.

COMUNICACIÓN

De este modo muchos científicos opinan que la finalidad de la risa es la comunicación, una seña social que refuerza las relaciones humanas. La investigación de los antropólogos culturales demuestra que la gente muestra tendencia a reírse en grupo cuando se siente cómoda con los demás y que las personas que se ríen juntas consolidan sus vínculos.

Sonreír y reírse es un signo de confianza en un amigo o un pariente. Los bebés a menudo se comunican con sus padres sonriendo y riéndose.

Curiosamente, dicha investigación demuestra que las personas tienen 30 veces más probabilidades de reírse cuando están en grupo que solas, y que incluso el uso de óxido nitroso (el gas de la risa) desencadena menos risa cuando se inhala en solitario que rodeado.

RESULTADOS DE LOS ESTUDIOS

Los estudios han demostrado también que la risa conforma una jerarquía social por la cual los individuos dominantes suelen recurrir al humor más que sus subordinados; por ejemplo, cuando el jefe se ríe no es infrecuente que todos sus empleados también lo hagan. Al controlar el clima emocional del grupo, el jefe aplica un ejercicio de poder.

En realidad, parece que la risa, como la mayoría del comportamiento humano, ha evolucionado como un medio de influir en la conducta de los otros. Los estudios han demostrado que en una situación embarazosa o amenazadora, la risa puede servir como un gesto conciliador y un medio para ahuyentar la ira. Si puede hacerse reír a una persona amenazadora, se reduce el riesgo de confrontación.

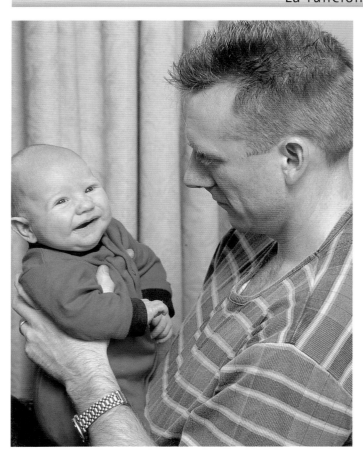

La función del encéfalo en la risa

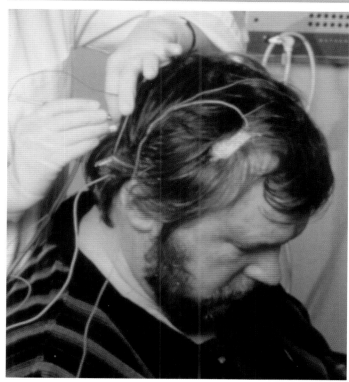

Un EEG puede ayudar a estudiar la respuesta a la risa. Después de conectar unas tomas de EEG a la cabeza y se le cuenta un chiste a la persona, se mide la actividad eléctrica del encéfalo.

La gelotología es el estudio de las respuestas fisiológicas que tienen lugar durante la risa; se ha realizado bastante investigación para comprender cómo se produce. Mientras otras respuestas emocionales parecen confinadas a una parte del encéfalo (lóbulo frontal), la risa parece extenderse a un circuito que cubre varias áreas cerebrales.

INVESTIGACIÓN POR EEG

Se han realizado investigaciones en personas con un encefalógrafo (EEG), un instrumento que permite medir la actividad eléctrica del encéfalo. En esta situación se cuenta un chiste a los voluntarios y se observa la actividad eléctrica consiguiente en el encéfalo.

En menos de un segundo se mide una onda de actividad eléctrica que recorre la corteza cerebral (la parte de mayor tamaño del encéfalo). Se ha descubierto así que si esta onda tenía una carga negativa entonces se desencadena la risa, mientras que si era positiva la risa no se produce.

ACTIVIDAD ELÉCTRICA

La actividad eléctrica del encéfalo durante la risa parece regirse por el siguiente recorrido:

1 El lado izquierdo de la corteza (la capa de células que cubre la superficie del posencéfalo) es estimulado cuando se analiza la estructura de la broma.

2 Se activa el lóbulo frontal, que tiene que ver normalmente con las respuestas emocionales.

3 Se estimula el hemisferio derecho de la corteza; en él tiene lugar el análisis intelectual del chiste, para determinar si es o no divertido.

4 Se activa la zona de procesamiento sensorial del lóbulo occipital (región ubicada en la parte posterior de la cabeza que se asocia con el procesamiento de las señales visuales) cuando se interpretan los impulsos nerviosos del hemisferio derecho y se convierten en una respuesta sensorial.

5 Se estimulan varias secciones motoras (responsables del movimiento) del encéfalo provocando una respuesta física ante el chiste.

EL SISTEMA LÍMBICO

Como con cualquier respuesta emocional el sistema límbico del encéfalo parece ocupar un lugar central en la risa. El sistema límbico es una red de estructuras complejas que se sitúan debajo de la corteza cerebral y controla comportamientos que resultan vitales para la supervivencia.

Mientras en los animales esta zona del encéfalo participa activamente en la defensa del territorio y la caza, en los seres humanos ha evolucionado para intervenir más en la conducta emocional y la memoria.

RESPUESTA EMOCIONAL

La investigación ha demostrado que la amígdala cerebral, que controla la ansiedad y el miedo, y el hipocampo, que tiene un papel importante en el aprendizaje y la memoria, parecen ser las zonas principales del encéfalo que intervienen en las respuestas emocionales.

La amígdala interacciona con el hipocampo y el tálamo (parte del encéfalo que retransmite información desde los sentidos a la corteza) asumiendo un papel vital en la expresión de las emociones.

Además, el hipotálamo ha sido identificado por los investigadores como un contribuidor esencial a la producción de la risa incontrolable y a carcajadas.

Las ventajas de la risa

Aunque siempre se ha sabido que la risa nos hace sentirnos bien, existe ahora una evidencia científica de que fomenta la salud en muchas formas.

Ventajas para la salud

La risa tiene muchas ventajas para la salud general de una persona. Estas ventajas son:

■ Sistema inmunitario. La risa inhibe la respuesta «luchar o huir», reduciendo los niveles de ciertas hormonas del estrés. Ello resulta beneficioso para la salud, ya que estas hormonas suprimen el sistema inmunitario y elevan la presión arterial. La risa suele reforzar el sistema inmunitario induciendo un aumento en los glóbulos rojos.

■ Presión arterial. La risa reduce la presión arterial a la vez que au-

La risa es algo más que una expresión de felicidad; en realidad, puede favorecer la salud. En la imagen, un paciente de un accidente cerebrovascular y su logopeda se ríen juntos.

menta el flujo sanguíneo vascular y la oxigenación de la sangre, lo cual ayuda al proceso de curación.

■ Saliva. La risa produce un aumento en la producción de inmunoglobina A salivar, que ayuda a evitar que los patógenos (organismos causantes de enfermedades) invadan el cuerpo por el tracto respiratorio.

■ Ejercicio. Se ha estimado que reírse 100 veces equivale a 15 minutos de ejercicio intenso en bicicleta. La risa mueve el diafragma y los músculos abdominales, respiratorios, faciales, de las piernas y de la espalda, lo que explica por qué la gente a menudo se siente agotada después de reírse mucho.

■ Salud mental. La risa aporta una salida para liberarse de las emociones negativas, como la ira o la frustración. Desde los trabajos pioneros de Patch Adams (un médico que reconoció las ventajas del humor al tratar a sus pacientes), los médicos se han hecho cada vez más conscientes de las ventajas terapéuticas de la risa.

Cómo dormimos

Durante el sueño el cuerpo entra en un estado alterado de conciencia. Antiguamente se consideraba que la única función del sueño era el descanso, pero los estudios demuestran que el encéfalo dista mucho de permanecer inactivo durante este periodo.

El sueño se define como un estado de relativa inconsciencia y reducción del movimiento corporal. A diferencia del coma, es posible despertarse por la acción de un estímulo externo. Se sabe relativamente poco de la función exacta del sueño, pese a que, en promedio, una persona pasa durmiendo en torno a la tercera parte de su vida.

FUNCIÓN RESTAURADORA
En el pasado se creía que el sueño obedecía sólo a una función restauradora. Más recientemente, sin embargo, los estudios del sueño con electroencefalogramas (usando electrodos unidos a la cabeza que miden la actividad eléctrica del encéfalo) sugieren otra cosa. Si bien la actividad motora se inhibe durante el sueño, el cerebro no está ni mucho menos inactivo en este periodo. Aunque

el funcionamiento de la parte consciente del encéfalo está deprimido, el tronco encefálico sigue funcionando para mantener el control de la respiración, la frecuencia cardiaca y la presión arterial.

CAMBIOS FISIOLÓGICOS
Al dormir los seres humanos cierran los ojos y adoptan una postura característica, normalmente boca arriba. Los cambios hormonales ralentizan los ritmos cardiaco y respiratorio. Además, la actividad digestiva se reduce y la orina se concentra para facilitar un periodo de sueño ininterrumpido.

En el sueño la parte sensorial del encéfalo está reducida. Sin embargo, seguimos percibiendo los estímulos externos, que pueden hacernos despertar.

Tipos de sueño

Monitorizando la actividad cerebral, los científicos han identificado dos estados del sueño. Se refieren como sueño REM (del inglés *rapid eye movement* o movimiento rápido ocular) y sueño NREM (no REM). Ambos se alternan durante la noche y cumplen distintas funciones.

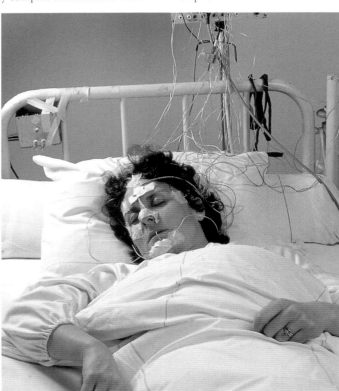

SUEÑO NREM
Durante los primeros 45 minutos de sueño, el cuerpo pasa por cuatro fases de sueño NREM. Estas fases pueden verse como un descenso en la frecuencia de las ondas cerebrales, aunque con un aumento en su amplitud.

Las cuatro fases del sueño NREM son las siguientes:

■ Primera fase. Los ojos se cierran y comienza la relajación. Empiezan a perderse los pensamientos conscientes. En esta fase se produce un despertar inmediato si se estimula el cuerpo.
■ Segunda fase. El EEG se hace más irregular y cada vez es más difícil despertarse.
■ Tercera fase. Conforme el cuerpo se desliza hacia esta fase, los músculos esqueléticos comienzan a relajarse y es frecuente soñar.
■ Cuarta fase y fase final. El cuerpo se relaja completamente y es difícil despertarse. En esta fase se dan los problemas de enuresis nocturna (mojar la cama) y el sonambulismo.

SUEÑO REM
Aproximadamente una hora después de empezar a dormir cambia el patrón del EEG, que se hace irregular y más frecuente, lo que indica el inicio del sueño REM. Este cambio en la actividad cerebral se acompaña de una elevación de la temperatura del cuerpo, el ritmo

Los estudios de la actividad cerebral durante el sueño revelan dos fases principales. Durante el sueño REM, el encéfalo es muy activo y aumenta el ritmo de la respiración.

cardiaco, la frecuencia respiratoria y la presión arterial y un descenso de la actividad digestiva.

El patrón de actividad cerebral observado durante esta fase es más típico del estado de vigilia, aunque en la misma el cuerpo respira más oxígeno que despierto. Normalmente durante esta fase los ojos se mueven rápidamente bajo los párpados, si bien los demás músculos corporales están inhibidos y se entumecen, lo que da lugar a una parálisis temporal cuya finalidad es impedirnos gesticular durante los sueños. La fase REM supone aproximadamente el 20% del sueño adulto.

SUEÑOS
La mayor parte de los sueños se tienen durante la fase REM. En ella es difícil despertarse, aunque algunas personas recobran la conciencia espontáneamente en esta fase, con lo que es más probable que recuerden los detalles de sus sueños.

MENSAJEROS QUÍMICOS
Además de los cambios en los patrones de las ondas cerebrales durante el sueño, se producen alteraciones en los niveles de neurotransmisores (mensajeros químicos secretados por el encéfalo). Los niveles de noradrenalina descienden y aumentan los de serotonina. Se debe a que la noradrenalina es responsable de mantener el estado de alerta, mientras la serotonina, según se cree, actúa como un neurotransmisor del sueño.

La función del sueño

El sueño permite relajar los músculos esqueléticos y reponer nuestros niveles de energía. La cantidad de sueño que necesita el cuerpo difiere de unas personas a otras.

La función más evidente del sueño parece ser la recuperación física. Mientras dormimos, nuestros músculos se relajan y así descansan. El cuerpo necesita dormir más tras un ejercicio físico intenso o cuando se está enfermo.

ACTIVIDAD CEREBRAL

El sueño de ondas lentas parece definir la fase restauradora, cuando la mayoría de los mecanismos neuronales se ralentizan. Los estudios de privación de sueño, en los cuales se despierta a la persona cada vez que alcanza una cierta fase del mismo, revelan que cuando se impide continuamente a alguien tener sueño REM, éste se siente deprimido y huraño y deja traslucir trastornos de personalidad.

Se han propuesto numerosas teorías sobre la función de la actividad cerebral durante el sueño. La más probable sugiere que la fase REM ofrece al cerebro la oportunidad de analizar los acontecimientos del día descartando la información inservible, procesando la útil y profundizando en los problemas emocionales con las imágenes soñadas.

Durante el sueño REM la actividad cerebral aumenta considerablemente. Se cree que es el momento en el que el encéfalo asimila la información útil aprendida durante el día.

Necesidad de sueño

La necesidad y las pautas del sueño cambian a lo largo de la vida. Mientras un bebé necesita dormir hasta 16 horas al día, un adulto necesitará, en promedio, siete horas.

En la vejez la cantidad de sueño necesario se reduce considerablemente, de modo que las personas de más de 60 años duermen menos horas seguidas, aunque en general con más frecuencia. Por eso los ancianos se echan pequeñas siestas durante el día.

Las personas mayores a menudo tienen una buena memoria de hechos del pasado, pero se ven en problemas si tienen que recordar lo que hicieron hace poco. Ello se debe a cambios en el cerebro relacionados con la edad.

PAUTAS DEL SUEÑO

Las pautas del sueño cambian también a lo largo de la vida: la cantidad de sueño REM desciende desde el nacimiento y a menudo desaparece por completo en personas de más de 60 años.

Por este motivo muchas personas mayores tienen el sueño más ligero y se despiertan con más frecuencia por la noche. Ello se debe a que no alcanzan la fase de sueño REM profundo.

Trastornos del sueño

Aunque la función exacta que cumple el sueño no se conoce totalmente, nadie duda de que es esencial para nuestro bienestar mental y físico.

Insomnio

Los insomnes no consiguen alcanzar una cantidad y calidad suficientes que se necesitan para sentirse bien durante el día. Con la falta prolongada de sueño muestran signos de fatiga, menor capacidad para concentrarse y realizar las tareas cotidianas y en algunos casos paranoia.

El insomnio puede deberse a un entorno desfavorable (vecinos ruidosos o cama incómoda); dolencias físicas, como las que causan dolor o problemas de respiración; o una pauta del sueño irregular (causada por descompensación horaria o por turnos de trabajo durante la noche). Sin embargo, la causa más común de insomnio son trastornos psicológicos como la ansiedad o la depresión.

Narcolepsia

La narcolepsia es lo opuesto al insomnio. Quienes lo padecen tienen escaso control sobre las pautas del sueño y pueden caer dormidas espontáneamente de modo profundo en las horas de vigilia. Tales episodios de inconsciencia duran entre 5 y 15 minutos y pueden darse sin ningún tipo de aviso.

Este trastorno es muy peligroso, por ejemplo si quien lo sufre se está dando un baño o trabajando con maquinaria. No se conoce la causa de la narcolepsia, aunque parece deberse a incapacidad para inhibir el sueño REM o profundo. La mayoría de las personas duerme durante un tiempo antes de caer en el sueño profundo, pero los narcolépticos parecen entrar en el sueño REM en cuanto cierran los ojos.

El insomnio es un trastorno por el que quien lo sufre no consigue una calidad de sueño suficiente. La causa es a menudo psicológica.

Cómo soñamos

Soñamos durante la quinta parte del tiempo que dormimos, aunque muchas personas dicen
no recordar lo que sueñan. La actividad mental que tiene que ver con soñar es muy diferente
del pensamiento estando despierto.

Aunque muchas personas declaran que no sueñan, los estudios al respecto han revelado que un adulto medio pasa soñando aproximadamente el 20% del tiempo que duerme.

¿QUÉ SON LOS SUEÑOS?
Los sueños se deben a una forma de actividad mental que es muy diferente del pensamiento en la vigilia.

Un sueño es una serie de imágenes, pensamientos y sensaciones que reúne la mente mientras se duerme. Los sueños pueden tomar la forma de agradables fantasías, escenarios cotidianos o pesadillas terribles.

ESTUDIOS DEL SUEÑO
Los estudios intensivos, en los que se monitoriza a personas que duermen y se despiertan en la fase REM, momento en el cual se les pregunta por sus sueños, revelan en buena medida la naturaleza de esta actividad.

Parece que la mayoría de los sueños son más perceptivos que conceptuales, lo que significa que las cosas se ven y se oyen más que pensarse. Dicho de otro modo, en sueños a menudo somos testigos y observadores de lo que pasa, no ac-
tores, y tampoco reflexionamos sobre cuanto acontece.

EXPERIENCIA SENSORIAL
En términos sensoriales, la experiencia visual está presente en casi todos los sueños y la auditiva, en torno al 40-50%. En comparación, los demás sentidos (tacto, gusto y olfato) intervienen sólo en un pequeño porcentaje de los sueños.

EMOCIONES
La característica que domina sobre todos los sueños es una emoción única e intensa, como miedo, rabia o alegría, más que la gama integrada de sutiles emociones que se manejan durante el estado de vigilia.

La mayor parte de los sueños están compuestos por historias interrumpidas, en parte formadas con recuerdos y escenas fragmentarios. Los sueños pueden ser muy mundanos, pero también ciertamente extravagantes.

Al dormir el cerebro reúne escenarios que conocemos en forma de sueños. Suelen estar compuestos por imágenes visuales vívidas y a menudo fuertes emociones.

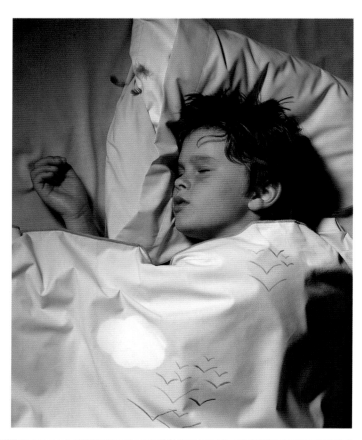

¿Cuándo se sueña?

La investigación en los últimos años ha revelado que existen dos estados claramente distinguibles del sueño: REM y NREM (no REM). El sueño NREM lo ocupa la mayor parte
del tiempo que se duerme y se asocia con un pulso y una presión arterial relativamente bajos y escasa activación del sistema nervioso autónomo. Durante esta fase se detectan muy pocos sueños, que se parecen más a pensamientos que a imágenes vívidas.

El sueño REM tiene lugar cíclicamente durante el periodo del dormir y se caracteriza por un aumento en la actividad cerebral consciente, un rápido movimiento de los ojos lateralmente bajo los párpados y
frecuentes vivencias de imágenes soñadas.

Normalmente una persona tendrá cuatro o cinco periodos de sueño REM durante la noche, aunque por lo común sólo puede recordarse un sueño a la mañana siguiente.

El sueño REM se produce en intervalos de unos 90 minutos y ocupan aproximadamente el 20% de la noche. Las evidencias de los estudios realizados sugieren que los periodos de sueño duran de 5 a 20 minutos.

Los estudios revelan que la mayor parte de los sueños se producen durante la fase REM. Esta fase se asocia con un rápido movimiento de los ojos bajo los párpados.

Sonámbulos

Cuando dormimos nuestros músculos están muy relajados por lo que el resultado es que el cuerpo se paraliza temporalmente. De esta manera se evita que se gestualicen los sueños.

En algunas personas este mecanismo no funciona con suficiente eficacia y al soñar se mantiene activo, a veces hasta el
punto de que llegan a andar en un estado semiconsciente. Tal fenómeno se denomina sonambulismo.

Los sonámbulos a menudo pueden cumplir órdenes e incluso mantener conversaciones. Con mucha frecuencia no recordarán nada de lo que ha sucedido durante la noche.

Actividad cerebral al soñar

Cuando soñamos el sistema límbico (parte del encéfalo asociada con las emociones, los sentimientos y la memoria a largo plazo) está activo, mientras que el prosencéfalo (asociado con la memoria a corto plazo y la inteligencia) permanece inactivo. Ello puede explicar la naturaleza de nuestros sueños.

Recientes estudios realizados con tomografía por emisión de positrones (TEP), que puede utilizarse para medir el flujo sanguíneo cerebral, indican que las partes del encéfalo activas en el sueño y en la vigilia son diferentes.

CORTEZA PREFRONTAL
Durante el estadio normal de vigilia la corteza prefrontal (parte anterior del encéfalo) es la más activa (indicado por un aumento en el flujo sanguíneo en esta zona en el escáner TEP). Esta parte del encéfalo es responsable de nuestro pensamiento consciente, la inteligencia, el razonamiento y la memoria a corto plazo.

SISTEMA LÍMBICO
Los estudios demuestran que durante el sueño REM la corteza prefrontal del encéfalo está completamente inactiva, mientras que el sistema límbico (parte del encéfalo que controla las emociones, los sentimientos y la memoria a largo plazo) se encuentra más activo.

Parece que ello podría explicar las vívidas emociones que se sienten durante el sueño REM, además de la recuperación de recuerdos antiguos (a menudo, en sueños viajamos al pasado, a hechos que ocurrieron hace tiempo).

El hecho de que la memoria a corto plazo se desactive podría explicar también el extraño contenido de nuestros sueños: cambios de escena, discursos fragmentados e identidades de personas que se confunden entre sí. También puede explicar el hecho de que mucha gente no pueda recordar sus sueños al despertarse.

IMÁGENES VISUALES
Los estudios con TEP han revelado también que la corteza visual primaria, parte del encéfalo usada para ver durante la vigilia, está inactiva al dormir. En su lugar se activa una zona visual diferente denominada extraestriado.

El extraestriado es la región visual responsable del reconocimiento de objetos complejos, como rostros y emociones. Ello podría explicar las vívidas imágenes visuales que son típicas de la mayor parte de los sueños.

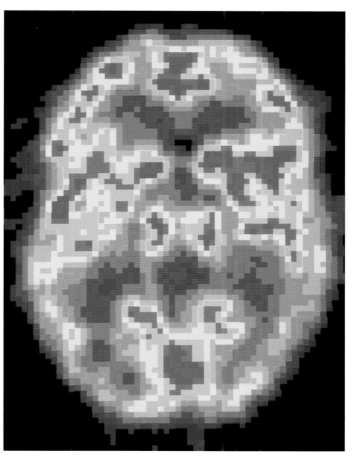

El contenido de los sueños a menudo parece radicalmente desconectado de la realidad. Soñamos situaciones y escenarios que nunca existirían en la vida real.

Los estudios con TEP revelan que diferentes partes del encéfalo están activas al soñar y estando despiertos. Así se explicaría la extraña naturaleza de los sueños.

La función de los sueños

Con el paso del tiempo, la función de los sueños ha merecido numerosas teorías. Las culturas antiguas les daban mucha importancia al creer en su origen espiritual e incluso pensaban que con ellos podían predecir el futuro.

Expresión subconsciente
El psicólogo Sigmund Freíd creía que los sueños representan un «camino hacia el subconsciente» y son la expresión de deseos (normalmente sexuales) reprimidos.

Los sueños pueden expresar deseos o miedos importantes de quien

Durante mucho tiempo se ha pensado que los sueños son una expresión del subconsciente. El análisis de los sueños sirve a menudo de técnica para los psicoanalistas.

los tiene y su análisis aporta una idea interesante del funcionamiento mental de las personas.

Sueños y función cerebral
Una teoría elaborada más recientemente sugiere que los sueños están relacionados directamente con el sistema de memoria a largo plazo. Las investigaciones realizadas en personas a las que se ha privado del sueño REM demuestran que les resulta más difícil aprender nuevas informaciones, lo cual parece apoyar la teoría.

Algunos estudios más demuestran que el sueño REM aumenta cuando estamos intentando aprender una tarea nueva o que nos resulta difícil. Ello sugiere que la información de la memoria a corto plazo se transfiere a la de largo plazo cuando soñamos.

Cómo responde el cuerpo al ejercicio

Durante el ejercicio las necesidades fisiológicas del cuerpo cambian de un modo característico. Para ejercitar los músculos se requiere un aumento en el suministro de oxígeno y energía, al que el cuerpo debe responder.

El cuerpo necesita energía para las actividades cotidianas. Esta energía se produce con la quema del alimento en el organismo. Sin embargo, al hacer ejercicio los músculos necesitan más energía que en reposo.

En el ejercicio breve, como sería una carrera para llegar al autobús, el cuerpo puede aumentar rápidamente el aporte energético de los músculos. Lo consigue porque tiene una pequeña cantidad de oxígeno almacenado y puede respirar anaeróbicamente (produciendo energía sin usar oxígeno).

La necesidad de energía aumenta al realizar ejercicio durante periodos más largos. Los músculos deben recibir más oxígeno para procurar la respiración aeróbica, que produce energía consumiendo oxígeno.

ACTIVIDAD CARDIACA
Nuestro pulso cardiaco es, en general, de 70 a 80 pulsaciones por minuto en reposo; puede aumentar hasta 160 pulsaciones después del ejercicio a la vez que crece la fuerza del latido. Así, una persona normal aumentará su gasto cardiaco algo por encima del cuádruple, mientras que un atleta entrenado logrará sextuplicar este gasto.

ACTIVIDAD VASCULAR
En reposo la sangre circula a través del corazón a un ritmo de unos 5 litros por minuto; durante el ejercicio lo hace a 25 o incluso 30 litros por minuto.

Este flujo sanguíneo se dirige hacia el músculo activo, que lo necesita al máximo. Lo anterior se consigue reduciendo el aporte de sangre a zonas del cuerpo con menos necesidades y ensanchando los vasos sanguíneos para procurar más flujo a los músculos activos.

ACTIVIDAD RESPIRATORIA
La sangre circulante debe estar totalmente oxigenada (saturada de oxígeno), de forma que ha de incrementarse también el ritmo de la respiración. Los pulmones se llenan con más oxígeno, que pasa a la sangre. Durante el ejercicio, el ritmo al que entra el aire a los pulmones aumenta hasta 100 litros por minuto. Una cantidad muy superior a los 6 litros que respiramos en reposo.

Los corredores de maratón alcanzan un gasto cardiaco superior hasta en un 40% al de una persona no entrenada. Con el entrenamiento aumentan la masa cardiaca y el tamaño de sus cámaras.

Cambios en la actividad del corazón

Efectos del ejercicio en el corazón

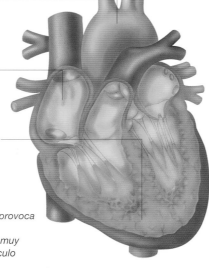

Aorta
Irriga sangre a todos los músculos; debe aumentarse también el suministro al músculo cardiaco.

Aurícula derecha
Aumentan el volumen y la presión de sangre de retorno al corazón desde las venas.

Músculo ventricular
Estimulado por nervios que van al marcapasos cardiaco para bombear más rápidamente.

El ejercicio agotador provoca numerosos cambios circulatorios. Resulta muy exigente para el músculo cardiaco.

Durante el ejercicio la frecuencia cardiaca (latidos por minuto) y el gasto cardiaco (volumen bombeado por minuto) aumentan. Ello se debe a la mayor actividad de los nervios que inervan el corazón, lo que hace que éste lata con más rapidez.

AUMENTO DEL RETORNO VENOSO
La cantidad de sangre que vuelve al corazón aumenta debido a:

■ La resistencia reducida de los vasos del lecho muscular por dilatación.
■ La acción muscular (contracción y relajación) que bombea más sangre de vuelta al corazón.

Se han realizado numerosas investigaciones sobre los cambios circulatorios asociados al ejercicio. Estas investigaciones demuestran que al hacer más ejercicio estos cambios se acentúan.

■ Los movimientos torácicos de respiración rápida, que también tienen un efecto de bombeo.
■ El estrechamiento de las venas, que fuerza a la sangre a retornar al corazón.

Conforme los ventrículos se van llenando cada vez más, las paredes musculares del corazón se estiran y trabajan con más potencia. Así, se expulsa un mayor volumen de sangre desde el corazón.

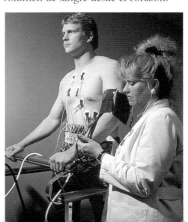

Cambios circulatorios

Cuando hacemos ejercicio nuestro cuerpo experimenta un aumento en el flujo sanguíneo de los músculos. Así se asegura un fácil suministro de oxígeno y otros nutrientes esenciales.

Antes incluso de que los músculos empiecen a contraerse en el ejercicio, el flujo sanguíneo que les llega puede aumentarse mediante señales cerebrales.

DILATACIÓN DE LOS VASOS
Las señales nerviosas, transportadas por el sistema nervioso simpático, hacen que los vasos sanguíneos del lecho muscular se dilaten permitiendo que llegue más sangre a las células de los músculos. Sin embargo, para mantener dilatados los vasos, después de este cambio inicial se producen variaciones locales, que incluyen descenso en los niveles de oxígeno y un aumento en el dióxido de carbono y otros productos de desecho de la respiración en el tejido muscular. El incremento de temperatura, provocado por el exceso de calor producido por los músculos activos, también lleva a una dilatación de los vasos.

REDUCCIÓN DE LOS VASOS
Además de estos cambios en el lecho muscular, se desvía sangre desde otros tejidos y órganos del cuerpo que tienen menor necesidad de ella durante el ejercicio. Con impulsos nerviosos se provoca la vasoconstricción en estas zonas, sobre todo el tracto digestivo. Así se redirige la sangre a las zonas que más la necesitan poniéndola a disposición de los músculos en el siguiente ciclo de la circulación.

El aumento de flujo sanguíneo a los músculos durante el ejercicio es especialmente acusado en los adultos jóvenes. Este flujo puede llegar a multiplicarse por 20.

Cambios respiratorios

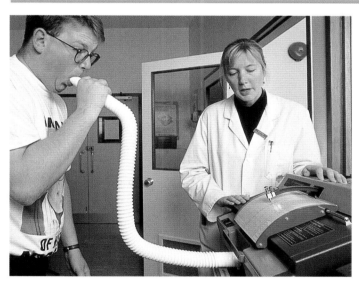

Durante el ejercicio el cuerpo usa bastante más oxígeno del que emplea normalmente y el sistema respiratorio debe responder a la necesidad de aumentar el ritmo de la ventilación. Aunque nuestro ritmo respiratorio se acelera rápidamente al empezar a hacer ejercicio, no se conocen bien los mecanismos implicados.

Cuando el cuerpo usa más oxígeno y produce más dióxido de carbono, los receptores de nuestro cuerpo, que pueden detectar cambios en los niveles de gases en sangre, estimulan la respiración. Sin embargo,

Para cubrir las demandas de mayor actividad muscular, el cuerpo necesitará más oxígeno. Por este motivo, el ejercicio produce un aumento en el ritmo de la respiración.

esta reacción se produce bastante antes de que se pueda haber detectado cambio químico alguno. Se trata de una respuesta aprendida que nos induce a enviar una señal a los pulmones para elevar el ritmo de la respiración, con independencia de que iniciemos o no el ejercicio.

RECEPTORES
Algunos expertos sugieren que el pequeño aumento de temperatura que se produce casi en cuanto nuestros músculos empiezan a trabajar es responsable de provocar una respiración más rápida y profunda. Sin embargo, el control fino de la respiración, que nos permite acompasarla con la necesidad de oxígeno en los músculos, está controlada por receptores químicos en el encéfalo y las principales arterias.

Calor corporal durante el ejercicio

Para disipar el calor producido durante el ejercicio el cuerpo recurre a mecanismos semejantes a los que emplearía en un día caluroso para refrescarse:

■ Vasodilatación de la piel, para que pueda perderse calor desde la sangre al entorno.
■ Aumento de la sudoración, pues el sudor se evapora en la piel usando energía térmica.
■ Incremento de la ventilación, que disipa el calor a través del aire caliente exhalado desde los pulmones.

El consumo de oxígeno en el cuerpo puede multiplicarse hasta

por 20 en un atleta bien entrenado y la cantidad de calor liberada en el cuerpo es casi exactamente proporcional a dicho consumo.

Si el mecanismo de la sudoración no consigue eliminar el calor en un día húmedo y caluroso, en un atleta puede sobrevenir un problema peligroso y a veces letal que se denomina golpe de calor. En tal circunstancia el objetivo principal sería reducir la temperatura corporal con la máxima rapidez por medios artificiales.

El cuerpo emplea varios mecanismos para refrescarse durante el ejercicio. Un aumento en la sudoración y la ventilación ayuda a desprenderse del exceso de calor corporal.

Cómo responde el cuerpo al estrés

Cuando percibimos una amenaza, nuestro sistema nervioso simpático activa una respuesta extendida denominada de «luchar o huir». La función de este reflejo es permitir al cuerpo reaccionar con eficacia ante un peligro.

El sistema nervioso autónomo regula los procesos básicos del cuerpo (como la frecuencia cardiaca y la respiración) para mantener la homeostasis (funcionamiento normal de los procesos corporales internos).

Los seres humanos no tienen control voluntario sobre este aspecto del sistema nervioso, aunque algunos acontecimientos, como un estrés emocional o el miedo, pueden inducir un cambio en el nivel de la actividad autónoma.

EFECTOS OPUESTOS

El sistema nervioso autónomo se divide en dos subsistemas: simpático y parasimpático. Ambos inervan normalmente los mismos órganos, aunque con efectos contrarios. Cada división compensa las actividades de la opuesta, de forma que los sistemas corporales funcionen con suavidad.

En circunstancias normales el sistema nervioso parasimpático estimula actividades como la diges-

tión, la defecación y la micción, así como la ralentización de la frecuencia cardiaca y la respiración.

El sistema nervioso simpático, por su parte, produce ajustes localizados (como la sudoración) y reflejos del sistema cardiovascular (por ejemplo, un aumento en la frecuencia cardiaca).

«LUCHAR O HUIR»

En condiciones de estrés, como las causadas por el miedo o la rabia, se activa todo el sistema nervioso simpático. Ello produce una respuesta inmediata y extensa («luchar o huir»). El efecto global es el de preparar el cuerpo para que reaccione eficazmente ante el peligro, ya sea para defenderse o para escapar de una situación peligrosa.

El sistema nervioso simpático ejerce un control sobre una serie de órganos. En condiciones de estrés todos estos órganos se estimulan a la vez.

El sistema nervioso simpático

Encéfalo

Médula espinal

Control hormonal

Control nervioso

Ganglios

Función de los mensajeros químicos

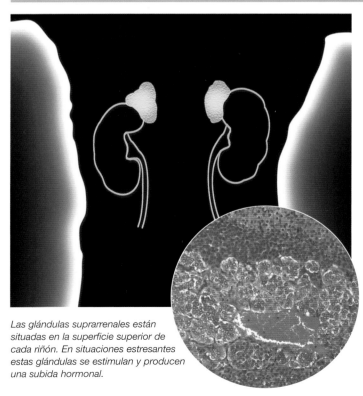

Las glándulas suprarrenales están situadas en la superficie superior de cada riñón. En situaciones estresantes estas glándulas se estimulan y producen una subida hormonal.

La médula de la glándula suprarrenal, vista en esta micrografía, secreta adrenalina y noradrenalina. Estas hormonas son vitales en el mecanismo de «luchar o huir».

El sistema nervioso simpático ejerce control sobre los órganos por medio de una serie de nervios que se extienden a los ganglios (agrupaciones de células nerviosas) a ambos lados de la médula espinal.

Las células nerviosas de los ganglios se proyectan a tejidos diana, como las glándulas, los músculos lisos o el músculo cardiaco.

RESPUESTA NORMAL

En circunstancias normales los impulsos nerviosos del encéfalo estimulan las terminaciones de las fibras nerviosas simpáticas para que secreten los mensajeros químicos adrenalina y noradrenalina.

Estas hormonas estimulan los órganos diana y de este modo actúan como mediadores químicos para transportar los impulsos nerviosos a los órganos diana.

ESTÍMULOS ESTRESANTES

En situaciones de estrés todo el sistema nervioso simpático se activa a la vez. Se secretan inmediatamente adrenalina y noradrenalina desde la médula suprarrenal (parte interna de la glándula suprarrenal). Estas hormonas son transportadas en el torrente sanguíneo reforzando los efectos del sistema nervioso simpático.

Entre tanto el hipotálamo (parte del prosencéfalo) estimula la glándula pituitaria para que secrete hormona adrenocorticotrópica (ACTH). Así se activa la corteza suprarrenal (parte externa de la glándula suprarrenal) para que emita la hormona cortisol al torrente sanguíneo.

El cortisol prepara el cuerpo para el peligro estabilizando las membranas y elevando el contenido de azúcar en la sangre. Los aminoácidos almacenados se transportan rápidamente al hígado y se convierten en glucosa, el combustible necesario para la producción de energía.

Respuesta al miedo

El sistema nervioso simpático activa los síntomas característicos del miedo. Estos síntomas permiten a todo el cuerpo alcanzar un mayor rendimiento en situación de estrés.

La subida en los niveles de adrenalina y noradrenalina desde las terminaciones nerviosas y la médula suprarrenal provocan una reacción inmediata en todo el cuerpo dando lugar a una serie de respuestas que son características del miedo.

El objetivo de estas respuestas es permitir al cuerpo responder con eficacia al peligro, ya sea huyendo, mirando mejor, pensando con más claridad o aprestándose para la lucha.

RESPUESTAS CORPORALES
Las respuestas al miedo incluyen:

■ Respiración rápida y profunda: las vías respiratorias aumentan de tamaño y la respiración se vuelve más eficaz para permitir

En situaciones de estrés, como un examen, se produce un aumento en el flujo sanguíneo al encéfalo. Así podemos pensar con más claridad.

una mayor absorción de oxígeno en el cuerpo.
■ Palpitaciones: el corazón late más fuerte y más deprisa y la presión arterial aumenta considerablemente. Se produce una vasodilatación (aumento del diámetro de los vasos sanguíneos) dentro de los vasos de los órganos esenciales para la reacción de emergencia, como el encéfalo, el corazón y las extremidades. Así se permite que llegue más sangre a estos órganos aportando más oxígeno y nutrientes esenciales necesarios para elevar el rendimiento.
■ Palidez de la piel: los efectos del sistema nervioso simpático provocan vasoconstricción (contracción de las paredes de los vasos sanguíneos que irrigan la piel). En consecuencia el flujo sanguíneo se reduce notablemente. Así, la posible pérdida de sangre por una herida superficial se reduce, por si el cuerpo necesita luchar. También explica que las personas pierdan literalmente el color a causa del miedo.
■ Aumento súbito de energía: el metabolismo corporal se incrementa hasta en un 100% para mantener respuestas elevadas. En compensación, el hígado produce más glucosa, que se consu-

me rápidamente para producir energía. Esto explica la utilidad de ingerir una bebida azucarada después de vivir una situación estresante.
■ Mayor resistencia física: como consecuencia del aumento en el flujo sanguíneo y los niveles de energía, se eleva la fuerza de la contracción muscular. Por este motivo, se pueden realizar grandes proezas físicas en situación de peligro como, por ejemplo, levantar una carga muy pesada, como un cuerpo humano.
■ Resistencia al dolor: la secreción de endorfinas (analgésicos naturales) en el encéfalo aumenta la resistencia del cuerpo al dolor y permite al individuo mantenerse activo pese a sufrir heridas.
■ Pelo erizado: forma parte de un

Los estímulos de estrés, como enfrentarse a un peligro, activan todo el sistema nervioso simpático y, con ello, una serie de respuestas de miedo.

reflejo primitivo, similar al que se produce en los perros y los gatos.
■ Dilatación de las pupilas: se agudiza la visión.
■ Sudoración de la piel: aumenta el sudor para ayudar a refrescar el cuerpo.
■ «Hormigueo» en el estómago: se debe a un descenso del flujo sanguíneo en el estómago en favor de los órganos vitales. También se suspende la movilidad del tracto urinario al desviarse la sangre desde los riñones.

Efectos del estrés a largo plazo

Las respuestas del miedo están diseñadas para ayudar al cuerpo en situaciones de amenaza, como las que implican un peligro físico inmediato.

Relajación
En cuanto la amenaza ha pasado, el cuerpo recupera gradualmente la normalidad al activarse el sistema nervioso parasimpático.

Los músculos empiezan a relajarse, la frecuencia cardiaca y la presión arterial descienden, la respiración se hace más profunda y regular y el estómago se relaja al restaurarse el flujo sanguíneo. El estado emocional

Un estrés prolongado puede ser dañino para la salud. Los efectos hacen a las personas afectadas más vulnerables a las infecciones y a dolencias relacionadas con el estrés.

cambia de la rabia y el miedo a una situación más tranquila y calmada.

Estrés prolongado
Sin embargo, en situaciones estresantes generadas por imperativos sociales, como las debidas a una carga de trabajo excesiva o a preocupaciones económicas, la respuesta al miedo puede prolongarse durante periodos largos, con lo que no existe una relajación del cuerpo tras el estrés.

Si no se da salida a esta tensión, los efectos del estrés pueden ser perjudiciales para el cuerpo. Las personas afectadas sufrirán síntomas, como cefalea, dolor abdominal, desgaste de los tejidos (por el ritmo metabólico permanentemente alto), fatiga y alta presión arterial, lo que podría dañar el corazón, los vasos sanguíneos y los pulmones.

Cómo afecta el alcohol al cuerpo

El alcohol es apreciado en la sociedad moderna por los efectos placenteros que puede tener en el cuerpo. Sin embargo, en exceso es una sustancia tóxica que perjudica la salud.

El alcohol (abreviatura de alcohol etílico o etanol) se ha aprovechado desde antiguo por sus efectos placenteros sobre el cuerpo. Los archivos históricos registran el uso del alcohol en las civilizaciones antiguas en diversos rituales religiosos y sociales.

FERMENTACIÓN

El alcohol es una sustancia orgánica producida por un proceso natural denominado fermentación.

Los azúcares presentes en los frutos y los cereales experimentan una reacción con las enzimas para formar alcohol, un proceso que es aprovechado artificialmente por las destilerías y fábricas de cerveza de todo el mundo.

CONCENTRACIÓN DE ALCOHOL

La concentración de alcohol varía con las diferentes bebidas, desde el 4% aproximadamente en la mayoría de las cervezas y el 12% en los vinos al 40% en licores como el whisky y el vodka.

Hoy el consumo de alcohol tiene un papel importante en la sociedad y conserva importancia en numerosas prácticas religiosas.

EFECTOS PERJUDICIALES

Ya desde la Antigüedad se ha predicado en contra de los peligros de esta sustancia intoxicadora y existen leyes estrictas que regulan el consumo de alcohol.

Aunque con moderación los efectos del alcohol en el cuerpo son insignificantes, al tratarse de una sustancia adictiva su ingesta en exceso, sobre todo durante periodos prolongados, puede tener un impacto importante en la salud.

El alcohol tiene un papel importante en las reuniones sociales. Las personas beben juntas en pubs y bares, donde disfrutan de los efectos relajantes que puede tener el alcohol.

Ruta del alcohol por el cuerpo

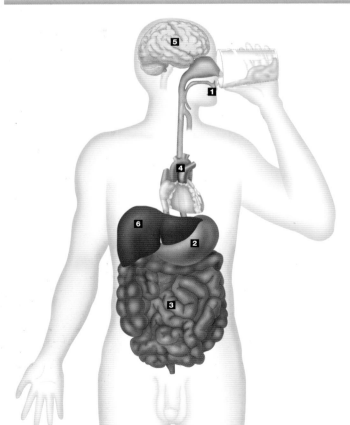

El alcohol se absorbe en el torrente sanguíneo al pasar por el tracto alimentario. Cuando llega al hígado, se metaboliza para producir energía.

La ruta que sigue el alcohol durante su paso por el cuerpo incluye el conducto alimentario y varios órganos en el orden siguiente:

1 Boca: el alcohol puede diluirse con saliva antes de tragarlo.

2 Estómago: el alcohol pasa por el esófago al estómago, donde se diluye más con los jugos gástricos. Parte de alcohol se absorbe en el torrente sanguíneo, aunque la mayoría pasa al intestino delgado. La velocidad de absorción dependerá de la concentración de alcohol y de la presencia de alimento en el estómago.

3 Intestino delgado: irrigado por una densa red de vasos sanguíneos, es el lugar donde se produce más absorción de alcohol hacia el torrente sanguíneo.

4 Torrente sanguíneo: una vez en la sangre, el alcohol es absorbido por las células de diversos tejidos.

5 Encéfalo: cuando el alcohol llega al encéfalo, tiene un efecto inmediato de intoxicación. Actúa en muchos lugares del sistema nervioso central, como la formación reticular (responsable de la conciencia), la médula espinal, el cerebelo y la corteza cerebral.

6 Hígado: el alcohol que ha sido absorbido pasa rápidamente al hígado, donde se metaboliza para producir agua, dióxido de carbono y energía a un ritmo de unos 16 gramos de alcohol (dos unidades; por ejemplo, dos vasos pequeños de vino) por hora. Este ritmo es variable dependiendo de la constitución de la persona.

OTROS LUGARES DE EXCRECIÓN

Una pequeña proporción del alcohol pasa a los pulmones y se expulsa en el aire exhalado (lo que permite calcular el nivel de intoxicación etílica mediante el uso de un dispositivo de control de alcoholemia). Parte del alcohol se expulsa en la orina y una cantidad muy pequeña en el sudor.

Efectos del alcohol

Una vez absorbido en el torrente sanguíneo el alcohol tiene un efecto inmediato en el sistema nervioso central. Produce entonces los síntomas característicos de la ebriedad.

En general el alcohol llega al torrente sanguíneo unos cinco minutos después de haberse ingerido.

DETERIORO DEL JUICIO
El efecto más inmediato del alcohol es la mayor relajación y sociabilidad de quien lo bebe.

Después de una sola unidad de alcohol la actividad del encéfalo se ralentiza con el resultado de un deterioro en la capacidad de juicio y un descenso en los tiempos de reacción.

PÉRDIDA DE COORDINACIÓN
La coordinación muscular se reduce conforme se intoxican los centros de control importantes del encéfalo. El resultado de esto es mareo, pérdida de equilibrio y habla confusa.

Cuando aumentan los niveles de alcohol en sangre, el centro del dolor del encéfalo se entumece y el cuerpo de desensibiliza.

Si la persona sigue bebiendo, sentirá la visión borrosa al resultar afectada la corteza visual.

CONDUCTA DEL BORRACHO
Se dice que una persona está ebria o borracha cuando ha perdido el control sobre sus actos. Si consume alcohol suficiente, caerá en un sopor profundo o incluso perderá la conciencia. Las cantidades extremas de alcohol anestesian ciertos centros del encéfalo provocando un cese de la respiración o el ritmo cardiaco que pueden resultar letales.

PÉRDIDA DE MEMORIA
Las medidas excesivas de alcohol pueden afectar a la memoria a corto plazo y las acciones realizadas estando ebrio tal vez no se recuerden al día siguiente.

Cuando suben los niveles de alcohol en sangre, el encéfalo se va intoxicando. La persona bebedora puede perder la consciencia si resultan afectados ciertos centros cerebrales.

Efectos a largo plazo

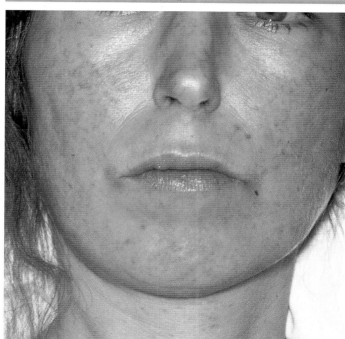

Si el cuerpo se somete a una ingesta excesiva de alcohol durante periodos prolongados, los efectos pueden tener mucha gravedad. Algunos de ellos son:

■ Lesiones en los tejidos. Al ser un irritante, el alcohol, sobre todo en las formas más puras, daña los tejidos de la boca, la garganta, el esófago y el estómago provocando una mayor susceptibilidad al cáncer.

■ Pérdida de apetito. El alcohol en grandes cantidades afecta al estómago y al apetito; por eso los grandes bebedores suelen descuidar su dieta. El alcohol tiene calorías, pero no contiene nutrientes o vitaminas útiles.

■ Daño hepático. Cantidades excesivas de alcohol dañan el hígado contrayéndolo y provocando insuficiencia (cirrosis). Terminará por ser incapaz de realizar su función de destoxificación.

Una ingesta excesiva de alcohol puede producir cambios en la piel. Esta mujer sufre ictericia (piel amarilla), con rotura de pequeños vasos sanguíneos en la cara y el cuello.

■ Daños cerebrales. Como el alcohol destruye las células del encéfalo, su consumo permanente reduce la capacidad mental degenerando en demencia. En bajas concentraciones el alcohol tiene un efecto estimulante del encéfalo, pero al aumentar estas concentraciones se agudiza el efecto depresor.

■ Aumento de peso. El alcohol es rico en calorías, por lo cual las personas que beben tienden a hincharse y ganar peso, lo que impone una mayor carga al corazón.

■ Lesiones en la piel. El alcohol provoca la dilatación de los pequeños vasos sanguíneos con el resultado de un mayor flujo de sangre en la superficie de la piel. Las personas afectadas tendrán un aspecto enrojecido y sensación de calor. Los capilares de la piel terminarán por romperse en un aspecto permanentemente rubicundo y desagradable.

■ Lesiones accidentales. Los grandes bebedores de alcohol tienen más probabilidades de sufrir accidentes graves. Los alcohólicos son víctimas de accidentes siete veces más que las personas que no beben.

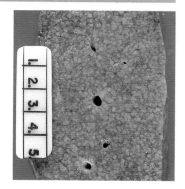

El alcohol es una sustancia adictiva. El consumo abusivo a largo plazo produce serios problemas de salud, como cirrosis hepática (en la imagen).

Abstinencia

Después de beber mucho se puede sentir dolor de cabeza, náuseas y fatiga en lo que se conoce como resaca. Estos efectos se deben a la deshidratación que provoca el alcohol, que priva de agua a las células.

El consumo prolongado de alcohol puede producir dependencia, y la abstinencia consiguiente causa *delirium tremens* con signos de agitación, pérdida de apetito, incapacidad de digerir el alimento, sudoración, insomnio y convulsiones. En casos graves se producen alucinaciones.

Cómo afecta el tabaco al cuerpo

El tabaco contiene numerosos compuestos dañinos que se adhieren a los pulmones al fumar. Decenas de miles de personas mueren cada año en todo el mundo por este hábito adictivo y letal.

La práctica de inhalar el humo producido al quemar hojas de tabaco fue introducida en el mundo occidental por los exploradores europeos a principios del siglo XVII. Habían observado esta costumbre en los indígenas americanos, que usaban el tabaco en diversos rituales y le atribuían propiedades medicinales.

EFECTOS ADVERSOS
Hace poco tiempo que el tabaco se ha convertido en un hábito en desuso. El cáncer de pulmón, antes comparativamente raro, empezó a aumentar espectacularmente durante el siglo XX y llevó a realizar investigaciones sobre los efectos de fumar en el cuerpo.

Hoy en día, pese a haberse constatado una clara correlación entre el tabaquismo y diversas enfermedades, el número de personas que fuman sigue en aumento. En los países desarrollados el tabaquismo produce unos tres millones de muertes anuales y es la causa principal de mortalidad en personas de menos de 65 años.

Muchas personas fuman para combatir el estrés. En realidad, la nicotina es un estimulante y tiene efectos perjudiciales.

COMPOSICIÓN DE GASES
Cuando se enciende un cigarrillo el tabaco quemado desprende un humo pungente, que pasa a los pulmones con la inhalación. El humo de los cigarrillos es una mezcla de gas y una fase de partículas. La fase de partículas (el humo que vemos) está formada por unas 4.000–5.000 partículas diferentes de tabaco sin quemar. Entre ellas hay sustancias químicas que pueden causar cáncer, intoxicar las células, modificar la estructura celular, suprimir el sistema inmunitario y alterar la actividad neuronal en el encéfalo.

La fase gaseosa consiste principalmente en dióxido de carbono, monóxido de carbono y nicotina.

El monóxido de carbono (el gas nocivo que desprenden los humos de los automóviles) se combina con la hemoglobina, pigmento de la sangre responsable del trans-

porte de oxígeno a los órganos y tejidos vitales. Ello significa que se transportará menos oxígeno, reduciendo la disponibilidad de este gas en los tejidos. La nicotina afecta al sistema nervioso central estrechan-

do los vasos sanguíneos y elevando la frecuencia cardiaca y la presión arterial. Muchos fumadores son adictos a la nicotina y experimentan un síndrome de abstinencia al no fumar.

Efecto en el sistema cardiovascular

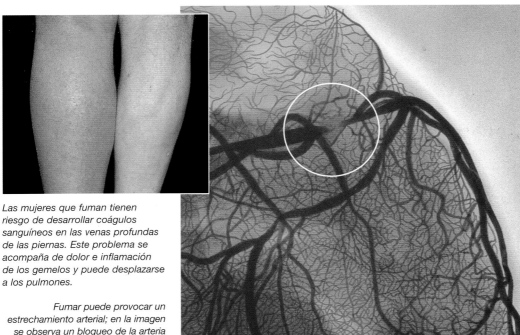

Las mujeres que fuman tienen riesgo de desarrollar coágulos sanguíneos en las venas profundas de las piernas. Este problema se acompaña de dolor e inflamación de los gemelos y puede desplazarse a los pulmones.

Fumar puede provocar un estrechamiento arterial; en la imagen se observa un bloqueo de la arteria coronaria (con el círculo), causa común de ataques cardiacos letales.

El tabaquismo es una causa de muerte y discapacidad más importante que cualquier enfermedad en solitario. En particular, fumar tiene un grave impacto en el sistema cardiovascular y se ha relacionado con una de cada cuatro muertes por cardiopatías.

ESTRECHAMIENTO DE LAS ARTERIAS
La nicotina y el dióxido de carbono presentes en el humo de los cigarrillos promueven un estrechamiento de las arterias en un trastorno llamado aterosclerosis. Este problema eleva el riesgo de accidente cerebrovascular y otros trastornos cardiovasculares.

La enfermedad arterial coronaria es un ejemplo de trastorno cardiovascular, en el que el flujo sanguíneo al corazón se restringe aumentando el riesgo de un ataque cardiaco letal.

Las mujeres que fuman tienen mayor riesgo de desarrollar una trombosis venosa profunda y accidente cerebrovascular, sobre todo cuando toman píldoras anticonceptivas.

El efecto de fumar en los pulmones

Con el tiempo los efectos de fumar reducen la capacidad de los pulmones y degradan los mecanismos de defensa exponiendo el cuerpo al ataque de las enfermedades.

Además de tener un efecto grave en el sistema cardiovascular, fumar es perjudicial para los pulmones.

LOS PULMONES

Los dos pulmones están situados en la caja torácica y rodean al corazón. Funcionan a modo de fuelles aspirando aire por las vías respiratorias, de forma que el oxígeno pueda pasar de los pulmones a la sangre. Después el oxígeno se reparte por todo el cuerpo y los productos de desecho, como el dióxido de carbono, se devuelven a los pulmones y se exhalan.

Para evitar que cuerpos extraños, como el polvo o el polen, entren en los pulmones, las vías respiratorias están revestidas con células especializadas cubiertas con cilios (proyecciones pilosas). Estas células mantienen un movimiento ondulatorio constante, de forma que cualquier partícula potencialmente dañina sea barrida de las vías respiratorias y expulsada por la garganta. El mecanismo de la tos también sirve para eliminar partículas extrañas de los pulmones.

FUNCIÓN DETERIORADA

Fumar inhibe los mecanismos protectores de los pulmones. Primero, reduce la respuesta del cuerpo al humo, de forma que las personas no tosen cuando fuman un cigarro, como sucedería normalmente por la inhalación de un humo pungente.

En segundo lugar, las células ciliadas baten con mucha menor lentitud, paralizadas por las toxinas del tabaco. Por este motivo las sustancias perjudiciales contenidas en los cigarrillos pueden sedimentarse en los pulmones reduciendo la capacidad global de estos órganos vitales y comprometiendo el funcionamiento de todo el cuerpo.

Cuando las sustancias perjudiciales se sedimentan, la membrana mucosa de los pulmones produce cada vez más mucosidad (también llamada flema). El alquitrán, las cenizas y las flemas se acumulan en los diminutos sacos aéreos de los pulmones reduciendo su capacidad y provocando una respiración extremadamente corta.

RESPUESTA INMUNITARIA REDUCIDA

Fumar daña también los glóbulos blancos que normalmente rastrearían y eliminarían la suciedad y las bacterias de los pulmones. Ello significa que los pulmones son más propensos a la infección.

De este modo, fumar expone al cuerpo a un mayor número de cuerpos extraños, mientras que los mecanismos normales de defensa para combatir la enfermedad resultan seriamente degradados.

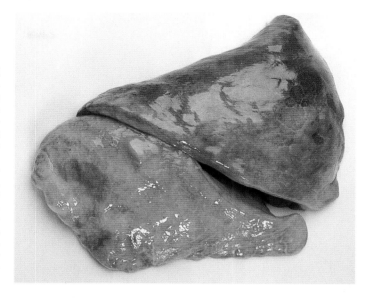

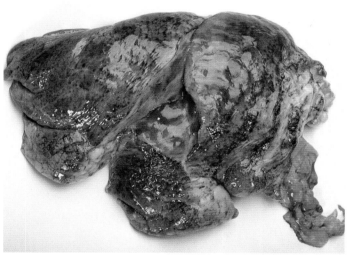

En la imagen se muestran un pulmón sano (arriba) y uno enfermo de un fumador (abajo). El alquitrán del humo del tabaco ha hecho perder totalmente el color al pulmón del fumador.

Adicción a la nicotina

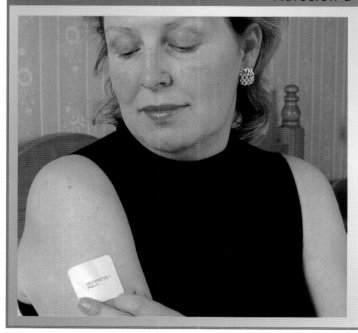

Todo el mundo conoce los riesgos del tabaco, pero la mayoría de los fumadores no consiguen dejarlo. En parte se debe al hábito adquirido al efecto estimulante de la nicotina, pero sobre todo a la rutina y las convenciones sociales.

Efecto estimulante

La nicotina estimula las neuronas cerebrales aumentando la capacidad de atención, reduciendo el apetito y la irritabilidad y relajando los músculos. No en vano muchos fumadores consideran que el tabaco regula su estado de ánimo y asocian los cigarrillos con una sensación placentera. En realidad, el cuerpo no tiene necesidad fisiológica alguna de nicotina.

Los parches de nicotina permiten absorber nicotina a través de la piel. Así se reducen las ganas de fumar evitando los efectos peligrosos del tabaco.

Sustitutos del tabaco

Existen varios productos que actúan como sustitutos de los cigarrillos, aportando la nicotina sin los efectos de fumar. Entre ellos están los parches de nicotina, los inhaladores y los chicles. La idea es que si el cuerpo está recibiendo nicotina, el fumador no tendrá necesidad de fumar cigarrillos. Con el tiempo se reduce la dosis de nicotina hasta que el cuerpo ya no la necesita.

Asimismo se ha desarrollado un fármaco conocido como Zyban, que elimina la necesidad de nicotina al interferir con los mismos mensajeros químicos en el encéfalo que la nicotina. Se han apuntado también éxitos de la acupuntura y la hidroterapia para dejar de fumar. Merece la pena tener presente que los riesgos de desarrollar enfermedades relacionadas con el tabaco se reducen de forma espectacular con el paso del tiempo después de abandonar el tabaco.

Cómo afecta la cafeína al cuerpo

La cafeína, presente en diversos productos, tiene una potente acción estimulante en el cuerpo. Como consecuencia, afecta adversamente a las pautas del sueño y puede hacerse adictiva a largo plazo.

La cafeína (o trimetilxantina) es la droga más ampliamente utilizada en todo el mundo, pues casi todas las personas la consumen a diario de uno u otro modo. Aunque suele asociarse con el café, en general está presente de forma natural en muchas plantas, entre ellas las hojas de té y los granos de cacao, y la contienen numerosas bebidas. De hecho muchas personas consumen hasta 1 g de cafeína al día incluso sin saberlo.

FUENTES

Las fuentes de cafeína más comunes incluyen:

- Café: una taza de café puede contener hasta 200 mg.
- Té: una taza de té contiene hasta 70 mg de cafeína.
- Cola: una lata de refresco incluye unos 50 mg.
- Chocolate: el chocolate con leche puede contener hasta 6 mg

por 28 g. El chocolate negro tiene más cacao y por tanto más cafeína.
- Analgésicos: algunos fármacos para el dolor de cabeza poseen hasta 200 mg por comprimido.

ESTIMULANTE

De forma lúdica numerosas personas disfrutan de la cafeína porque les aporta un impulso de energía y una sensación de alerta. Muchas beben café para terminar de despertarse por la mañana o para mantenerse atentas durante el día.

Médicamente la cafeína se usa como un estimulante cardiaco y diurético (aumenta la producción de orina).

Los granos de café son semillas de la planta del café. Contienen cafeína, un estimulante que aporta un impulso de energía y una mayor actividad mental.

Efectos a corto plazo

La adenosina es una sustancia química secretada por el encéfalo. Los niveles de esta sustancia química se acumulan durante el día y se unen a receptores especializados de adenosina en el encéfalo causando una ralentización de la actividad nerviosa, dilatación de los vasos sanguíneos y somnolencia.

En términos de composición química, la cafeína es muy similar

a la adenosina. Así, la cafeína puede unirse a los mismos receptores en lugar de la adenosina. Sin embargo, no ralentiza la actividad de las células nerviosas en el mismo grado que ésta, sino que tiene el efecto contrario provocando una aceleración de la actividad neuronal.

Por otra parte, como la cafeína bloquea la capacidad de la adeno-

sina de dilatar los vasos sanguíneos, los del encéfalo se estrechan. Por este motivo, algunos fármacos contra el dolor de cabeza contienen cafeína (el estrechamiento de los vasos sanguíneos del encéfalo puede ayudar a aliviar ciertos tipos de cefaleas).

ADRENALINA

Cuando una persona toma cafeína, la hipófisis responde a la mayor actividad de las células cerebrales. En este proceso actúa como si el cuerpo se estuviera enfrentando a una situación de emergencia, y así emite hormonas que estimulan las glándulas suprarrenales para producir adrenalina.

La liberación de adrenalina (la hormona para «luchar o huir») tiene los siguientes efectos, lo que explica por qué, después de una taza de café, se puede experimentar frío, tensión muscular, manos frías y excitación:

Una dosis de cafeína tiene un efecto instantáneo en el sistema nervioso. Aumenta la actividad de las células del encéfalo debido a la liberación de la hormona adrenalina.

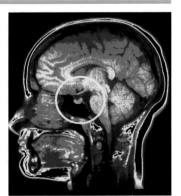

La cafeína estimula la hipófisis, mostrada en la imagen con un círculo. Esta glándula activa la emisión de hormonas para «luchar o huir» en las glándulas suprarrenales.

- Se dilatan las pupilas y las vías respiratorias.
- Aumenta la frecuencia cardiaca.
- Se eleva la presión arterial al estrecharse los vasos sanguíneos cercanos a la superficie de la piel.
- Se reduce el flujo sanguíneo en el estómago.
- El hígado libera azúcar al torrente sanguíneo para aportar energía adicional.

Propiedades adictivas

Muchas personas son adictas a la cafeína, que no sólo es un estimulante, sino que también eleva los niveles de dopamina en el encéfalo, lo cual acentúa las sensaciones de placer.

La cafeína es una sustancia adictiva. Pertenece a un grupo conocido como estimulantes, así llamados por su efecto excitador sobre el encéfalo. Otros estimulantes son las anfetaminas y la cocaína.

CANALES CEREBRALES
Aunque los efectos de la cafeína son menos potentes que los de otros estimulantes, la sustancia actúa de manera similar y, como manipula los mismos canales cerebrales, es igualmente adictiva.

A corto plazo, la cafeína es una sustancia inocua, pero su consumo a largo plazo puede causar más de un problema. Cuando se elimina la adrenalina liberada en la cafeína ingerida, la persona afectada puede sentirse cansada, algo deprimida, con ganas de tomarse otro café.

De esta forma muchas personas se vuelven adictas a la cafeína sin darse cuenta. Para el cuerpo no es sano permanecer en un estado constante de urgencia, lo cual provoca nerviosismo e irritabilidad.

PLACER
Como otros estimulantes, la cafeína eleva los niveles de dopamina, un neurotransmisor que activa el centro del placer del encéfalo. Se sospecha que esta acción es un factor que contribuye a la naturaleza adictiva de la cafeína.

Durante años los científicos han estudiado el comportamiento de los neurotransmisores, sustancias químicas del encéfalo. La cafeína eleva el nivel del neurotransmisor dopamina.

Efecto en el sueño

La cafeína tiene un efecto importante en el sueño. Tarda unas 12 horas en salir de los sistemas corporales. Esto significa que si una persona toma una taza de café con 200 mg de cafeína hacia las 4 de la tarde, a las 10 de la noche seguirá teniendo 100 mg de la sustancia en el torrente sanguíneo.

FALTA DE SUEÑO PROFUNDO
Aunque la persona puede llegar a dormirse, no conseguirá alcanzar el sueño profundo que necesita el cuerpo. En consecuencia, se despertará cansada e instintivamente se servirá una taza de café para despa-

bilarse. Y así continúa el ciclo. Si intenta romper el círculo vicioso, se sentirá agotada y un poco deprimida. También puede tener dolores de cabeza por la dilatación de los vasos sanguíneos del encéfalo.

La cafeína puede impedir el sueño profundo. Por tanto, las personas afectadas se despertarán cansadas y repetirán el ciclo de beber café para despabilarse.

Se necesitan unas 12 horas para eliminar la cafeína del cuerpo después de consumirla. Si queda cafeína en el torrente sanguíneo, puede afectar seriamente a las pautas del sueño.

Bebidas descafeinadas

Con el creciente conocimiento de los efectos nocivos que puede tener la cafeína en el cuerpo, se han popularizado las bebidas sin cafeína, que conservan el gusto del café, el té y la cola sin sus efectos perjudiciales.

Filtración
Para descafeinar el café se tratan los granos con un disolvente que absorbe la cafeína. Ésta se filtra de la solución dejando sólo los aceites del café (vitales para el sabor). La solución se añade de nuevo a los granos de café, que se tuestan y se procesan normalmente.

La investigación ha demostrado que las personas que sufren hiper-

El café descafeinado, que no tiene efectos perjudiciales, es muy popular. La eliminación de la cafeína del café es un proceso complejo.

tensión agradecen un recorte en la cafeína de su dieta.

Cómo actúan los fármacos en el cuerpo

Los fármacos usados para prevenir o tratar las enfermedades actúan induciendo cambios bioquímicos o fisiológicos en el cuerpo o aliviando los síntomas. Algunos fármacos afectan a células específicas, mientras otros actúan sobre todo el cuerpo.

TIPOS DE FÁRMACOS

Los fármacos ejercen su acción en una diversidad de formas. Los efectos de un fármaco pueden describirse de acuerdo con los cambios que provocan, o con referencia a los síntomas clínicos que pretenden aliviar o prevenir. En general, los fármacos pueden clasificarse en los que:

■ Moderan artificialmente o regulan la actividad de células, tejidos u órganos específicos del cuerpo.
■ Combaten los organismos virulentos que invaden el cuerpo (bacterias causantes de infecciones, por ejemplo).
■ Actúan en lugar de sustancias que se producen naturalmente en el cuerpo.
■ Tienen un efecto en las células o tejidos anormales o malignos.

FÁRMACOS QUE REGULAN LAS CÉLULAS

Ciertos fármacos afectan a la actividad de las células del cuerpo influyendo en el mantenimiento de la función celular normal. Los fármacos que regulan las células (moderadores artificiales) pueden actuar sobre células de todo el cuerpo (sistémicamente) o sólo en las situadas dentro de ciertos órganos o tejidos.

Algunos de estos moderadores artificiales potencian o inhiben sustancias en la célula necesarias para la producción de energía, reacciones sintéticas u otras funciones celulares normales.

Algunos fármacos actúan a menudo sobre la actividad de las enzimas (catalizadores biológicos), ya sea inhibiéndola o potenciándola. Un ejemplo específico es alopurinol, que se usa para tratar la gota porque previene la formación de ácido úrico. La gota se produce cuando las articulaciones se inflaman de forma dolorosa ante la acumulación de sales de ácido úrico en la zona.

Los fármacos que actúan en el nivel celular pueden ser específicos de ciertos órganos o tener efectos de amplio alcance (sistémicos). Por ejemplo, la hidralazina es un antihipertensivo usado para reducir la presión arterial. Hace que las pequeñas arterias alrededor del cuerpo se ensanchen, aumenta la frecuencia cardiaca y eleva el gasto cardiaco.

Por tanto, la hidralazina actúa en dos niveles: los efectos sobre la circulación sanguínea se ejercen en el nivel celular, mientras que los del corazón lo hacen en el nivel de la función orgánica.

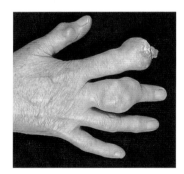

La gota es una inflamación de las articulaciones causada por un fallo en el metabolismo del ácido úrico. Los fármacos impiden que se forme ácido úrico y así que se acumule en las articulaciones.

Se usa un Novopen para administrar dosis medidas de insulina en un paciente con diabetes. La insulina es necesaria para regular el metabolismo de la glucosa en los pacientes.

Tratamiento multifármacos

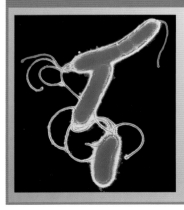

El tratamiento farmacológico para una enfermedad en particular no se limita necesariamente a un solo enfoque, sino que puede utilizar varios fármacos de distintas formas.

Un buen ejemplo es el tratamiento de las úlceras pépticas. Los síntomas de esta dolencia se agravan por la secreción de ácido gástrico. Estos síntomas pueden aliviarse y

Las bacterias Helicobacter pylori se encuentran en la mucosa estomacal de pacientes con úlcera péptica. Responden bien a los antibióticos.

promoverse la curación de las úlceras mediante una serie de medicamentos de acción local en el estómago (con antiácidos), reduciendo la secreción de ácidos gástricos (tal vez con un antagonista de receptor H_2 como la ranitidina), o potenciando la protección de las mucosas (por ejemplo, con carbenoxolona). Además, como la bacteria Helicobacter pylori se ha relacionado con la úlcera gástrica, también puede iniciarse tratamiento antibiótico. Puede adoptarse cualquier combinación de estos enfoques.

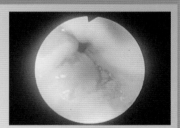

Esta imagen endoscópica muestra una úlcera péptica. La terapia con multifármacos puede reducir el ácido gástrico y actúa contra las bacterias implicadas.

Fármacos antiinfecciosos

Algunos fármacos ejercen sus efectos en los organismos invasores (infecciones) o las células anormales del cuerpo (como el cáncer). La actividad específica de los medicamentos antiinfecciosos, entre ellos los antibióticos, antifúngicos y antipalúdicos, se debe en general a las diferencias intrínsecas entre las células del agente infeccioso (por ejemplo, la bacteria) y las del hospedador. Un preparado antimicrobiano eficaz y seguro es todo aquel que resulta tóxico para el organismo infectante, pero no para el hospedador.

Algunos de estos fármacos simplemente frenan el crecimiento del organismo susceptible, mientras que otros lo destruyen, si bien estos efectos pueden depender de la dosis ingerida.

Los medios por los cuales los fármacos antiinfecciosos ejercen su toxicidad son diversos y frecuentemente se relacionan con la estructura química del fármaco. Algunos antiinfecciosos (como la gentamicina y la eritromicina) interfieren con la síntesis de proteínas bacterianas, mientas que otros (por ejemplo, las penicilinas) lo hacen con la síntesis de las paredes celulares bacterianas o la función celular.

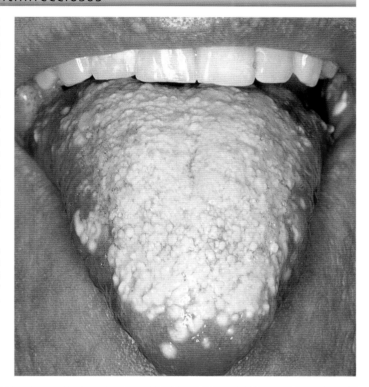

El hongo Candida albicans *puede provocar candidiasis oral en la lengua. Los preparados antifúngicos pueden tratar la dolencia al destruir el hongo o frenar su crecimiento.*

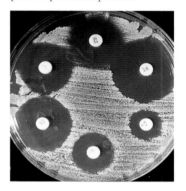

Los antibióticos se prueban en un cultivo de una cepa de bacteria para examinar su eficacia. El fármaco debe hacer el menor daño posible a las células humanas.

Fármacos sustitutivos de sustancias naturales

El tratamiento o prevención de algunas enfermedades implica la administración continua de una sustancia que en circunstancias normales se produce naturalmente en el cuerpo.

Un ejemplo es el uso de la insulina en el tratamiento de la diabetes mellitus de tipo i (insulinodependiente). En pacientes con diabetes de tipo i la insulina administrada compensa la carencia de insulina secretada por las células pancreáticas y actúa potenciando el transporte de glucosa a las células restaurando así la función normal.

Análogamente las hormonas de estrógenos y progestógenos se usan como terapia de sustitución hormonal en mujeres posmenopáusicas para aliviar los síntomas posmenopáusicos y prevenir la osteoporosis. Estas hormonas ejercen acciones comparables a las de las hormonas que se producen naturalmente antes de la menopausia.

Las píldoras anticonceptivas orales contienen preparados de estrógenos y progestógenos que suprimen la ovulación emulando los efectos de las hormonas propias de la mujer en la hipófisis y el hipotálamo.

Otras sustancias que actúan en lugar de sustancias de creación natural son los preparados vitamínicos y minerales usados para tratar o prevenir estados de deficiencias.

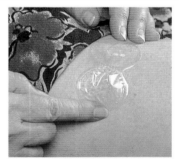

Los parches transdérmicos, como los que se usan en las terapias de sustitución hormonal, suministran hormonas a través de la piel. Liberan una cantidad predeterminada de fármaco cada hora.

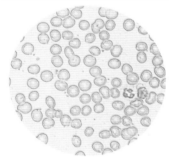

En este frotis sanguíneo se percibe anemia (deficiencia de hierro). Dos glóbulos blancos (en morado) luchan contra la infección. La anemia puede tratarse con suplementos de hierro.

Fármacos contra el cáncer

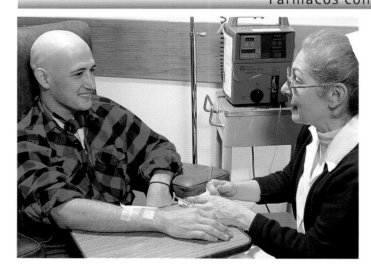

Los fármacos citotóxicos empleados en la quimioterapia contra el cáncer pueden suministrarse por vía intravenosa. A menudo actúan impidiendo la división de las células tumorales, pero también afectan a las células normales.

Los fármacos citotóxicos (o antineoplásicos) se usan en el tratamiento de enfermedades malignas, ya sea en lugar o además de cirugía o radioterapia.

Las acciones de estos fármacos a menudo no son específicas para las células cancerosas y afectan por tanto, también a las sanas del cuerpo. Sin embargo, la capacidad de estos fármacos contra las células malignas es atribuible en general a las diferentes características que muestran las células malignas y normales. Por ejemplo, las células malignas experimentan la división celular a una velocidad más rápida de la observada habitualmente en las células normales. Los agentes de alquilación (como el cisplatino) aprovechan esta cualidad y detienen la división celular en células en rápida división.

Ciertas células normales del cuerpo (entre ellas, las de la médula ósea) se dividen rápidamente y por tanto son más proclives a sufrir toxicidad por estos fármacos. Algunos nuevos tratamientos anticancerosos buscan mayor especificidad contra las células malignas al usar anticuerpos que se unen selectivamente a las células malignas y no a las normales.

Cómo actúa la anestesia

Los anestésicos actúan interrumpiendo la conducción de las sensaciones dolorosas a través del sistema nervioso del cuerpo. Existen diferentes tipos de fármacos que pueden administrarse por distintas rutas, si bien todos ellos actúan para influir en la conducción nerviosa.

LA RED NERVIOSA

Las células nerviosas (o neuronas) forman una red extensa por todo el cuerpo que retransmite la información desde los receptores sensoriales al encéfalo. La información se procesa en el encéfalo (en sí un conjunto de muchas neuronas), que después envía la información apropiada a modo de impulsos eléctricos, a través de neuronas motoras para

La sinapsis (en el círculo) es el punto de contacto entre dos células nerviosas, en las que el bulbo sináptico de una se reúne con el axón, la dendrita o el cuerpo celular de otra.

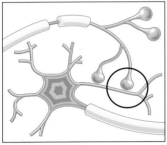

Acción sináptica normal

mover los músculos. Los anestésicos actúan interfiriendo con la transmisión de estos impulsos entre células nerviosas.

ESTRUCTURA DE LAS CÉLULAS NERVIOSAS

A diferencia de otras células, las neuronas pueden ser muy largas (hasta 1 m) para conducir impulsos eléctricos a largas distancias. La proyección más larga de una neurona se llama axón.

El sistema nervioso forma un circuito elaborado por todo el cuerpo; sin embargo, las células nerviosas no están unidas físicamente con las demás. En su lugar, los nervios se conectan con otros nervios (o músculos) mediante huecos denominados sinapsis.

Cuando un impulso ha alcanzado el final de una célula nerviosa (el bulbo sináptico), se transportan activamente por la sinapsis sustancias químicas denominadas neurotransmisores. Cuando se unen a receptores de la célula adjunta, desencadenan un impulso que puede continuar por la célula contigua.

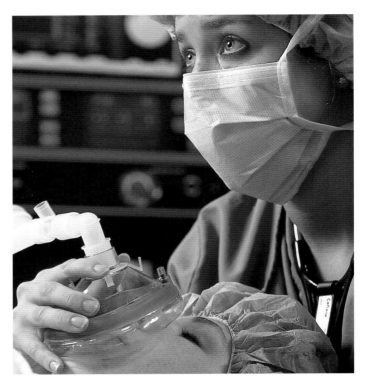

Las membranas celulares están formadas principalmente por capas adjuntas de moléculas de lípidos (grasas). Las proteínas integradas en la membrana actúan como canales, que controlan específicamente la entrada y la salida de sustancias químicas en las células.

Durante las operaciones de cirugía mayor el papel del anestesista es fundamental. Los anestésicos gaseosos mezclados con oxígeno pueden administrarse mediante una mascarilla (como en la imagen) o con sonda endotraqueal, que se introduce en la tráquea.

Moléculas neurotransmisoras
Se liberan cuando un impulso nervioso ha alcanzado el final de la neurona.

Bicapa lipídica
Membrana exterior de la célula.

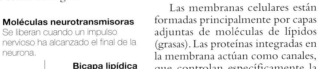

Hendidura sináptica
Hueco entre una célula nerviosa y la adyacente (que puede ser de un músculo, una glándula u otra célula nerviosa).

Partículas cargadas
La apertura del canal de proteínas permite su entrada facilitando la transmisión del impulso nervioso.

Canal de proteínas
Las sustancias químicas neurotransmisoras se unen a los canales de proteínas de las células adjuntas provocando su apertura.

Cuando un impulso alcanza el final de una célula nerviosa, las sustancias químicas llamadas neurotransmisores se transportan a través de la sinapsis (hueco), donde se unen a la célula adjunta. Ello permite la entrada de partículas cargadas que comunican el impulso.

Acción de la anestesia en la sinapsis

Vesícula sináptica
Bolsa que contiene las moléculas neurotransmisoras.

Agente anestésico

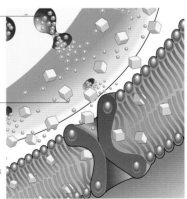

Se cree que los anestésicos bloquean el canal de proteínas en la membrana celular o alteran su capacidad normal de abrirse. Otros investigadores opinan que los anestésicos pueden actuar sobre lugares diferentes, de manera que los puntos afectados varían según el tipo de medicamento.

Dónde actúan los anestésicos

Aunque no está claro el efecto exacto de los agentes anestésicos, se sabe que actúan sobre la región de la sinapsis. Ésta es la distancia a través de la cual se transfieren los impulsos entre células nerviosas, y entre células nerviosas y fibras musculares.

IMPULSOS NERVIOSOS

La conducción de impulsos nerviosos a lo largo del axón se consigue mediante la rápida entrada y salida de iones a través de los canales de proteínas provocando una pequeña corriente eléctrica que se desplaza por el nervio. Si se impide que estos iones pasen por los canales de proteínas, se reduce la conducción nerviosa.

El mecanismo exacto por el cual los fármacos inducen la anestesia se desconoce. Como tipos diferentes de moléculas pueden provocar el efecto anestésico, se piensa que pueden participar varios sitios moleculares distintos.

SITIO MOLECULAR DE ACCIÓN

Estudios anteriores sugieren que el lugar de acción de los anestésicos se sitúa en la membrana de la célula, dado que la potencia de los fármacos anestésicos inhalados era proporcional a su solubilidad en aceite, una sustancia que se asemeja bastante a los lípidos de membrana. Se supone que al introducirse en la bicapa lipídica el anestésico puede modificar las propiedades de la membrana, una estructura líquida, en cuyo interior se mueven libremente las estructuras integradas. Si la membrana pierde fluidez, ello afectaría a la conducción de los impulsos.

Otros estudios han sugerido que los fármacos anestésicos de la bicapa lipídica causan una expansión de la membrana celular. Una vez que se alcanza un volumen crítico, la conducción nerviosa se interrumpe. Se cree que un aumento en la presión reduciría la expansión de la membrana celular.

Tipos de anestesia

■ **Anestesia local**
Se usa para operaciones menores, como coser una herida, cuando es preciso entumecer una zona específica (un nervio local). Puede realizarse por inyección, crema tópica o gotas oculares.

■ **Anestesia regional**
Duerme grandes zonas (a menudo, una extremidad) y actúa de manera similar: se administran varias inyecciones anestésicas locales en torno a un nervio o un grupo de ellos para que no sientan dolor.

■ **Anestesia general**
Sitúa al paciente en inconsciencia total mediante la inyección de fármacos en el torrente sanguíneo o por inhalación de gas; a menudo se combinan ambas cosas. Los fármacos afectan al encéfalo y provocan pérdida de conciencia para impedir la sensación de dolor.

Durante la anestesia general pueden administrarse otros fármacos para el control del dolor postoperatorio y en algunos casos para inducir parálisis (bloqueadores neuromusculares), de manera que los músculos se relajen durante la cirugía.

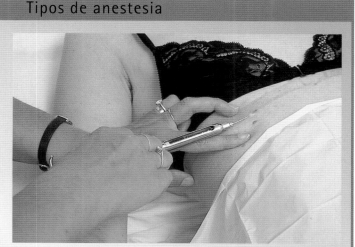

Antes de extirpar un melanoma maligno (tumor de las células pigmentadas de la piel) se usa una inyección anestésica local. La paciente tendrá conciencia de lo que sucede, pero no sentirá dolor.

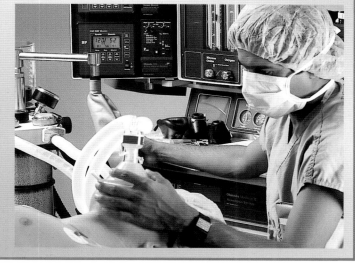

Además de mantener al paciente totalmente anestesiado, el anestesista es responsable de monitorizar su estado durante la intervención. Vigilará el equipo que mide la presión arterial, el pulso cardiaco y la respiración.

La premedicación se administra normalmente antes de cirugía mayor para sedar al paciente. A menudo se administra otro fármaco para controlar las secreciones pulmonares, que en caso contrario podrían inhalarse bajo los efectos de la anestesia.

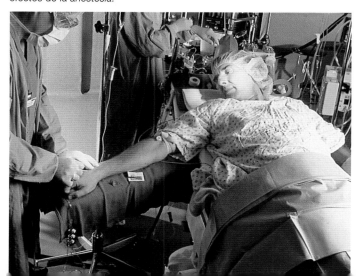

Otros lugares de acción anestésica

Al igual que las acciones en la membrana de las células nerviosas y dentro de la bicapa lipídica, los fármacos anestésicos pueden afectar a otros lugares implicados en la conducción de los impulsos nerviosos.

SINAPSIS Y AXONES

Cuando el impulso nervioso llega al final de la célula nerviosa, se provoca la apertura de los canales específicos. Estos canales permiten el paso de iones de calcio en la célula nerviosa. También se liberan sustancias químicas neurotransmisoras en la sinapsis en bolsas denominadas vesículas.

Los fármacos anestésicos pueden afectar a estos canales del calcio impidiendo su apertura normal y reduciendo la liberación de las vesículas de neurotransmisores. También hay evidencias de que algunos anestésicos se unen a proteínas en la superficie de la célula nerviosa adjunta degradando la unión de acetilcolina, un importante neurotransmisor. En teoría, así se reduciría el impulso nervioso desencadenado.

CIRCUITOS NEURONALES SUPERIORES

El sistema de activación reticular es una región del encéfalo que participa en la regulación de la consciencia. Los anestésicos generales pueden provocar pérdida de conciencia al bloquear el procesamiento de la información sensorial que pasa por esta zona.

Cómo se produce la infección

Aunque el cuerpo es un hospedador natural para un ingente número de bacterias, no suelen producirse infecciones a menos que se hayan deteriorado las defensas. Las infecciones se contraen normalmente por contagio de otras personas.

El cuerpo está expuesto cada día a una multitud de microorganismos. De hecho, sirve de hospedaje a millones de bacterias, que se desenvuelven en situación de coexistencia.

La mayoría de las bacterias son inofensivas, siempre y cuando permanezcan en lugares protegidos, como la superficie de la piel, el intestino, la nariz, la boca o la vagina. Sin embargo, si estas superficies resultan dañadas por una lesión o una enfermedad y los microorganismos logran entrar en los tejidos internos del cuerpo, normalmente estériles, puede producirse una infección. El intestino grueso, por ejemplo, acoge numerosas bacterias que habitualmente no provocan daños, aunque si entran en la cavidad abdominal provocan infecciones graves.

BARRERAS PROTECTORAS
El cuerpo, por suerte, tiene diversas barreras protectoras que actúan como primera línea de defensa contra la infección, como son:

- La piel, que impone una barrera física a los patógenos (organismos causantes de enfermedades) ayudando a mantener un entorno interno estéril.
- La nariz, que contiene una densa mucosidad y pelos para atrapar organismos potencialmente peligrosos, mientras el mecanismo del estornudo expulsa los irritantes.
- La saliva, que contiene anticuerpos para combatir a los patógenos.
- Las lágrimas, que tienen anticuerpos para prevenir infecciones en los ojos.
- La garganta, que es protegida por la reacción refleja de la tos.
- El estómago, que produce un ácido fuerte que destruye los patógenos ingeridos.

La tos es una acción refleja a través de la cual se expulsan los microorganismos de las vías respiratorias. Es uno de los mecanismos de defensa del cuerpo contra la infección.

Infección local

Si los patógenos se las arreglan para romper la primera línea de defensa del cuerpo, pueden multiplicarse en los tejidos provocando una infección. La respuesta del cuerpo entonces es producir una inflamación, una reacción importante que impide que la infección se extienda.

ENROJECIMIENTO
Si el número de patógenos que invaden el cuerpo es suficiente, liberarán toxinas nocivas o provocarán en las células un daño tal que se dilatarán los vasos sanguíneos con el resultado de un aumento del flujo sanguíneo a la zona afectada. En ese caso se provocarán el enrojecimiento y calentura propios de la zona inflamada. Además, de los vasos sanguíneos rezumará un líquido acuoso, que rodeará visiblemente el área circundante.

El aumento en el flujo sanguíneo permite que las células del sistema inmunitario, incluidos los fagocitos (una forma de glóbulos blancos que rodean y destruyen los patógenos), lleguen a la zona y ataquen a los organismos presentes. Esta acción suele bastar para impedir que la infección se extienda y la inflamación termina por remitir cuando se destruyen los patógenos.

Si la infección es especialmente grave, el cuerpo formará también una pared de tejido fibroso alrededor de la zona infectada. Esta pared actúa para mantener la infección localizada a la vez que actúa bajo el control del sistema inmunitario. Dentro de las paredes fibrosas puede acumularse pus, una sustancia que contiene glóbulos blancos muertos, células y bacterias, así como desechos celulares.

En algunas infecciones puede formarse una pared de tejido fibroso alrededor de la zona inflamada. Es habitual que se acumule pus dentro de esta pared para formar un absceso.

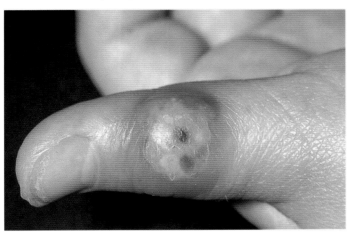

Periodo de incubación

Después de que un patógeno ha invadido el cuerpo, transcurre un intervalo de tiempo antes de que haya evidencias de enfermedad. Ello se debe a que todos los patógenos experimentan un periodo de incubación durante el cual se multiplican. Una vez que hay patógenos suficientes, se percibirán efectos apreciables o síntomas en el paciente.

Duración variable
Los periodos de incubación varían enormemente, desde unas horas hasta varios años. El cólera, por ejemplo, puede desarrollarse un par de horas después de beber agua contaminada, pero el sida tal vez no se desarrolle hasta transcurridos varios años desde que se contrajo el virus VIH.

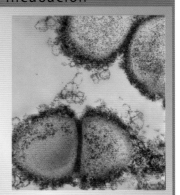

Los patógenos experimentan un periodo de incubación durante el cual se multiplican en el cuerpo. En la imagen se muestra la división de bacterias Streptococcus (centro abajo).

Infección sistémica

Algunos microorganismos entran en el torrente sanguíneo y se dispersan rápidamente para extenderse a todo el cuerpo. Los signos comunes de infección sistémica son fiebre o erupción.

En algunos casos los organismos infecciosos o las toxinas que éstos producen entran en el torrente sanguíneo y se difunden rápidamente por todo el cuerpo. Este fenómeno se denomina infección sistémica y puede producir algunos síntomas característicos, como fiebre o erupción.

FIEBRE

Se produce fiebre cuando las células del sistema inmunitario resultan dañadas por los patógenos invasores provocando la liberación de sustancias denominadas citoquinas. Estas sustancias afectan al «termostato» del cuerpo (controlado por el encéfalo) ajustándolo con eficacia a un valor superior. En consecuencia, la temperatura normal del cuerpo es percibida por el encéfalo como de-

masiado baja provocando escalofríos, que producen automáticamente un calor adicional. Así, la temperatura corporal se eleva hasta un nivel que es fatal para la mayoría de los microorganismos invasores.

ERUPCIÓN

Las erupciones cutáneas en la infección sistémica se producen por lesiones en múltiples zonas de la piel como consecuencia de los microorganismos o sus toxinas. Las erupciones indican que podría provocarse un daño similar en el interior del cuerpo.

Las infecciones sistémicas que afectan a todo el cuerpo son graves y provocan síntomas característicos, como fiebre o erupción.

Pérdida de memoria

La mayoría de las infecciones se adquiere directa o indirectamente de otras personas y puede difundirse de diversas formas:

■ Contacto piel con piel. Si la dosis de microorganismos es suficientemente grande o virulenta, las infecciones cutáneas pueden extenderse por contacto. Algunos organismos, como los estafilococos, penetran en las glándulas sudoríparas y los folículos pilosos provocando pústulas y ampollas. Por ejemplo, el impétigo, una enfermedad bacteriana de la piel, puede extenderse muy fácilmente por contacto con la piel infectada.
■ Transferencia al ojo. Los patógenos pueden extenderse desde los dedos al ojo provocando infecciones como la conjuntivitis. Esta afección puede transmitirse de un ojo al otro a través de to-

Si el suministro de agua está contaminado, la infección se extiende con facilidad. Lavar los cacharros en ríos contaminados provoca enfermedades como la fiebre tifoidea.

allas infectadas o productos de cosmética.
■ Transferencia a la nariz. Los patógenos a menudo se llevan en los dedos y se extienden a la nariz al frotarse. De hecho, los rinovirus causantes del resfriado común se transmiten más fácilmente al darse la mano que al estornudar.
■ Inhalación. Algunas infecciones se transmiten por la inhalación de las gotitas aéreas expulsadas al toser o estornudar. Algunos agentes infecciosos se inhalan en forma de esporas secas contenidas en el polvo, como sucede con la fiebre Q (una infección de tipo gripal).

■ Ingestión. Aunque los ácidos estomacales destruyen la mayoría de los patógenos ingeridos, algunos consiguen sobrevivir y llegan a los intestinos. El consumo de agua o comida contaminada puede extender la infección de esta manera, como sucede en la gastroenteritis. La intoxicación alimentaria también puede deberse a comida contaminada con material de las manos infectadas de quienes la manipulan. Su causa posible es una virulenta toxina producida por bacterias de estafilococos causantes de enfermedades graves.
■ Contaminación fecal. Es una causa común de infección, ya que las heces pueden contener patógenos que se transmiten a la comida preparada por una persona que no se ha lavado las manos (como sucede con la intoxicación por salmonela). Algunos virus (enterovirus) pueden difundirse por la ingestión de trazas fecales, como en los virus causantes de la polio y la hepatitis A.
■ Embarazo. La infección puede difundirse directamente de madre a hijo durante el embarazo a través de la placenta, como sucede con la toxoplasmosis. Durante el parto los bebés pueden contraer asimismo infecciones, como el herpes o la sífilis, por contagio con la vagina infectada.

La saliva de una cierta clase de mosquito hembra contiene el parásito responsable de la malaria. Esta enfermedad es una de las que se difunden por insectos o animales.

■ Sangre. Los patógenos de la sangre pueden transmitirse por el uso de jeringuillas infectadas o a través de un tatuaje o un *piercing* con agujas no esterilizadas. De esta forma puede contraerse el VIH.
■ Infección por transmisión sexual. Algunas enfermedades, como el herpes, se transmiten durante la actividad sexual debido al contacto íntimo e intercambio de fluidos corporales.

CONTACTO CON ANIMALES

Ciertas infecciones se contraen por contacto con animales e insectos. Entre ellas, varias, como la rabia, pueden adquirirse de animales infectados; otras, como la malaria, se contraen por la picadura de insectos, que actúan como vectores de la enfermedad, pero no la padecen.

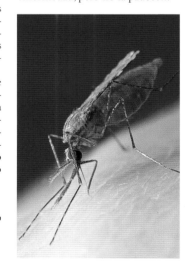

Alergias comunes

Las alergias pueden deberse casi a cualquier cosa, desde los cacahuetes hasta la picadura de abeja, de la penicilina a los objetos de joyería. Los inmunólogos han dividido estas respuestas alérgicas o hipersensibles en cuatro clases.

Tipo I: Respuestas alérgicas inmediatas

La alergia a los cacahuetes es un problema cada vez más reconocido, que puede provocar un shock anafiláctico potencialmente letal.

La fiebre del heno, una reacción alérgica a los granos de polen, es el ejemplo más común de alergia atópica de tipo I.

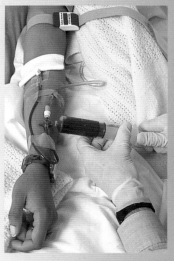

Las heces de los ácaros del polvo, que viven en la ropa de cama, las alfombras y los muebles, son un alergeno común.

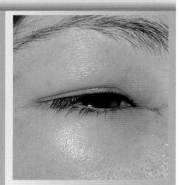

Este chico sufre una reacción anafiláctica grave a una picadura de abeja, que provoca un edema o acumulación de líquido del ojo.

La hipersensibilidad de tipo I es una respuesta inmediata, que se inicia unos segundos después de la exposición.

Los ejemplos más comunes son la fiebre del heno, el eccema infantil y el asma extrínseco. En torno al 10% de la población tiene tendencia a desarrollar una reacción de esta clase, denominada atopia.

Al encontrarse un alergeno, en vez de desarrollar una respuesta inmunitaria normal, el cuerpo produce una clase de molécula de anticuerpo denominada IgE. Esta molécula se une a los mastocitos, que prevalecen especialmente en la piel, las vías respiratorias y el tracto gastrointestinal, e inducen la emisión de una serie de sustancias químicas inflamatorias, entre ellas la histamina.

La histamina provoca la dilatación de los vasos sanguíneos y tiende a «extenderse», por lo que es la causa principal de las reacciones alérgicas típicas: goteo por la nariz, ojos acuosos y piel enrojecida con prurito. Los síntomas dependen también del lugar por el que entró el alergeno al cuerpo. Un alergeno inhalado provoca un estrechamiento de las vías respiratorias, causando síntomas de asma; si se ingiere, los síntomas incluyen calambres abdominales, vómitos y diarrea.

Puede darse una segunda reacción, más preocupante, si el alergeno penetra en el torrente sanguíneo: el *shock* anafiláctico. Las vías respiratorias se estrechan (y la lengua puede inflamarse), con lo cual la respiración se dificulta, y la repentina dilatación de los vasos sanguíneos y la pérdida de líquido pueden llevar al colapso circulatorio. Normalmente este problema aparece en personas susceptibles afectadas por picaduras de abeja o de araña, la inyección de una sustancia extraña (por ejemplo, penicilina u otros fármacos) o ciertos alimentos, como los cacahuetes. Las personas susceptibles a menudo llevan consigo jeringuillas de adrenalina (epinefrina) para administrárselas en caso de urgencia. Por suerte, las reacciones de este tipo son raras.

Tipo II: Reacciones contra células «extrañas»

La hipersensibilidad de tipo II se debe a la unión de anticuerpos a moléculas «propias» en la superficie de las células. En general, esta acción no produce daño, pero puede desencadenar una serie de respuestas adicionales.

Un ejemplo clásico se da por incompatibilidad en las transfusiones sanguíneas. Otro se refiere a la incompatibilidad entre grupos sanguíneos. Toda sangre puede tener factor rhesus positivo (Rh+) o negativo (Rh-), dependiendo de si una cierta proteína está presente o no en la superficie de las células sanguíneas de una persona. Si una mujer con Rh- está embarazada de un feto con Rh+, es posible que entre sangre fetal en el torrente sanguíneo de la madre durante el parto o después de un aborto. En un embarazo posterior con un feto de Rh+ los anticuerpos de la madre pueden penetrar en la placenta, entrar en el torrente sanguíneo fetal y provocar diversos efectos perjudiciales. La inyección de anticuerpos poco después del parto de un hijo incompatible destruirá los glóbulos rojos fetales en la circulación de la madre.

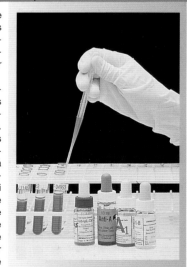

La identificación precisa de la sangre es esencial para evitar graves reacciones inmunitarias en los trasplantes. Así sucede en los dos sistemas de clasificación de la sangre.

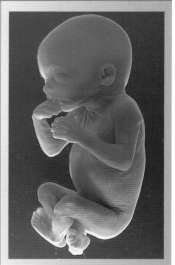

Si se produce una incompatibilidad en una transfusión sanguínea (por ejemplo, un paciente con Rh+ recibe Rh-), las defensas del hospedador destruyen la sangre «extraña».

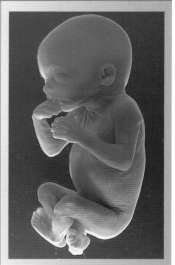

Una madre puede formar anticuerpos por la sangre de su propio feto si entra en contacto con ella. Esto podría provocar reacciones inmunitarias en embarazos posteriores.

Tipo III: Reacciones contra complejos anticuerpo-antígeno

La hipersensibilidad de tipo III se produce cuando los alergenos se distribuyen por todo el cuerpo. El cuerpo produce anticuerpos, que forman complejos insolubles anticuerpo-antígeno. Como es incapaz de limpiarlos, se desarrolla una gran respuesta inflamatoria.

Algunos ejemplos de estas alergias son el pulmón de los granjeros, causado por la inhalación del moho del heno, y el pulmón de los cultivadores de setas, provocado por la inhalación de las esporas producidas por las setas.

Diversos microorganismos pueden activar complejos inmunitarios. La infección de garganta por estreptococos se agrava por la formación de estos complejos inmunitarios, así como los organismos causantes de la malaria, la sífilis y la lepra. Los fármacos pueden tener también el mismo efecto.

Estas respuestas participan igualmente en los trastornos autoinmunes, en los que las defensas del cuerpo atacan a los tejidos del hospedador. Algunos ejemplos son el lupus eritematoso sistémico (LES) y la artritis reumatoide.

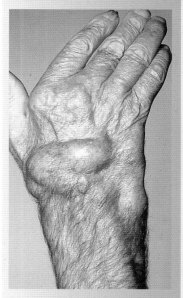

La artritis reumatoide es un trastorno autoinmune, en el que las defensas del cuerpo atacan a los tejidos del hospedador. En este caso está afectado el revestimiento de las articulaciones, lo que provoca erosión y lesiones deformantes.

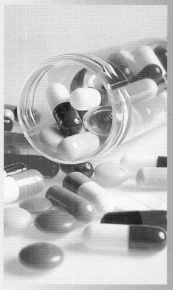

Se sabe de una serie de fármacos que causa respuestas alérgicas. Por ejemplo, la penicilina en el cuerpo puede unirse a la proteína albúmina (también presente en la clara de huevo) y provocar una reacción inmunitaria importante.

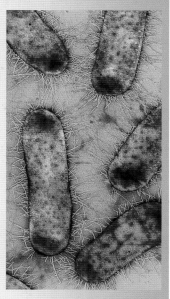

En las infecciones microbianas causantes de la malaria, la sífilis y la lepra, entre otras, la superficie de los microorganismos puede activar una respuesta de tipo III. El complejo de anticuerpos y bacterias es potencialmente peligroso.

Tipo IV: Reacciones retardadas

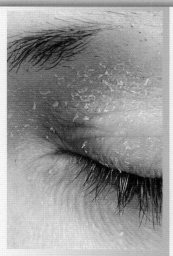

Esta reacción de tipo IV se debe al esmalte de uñas. Tales reacciones alérgicas pueden producirse a cierta distancia del lugar de entrada del alergeno original; en este ejemplo, ha aparecido una dermatitis en el párpado.

Esta úlcera se debe a una respuesta alérgica al esparadrapo en la piel, usado para proteger una herida. Estas reacciones se deben a la liberación de sustancias químicas llamadas linfoquinas por glóbulos blancos de células T.

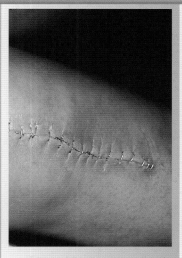

Un paciente que ha sufrido una herida importante que le recorre la rodilla. Las manchas alérgicas de color rojo se deben a hipersensibilidad a los puntos quirúrgicos metálicos usados para cerrar la herida.

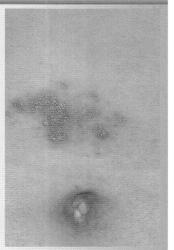

Dermatitis de contacto en una joven de 18 años causada por una reacción a joyas de níquel. El níquel es absorbido por la piel, donde se une a proteínas y se convierte en «extraño» para el sistema inmunitario.

Las reacciones de tipo IV se denominan hipersensibilidades retardadas. Aparecen con mucha más lentitud y se deben a la acción de una serie de glóbulos blancos. Los efectos principales son ocasionados por una clase de agente inmunitario llamado células T. Las respuestas inflamatorias se producen por la liberación de sustancias químicas por las células T que se conocen por linfoquinas. Por tanto,

los antihistamínicos no son eficaces contra estas alergias.

Una manifestación bien conocida de una reacción de tipo IV es la dermatitis de contacto resultante del contacto de la piel, por ejemplo, con ortigas, hiedra venenosa, metales pesados (como el plomo y el mercurio), cosméticos y desodorantes. A menudo estas sustancias son demasiado escasas para provocar una res-

puesta inmunitaria, pero al absorberse a través de la piel se unen a proteínas del cuerpo y se reconocen como «extrañas» (este fenómeno se usa en la prueba de Heaf para la tuberculosis, en la que se «pinchan» proteínas bacterianas bajo la superficie de la piel).

El níquel y el cobre usados en joyería también pueden causar dermatitis de contacto y en estos casos la causa

es evidente. Existe una amplia variedad de alergenos y ha de indagarse minuciosamente en las circunstancias del paciente y realizar pruebas relevantes con parches para establecer la causa. Las erupciones pueden ser crónicas (de larga duración), en manchas y a cierta distancia del alergeno. Por ejemplo, la alergia al esmalte de uñas puede manifestarse como una erupción en la cara o el cuello.

Cómo se producen las alergias

Una alergia es una respuesta inadecuada del sistema inmunitario a una sustancia normalmente inofensiva. Las alergias varían desde la fiebre del heno y hasta el asma hasta el *shock* anafiláctico, que puede poner en riesgo la vida.

Una alergia es la hipersensibilidad del cuerpo a una sustancia determinada. Si el cuerpo entra en contacto con la sustancia, aparecen síntomas desagradables e incluso potencialmente letales.

REACCIÓN INMUNITARIA

Las alergias se producen cuando el sistema inmunitario (defensa del cuerpo contra la infección) confunde una sustancia inocua con una peligrosa y reacciona de forma exagerada. En consecuencia, pueden darse síntomas un tanto incómodos, como una erupción o moqueo, o en algunos casos hasta un *shock* anafiláctico. La alergias pueden deberse a cualquier cosa, aunque algunos alergenos típicos son el polen, el veneno de las avispas, la penicilina, el látex, los cacahuetes y el marisco.

Los principales componentes del sistema inmunitario del cuerpo son linfocitos (glóbulos blancos). Las células B son una clase de linfocitos capaces de identificar partículas extrañas (antígenos) y de formar anticuerpos adecuados (inmunoglo-

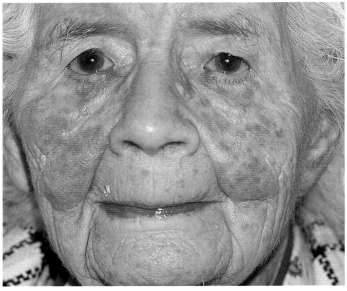

Las alergias de la piel suelen provocarse por contacto directo con un alergeno. En la imagen, una anciana ha desarrollado una erupción como respuesta a un baño de burbujas.

binas) diseñados específicamente para combatirlos. Existen cinco tipos básicos de anticuerpos: IgA, IgD, IgE, IgG e IgM. La inmunoglobina responsable de la reacción alérgica es IgE.

Las alergias suelen heredarse, dado que el gen responsable de producir la proteína que permite a los linfocitos distinguir entre proteínas amenazadoras e inofensivas es defectuoso. Esto significa que en una

persona alérgica, por ejemplo, al marisco, una célula B es incapaz de reconocer que una proteína ingerida como parte de una comida que contiene marisco no es un agente invasor del cuerpo. En consecuencia, la célula B produce grandes cantidades de anticuerpos IgE.

SENSIBILIZACIÓN

Estos anticuerpos se unen posteriormente a basófilos (un tipo de glóbulo blanco) y mastocitos (presentes en el tejido conjuntivo) en el cuerpo haciendo que éste se desensibilice a la proteína alergénica.

Los basófilos y los mastocitos producen histamina, un arma importante en la defensa del cuerpo contra la infección. Cuando se libera en cantidades extremas, la histamina puede tener un efecto devastador en el cuerpo.

La cascada alérgica

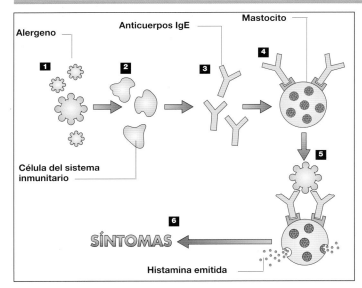

Alergeno — **Anticuerpos IgE** — **Mastocito**

1 — 2 — 3 — 4

Célula del sistema inmunitario — 5

6

SÍNTOMAS

Histamina emitida

Cuando una persona desarrolla una respuesta alérgica a una sustancia, se produce una reacción en dominó. Se pone en movimiento una cadena de acontecimientos, conocida como cascada alérgica.

■ Los anticuerpos IgE, unidos a la superficie de los mastocitos y los basófilos, reconocen el alergeno por los marcadores de proteínas específicos de su superficie.

■ Los anticuerpos IgE, aun unidos a los mastocitos y los basófilos, se unen a las proteínas de superficie del alergeno. Los mastocitos y basófilos sanos son destruidos (desgranulación). Se libera histamina, que causa la dilatación de los vasos sanguíneos superficiales llevando a un descenso de la presión arterial; los espacios entre las células circundantes se llenan de líquido.

■ Según el alergeno, y dependiendo del lugar donde tiene lugar la reacción, pueden producirse síntomas inmediatos. Por ejemplo, si la reacción se da en la membrana mucosa de la nariz, puede provocar síntomas de fiebre del heno, como estornudos.

REACCIÓN NO ALÉRGICA

En una persona normal la cascada alérgica no puede avanzar porque el alergeno se destruye. Un grupo de unas 20 proteínas se une una por una al lugar del alergeno/anticuerpo. Cuando la cadena de proteínas se completa, el alergeno es destruido.

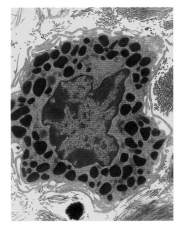

Los mastocitos son grandes células presentes en el tejido conjuntivo. La histamina (que ayuda al cuerpo a combatir la infección) es producida en los gránulos celulares (en negro).

En un periodo de unos diez días desde la exposición inicial al alergeno, todos los basófilos y mastocitos del cuerpo se cargan de anticuerpos IgE y el cuerpo se sensibiliza a dicho alergeno. Si entra en contacto con él por segunda vez, estará preparado para un ataque inmediato y se producirá una reacción en cascada, en la que se desencadena un efecto dominó.

CASCADA ALÉRGICA

La cascada alérgica tiene lugar del siguiente modo:

■ El cuerpo y el alergeno entran en contacto.

■ Se estimulan las células del sistema inmunitario.

■ Se pone en alerta a los anticuerpos IgE del cuerpo.

Anafilaxis

El *shock* anafiláctico es una reacción alérgica extrema que afecta a todo el cuerpo. Sin tratamiento con adrenalina, el problema puede ser letal.

En algunos casos una reacción alérgica puede afectar a todo el cuerpo; se trata de una reacción sistémica. Durante la misma se libera histamina en todo el cuerpo, lo que dilata los capilares de numerosos tejidos. La anafilaxis se produce cuando la reacción es tan virulenta que la presión arterial desciende peligrosamente. En casos extremos esta presión es tan baja que el cuerpo entra en *shock,* llamado anafiláctico, que a menudo es mortal.

REACCIÓN GRAVE

La anafilaxis se desarrolla repentinamente y se presenta en diversas formas. Algunas personas desarrollan rápidamente una erupción e inflamación de garganta al liberar las células un líquido a los tejidos circundantes con las dificultades de respiración consiguientes. Ello se acompaña de una caída peligrosa y muy rápida de la presión arterial por dilatación de los vasos sanguíneos de todo el cuerpo. El encéfalo y otros órganos vitales empiezan a verse privados de oxígeno y en cuestión de minutos la persona

Una reacción alérgica grave puede provocar una inflamación local en los tejidos, conocida como edema. Este hombre ha sufrido la picadura de una abeja en el labio, con la inflamación consiguiente.

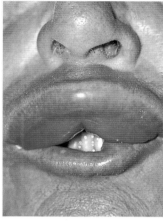

puede morir. Incluso si la víctima sobrevive a esta forma de reacción alérgica, puede sufrir daños permanentes en el encéfalo y los riñones.

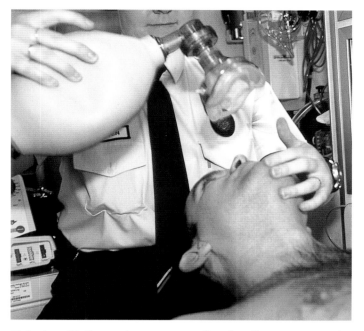

El shock anafiláctico puede poner en riesgo la vida. En casos extremos el afectado sufrirá paro respiratorio y cardiaco y necesitará reanimación.

ADRENALINA

El único tratamiento eficaz para la anafilaxis es una inyección intramuscular de adrenalina, una hormona producida naturalmente por las glándulas suprarrenales.

La adrenalina contrarresta los síntomas causados por un exceso de histamina al estrechar los vasos sanguíneos y abrir las vías respiratorias. Es vital que la inyección se administre correctamente en cuanto aparezcan los síntomas para que sea eficaz.

Las personas que se saben alérgicas con riesgo para su vida llevan normalmente una inyección para ponérsela en caso necesario.

Tratamiento de las alergias

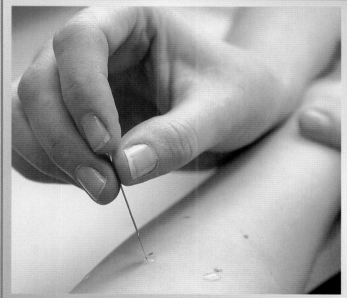

Si una persona sospecha que tiene una alergia, puede solicitar pruebas para determinar su naturaleza exacta. La prueba de rascado es un medio común de determinar la causa de una alergia. Consiste en aplicar un extracto diluido de un posible alergeno en la piel (normalmente, el antebrazo) y después rascar la misma bajo el alergeno con una aguja. Si aparece inflamación o enrojeci-

miento en la zona rascada, será indicio de que hay anticuerpos IgE para ese alergeno.

También puede recurrirse a análisis de sangre para diagnosticar una alergia, sobre todo en niños pequeños, ya que exponerles incluso a cantidades minúsculas de alergeno durante una prueba de rascado podría desencadenar una reacción anafiláctica.

Las pruebas de rascado se usan frecuentemente para identificar alergenos responsables de problemas alérgicos. Entre los alergenos se incluyen el polen, las esporas de hongos y el polvo.

No existe ninguna técnica absolutamente segura, si bien una combinación de ambas pruebas a lo largo de la historia médica del paciente puede ayudar al diagnóstico y la formulación de un plan de tratamiento.

Tratar la alergia

Una vez identificados, muchos alergenos, como el pelo de perro o el marisco, simplemente pueden evitarse. No sucede así, sin embargo, con otros, como el polen, el moho o el polvo, que están presentes en el entorno. Las alergias resultantes se mantienen bajo control mediante antihistamínicos, descongestivos, corticosteroides y, en caso de anafilaxis, adrenalina.

Inmunoterapia

Para personas con alergias graves que no pueden evitarse o tratarse con medicación, la inmunoterapia constituye quizá la única esperanza para llevar una vida normal. Consiste en aplicar varias inyecciones

del alergeno específico, empezando con una dilución muy débil y aumentándola hasta una dosis más alta que puede mantenerse con el tiempo.

Estas inyecciones permiten al sistema inmunitario ajustarse y desensibilizarse del alergeno con el tiempo, de modo que produzca menos anticuerpos IgE, que bloquean los efectos de IgE. El tratamiento es costoso, largo y con riesgos (reacciones alérgicas graves).

Algunas personas deciden acudir a un homeópata. En la imagen prueba de reflejo vegetativo para medir sustancias en el cuerpo en estudios de alergia.

Adaptación a los cambios en la presión atmosférica

Cuando estamos por encima o por debajo del nivel del mar podemos experimentar cambios en la presión atmosférica. El cuerpo se adapta, con limitaciones, a estos cambios en la concentración de oxígeno al elevarse o reducirse la presión.

El cuerpo depende del oxígeno, un importante componente del aire, para su supervivencia. El oxígeno (O_2) es transferido por los glóbulos rojos desde los pulmones a los tejidos del cuerpo, donde se intercambia por el producto de desecho dióxido de carbono (CO_2), que se exhala. Este proceso es esencial para la producción de la energía necesaria para que el cuerpo funcione.

PRESIÓN ATMOSFÉRICA
El oxígeno supone el 20,96% del volumen del aire. La presión atmosférica determina la densidad del aire, por eso la cantidad de oxígeno en el aire que inhalamos.

Los seres humanos estamos diseñados para vivir en torno al nivel del mar, a cuya presión el aire es su-ficientemente denso para garantizar la presencia de oxígeno en condiciones adecuadas en cada bocanada de aire.

CAMBIOS FISIOLÓGICOS
Cuanto más nos apartamos del nivel del mar, por ejemplo al subir una montaña o bucear en mar profundo, la presión atmosférica cambia. Para sobrevivir, el cuerpo debe adaptarse a los cambios fisiológicos experimentados. Es la denominada aclimatación.

La cantidad de oxígeno inhalada con cada respiración depende de la presión ambiental. Cuando esta presión cambia, el cuerpo debe adaptarse por sí solo o con ayuda artificial.

Sobrevivir a altas presiones bajo el agua

El agua constituye un medio a alta presión al que el ser humano no está adaptado. El principal obstáculo para la supervivencia es, obviamente, la incapacidad de extraer oxígeno del agua para sobrevivir.

Además, el intercambio gaseoso en los pulmones está comprometido por la mayor presión ambiental que tiene lugar conforme aumenta la profundidad.

REFLEJO DE BUCEO
Aunque los seres humanos estamos mal adaptados al entorno acuático, tenemos algunos reflejos para no ahogarnos y conservar el oxígeno. Entre ellos se incluye la inhibición de la respiración, la ralentización del pulso cardiaco (bradicardia), el estrechamiento de los vasos sanguíneos periféricos y una reducción del flujo sanguíneo periférico.

ADAPTACIONES
Los buceadores experimentados saben aprovechar estos reflejos, lo que les permite mantenerse sumergidos durante tiempo más largos.

Con la práctica la capacidad pulmonar se incrementa de forma que pueda guardar más oxígeno antes de sumergirse. Además, el empleo de técnicas como la hiperventilación, en la que se absorbe una gran concentración de oxígeno en los pulmones,

Los dispositivos de ayuda a la respiración bajo el agua permiten a los buceadores alcanzar grandes profundidades. El aumento de presión puede tener efectos perjudiciales en el cuerpo.

permite a los submarinistas permanecer bajo la superficie más de lo que es normalmente posible.

SUBMARINISMO DE PROFUNDIDAD
Existen limitaciones a la capacidad del cuerpo para permanecer bajo el agua, y el buceo de profundidad exige el uso de un suministro artificial de oxígeno.

Los equipos modernos ofrecen a los submarinistas un aporte de oxígeno, cuya presión se iguala constantemente con la de los pulmones. Ello permite a los buceadores mantenerse bajo el agua durante más tiempo, aunque en todo caso podría ser peligroso.

Enfermedad de descompresión

Aunque el nitrógeno (que forma el 79% del aire) tiene normalmente escaso efecto sobre el cuerpo, la exposición prolongada a altas presiones puede hacer que se concentre en los tejidos corporales con un efecto narcótico. En consecuencia, los buceadores pueden sentirse mareados, aparentemente ebrios. Con un ascenso gradual, el gas nitrógeno disuelto se disipa lentamente. Sin embargo, si el buceador asciende demasiado deprisa a la superficie, la rápida caída de presión hace que el nitrógeno disuelto forme burbujas de gas en la sangre, lo que puede provocar una embolia (coágulos) potencialmente letal o susceptible de causar parálisis (cuando las burbujas pasan al cerebro) y de evocar un dolor musculoesquelético agudo. El tratamiento, que debe aplicarse de inmediato, consiste en recompresión (terapia hiperbárica) del cuerpo en una cámara de compresión, antes de una descompresión gradual.

Adaptarse a la baja presión

A altitudes elevadas la presión atmosférica desciende y el oxígeno escasea. El cuerpo puede compensar la falta de oxígeno usando ciertos mecanismos; sin embargo, si un escalador asciende demasiado alto o demasiado deprisa, puede sufrir mal de altura.

Con el aumento en la altitud se produce un descenso en la presión y el aire pierde densidad al enrarecerse las moléculas de oxígeno. Como consecuencia, cada respiración contendrá menos oxígeno.

FALTA DE OXÍGENO

En estas difíciles condiciones se producen efectos notables en la respiración. Así, el cuerpo se adapta al descenso en la presión parcial de oxígeno en los pulmones empleando una serie de mecanismos de compensación.

A corto plazo la disminución del oxígeno disponible se compensará por un aumento en la velocidad y el volumen de inspiración de aire. El centro respiratorio del encéfalo induce respiraciones más profundas con el fin de inhalar mayores volúmenes de aire y de oxígeno.

La escasez de oxígeno a altitudes elevadas estimula también un aumento en la producción de hemoglobina y glóbulos rojos ayudando a aumentar la capacidad de transporte de oxígeno en la sangre. Además, la frecuencia cardiaca y la presión arterial aumentan para elevar al máximo la cantidad de oxígeno en el cuerpo.

Durante periodos prolongados a altitudes elevadas los tejidos corporales desarrollan más vasos sanguíneos aumentando la eficacia del intercambio gaseoso. Además, el tamaño de las fibras musculares disminuye, acortando la ruta de difusión de oxígeno.

ACLIMATACIÓN

Estos cambios fisiológicos de aclimatación son eficaces, pero no espontáneos, y la aclimatación debe producirse progresivamente. Subir una montaña demasiado deprisa o escalar demasiado alto impedirán al cuerpo adaptarse con suficiente rapidez, si es que lo hace, y el cuerpo no podrá combatir la escasez de oxígeno.

La mayoría de los aviones están presurizados para contrarrestar la baja presión atmosférica a altitudes elevadas. En caso de emergencia disponen de máscaras de oxígeno.

Los sherpas son personas reconocidas por su capacidad de sobrevivir en las altas cumbres del Himalaya. Están adaptados para vivir a una presión atmosférica muy baja.

Mal de altura

A alturas extremas, o con un ascenso demasiado rápido, el cuerpo no puede resistir la baja de presión. Se produce entonces el mal de altura por un suministro de oxígeno inadecuado.

El mal de altura se produce cuando la altitud es demasiado alta para que el cuerpo pueda resistirlo, o en caso de descenso de presión excesivamente rápido.

Al haber tan poco oxígeno el cuerpo debe trabajar duro para hacer pasar más aire a los pulmones, a la vez que el ritmo de respiración incrementado exige un mayor gasto de energía. La respiración se vuelve laboriosa e irregular y cuando las concentraciones de oxígeno que llegan a los tejidos corporales se convierten en inadecuadas se llega a un estado de hipoxia. El escalador sufre entonces confusión, desorientación, dolor de cabeza y náuseas.

El tratamiento para esta dolencia es un descenso gradual y en algunos casos farmacoterapia. Ciertas formas de mal de altura son extremadamente peligrosas y pueden producir hemorragia cerebral y acumulación de líquido en los pulmones.

El cuerpo es incapaz de funcionar sin ayuda por encima de 6.400 metros. El Everest alcanza 8.840 m, lo que significa que los escaladores suelen necesitar oxígeno para completar la ascensión.

Contrarrestar los efectos del viaje espacial

Los viajes espaciales tienen algunos efectos dramáticos en el cuerpo. Para compensar estos efectos los astronautas han de someterse a un entrenamiento especializado. Además dependen de equipos muy sofisticados.

Desde el momento en que la lanzadera espacial despega el cuerpo del astronauta se ve sometido a drásticos cambios ambientales.

ADAPTACIÓN AL ESPACIO

Inmediatamente el empuje gravitacional de la lanzadera al despegar somete el cuerpo a una inmensa presión. Cuando la nave acelera, las fuerzas g multiplican por tres el valor normal de la gravedad provocando compresión torácica, dificultades para respirar y una sensación extrema de pesadez. En unos minutos la lanzadera entra en órbita y en ingravidez.

Después el cuerpo tendrá que volver a reajustarse en su vuelta a la Tierra. Para adaptarse a estos cambios extremos de los viajes espaciales los astronautas se someten a un riguroso entrenamiento y deben tener una excelente salud.

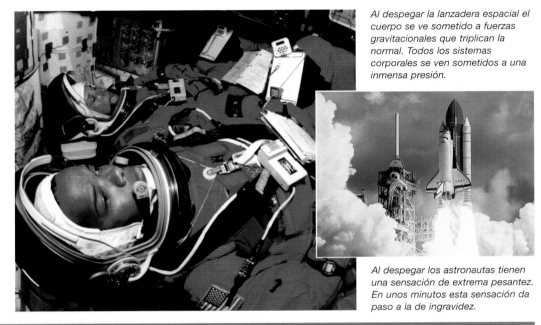

Al despegar la lanzadera espacial el cuerpo se ve sometido a fuerzas gravitacionales que triplican la normal. Todos los sistemas corporales se ven sometidos a una inmensa presión.

Al despegar los astronautas tienen una sensación de extrema pesantez. En unos minutos esta sensación da paso a la de ingravidez.

Precauciones en vuelo

En el espacio es esencial que los astronautas sigan un estricto programa de ejercicios (de hasta dos horas al día) para contrarrestar el desgaste muscular, óseo y cardiaco. Sin este ejercicio el cuerpo se debilitaría demasiado para sobrevivir a un retorno a la atmósfera terrestre. La combinación de espacio reducido e ingravidez hace que los astronautas dependan de máquinas de ejercicios, como las pesas, para evitar el desgaste muscular. También utilizan grandes cintas de goma y pesos en los hombros para producir una sensación similar al peso.

Pérdida de líquidos

Una forma de compensar la pérdida de líquidos consiste en usar un dispositivo de presión negativa en la parte inferior del cuerpo, lo que supone el empleo de una bomba de succión parecida a una aspiradora por debajo de la cintura para no perder líquido en las piernas.

Este dispositivo puede conectarse a una máquina de ejercicios, como las pesas. La práctica diaria de unos 30 minutos con este dispositivo permite a los astronautas mantener su sistema circulatorio en un estado semejante al de la Tierra.

Inmediatamente después de volver a la Tierra los astronautas beben grandes cantidades de agua o soluciones de electrolitos para reponer los líquidos perdidos. Sin esta medida probablemente se desmayarían al regresar.

Monitorización

La monitorización constante de los cambios corporales en cada misión es una parte extraordinariamente importante del cometido de cada

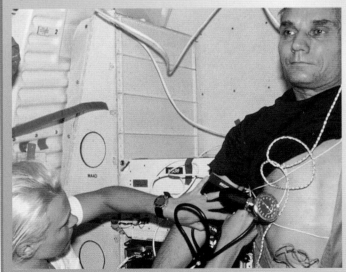

Los astronautas se ejercitan a diario en máquinas como levantamiento de pesas. Así compensan el desgaste muscular que tendrá lugar en el espacio.

Los astronautas vigilan constantemente los cambios de su cuerpo en el espacio. Ofrecen así datos vitales para la investigación sobre el efecto de los viajes espaciales.

astronauta. Estas medidas son esenciales, ya que permiten detectar cualquier cambio anómalo, además de proporcionar datos vitales para la investigación sobre los efectos en el cuerpo humano de los viajes espaciales.

Crear un microentorno seguro

El espacio constituye un espacio hostil para el cuerpo. Fuera de la nave los astronautas perecerían en cuestión de segundos sin la ayuda de un traje espacial.

Los astronautas han pisado y caminado por la Luna, lo cual habría sido imposible sin un equipo extremadamente especializado.

ENTORNO HOSTIL
Si un astronauta abandonara el entorno seguro de un traje espacial, perecería al instante por varias razones:

■ Por la falta de oxígeno perdería la conciencia en 15 segundos.
■ En el espacio no hay prácticamente presión, por lo cual la sangre y otros líquidos corporales entrarían al instante en ebullición.
■ Las temperaturas extremas, entre 120 °C al sol y -100 °C en la sombra, serían fatales.

■ El cuerpo estaría expuesto a niveles letales de radiación de los rayos cósmicos y las partículas cargadas emitidas por el Sol.

Además, los astronautas afrontan el riesgo de las partículas rocosas y residuos de satélites en rápido movimiento que bombardean el lugar, creando un entorno peligroso.

Por tal motivo se requiere un equipo cada vez más sofisticado para crear un microentorno seguro.

Los trajes espaciales ofrecen a los astronautas un entorno controlado de presión y temperatura. También les protegen de la radiación y de los residuos espaciales.

Pérdida de memoria

Los trajes espaciales permiten a los astronautas abandonar la seguridad de la nave espacial al dotarles de:

■ Una atmósfera presurizada, vital para mantener los fluidos corporales en estado líquido. Los trajes espaciales actúan por debajo de la presión atmosférica, mientras que la cabina de la nave funciona a una presión de aire normal. Por este motivo existe una cámara de despresurización entre la cabina y el exterior de manera que pueda reducirse la presión antes de que los astronautas se pongan su traje, evitando que se acumule nitrógeno

Los astronautas entran en un compartimiento estanco antes de ponerse el traje espacial. Así facilitan la adaptación del cuerpo a bajas presiones atmosféricas.

en la sangre (síndrome de descompresión).
■ Suministro de oxígeno. Los trajes espaciales aportan oxígeno puro para respirar, bien tomado de la nave espacial (por un «cordón umbilical»), bien de una mochila especializada. Como la lanzadera espacial tiene una mezcla de aire normal (que simula la atmósfera terrestre), los astronautas deben respirar oxígeno puro durante un cierto tiempo antes de ponerse el traje espacial. Se elimina así el nitrógeno de la sangre y los tejidos corporales del astronauta reduciendo el riesgo de que penetre en la sangre y provoque un pro-

blema de descompresión. El traje espacial está diseñado asimismo para eliminar el dióxido de carbono, que en caso contrario se acumularía en el cuerpo y provocaría una intoxicación.
■ Aislamiento. Los trajes espaciales están diseñados para mantener la temperatura óptima del cuerpo, a pesar de una actividad agotadora, y para evitar la exposición a temperaturas extremas. Los trajes espaciales están muy bien aislados con capas de tejidos sofisticados que permiten al cuerpo respirar, pero mantienen la temperatura. El calor producido por el cuerpo durante la agotadora actividad se disipa mediante un ventilador o refrigerador de agua para evitar un exceso de sudor y la consiguiente deshidratación. Se sabe de astronautas que han perdido varios kilos durante un paseo espacial por la pérdida de fluidos.
■ Protección. Los trajes espaciales están fabricados con varias capas de tejido resistente que protegen el cuerpo de los residuos volantes e impiden que el traje se rasgue.
■ Defensa contra la radiación. Estos trajes ofrecen sólo una pro-

tección limitada contra la radiación, con lo que los paseos espaciales se planifican siempre durante periodos de baja actividad solar.
■ Fácil movilidad. Las uniones de los tejidos del traje espacial permiten a los astronautas moverse con facilidad.
■ Visión clara. Los visores están hechos con un material transparente, diseñado para reflejar la luz solar y reducir los deslumbramientos. Unas luces acopladas permiten a los astronautas ver en la oscuridad.
■ Comunicación. Los trajes espaciales están provistos de emisores y receptores de radio para facilitar la comunicación.

El espacio es un entorno hostil para la vida humana. Los trajes espaciales crean condiciones óptimas para el cuerpo, permitiendo a los astronautas explorar nuevas fronteras.

Cómo se producen los biorritmos

Muchos de los procesos fisiológicos importantes tienen lugar en ciclos denominados biorritmos. Estos ciclos se producen en intervalos específicos y están controlados por un reloj biológico interno.

Muchos de los procesos fisiológicos que tienen lugar dentro del cuerpo están sincronizados para producirse en intervalos específicos. Por ejemplo, el inicio de la pubertad es un suceso fisiológico desencadenado por una especie de mecanismo de sincronización que se activa al principio de la adolescencia.

Muchos de los procesos fisiológicos del cuerpo están controlados por hormonas que fluctúan en ritmos llamados biorritmos.

CICLO MENSUAL

Un ejemplo de biorritmo es el ciclo menstrual femenino. La mucosa uterina se desarrolla, degenera y se desprende en un ciclo que se repite cada 28 días aproximadamente.

Este ciclo sugiere que las hormonas responsables de la menstruación están controladas por alguna clase de reloj interno.

Diferentes tipos de biorritmos se producen en intervalos de tiempo variables. Algunos son:

- Pulsos. Las hormonas pueden secretarse en brotes en intervalos de unos minutos, como sucede con la insulina, o cada hora.
- Ritmos circadianos. Regulados por un periodo de 24 horas, como sucede con las hormonas que controlan el ciclo de sueño-vigilia.
- Ciclos mensuales. Por ejemplo, las fluctuaciones de las hormonas que controlan el ciclo menstrual.

Muchos procesos fisiológicos se dan en ciclos. Estos biorritmos parecen estar sincronizados por factores externos, como la luz y la oscuridad.

Ritmos circadianos

Muchos de los biorritmos mostrados por los seres humanos parecen estar ligados a ritmos ambientales.

Los biorritmos que siguen ciclos de 24 horas (aproximadamente el ciclo solar o de luz-oscuridad) se denominan ritmos circadianos (literalmente, «de un día»).

El ciclo de sueño-vigilia es un ejemplo de ritmo circadiano. Nuestros niveles de alerta parecen estar sincronizados con el ciclo de 24 horas de luz y oscuridad.

CICLO DE SUEÑO-VIGILIA

Un ejemplo evidente de biorritmo circadiano es el ciclo de sueño-vigilia. En general los adultos suelen despertarse temprano por la mañana y acostarse a última hora de la noche. Análogamente la temperatura corporal fluctúa en un periodo de 24 horas: es mínima a mitad de la noche y suele alcanzar un máximo al mediodía.

En los niveles de muchas hormonas se observa correspondencia con esta pauta circadiana.

HORMONAS

El cortisol producido por las glándulas suprarrenales es una de estas hormonas. Si se observan los niveles de cortisol durante un periodo de 24 horas, puede percibirse un patrón diferenciado. La producción de cortisol aumenta al despertarnos y alcanza un máximo al principio de la mañana. Los niveles de esta hormona llegan al mínimo hacia la medianoche.

HORMONA TIROIDEA

La producción de hormona tiroidea por la hipófisis sigue también un ritmo circadiano. La hormona tiroidea actúa directamente sobre casi todas las células del cuerpo controlando su velocidad metabólica. Los niveles de esta hormona alcanzan un máximo a media mañana y el mínimo hacia las 11 de la noche.

La producción de otras hormonas, como las endorfinas y las hormonas sexuales, varía también de modo circadiano.

Ciclo luz-oscuridad

Los estudios revelan que cuando se introduce a personas en cámaras de aislamiento (sin señales que indiquen el tiempo), siguen un ciclo regular de sueño-vigilia, aunque cercano a 25 horas. Con el tiempo estas personas pierden la sincronización entre día y noche.

Sincronización

Si se les vuelve a exponer a los ciclos de luz-oscuridad, el cuerpo pronto recupera el ciclo circadiano. Ello demuestra que el periodo natural del reloj del cuerpo no se debe al ciclo día-noche, sino que simplemente se sincroniza con él.

En ausencia de pistas externas los seres humanos siguen un ciclo regular de sueño-vigilia. Sin embargo, nuestro ciclo natural es algo mayor de 24 horas.

El reloj biológico

Los biorritmos parecen estar regulados por un mecanismo autosostenido de sincronización o reloj biológico. La investigación indica que este reloj está sincronizado con el ciclo de luz-oscuridad mediante la interacción entre el hipotálamo y la glándula pineal.

La luz que entra en los ojos llega a la retina (zona densamente ilustrada en la parte posterior del ojo) estimulando la corteza visual del encéfalo.

Sin embargo, algunas de las fibras retinianas están conectadas con los núcleos supraquiasmáticos, dos diminutas estructuras situadas en el hipotálamo.

GLÁNDULA PINEAL

La estimulación de los núcleos supraquiasmáticos hace que el hipotálamo envíe señales a la glándula pineal (una pequeña glándula ovalada situada inmediatamente encima del tronco encefálico). Esta glándula se llama a veces «tercer ojo», ya que se activa por los niveles de luz y oscuridad.

MELATONINA

La glándula pineal secreta la hormona melatonina como respuesta a las señales que recibe de la retina (mediada por el hipotálamo).

En la oscuridad la glándula pineal secreta melatonina, mientras que la presencia de luz la suprime. La investigación muestra que la melatonina influye en la actividad de una serie de glándulas endocrinas.

La melatonina tiene un papel importante en la regulación del ciclo del sueño, ya que cuando aumentan sus niveles se siente somnolencia y fatiga. La investigación indica que existe una relación entre la actividad de la glándula pineal y el trastorno afectivo estacional.

La presencia de melatonina reduce también la actividad de los núcleos supraquiasmáticos.

RITMOS PERDIDOS

Desde hace tiempo se sabe que los núcleos supraquiasmáticos, por ejemplo, después de una operación de cirugía para extirpar un tumor cerebral, provocan la pérdida de los ritmos circadianos. Análogamente, las enfermedades del hipotálamo causan trastornos en los patrones normales, por ejemplo, del sueño.

INVESTIGACIÓN

Aunque la investigación persiste, parece demostrado que la sincronización del cuerpo con el ciclo de día y noche implica la estimulación de los núcleos supraquiasmáticos para activar el reloj y que la acción de la glándula pineal desactiva al mismo.

En conjunto, estas zonas especializadas del encéfalo regulan la sincronización de eventos o acciones, como el sueño, el despertar, las horas de las comidas y la temperatura corporal.

La glándula pineal está situada inmediatamente encima del tronco encefálico. Esta glándula secreta melatonina como respuesta a las señales del hipotálamo.

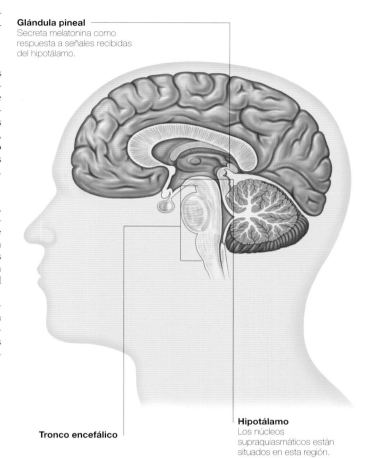

La glándula pineal

Glándula pineal
Secreta melatonina como respuesta a señales recibidas del hipotálamo.

Tronco encefálico

Hipotálamo
Los núcleos supraquiasmáticos están situados en esta región.

Los efectos del «jet lag»

Los viajes a otras zonas horarias pueden interferir en los ciclos naturales del cuerpo. Los ritmos circadianos, como las pautas para las horas de comer, pueden verse muy trastornados.

Los viajes rápidos atravesando zonas horarias han dado lugar al fenómeno de la descompensación horaria, coloquialmente *jeg lag*.

Interrupción de los biorritmos
Cuando el cuerpo va a una zona horaria diferente, su reloj biológico no se corresponde con el de la misma, con el resultado de que los ritmos circadianos dejan de estar sincronizados con el ciclo de luz-oscuridad.

En consecuencia, los ritmos circadianos normales de sueño, despertar, comida y bebida se trastornan. Ello puede provocar insomnio, fatiga durante el día, desorientación, malestar y deterioro en el rendimiento físico y mental.

Estos efectos no sólo se dan como consecuencia de un viaje en avión, sino que también los sufren personas inmersas en entornos extremos, como viajes espaciales o expediciones al Ártico o a la Antártida, donde los ciclos de luz-oscuridad son marcadamente diferentes.

Viaje hacia el este
Los efectos del *jet lag* suelen empeorar cuando se viaja hacia el este, ya que se pierden horas. Como el ciclo natural del cuerpo es de unas 25 horas, le es más fácil adaptarse a un día más largo, es decir, cuando se viaja al oeste.

Es interesante saber que si una persona da la vuelta al mundo en un día y regresa a la zona horaria original, no sufrirá *jet lag*.

Actualmente se están investigando los efectos de la melatonina en la resincronización del cuerpo con el ciclo de 24 horas después de un viaje de larga distancia.

Cómo envejece el cuerpo

El envejecimiento es la degeneración gradual del cuerpo con el tiempo.
Procesos biológicos, como las funciones del sistema cardiovascular, pierden
eficacia hasta que dejan de cumplir su cometido.

Se habla de envejecimiento para referirse a los cambios fisiológicos que tienen lugar en el cuerpo cuando va perdiendo funcionalidad con el paso del tiempo. Este proceso se produce de forma gradual a lo largo de los años a partir de la tercera década de vida (de los 20 a los 30).

ESPERANZA DE VIDA
La vida más larga registrada en el *Libro Guinness de los Récords* es de 122 años. Con los avances en el tipo de vida, la medicina y la higiene, es probable que se supere esta marca. Por ejemplo, esperanza de vida en el Reino Unido es de 74 años para los hombres y 79 para las mujeres.

«PARAR EL RELOJ»
Se han realizado extensas investigaciones sobre los mecanismos biológicos que subyacen al envejecimiento en un intento por retrasar sus efectos e incluso por invertir el proceso.

Aunque se han logrado grandes avances en la comprensión del proceso, lo cierto es que el envejecimiento es un estado biológico inevitable y una parte de la vida, como la lactancia, la infancia o la adolescencia.

El envejecimiento se produce de forma gradual, en un periodo de muchos años. Los avances médicos han ayudado a disfrutar de una vida más larga que nunca en la Historia.

Envejecimiento celular

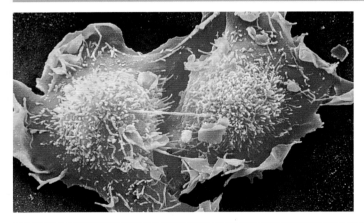

Para comprender el proceso del envejecimiento es necesario investigar los mecanismos biológicos que se producen en las células. Éstas son los bloques constitutivos individuales del organismo, que funcionan en conjunto para formar los tejidos que configuran el cuerpo. Estas células se reponen mediante el proceso de replicación celular (división celular).

Las células se dividen un número finito de veces antes de morir. Es probable, por tanto, que los genes celulares estén programados para dejar de funcionar en un momento determinado.

MUERTE CELULAR
La investigación ha demostrado que las células se dividen un número finito de veces antes de experimentar la apoptosis (muerte celular programada). Además, las células restantes pueden no funcionar con igual eficiencia que entre los jóvenes. Algunas enzimas celulares pueden ser menos activas, por lo que se necesita más tiempo para que se produzcan las reacciones químicas que son esenciales para el funcionamiento básico de las células. Cuando éstas dejan de reproducirse, el organismo pierde eficacia hasta que deja de cumplir con su función biológica.

Cambios externos

El envejecimiento se caracteriza sobre todo por los cambios externos que tienen lugar en el cuerpo.

CAMBIOS EN EL PELO
Tal vez el cambio más evidente que se produce durante el proceso de envejecimiento es la alteración del color del pelo. Hacia los 30 años a menudo aparecen cabellos grises o blancos debido a que los folículos pilosos pierden su fuente de pigmentación. La aparición de canas se hace más evidente cuando se van perdiendo los cabellos pigmentados y se sustituyen por otros grises.

En los dos sexos el pelo se aclara considerablemente y puede incluso aparecer calvicie.

CAMBIOS EN LA PIEL
La piel pierde su elasticidad con la edad y aparecen arrugas. Ello se

debe a cambios en el colágeno (proteína estructural) y la elastina (proteína que confiere a la piel su calidad elástica).

CAMBIOS EN LA ESTATURA
La mediana edad se asocia por lo común con un aumento de peso al ralentizarse el metabolismo, seguido por una pérdida importante de peso durante la vejez.

El tejido muscular puede sustituirse por grasa, sobre todo en el tronco, mientras los brazos y las piernas, por lo general, adelgazan.

Los ancianos suelen perder altura debido a la compresión de las vértebras de la columna.

Cuando el cuerpo envejece, el pelo pierde su color y se torna gris. La piel se hace menos elástica y aparecen arrugas debido a cambios en el colágeno y la elastina.

Cambios internos

Los estudios fisiológicos revelan que el rendimiento de muchos órganos vitales del cuerpo, como el corazón, los riñones y los pulmones, se reduce con la edad.

Los cambios asociados con el envejecimiento tienen lugar también internamente. Muchos órganos internos, como los riñones, el bazo, el páncreas, los pulmones y el hígado, se contraen y pierden eficacia funcional, ya que las células que los forman se degeneran gradualmente.

La circulación de la sangre por el corazón también se ve afectada por el envejecimiento. La acción de bombeo cardiaco se reduce enormemente y la respuesta del cuerpo al ejercicio o el estrés al aumentar la frecuencia cardiaca es mucho más extrema. Los vasos sanguíneos (venas, arterias y capilares) de todo el cuerpo pierden elasticidad y muestran tendencia a retorcerse.

Los huesos se vuelven frágiles al perder contenido en calcio, lo que hace que los ancianos sean más propensos a fracturas, incluso en las caídas más intrascendentes.

Existe un declive general en los mecanismos reguladores del cuerpo, por lo que éste es menos adaptable a los cambios externos. Los ancianos son más sensibles a los extremos de temperatura, y pueden necesitar más tiempo para recuperarse de las enfermedades.

El declive gradual del sistema inmunitario hace también que las personas mayores sean más vulnerables a la infección y la enfermedad.

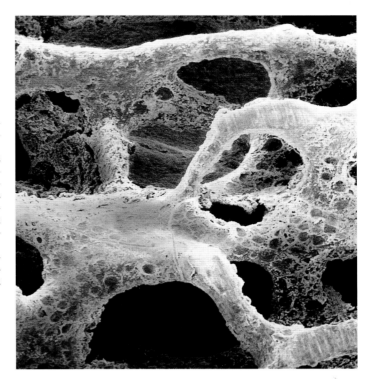

La amígdala cerebral y el hipocampo son estructuras del encéfalo asociadas con la memoria. Convierten la nueva información en recuerdos de larga duración.

Cambios en el sistema nervioso

El encéfalo experimenta una pérdida gradual de neuronas (células encefálicas), que no se reponen.

APTITUD MENTAL
Sin embargo, aunque el número de células encefálicas desciende a lo largo de la vida, ello representa sólo un pequeño porcentaje del número total de células del encéfalo. No existen evidencias concluyentes de que la inteligencia se deteriore con la edad, un hecho que podría estar más bien asociado a la educación y el estilo de vida.

ENFERMEDADES DEBIDAS A LA EDAD
Las células encefálicas son extremadamente sensibles a la falta de oxígeno. Es probable que cuando se percibe deterioro cerebral, no se deba al envejecimiento en sí, sino a enfermedades relacionadas con la edad, como la arteriosclerosis. Estas enfermedades afectan al sistema cardiovascular y reducen el aporte de oxígeno al encéfalo. La eficacia cerebral se reduce, lo que puede conllevar una pérdida de rendimiento intelectual. La capacidad lógica, la agilidad mental y la disposición para asimilar nuevas ideas se ven también afectadas.

FUNCIÓN CEREBRAL
Las funciones relacionadas con el cerebro también pierden eficacia. Los reflejos y los movimientos físicos se ralentizan y la memoria puede deteriorarse, sobre todo para los hechos recientes.

DEMENCIA SENIL
En casos graves lo anterior puede llevar a demencia senil. Este problema se caracteriza por una pérdida de memoria, conducta infantiloide, habla incoherente y falta de conciencia del entorno.

La estimulación mental es importante para contrarrestar los efectos del envejecimiento en el cerebro. Actividades como hacer crucigramas ayudan a mantenerse intelectualmente en forma.

Sentidos

Existe un deterioro gradual de los sentidos con la edad:

- ■ Vista. Después de los 20 años existe un declive en la agudeza visual, que se deteriora a un ritmo todavía mayor después de los 50. El tamaño de la pupila se reduce también con la edad con el resultado de un deterioro de la visión nocturna. Los ojos se hacen también más vulnerables a la enfermedad.
- ■ Oído. Existe una reducción gradual en la audición de tonos a altas frecuencias. Este hecho puede interferir en la identificación de las personas por la voz y en las conversaciones en grupo.
- ■ Gusto. El número de papilas gustativas se reduce gradualmente y se pierde sentido del gusto.
- ■ Olfato. Puede deteriorarse con la edad afectando asimismo al sentido del gusto.

Genética del envejecimiento

Los avances médicos han servido para elevar la esperanza de vida, aunque todavía no se ha alcanzado el máximo posible.

La investigación de laboratorio ha demostrado que las células se replican un cierto número de veces antes de morir y que la calidad de cada célula se deteriora gradualmente. Esto sugiere que los seres humanos podríamos estar programados para envejecer y morir en algún momento predeterminado y que los genes pueden contener instrucciones para dejar de funcionar en un momento dado.

Factores ambientales
En realidad, el modo en que envejece una persona está determinado no sólo por los genes, sino también por factores ambientales como el estilo de vida y la dieta.

Una persona que fuma, come mal y no hace ejercicio envejecerá más deprisa, contraerá enfermedades y morirá antes de su tiempo determinado genéticamente.

El ritmo al que envejece cada persona está determinado por factores genéticos y ambientales. El ejercicio regular ayuda a retrasar los efectos del paso del tiempo.

Índice

Créditos fotográficos

Aparte de las imágenes enumeradas a continuación, todas las ilustraciones de este libro, incluida la contracubierta, proceden originalmente de la obra *Inside the Human Body*, producida por Bright Star Publishing plc.

PHOTOS.COM: cubierta.
GETTY IMAGES: 6 (Geoff Brightling/Iconica).
CORBIS: 7 (Howard Sochurek), 8 (Visuals Unlimited), 9 (Cloud Hill Imaging Ltd.).